PAUL ALTHAUS

DIE THEOLOGIE MARTIN LUTHERS

GÜTERSLOHER VERLAGSHAUS

GERD MOHN

1. Auflage · Verlagsnummer 23 4049
© Gütersloher Verlagshaus Gerd Mohn 1962
Gesamtherstellung Mohn & Co GmbH, Gütersloh
Schutzumschlag B. u. P. Willberg
Printed in Germany

Theologia est infinita sapientia,
quia nunquam potest edisci.

Luther (W A 40 III, 63, 17)

Vorwort

Dieses Buch ist erwachsen aus den Vorlesungen und Übungen zu Luthers Theologie, wie ich sie seit den zwanziger Jahren bis heute in Rostock und Erlangen regelmäßig gehalten habe. Von den Studien für sie und für die Vorträge über Luther-Themata, vor allem auf den Tagungen der Luther-Gesellschaft durch die Jahrzehnte hindurch, ist inzwischen manche schon im Druck erschienen, als selbständige Schrift oder als Aufsatz. Sie sind gutenteils in dieses Buch eingegangen, mehr oder weniger unverändert. Das gilt zum Beispiel von dem Hauptteil der Schrift »*Communio sanctorum*, Die Gemeinde im lutherischen Kirchengedanken«, I, 1929; von dem historischen Teil der Arbeit »Die lutherische Abendmahlslehre in der Gegenwart«, 1931; von den Aufsätzen im Luther-Jahrbuch 1931 über Luthers Rechtfertigungslehre, 1934 über den »Geist der Luther-Bibel«, 1941 über Luthers Eschatologie; von dem Aufsatz »Martin Luther über die Kindertaufe«, zuerst erschienen in der Theol. Lit. Zeitung 1949, Nr. 12, dann in der Schrift: »Was ist die Taufe?« (1950); von dem Beitrag zu der Festschrift für Bischof Lilje: *Stat crux, dum volvitur orbis*, 1959: »Martin Luther über die Autorität der Kirche«.

Das Ziel des Buches ist das gleiche geblieben wie das der Vorlesungen: ein Gesamtbild der theologischen Arbeit Martin Luthers in den Grundzügen zu geben. Es will dabei nicht etwa den Ertrag der sogenannten Luther-Forschung zusammenfassen noch dieser durch eigene Spezialforschung dienen. Nur an wenigen Punkten setzt es sich ausdrücklich mit der Forschung auseinander. Es war dem Verfasser nicht möglich, die Legion der Studien zu Luthers Theologie, der evangelischen und der sich so erfreulich mehrenden katholischen, ganz zu verfolgen und auszuwerten, obgleich er die wichtigsten zu kennen meint. Daher sind auch die Literaturangaben zu den einzelnen Kapiteln ganz bescheiden und unvollständig. Es ging mir, wie in den Vorlesungen, darum, aus dem immer neuen und immer erweiterten Umgang mit der Quelle selbst ein lebendiges Bild der Theologie Luthers zu gewinnen und dieses so wiederzugeben, daß es für die theologische Besinnung und durch sie hindurch für die Verkündigung des Evangeliums in unserer Zeit fruchtbar wird. Das Buch ist nicht für den Forscher geschrieben, sondern wendet sich an die Theologen- und Pfarrerschaft im Ganzen, darüber hinaus an alle, die »Dienst am Worte« zu tun haben und dafür von Luther lernen wollen.

Die Absicht ging nicht auf eine historisch-genetische Darstellung. Das Werden der reformatorischen Theologie Luthers mit allen wichtigen Fragen dazu bleibt außer Betracht. Die Entwicklung seines Denkens vom früheren zum späteren Luther kommt nur an einigen wichtigen Punkten zur Sprache. Seine Theologie wird als im Großen und im Entscheidenden durchgängig und einheitlich durch ihre Stadien hindurch genommen. Auch Luthers Gegensatz und seine Polemik wider die scholastische Theologie und das römisch-katholische Kirchentum kommt meist nur implizit zu Worte, nämlich in der Darstellung seiner Position und der mit ihr sachlich gegebenen Antithesen. Die Absicht dieser Darstellung und Interpretation von Luthers Lehre ist eine »systematische«. Sie geht dahin, Luthers Verständnis des Evangeliums, trotz allem, was an seiner Theologie zeitgebunden und von uns nicht anzueignen ist, als eine lebendige Größe sehen zu lassen, die für unsere gegenwärtige theologische Arbeit und dadurch für die Zukunft unserer Kirche, ja der ganzen Christenheit von hoher Bedeutung ist, zur Vertiefung, zur Erneuerung, zur Einigung über dem Evangelium. Was vor nunmehr genau hundert Jahren *Theodosius Harnack,* damals in Erlangen, im Vorwort seines Werkes »Luthers Theologie« schrieb, das hat sich nicht nur in dem Säkulum seither bewährt, sondern gilt unvermindert noch heute und weiterhin: bei Luther »ist noch ein Schatz echt theologischer, fruchtbarer Gedanken zu heben, der unserem Kirchenvater noch eine Zukunft auch in der Theologie sichert«. Schon neun Jahre vorher hatte der Erlanger Dogmenhistoriker und Dogmatiker *Gottfried Thomasius* ausgesprochen: »Aus Luther ist noch unendlich viel für die Neubelebung und Erfrischung unserer Dogmatik zu gewinnen.« Das ist schon bisher wahr geworden. Durch die Vermittlung der großen Luther-Forscher des letzten Jahrhunderts ist Martin Luther, wie seit dem 16. Jahrhundert so noch nie, eine Macht in der theologischen Arbeit geworden. *Erich Seeberg* hat wohl recht, wenn er 1940 im Rückblick auf die Jahrzehnte vorher urteilt: »Die historischen Arbeiten über Luther haben auch für die Entwicklung der systematischen Theologie, besonders in Deutschland, oft mehr bedeutet als die Lehrbücher der Dogmatiker.« Gilt es nicht auch noch für unsere heutige Lage?

Weil das Buch der lebendigen Wirkung Luthers auf unsere Gegenwart dienen will, läßt es in der Darstellung den Reformator so viel als möglich selber zu Worte kommen, im Text und in den Anmerkungen; diese geben nicht nur die Fundorte an, sondern bieten überwiegend auch den Wortlaut der betreffenden Stellen. Damit wollen sie nicht allein die Darstellung belegen, sondern darüber hinaus die eigene Stimme Luthers hören lassen. Die Darstellung von Luthers Theologie bedeutet gegenüber dem unerschöpflichen Reichtum seiner Aussagen unvermeidlich immer auch Abstraktion, Schwund an Konkretheit. Dem soll die reichliche Wiedergabe seiner eigenen Worte ein Gegengewicht bieten. Im Texte selbst sind dabei lateinische Sätze fast immer übersetzt worden.

Auch eine umfassende Darstellung wie die vorliegende stellt notwendig doch nur eine Auswahl dar und bleibt im Ganzen wie im Einzelnen ein Torso. Luthers Theologie ist ein Ozean. So wurde Vollständigkeit weder erstrebt noch erreicht. Das gilt sowohl im Blick auf Luthers Schriften wie auch für die behandelten Themen. Hier mußten Schwerpunkte gewählt und Beschränkung geübt werden. Einigermaßen vollständig und betont sind Luthers spätere Disputationen herangezogen worden (Band 39 I und II), wohl mit sachlichem Recht; Luther spricht sich hier sowohl besonders knapp und streng (zum Teil in den Thesen) wie auch besonders unmittelbar und lebendig (in seinen Beiträgen zu den Disputationen)

8

über die wichtigsten theologischen Themen aus. Was die Gegenstände angeht, so bietet dieses Buch von Luthers Ethik nur die Grundlage und den Ansatz. Dagegen steht die spezielle Ethik noch aus, also auch Luthers Verständnis der Bergpredigt und die Lehre von den beiden Reichen. Zu letzterer darf ich vorläufig auf die Darstellung im Luther-Jahrbuch 1957 verweisen; der dortige Aufsatz ist in verkürzter Gestalt im »Evangelischen Kirchenlexikon« unter dem Stichwort »Zweireiche-Lehre« abgedruckt, vollständig wird er in dem 1962 bei der Calwer Verlagsbuchhandlung erscheinenden Sammelbande »Um die Wahrheit des Evangeliums« wiedergegeben. Ich möchte die Ethik Luthers noch einmal durcharbeiten und sie dann dem vorliegenden Buche als Ergänzung folgen lassen. – Auch Luthers Gedanken zur Geschichte und über Gottes Walten in ihr kommen nicht ausdrücklich vor (s. jedoch S. 366 ff.).

Besonderes Gewicht habe ich darauf gelegt, in der Darstellung der Gedanken Luthers ständig auf ihre biblische Begründung hinzuweisen. Nur damit wird man der Eigenart seiner Theologie gerecht. Denn er entwickelt sie durchgehend so, daß er Schriftstellen auslegt oder sich doch auf sie bezieht. Dem muß die Darstellung Rechnung tragen. Im besonderen betont sie immer wieder Luthers Verhältnis zu dem Apostel Paulus und dabei nicht nur den Gleichklang der beiden Theologien, sondern auch ihre Unterschiede (vgl. schon: Paulus und Luther über den Menschen. 1938. 3. Aufl. 1958).

Wie dieser Vergleich der Besinnung auf die Sache dienen soll, so ist die ganze Darstellung, auch wo das nicht ausdrücklich hervortritt, von der Frage nach der Sache, der Wahrheit des Evangeliums bestimmt und wird daher hie und da auch zur kritischen Frage an den Theologen Luther. Das gehört mit zu dem »systematischen« Sinn des Buches.

Wieviel ich für das alles von den Meistern der Auslegung Luthers im letzten Jahrhundert und heute gelernt habe, bedarf keines Wortes. (Zur Würdigung ihrer Arbeit vgl. den Aufsatz »Die Bedeutung der Theologie Luthers für die theologische Arbeit«. Luther-Jahrbuch 1961. S. 13 ff.) Bei dem Umgang mit ihnen erkennt man freilich auch die Gefahr, die jedem lebendigen Vergegenwärtigen droht: nämlich den Theologen Luther als Eideshelfer für die eigene Theologie des Darstellers zu behandeln. Man kann aber im Wissen um diese Möglichkeit bewußt gegen sie kämpfen. Auch das vorliegende Buch wird in der Auswahl der Themen sowie in der Setzung der Schwerpunkte und Akzente im Ganzen und Einzelnen die heutige Lage und das eigene theologische Interesse des Autors erkennen lassen. Er kann aber bekennen, daß er mit Strenge dem widerstanden hat, Luther in die eigene Dogmatik einzufangen, geschweige denn, seine Gedanken in einer Schulsprache von heute wiederzugeben. Sollte man dennoch an wichtigen Punkten die Nähe dieser Darstellung Luthers zu der Dogmatik des Verfassers bemerken und etwa verdächtig finden, so könnte der Grund ja umgekehrt darin liegen, daß ich für die eigene Arbeit besonders viel von Luther gelernt habe. Dafür könnte ich mich auf den verstorbenen Leipziger

Kollegen *Horst Stephan* berufen. In seinem Buch »Luther in den Wandlungen seiner Kirche« (2. Aufl. 1951. S. 124) heißt es: »Dogmatik und Ethik bemühen sich heute um Sättigung mit dem echten Geiste Luthers«, und er fügt hinzu, daß dieses – er findet es z. B. bei *K. Barth* und bei *W. Elert,* aber auch »fast in der gesamten neueren dogmatischen Arbeit« – »am eindrücklichsten« in meiner »Christlichen Wahrheit« geschehe.

An den Schluß des Bandes sind als Anhang zwei schon früher gedruckte Studien gestellt: sie zeigen Luther im Ringen mit Stellen des Neuen Testaments, die für seine Theologie schwierig sind. Die Arbeit über 1 Kor 13,2 ist erschienen in der Gedenkschrift für Werner Elert (1955), die über 1 Joh 4,17a in der »Festgabe Joseph Lortz« zu seinem 70. Geburtstage.

Die Folge der Kapitel in diesem Buch entspricht nur zum Teil der fortschreitenden Darstellung der christlichen Wahrheit, wie wir sie von einer Schuldogmatik fordern und in ihr versuchen. Einige Stücke geben unter bestimmtem Gesichtspunkte jeweils das Ganze, wie zum Beispiel die *Theologia crucis* oder die Lehre von Gesetz und Evangelium. Ihre Grundgedanken kehren daher auch in den anderen Abschnitten vielfach wieder. So sind Wiederholungen hier sachgemäß; es empfahl sich auch, mehrfach die gleichen Luther-Stellen in verschiedenen Abschnitten zu bringen, statt der für den Leser meist wenig erfreulichen Verweisungen auf frühere Seiten.

Dadurch, daß in das Buch auch schon gedruckte Arbeiten aufgenommen sind, die ich nicht mehr völlig umgestalten konnte, ist das Verhältnis des Textes und der Zitate nicht überall gleichmäßig durchgeführt. So bringen die Kapitel von der Kindertaufe und vom Abendmahl die Zitate, im Unterschied von den meisten anderen Abschnitten, durchweg im Texte selbst, nicht in den Anmerkungen.

Die Werke Luthers sind nach der Weimarer Ausgabe angeführt, abgesehen von den wenigen Fällen, in denen eine Schrift noch nicht in der Weimarer Ausgabe vorliegt und daher nach der Erlanger zitiert werden mußte. Die jeweils angegebene Zeilenziffer meint auch da, wo nicht »ff.« hinzugesetzt ist, meist nicht nur die betreffende Zeile selbst, sondern auch das Folgende. Die deutschen Zitate sind in der Schreibung von heute gebracht.

Bei der Korrektur, vor allem dem Nachprüfen der Stellenangaben, hat mir mein Sohn, Vikar Gerhard Althaus, geholfen, bei dem Herstellen des Registers die Herren cand. theol. Ernst-Ulrich Schüle und Wolfgang Miller.

Erlangen, im Advent 1961

Inhalt

Anhang

Das Vorgegebene:
Die Autorität der Schrift und der Symbole

Die Theologie Luthers lohnt eingehendes Studium durch ihre hohe Originalität. Es ist unverwechselbar seine eigene Stimme, die aus ihr klingt. Aber Luther selber wollte gar nichts Eigenes sagen. Er wußte sich nur dazu beauftragt, die in der Heiligen Schrift beschlossene Wahrheit und das Dogma der rechtgläubigen Kirche recht auszulegen. Seine ganze theologische Arbeit setzt die Autorität der Schrift und die abgeleitete der rechten Tradition der Kirche voraus.

Zuerst also: die Autorität der Schrift ist allem theologischen Denken bei Luther vorgegeben. Seine Theologie will nicht mehr tun als die Schrift auslegen. Sie hat wesentlich die Gestalt der Exegese. Er ist kein »Systematiker« im Schulsinne, kein Dogmatiker, weder im Sinne der großen mittelalterlichen Systeme noch im Sinne der neueren Theologie. Er hat keine Dogmatik oder Ethik verfaßt, keine *Summa,* nicht einmal *loci theologici* wie Melanchthon oder eine *Institutio religionis christianae* wie Calvin. Luther lehrte in Wittenberg als Professor für die Bibelauslegung. Das Hauptstück seines literarischen Werkes sind demgemäß seine teils von ihm selber, teils von anderen herausgegebenen exegetischen Vorlesungen zum Alten und Neuen Testament. Neben ihnen stehen die Predigten, von ihm herausgegeben oder von seinen Schülern nachgeschrieben und zum Druck bearbeitet. Auch hier also hören wir ihn biblische Texte auslegen. Aber auch seine großen und kleineren thematischen Schriften sind gesättigt mit Zitaten aus der Schrift und weithin exegetischen Charakters. Auch da, wo er am strengsten und knappsten theologisch formulieren will, in den von ihm verfaßten Thesen für die Promotion seiner Schüler, bezieht er sich ständig ausgesprochen oder stillschweigend auf Bibelstellen und redet in der Sprache seiner lateinischen Bibel, der Vulgata. Man vergleiche in dieser Hinsicht nur die großen theologischen Werke der Scholastik mit Luther, um das Entscheidende seines theologischen Verfahrens in seiner Besonderheit und Neuheit zu sehen. Luther denkt in einem bisher nicht erhörten Maße im ständigen Umgang mit der Schrift, als Exeget und Prediger. Er tut kaum einen einzigen theologischen Schritt ohne Begründung und Führung durch die Schrift. Gewiß, auch er zitiert die Väter der Kirche und kann, z. B. in *De servo arbitrio,* auch die natürliche Vernunft, die Philosophie gelegentlich als zusätzliche Eideshelferin bei theologischen Thesen aufrufen[1]. Aber auf das Ganze seines theologischen Denkens gesehen bleibt das am Rande und sekundär, zusätzlich.

---

1. Etwa auch 8, 120,37. – Grundsätzlich ist Luther gegen philosophische Begriffe und Argumentationen in Fragen der Theologie mißtrauisch und bedenklich. »Ich gebrauche sie in der ganzen Theologie nicht gerne.« – »Die Philosophie (oder ›Physik‹) brachte und bringt immer Schaden und Nachteil für die Theologie.« – »Die Philosophie schmeichelt von Natur der Vernunft, und die Theologie liegt weit über menschlichem Begreifen.« Daher rät Luther seinen Schülern, die philosophischen Begriffe nach aller Möglichkeit in

Es ist lehrreich, Thomas und Luther hierin zu vergleichen: bei Thomas gewiß auch Berufung auf Schriftstellen, aber daneben Hinweise auf Aristoteles und selbständige philosophisch-ontologische Besinnung – demgegenüber bei Luther, alles andere übertönend, fortwährende Orientierung an der Schrift, weithin an ihr allein. Damit sollen die tatsächlichen philosophischen Einflüsse aus der Schule Ockhams nicht geleugnet werden – aber es kommt hier auf die bewußte Methode von Luthers theologischem Denken an. Er unterscheidet zwischen dem, was er auf Grund der Schrift sagen kann, und eigenen theologischen Meinungen, die er für niemanden verbindlich macht, weil er sie nicht aus der Schrift beweisen kann[2]. So hat er sich auch nur dessen rühmen wollen, daß er die Heilige Schrift etwas besser verstanden und zu verstehen gelehrt habe als die scholastischen Theologen, ja vielfach sogar als die alten Väter[3].

Es steht hier nicht in Frage, wie weit Luther die Schrift etwa einseitig oder gewaltsam ausgelegt hat. Auch von seiner Kritik am Kanon ist jetzt noch nicht zu reden. Beides ändert nichts daran, daß Luther in allem nichts als ein gehorsamer Hörer und Schüler der Schrift sein wollte, auch in seiner Schriftkritik.

Damit entsprach er ganz dem, was er über die *Autorität der Heiligen Schrift in der Kirche* lehrte. Als Niederschlag des apostolischen Zeugnisses von Christus hat die Schrift die entscheidende Autorität in der Kirche. Denn die Apostel sind das Fundament der Kirche, so ist ihre Autorität die fundamentale. Keine andere kommt ihr gleich[4]. Jede andere in der Kirche hängt daran, daß man der Lehre der Apostel folgt und sich an ihr ausweist[5]. Das bedeutet: nur die Schrift kann Artikel des Glaubens aufstellen und begründen. Was die Schrift bietet, ist genug zur Seligkeit. Die Christenheit bedarf zum Heile nichts über die in der Schrift verkündete Wahrheit hinaus. Das gilt sowohl für die Artikel des Glaubens wie für die sittliche Weisung. Der Schrift eignet,

der Theologie zu meiden. Wollen sie sich ihrer dennoch bedienen, dann müssen diese vorher für den theologischen Gebrauch »gereinigt« werden: »Führet sie mal zum Bade!« 39 I, 227,13; 228,14; 229,2.6; 231,1. – Vgl. Ti Nr. 5245.

2. So 7, 450,11 über das Fegefeuer. – 7, 455,19: Willst du aber je davon disputieren, so laß (es) doch einen Wahn (= Vermutung) bleiben und gute Meinung, wie ich tue, mach nit Artikel des Glaubens aus deinen Gedanken.

3. 15, 216,3: Ich weiß auch und bins gewiß von Gottes Gnaden, daß ich in der Schrift gelehrter bin denn alle Sophisten und Papisten. – 19, 350,2: Wiewohl aber wir uns nicht mögen über die alten Väter rühmen, ... so müssen wir doch das bekennen, könnens auch nicht leugnen, daß wir mehr Lichts und Klarheit an vielen Orten der Schrift haben von Gottes Gnaden, denn sie gehabt haben. – 53, 256,18: ... daß ich die Heilige Schrift (wiewohl wenig) viel besser verstehe.

4. 39 I, 184,4 ff.: Nulla autoritas post Christum est Apostolis et Prophetis aequanda ... Ideo soli fundamentum Ecclesiae vocantur, qui articulos fidei tradere debebant. – 48,1: Apostoli, qui certo Dei decreto nobis sunt infallibiles Doctores missi.

5. 39 I, 185,5: Quidquid volunt docere aut statuere, debent autoritatem Apostolorum sequi et afferre.

wie die spätere Dogmatik sagte, *sufficientia*[6]. Heilsnotwendig ist kein Dogma und keine Ordnung der Kirche, die nicht schon in der Schrift enthalten sind.

Also hat die Kirche keine Vollmacht, neue Artikel des Glaubens und neue Gebote aufzustellen, keine ihrer Instanzen, kein Konzil[7]. Damit sollen die Lehrer der Kirche und ihre theologische Arbeit und Lehre nicht geringgeachtet und verworfen werden. Aber ihre Geltung hängt ab von ihrer Schriftgemäßheit[8]. Sie müssen ihre Sätze aus der Schrift begründen, und sie unterliegen der Beurteilung und Kritik von der Schrift her. »Denn sie ist allein der rechte Lehensherr und Meister über alle Schrift und Lehre auf Erden[9].« Die Schrift allein ist die Instanz, die Streitfragen der Lehre zu entscheiden vermag[10]. Ferner: Die Aufstellungen der Lehrer und Väter der Kirche haben niemals den Rang von Artikeln des Glaubens[11]. Denn die geben nicht die unbedingte Gewißheit, die das Gewissen braucht und die Schrift, das Wort Gottes, mit sich bringt. Nur auf Gottes Wort kann man unbedingt vertrauen, auf die Lehre der Väter nicht. Denn die Lehrer der Kirche können irren und haben geirrt. Die Schrift irrt nie[12]. Daher hat nur sie unbedingte Autorität. Die Autorität der Theologen

6. 30 II, 420,13: Omnes articuli sufficienter sunt in scripturis sanctis conditi, ut non sit opus ullum praeterea condi. Omnia praecepta bonorum operum sunt in scripturis sanctis sufficienter statuta, ut non sit opus ullum praeterea statui. – Vgl. 39 I, 47,37. – 39 II, 43,20: Ultra scripturam nihil potest condi, vel de fide vel de moribus, ad salutem necessarium. – 7, 453,1: Niemand ist schuldig mehr zu glauben, denn in der Schrift gegründet ist.

7. 30 II, 420,6: Ecclesia Dei non habet potestatem condendi ullum articulum fidei, sicut nec ullum condidit nec condet in perpetuum. Ecclesia Dei non habet potestatem statuendi ullum praeceptum bonorum operum, sicut nec ullum unquam statuit nec statuet in perpetuum. – 50, 206,26: Es heißt, Gottes Wort soll Artikel des Glaubens stellen und sonst niemand, auch kein Engel. – 50, 607,6: ... daß ein Concilium habe keine Macht neue Artikel des Glaubens zu stellen, unangesehen, daß der Heilige Geist drinnen ist. – 617,9: In diesem Reich der Kirchen heißts also: »Gottes Wort bleibet ewiglich«, nach demselben muß man richten und nicht neue oder ander Gottes Wort machen, neu oder ander Artikel des Glaubens setzen. – 8, 108,23: Sine scripturae exemplo nihil sit in fide asserendum.

8. 8, 79,12 (von den Vätern): Proinde optime valere eorum autoritates, quando scripturis nituntur. – 18, 656,25.

9. 7, 317,5: Derhalben uns die Not dringt, mit aller ihrer Schrift in die Biblien zu laufen und allda Gericht und Urteil über sie holen ... (folgen die im Text wiedergegebenen Worte). – 8, 99,9.

10. 7, 97,19.

11. 6, 508,19: Quod sine scripturis asseritur aut revelatione probata, opinari licet, credi non est necesse. – 54, 425,2: Quicquid in Ecclesia Dei docetur sine Verbo, mendatium et impietas est. Si idem pro articulis fidei statuitur, impietas et haeresis est. – 50, 206,19: Es gilt nicht, daß man aus der heiligen Väter Werk oder Wort Artikel des Glaubens macht. – 8, 108,29.

12. 7, 315,28: Dieweil jedermann wohl weiß, daß sie (die heiligen Lehrer der Kirche)

der Kirche ist bedingt, relativ. Ohne die Autorität von Schriftworten kann niemand in der Kirche feste Sätze aufstellen[13].

Wo aber die kirchliche Tradition sich als in der Schrift begründet erweist, da hat auch sie Autorität, freilich abgeleitete. Das gilt bei Luther für die drei sogenannten ökumenischen Symbole der alten Kirche – nicht weil sie von einem Konzil angenommen waren (das gibt noch keine Gewähr für ihre Rechtgläubigkeit), sondern weil Luther sich von ihrer Schriftgemäßheit überzeugt hat[14]. Daher bekennt er sich ausdrücklich zu ihnen und betont sie vor allem auch gegenüber den Antitrinitariern. Der Wittenberger Doktor-Eid von 1533 enthielt die Verpflichtung auf die drei Symbole. Luther gab sie 1538 in einer eigenen Schrift heraus und erläuterte sie. Wie er sich schon in seinem Bekenntnis von 1528 zu ihrem Inhalt ausdrücklich bekannt hatte[15], so will er jetzt, zehn Jahre später, »abermal zeugen, daß ichs mit der rechten christlichen Kirche halte, die solche Symbole oder Bekenntnisse bis daher hat behalten[16]«. Im einzelnen rühmt er das apostolische Symbol als »das allerfeinest, das kurz und richtig die Artikel des Glaubens gar fein fasset«. Das Athanasianum würdigt er als ein »Schutzsymbolum« des apostolischen.

Mit diesen Symbolen übernimmt er im ganzen die altkirchlichen Dogmen von der Trinität und der Person Christi. Er bekennt sich auch zu den Absagen an die Ketzer, wie die Kirche sie vollzogen hat[17]. Im einzelnen hat Luther allerdings manche Kritik an Formeln des Dogmas geübt und ist frei ihnen gegenüber, läßt auch anderen Freiheit, wenn nur die Sache gewahrt bleibt[18].

zuweilen geirret haben als Menschen, will ich ihnen nicht weiter Glauben geben, denn sofern sie mir Beweisung ihres Verstandes aus der Schrift tun, die noch nie geirret hat. – Vgl. 18, 656,25. – 12, 413,34; 414, 12: Niemand soll sich unterwinden, einigen Trost zu schöpfen und finden denn in dem Wort Gottes ... Darum was die heiligen Väter lehren, soll man je nicht also annehmen, daß man mit dem Gewissen darauf vertraue und darin Trost suche. – 7, 455,23: Halt dich an die Schrift und Gottes Wort, da ist die Wahrheit, da wirst du sicher sein, da ist Treu und Glaub, ganz lauter, gnugsam und beständig.

13. 8, 97,32.   14. 50, 283,11 für das trinitarische Bekenntnis.

15. 26, 499 ff.: Vom Glauben an den »hohen Artikel der göttlichen Majestät«, die Trinität: »... wie das alles bisher beide von der römischen Kirche und in aller Welt bei den christlichen Kirchen gehalten ist.« – Vom ganzen Glaubensbekenntnis 509,19: Das ist mein Glaube, denn also glauben alle rechten Christen, und also lehret uns die Heilige Schrift. – 37, 55,12 läßt Luther einen Christen, dem man den Artikel von der Jungfrauengeburt anficht, dagegen sagen: »Hie habe ich ein klein Büchlin, welches heißet das Credo, darin dieser Artikel stehet. Das ist meine Bibel, die ist so lang gestanden und stehet noch unumgestoßen. Da bleib ich bei, da bin ich auf getauft, darauf lebe und sterbe ich.«

16. 50, 262,5.   17. 26, 500,27; 50, 267 f.; – 10 I, 1, 191,5.

18. 39 II, 305,18.22. Rem müssen wir behalten, wir redens mit Vocabeln wie sie wollen. – Kritik an der Formel ὁμοούσιος 8, 117,33: Quod si odit anima mea vocem homousion et nolim ea uti, non ero haereticus. Quis enim me coget uti, modo rem teneam, quae in Concilio per scripturas definita est?

Die Autorität des Wortes Gottes, wie sie uns in der Schrift und in den Symbolen begegnet, macht sich am Geist und Herzen geltend in Erfahrung. Luther kennt gewiß auch Momente der christlichen Wahrheit, die sich der Erfahrung entziehen und einfach »geglaubt« werden müssen. Aber für das Herzstück des Evangeliums, das Wort von der Sünde und der Gnade, beruft Luther sich nicht allein auf die Schrift und den Consensus der Kirche, sondern auch auf die eigene Erfahrung der geistlichen Dinge[19]. Sie gehört ohne Frage mit zu den Prinzipien seiner Theologie. Sie ist gewiß für sich nicht Quelle der Erkenntnis, wohl aber Medium. Die theologische Erkenntnis wird gewonnen im Elemente der Erfahrung.

Auf diesem Boden steht Luthers Theologie. Er will die alte Wahrheit der Schrift und des Dogmas entgegen aller Verdunkelung wieder ans Licht stellen, ihren echten Sinn leuchten lassen. Seine Theologie will Kommentar sein, Auslegung der vorgegebenen Texte der Schrift und der Symbole. Dabei wird die alte Wahrheit freilich neu, weil empfangen in der neuen Lage einer durch die mittelalterliche Theologie bestimmten Fragestellung, wie Luther sie in ganz persönlicher Not und Befreiung durchlebt hat. Die neue Interpretation bringt auch Spannung und Widerstreit mit sich, wie wir vor allem an Luthers Stellung zur Heiligen Schrift sehen werden. Aber die Geltung der Autoritäten wird dadurch grundsätzlich nicht in Frage gestellt.

Das Thema der Theologie

Über das Thema der Theologie hat Luther sehr bestimmt reflektiert. Die Theologie hat es zu tun mit der Erkenntnis Gottes und des Menschen. Sie ist also Theologie im engeren Sinne und Anthropologie zugleich. Beides ist unlösbar verbunden. Gott in seinem Verhältnis zum Menschen – nur so wird er richtig erkannt; der Mensch in seinem Verhältnis zu Gott – nur so wird er richtig erkannt. Es handelt sich also nicht um eine objektive Gotteslehre und nicht um eine Anthropologie, die nach etwas anderem fragte als nach dem Verhältnis zu Gott. Das Verhältnis ist von beiden Seiten dadurch bestimmt, daß der Mensch Sünder, schuldig, verloren ist – und Gott der Rechtfertiger und Erlöser eben dieses Menschen. Dieses höchst existentielle Doppelthema, des Menschen Schuld und Erlösung, ist der Gegenstand der Theologie, dieses und nichts anderes. »Was man außerhalb dieses Gegenstandes sucht, ist Irrtum und eitles Gerede in der Theologie[1].« Das heißt: die theologische Erkenntnis Gottes und

19. 8, 110,37; 127,24. Er sagt von sich: In sacris literis saltem ex parte eruditus, tum experientia spiritualium istarum rerum non nihil examinatus. – Vgl. auch das Verhältnis von Schrift und Erfahrung bei der Frage der Erkenntnis der Sünde.
1. 40 II, 327,11: Cognitio dei et hominis est sapientia divina et proprie theologica.

des Menschen ist »relative« Erkenntnis, das heißt Erkenntnis beider in ihrer Beziehung zueinander, ihrer sowohl ontologischen wie personalen *relatio*. Es hat den gleichen Sinn, wenn Luther sagt: Das Thema der Theologie ist Christus[2].

Wie verhalten sich demgemäß Theologie und Philosophie[3]? Auch die Philosophie beschäftigt sich mit dem Menschen, nämlich als *animal rationale,* als vernünftigem Wesen, als Träger der Vernunft, aus der alle Kultur stammt. Aber die Philosophie hat es nicht mit dem Menschen als »theologischem«, in seinem Verhältnis zu Gott zu tun. Sie versteht ihn rein immanent. Daher weiß sie, verglichen mit der Theologie, vom Menschen so gut wie nichts[4]. Sie kennt weder seinen Ursprung, seinen Daseinsgrund, noch sein Ziel. In letzterer Hinsicht weiß sie nur von der geordneten Gesellschaft zu sagen – Luther hat die aristotelische Philosophie im Auge. Die Philosophie weiß also im Entscheidenden nichts von des Menschen Wesen. Das ist auch ganz natürlich. Denn der Mensch kann sich in seinem Wesen erst erkennen, wenn er sich »in seiner Quelle, das heißt in Gott schaut[5]«. Da sieht er den Menschen und die ganze Menschheit als Gottes Geschöpf, in seiner urständlichen Vollkommenheit, in seinem Fall, unter der Gewalt des Todes und des Teufels, befreit durch Christus, also schuldig und begnadet; zugleich eschatologisch, als von Gott auf seine künftige Lebensgestalt hin angelegt, auf die Wiederherstellung und Vollendung des Bildes Gottes, zu dem er ihn geschaffen hat[6]. Die Philosophie dagegen sieht den Menschen nicht eschatologisch. So gibt erst und allein die Theologie auf Grund der Schrift das Wesen des Menschen ganz und vollständig wieder[7].

Die Philosophie weiß freilich auch von Gott zu reden[8]. Er kommt in der Metaphysik vor und ist Gegenstand spekulativen Denkens. Da gewinnt man

Et ita cognitio dei et hominis, ut referatur tandem ad deum justificantem et hominem peccatorem, ut proprie sit subjectum Theologiae homo reus et perditus et deus justificans vel salvator. Quicquid extra istud argumentum vel subjectum quaeritur, hoc plane est error et vanitas in Theologia. – Vgl. auch Ti Nr. 5757.

2. Ti Nr. 1868 und oft, siehe den Index in Ti Bd 6.

3. Vgl. die Disputation de homine 39 I, 175 ff.; ferner 40 II, 327,17 ff.

4. 39 I, 175,24: Si comparetur Philosophia seu ratio ipsa ad Theologiam, apparebit nos de homine paene nihil scire. Für das im Text Folgende vgl. die folgenden Thesen bei Luther.

5. 39 I, 175,36: Nec spes est, hominem in hac praecipua parte sese posse cognoscere quid sit, donec in fonte ipso, qui Deus est, sese viderit.

6. 39 I, 177,3: Quare homo hujus vitae est pura materia Dei ad futurae formae suae vitam. – 9: Talis est homo in hac vita ad futuram formam suam, cum reformata et perfecta fuerit imago Dei.

7. 39 I, 176,5: Theologia vero de plenitudine sapientiae suae Hominem totum et perfectum definit. – 179,4: Philosophi et Aristoteles non potuerunt intelligere aut definire, quid esset homo theologicus, sed nos Dei gratia, quod bibliam habemus, praestare id possumus.

8. 40 III, 78 f. – 44, 591.

eine gewisse Erkenntnis Gottes, seiner Vorsehung und Weltregierung. Aber das alles bleibt »objektiv«. Die entscheidende Frage, die nach Gottes Gesinnung und Haltung mir, dem einzelnen Menschen gegenüber, findet keine Antwort. Man hat eine religiöse Weltanschauung, aber keine Gewißheit um Gott als Person, um sein persönliches Verhältnis zu dem Menschen. »Daß Gott sich um uns kümmert, daß er erhört und den Elenden hilft, das kann Plato nicht behaupten. Er bleibt innerhalb des metaphysischen Denkens[9].« Das aber ist noch keine wahre Erkenntnis Gottes. Das gilt nun nicht nur von der Philosophie, Luther wirft es auch der scholastischen Theologie vor und der außerchristlichen Religion wie dem Islam. Man weiß viel zu reden über das Wesen der Gottheit, auch über ihr Person-Sein. Aber das eine weiß man nicht, woran doch alles liegt: wie Gott gegen uns gesinnt ist, was er mit uns will. Das liegt nämlich jenseits dessen, was die Vernunft von sich aus erkennen kann – und in der Philosophie hat ja nur die menschliche Vernunft das Wort –, man kann dessen allein aus dem Worte Gottes gewiß werden[10].

9. 44, 591,34: Philosophi disputant et quaerunt speculative de Deo et perveniunt ad qualemcunque notitiam, sicut Plato intuetur et agnoscit gubernationem divinam. Sed omnia sunt objectiva tantum, nondum est cognitio illa, quam habet Joseph, quod curet, quod exaudiat et opituletur adflictis, hoc non potest statuere Plato. Manet in cogitatione Metaphysica, wie eine Kuh ein neues Tor ansiehet.

10. 40 III, 78,13: Siehe in Scholasticis, Monachis, Mahometis. Speculantur de attributis, distinctionibus et speculantur extra deum, sine verbo, suis rationibus naturalibus, et non cognoscunt, quid deus velit erga nos ... Sic disputant de deo, ut nesciant, quid velit vel cogitet. Quid hoc? Oportet scire per verbum dei et statuere, quid placeat deo, quid velit, cogitet, quid non. Et nisi isthuc pervenimus, sumus theologi ut asinus ad lyram.

Die Erkenntnis Gottes

Das Wort Gottes und der Glaube

Die allgemeine und die eigentliche Erkenntnis Gottes

Auch außerhalb der biblischen Offenbarung, des Wortes, des Glaubens gibt es in gewissem Maße Erkenntnis Gottes. Das stand für Luther außer Frage durch das Zeugnis der Heiligen Schrift. Es bestätigte sich ihm durch den Blick auf die Religionen. Er bezog sich auch auf die antike Religionsphilosophie, vor allem auf Cicero.

Zu dem Satz des Apostels Paulus in Röm 1,20, daß Gott von jeher an den Werken der Schöpfung erkannt werden konnte, fügt Luther erläuternd und bestätigend hinzu: Die Verehrung von Göttern in den Religionen, der Götzendienst, setzt voraus, daß die Menschen einen Begriff (notio), eine Vorstellung von Gott und göttlichem Wesen in sich tragen. Ohne das wäre es undenkbar, daß sie ihre Götzen »Götter« nannten, ihnen göttliche Eigenschaften beilegten, sie verehrten, anbeteten, anriefen. Diesen Begriff von Gott aber haben die Menschen, wie Paulus sagt, von Gott selbst[1]. Gott hat also den Menschen ein Wissen um ihn selbst mitgegeben. Dieses Wissen ist unaustilgbar im menschlichen Herzen. »Solch Licht und Verstand ist in aller Menschen Herzen und läßt sich nicht dämpfen noch löschen[2].« Die Epikureer und andere Atheisten haben es leugnen wollen, aber sie können das nur so, daß sie sich selbst Gewalt antun. Der Atheismus hat die geheime Stimme des Gewissens gegen sich[3].

Diese allgemeine Erkenntnis Gottes, die allen Menschen mitgegeben ist, umfaßt nicht nur seine metaphysischen Eigenschaften wie die Allmacht und Allwissenheit[4], sondern auch die ethischen; also auch, daß Gott der Geber alles

1. 56, 176,29: Omnes, qui idola constituerunt et coluerunt et deos vel Deum appellaverunt, item immortalem esse Deum i.e. sempiternum, item potentem et adjuvare valentem, certe ostenderunt se notionem divinitatis in corde habuisse. Nam quo pacto possent simulacrum vel aliam creaturam Deum appellare vel ei similem credere, si nihil, quid esset Deus et quid ad eum pertineret facere, nossent? ... certissime sequitur, quod notitiam seu notionem divinitatis habuerunt, quae sine dubio ex Deo in illis est, sicut hic dicit. – 40 I, 607,6: Cultus satis testantur omnes homines habere noticiam Dei per manus traditam. – Im Druck heißt es 608,25 noch: Nam hinc, quod homines tenuerunt hanc Majorem (Obersatz): Deus est, nata est omnis idolatria. – 19, 205,27: Hie siehest du, daß wahr ist, das S. Paulus Röm. 1 spricht, wie Gott bekannt sei bei allen Heiden, das ist: alle Welt weiß von der Gottheit zu sagen, und natürliche Vernunft kennet, daß die Gottheit etwas Großes sei vor allen Dingen.

2. 19, 205,35.

3. 19, 205,35: Es sind wohl etlich gewest als die Epicuri, Plinius und dergleichen, die es mit dem Munde leugnen. Aber sie tuns mit Gewalt und wollen das Licht in ihrem Herzen dämpfen, tun wie die, so mit Gewalt die Ohren zustopfen oder die Augen zuhalten, daß sie nicht sehen noch hören. Aber es hilft sie nicht, ihr Gewissen sagt ihnen anders. – 56, 177,15: Haec Syntheresis theologica est inobscurabilis in omnibus.

4. Luther kann sich daher auch auf sie berufen für den Satz von Gottes Allwirksamkeit und Vorherwissen. 18, 709,10; 718,15; 719,20.

Guten, gütig und gnädig ist, dem Menschen in seiner Not zu helfen bereit, wenn er ihn anruft[5]. »Die natürliche Vernunft muß bekennen, daß alles Gute von Gott komme.« – »So weit reicht das natürliche Licht der Vernunft, daß sie Gott für einen gütigen, gnädigen, barmherzigen, milden achtet; das ist ein großes Licht.« Aber dieses Wissen um Gott hat eine doppelte Grenze. Zuerst: obgleich die Vernunft das alles von Gott weiß, bringt sie doch die Gewißheit nicht auf, daß Gott nun wirklich *mir* helfen wolle; die Erfahrung im Leben spricht immer wieder dagegen – demgegenüber kommt der Gottesgedanke nicht auf; so bleibt der Mensch konkret doch im Zweifel. Oder: man glaubt wohl, daß Gott anderen zu helfen bereit sei – aber man wagt es nicht für sich selbst zu glauben[6]. Sodann: die Vernunft hat wohl den Gottesgedanken, aber ihr fehlt die konkrete Erfahrung Gottes. Sie weiß, daß Gott ist, aber sie weiß nicht, wer er ist. Sie wendet vielmehr den Gottesgedanken auf etwas an, das gar nicht Gott ist. Sie »spielt Blindekuh mit Gott«, sie greift und trifft vorbei, trifft nicht den rechten Gott, sondern eben Götzen, den Teufel oder ein Wunschgebilde der menschlichen Seele – das kommt auch vom Teufel. Wer der rechte Gott ist, das weiß die natürliche Vernunft nicht, das lehrt erst der Heilige Geist[7].

Den gleichen Gedanken – wir haben uns im vorigen an die Auslegung des Buches Jona gehalten – vertritt Luther auch in seiner Vorlesung über den Römerbrief zu Kapitel 1,23 ff. Das Heidentum hat den Gottesbegriff, und insoweit weiß es um Gott. Aber die Verirrung des Heidentums bestand darin, daß man diesen Gott des ursprünglichen Wissens nicht in seiner »Nacktheit«

5. So 56, 177,3, wo unter den Eigenschaften der Gottheit, um die jeder Mensch weiß, auch genannt wird: sit clemens invocantibus. Vor allem 19, 207 ff. Luther wertet hier die Tatsache aus, daß die Schiffsleute in der Jona-Geschichte, die noch Heiden waren, »ein jeglicher zu seinem Gott schrien«.

6. 19, 206,13: Sie gläubt wohl, daß Gott solchs vermöge und wisse zu tun, zu helfen und zu geben. Aber daß er wolle oder willig sei, solchs an ihr auch zu tun, das kann sie nicht; darum bleibt sie nicht feste auf ihrem Sinn. Denn die Macht gläubt sie und kennet sie, aber am Willen zweifelt sie, weil sie das Widerspiel fühlet im Unfall. (Die Schiffsleute in der Jona-Geschichte) glauben auch, daß er andern helfen wolle; da lassen sie es bleiben, höher können sie nicht kommen.

7. 19, 206,32; 207,3: Die Vernunft weiß, daß Gott ist. Aber wer oder welcher es sei, der da recht Gott heißt, das weiß sie nicht ... Die Vernunft spielt Blindekuh mit Gott und tut eitel Fehlgriffe und schlägt immer neben hin, daß sie das Gott heißt, das nicht Gott ist, und wiederum nicht Gott heißt, das Gott ist, welches sie keines täte, wo sie nicht wüßte, daß Gott wäre, oder wüßte eben, welches oder was Gott wäre. Darum plumpt sie so herein und gibt den Namen und göttliche Ehre und heißet Gott, was sie dünkt, das Gott sei, und trifft also nimmermehr den rechten Gott, sondern allewege den Teufel oder ihr eigen Dünkel (d. h. eigenen Gedanken), den der Teufel regiert. Darum ist gar ein groß Unterschied, wissen, daß ein Gott ist, und wissen, was oder wer Gott ist. Das erste weiß die Natur und ist in allen Herzen geschrieben. Das andere lehrt alleine der Heilige Geist.

28

belief und verehrte, sondern ihn willkürlich nach den eigenen Wünschen konkretisierte, also einem Götzen, wie man ihn brauchte und wünschte, gleichsetzte: »Jedermann wollte die Gottheit in dem sehen, der ihm gefiel.« Damit aber wurde die Ur-Erkenntnis Gottes verkehrt, die Wahrheit Gottes, wie Paulus sagt, in Lüge verwandelt[8]. Zu dieser Vergötzung Gottes gehört neben dem groben Götzendienst auch der »geistliche und feine«: daß man sich den wahren Gott umdichtet nach dem Maße der eigenen moralistischen Gedanken, der Werkgerechtigkeit[9]. Luther stellt also den innerchristlichen Moralismus mit dem heidnischen Götzendienst als gleichen Wesens zusammen. Hier wie dort ist Abgötterei.

Anderswo unterscheidet Luther ausdrücklich eine allgemeine und die eigentliche Gotteserkenntnis (*generalis* und *propria*[10]). Jene weiß, daß Gott ist, daß er die Welt geschaffen hat, gerecht ist, richtet – aber ihr fehlt die Gewißheit darüber, was Gott über uns denkt, welche Heilsgedanken er mit uns Sündern hat – das erst ist die eigentliche und wahre Erkenntnis Gottes[11]. Oder Luther bezeichnet den Unterschied zwischen der Erkenntnis, die allen Menschen mitgegeben, und der, welche den Christen erst durch das Wort Gottes und den Heiligen Geist erschlossen wird, als Erkenntnis Gottes »von außen« und »von innen«[12]. Jene kommt so zustande, daß die Vernunft aus der Wirklichkeit der Welt, ihres Fortbestandes und der offenkundig weisen Weltregierung, also kosmologisch und teleologisch, den einen Gott als Weltregierer und als vergeltende Gerechtigkeit erschließt (obgleich das ein »kränkliches«, »schwächliches« Schlußverfahren ist)[13]. Dabei weiß man aber noch nicht, was Gott mit den Menschen

8. 56, 177,8: In hoc ergo erraverunt, quod hanc divinitatem non nudam reliquerunt et coluerunt, sed eam mutaverunt et applicuerunt pro votis et desideriis suis. Et unusquisque divinitatem in eo esse voluit, qui sibi placeret, et sic Dei veritatem mutaverunt in mendacium. Weiter 15. – Vgl. auch die Erklärung des 1. Gebotes im Gr. Katechismus 30 I, 135,1.

9. 56, 179,11 ff.   10. 40 I, 607,28.

11. A.a.O.: Generalem habent omnes homines, scilicet, quod Deus sit, quod creaverit coelum et terram, quod sit justus, quod puniat impios etc. Sed quid Deus de nobis cogitet, quid dare et facere velit, ut a peccatis et morte liberemur et salvi fiamus (quae propria et vera est cognitio Dei), homines non noverunt.

12. 45, 89,28 (Rörers Nachschrift): Viderunt caelum et terram tam sapienter gubernari et inde schwechlich concluserunt unum deum ex externo regimine und Wesen der Kreatur ... Das heißt Gott schwächlich erkennet von außen per ejus regimen, quod terra manet und Himmel nicht einfällt. Weiter 90,8 ff. 92,3. 93,11: Welcher ein tiefer reicher Gedanken dei, quod sic suam misericordiam effudit, ut agnosceremus, quid cogitet, quid concluserit, et videamus ejus cor per ejus revelationem. – Vgl. auch die Bearbeitung der gleichen, durch Rörer nachgeschriebenen Predigt in Crucigers Sommerpostille 21, 509,6. 510,4.

13. 39 II, 346,1.11. – Luther kann dabei auch sagen: Die Heiden, wie z. B. Cicero, haben die *gubernatio* gesehen und von ihr aus Gott als Weltregenten erkannt, aber von

im Sinne hat – das wäre die Erkenntnis »von innen«. Das erreicht die Vernunft nicht, das ist *supra rationem*. Das erfahren wir erst durch die Menschwerdung des Sohnes, wenn Gott »seine Barmherzigkeit ausschüttet« und uns damit sein Herz aufschließt; das lehrt uns also erst die Schrift. Es hat den gleichen Sinn, wenn Luther sagt: Die Erkenntnis von außen bringt es zum Monotheismus, aber nicht zur Erkenntnis der Trinität[14]. Die Trinität ist ja das »Innen« Gottes. Im ersten Augenblick möchte man denken, Luther verstehe die »Erkenntnis von innen« (»wie es inwendig in der Gottheit zugehet[15]«) verschieden, das eine Mal von der Gesinnung des Herzens Gottes gegen den sündigen Menschen, das andere Mal von dem trinitarischen Wesen Gottes. Aber beides liegt für Luther in eins. Denn die Erkenntnis der Trinität schließt die der Menschwerdung der zweiten Person ein, und diese lehrt uns Gottes Herz und Sinn gegen uns erkennen.

Das heißt dann aber, daß die allgemeine oder natürliche Erkenntnis Gottes eine solche in den Grenzen des Gesetzes ist, daß das Evangelium ihr verschlossen und fremd bleibt. Auch in der Gesetzesfrömmigkeit kann man von der Güte Gottes zu reden wissen. Aber man kennt nicht den Gott der Barmherzigkeit, die sich des Sünders annimmt. »Die Heiden können nur so hoch, daß sie sagen: Gott will die Guten erhören, nicht die Gottlosen – weiter kommen sie nicht[16].« Es gibt zweierlei Erkenntnis Gottes: die aus dem Gesetz und die aus dem Evangelium, *cognitio legalis* und die »evangelische«. Die Vernunft kann zu jener kommen, bleibt aber auf sie beschränkt und erreicht von sich aus die evangelische nicht. Das gilt auch von der Philosophie. Jene ist die Erkenntnis »zur linken Hand«, die evangelische die »zur rechten Hand«[17]. Um Gott recht zu erkennen, muß man sich »zur rechten Hand halten«. Da allein weiß man, was Gott über uns denkt und mit uns vorhat. Der Gott der Gesetzeserkenntnis kehrt uns den Rücken zu, durch das Evangelium, durch Christus »lernt man Gott gerade ins Angesicht sehen«[18].

---

der *creatio ex nihilo* haben sie nichts gewußt und daher auch nicht das Entscheidende von Gottes Schaffen.

14. Die Beziehung der Erkenntnis »von innen« auf die Trinität 45, 90,12; 91, 5; – 21, 509,31; – 49, 238,6; 239,5 (»was Gott in sich selber ist«).

15. 45, 92,27. Die folgenden Zeilen zeigen, wie für Luther die Frage *quid deus cogitet* ihre Antwort durch nichts anderes findet als durch die Erkenntnis der Trinität, der Menschwerdung des Sohnes und seines Werkes.

16. 39 II, 278,24.

17. 46, 667,7; 668,9; 669,7; 672,21 (Predigt von 1537 über Joh 1,18, von Aurifaber nach den Nachschriften bearbeitet): So weit kömmt die Vernunft in Gottes Erkenntnis, daß sie hat cognitionem Legalem, daß sie weiß Gottes Gebot und was recht und unrecht ist. Und die Philosophi haben dies Erkenntnis Gottes auch gehabt ... Die Vernunft bleibt bei der ersten Erkenntnis Gottes, so aus dem Gesetze herkömmet, und redet gar dunkel davon.

18. 46, 669,19; 672,25; 673,8.

Gottes An-sich und Gott in seiner Offenbarung

Entscheidend für Luther ist der Gegensatz des eigenmächtigen Versuches des Menschen, Gott zu erkennen und ihm zu begegnen, und der von Gott durch sein Wort geschenkten Begegnung und Erkenntnis. Dieses Thema geht durch seine ganze Theologie in allen ihren Phasen. Er kehrt immer wieder zu ihm zurück[1].

1. Die oben folgende Darstellung beruht auf den jetzt anzuführenden verschiedenen Stellen und ist Satz für Satz aus ihnen zu belegen. Das jetzt durch Anmerkungen zu jedem Satz sichtbar zu machen, würde das Ganze der ausgewerteten Texte zerreißen und auch manche Wiederholung der Hinweise auf eine bestimmte Stelle mit sich bringen. Man vergleiche daher die Darstellung im ganzen mit den reichlich angeführten Quellenbelegen im ganzen. Ich gebe nur wenige Sonderhinweise.

40 II, 329,3 ff. Vor allem: qui speculationibus suis ascendunt in coelum et speculantur de deo creatore etc. Cum isto deo sei unverworren; qui vult salvus fieri, relinquat deum in Majestate, quia iste et humana creatura sunt inimici. Sed illum deum apprehendas, quem David (Psalm 51), qui est vestitus suis promissionibus, ut Christus adsit ... Den Gott muß man haben. Ne sit nudus deus da cum nudo homine ... Non scimus alium deum quam istum, qui vestitus est suis promissionibus. Si mecum loquitur in sua majestate, lauf ich, ut Judei. Sed quando induitur voce humana et attemperat se nostro captui, possum accedere. – 386,8 ff.: Omnia scripturae verba fluunt a deo revelato, quem possis palpare certo loco, verbis habere alligatum. Sic deus filiorum Israel fuit in templo Jerusalem, promissionibus, signis certis fuit; sicut non constituimus vanum (vagum?), nudum deum, sed qui se certis verbis, signis, loco. – Vgl. den ausführlicheren Text des Druckes 386,31. – 42,9, 22.32: Ideo Deus quoque se non manifestat nisi in operibus et verbo, quia haec aliquo modo capiuntur; reliqua, quae propria divinitatis sunt, capi aut intelligi non possunt. – 10,4: ... velle comprehendere nudam divinitatem seu nudam essentiam divinam. Hoc quia impossibile est, ideo involvit se Deus in opera et certas species, sicut hodie se involvit in Baptismum, in Absolutionem etc. – 11,19: Ergo fanaticum est, sine verbo et involucro aliquo de Deo et divina natura disputare ... Nam qui vult tutus esse et sine periculo in tantis rebus versari, is simpliciter se intra species, signa et involucra ista divinitatis contineat, qualia sunt verbum ejus et opera ejus. Nam in verbo et operibus se nobis ostendit. (Unter den »Werken« versteht Luther hier die heilsgeschichtlichen Taten Gottes.) – 11,28: Qui autem extra ista involucra Deum attingere volunt, isti sine scalis (hoc est verbo) nituntur ad coelum ascendere, ruunt igitur oppressi majestate, quam nudam conantur amplecti et pereunt. – 39 I, 217 f. 218.244.246. – 217,9: Quia enim in hac corrupta natura, quae omnino non est capax divinitatis, non possumus eum ferre et conspicere, qualis est, placuit Deo sic hanc corruptam et veneno sathanae infectam naturam nostram colligere et involvere in istas externas apparitiones et sacramenta, ut possemus eum apprehendere. – 217,1 über das Amt des Heiligen Geistes: Ministerium autem est plane externum quiddam et sensibile (sinnenhaft), tunc videbimus facie ad faciem, ut est. Nunc in columba, in linguis ignitis, in baptismo, in voce humana videmus et audimus Spiritum sanctum. – Vgl. weiter 244,11: ... ita et nunc revera adest et operatur in nobis per verbum et sacramenta Spiritus sanctus, suis involucris tectus et vestibus, ut possit capi ab hac valetudinaria, infirma et leprosa natura ac intelligi a

31

Zu den eigenmächtigen Versuchen gehört auch die Gottes-Spekulation der Philosophen und scholastischen Theologen. Die Spekulation will Gott in seinem An-sich, seiner Majestät, im Himmel erkennen. Aber das ist für den sündigen Menschen in seiner verderbten Natur unmöglich. Denn er hat es dann mit dem »bloßen« *(nudus)* Gott zu tun, unverhüllt, in seiner »absoluten Majestät«. Dessen aber ist der Mensch heute nicht fähig, nicht *capax divinitatis.* Wer auf diese Weise mit seinen eigenen Gedanken unmittelbar gleichsam gen Himmel zu fahren versucht, der »stürzt, überwältigt von der Majestät, die er in ihrer Nacktheit zu erfassen versucht«. Gott kann uns nicht in seiner Majestät begegnen. Käme er so, so wäre er für uns unfaßlich; wir könnten ihn nicht fassen und seinen ungeheuren Lichtglanz nicht ertragen. Gott in seiner Majestät und der Mensch sind einander feind. Erst in der Ewigkeit werden wir Gott sehen können von Angesicht zu Angesicht, wie er ist, in seiner Gottheit, Majestät und Herrlichkeit. In diesem Leben aber will Gott uns so nicht begegnen und will nicht, daß wir uns ihm so zu nahen versuchen. Er paßt sich vielmehr dem Fassungsvermögen des Menschen für ihn an. Daher kommt er zu ihm nicht als der bloße, ohne Hülle, sondern er hüllt sich ein, kleidet sich, legt sich eine Maske vor, damit wir ihn ertragen und fassen können. Er kommt verdeckt zu uns und macht »einen Nebel und Schatten« für uns[2]. Das heißt zugleich: Er konkretisiert, vermenschlicht, verleiblicht sich für uns. Er läßt sich nicht beliebig im Unendlichen finden, nicht überall, er ist kein *Deus vagus,* unbestimmter Gott, sondern er begrenzt, bestimmt und bindet sich an einen konkreten Ort, für Israel an die Stiftshütte, den »Gnadenstuhl«, den Tempel, an Jerusalem – er weist die Menschen an diesen Ort – da sollen sie ihn suchen und finden, nicht im Himmel. Er, der doch der Unendliche ist, der Schöpfer und Herr Himmels

nobis. Si veniret ad nos in sua majestate, non possemus eum capere et hanc tantam lucem ferre. Itaque venit ad nos prophetis, adest vere corporaliter seu substantialiter et operatur in nobis per verbum et sacramenta. – Ferner 246,9; 50, 647,11; 40 III, 52 ff. in der Auslegung des 121. Psalms. Etwa 17: Vult deus adorari loco a se nominato, quem ideo proponit, ut prohibeat omnes arbitrarias devotiones et religiones. – 53,2 ff.: Nos liberati a periculo externorum locorum ... Noster locus est Jesus Christus, quia deus statuit nihil audire nisi per hunc. Extra Christum nihil est, ut oremus, speremus, religiose simus, vivamus. – 54,2. 56,11: Sic in Christo invenies deum, extra eum ne in coelo eum invenies. – Ferner in der Auslegung des 130. Psalms 40 III, 335 ff. Vgl. im einzelnen 336,3: Ipsi Judaei habuerunt suum deum inclusum, ut sic dicam, in suo propiciatorio, templo. – 11: Sicut hodie non de deo, cum deo loquimur nisi in nostro propiciatorio, templo, i.e. Christo, qui est Gnadstuhl. – 337,11: Iam extra Jesum quaerere deum est diabolus, ibi desperatio sequitur, si accedat angustia conscientiae; praesumptio, si accedat vana religio. – 338,6: ... quia (deus) non patitur, ut eum inveniamus nostris cogitationibus. Si hoc, non indigeremus deo; sed quia indigemus, designat locum, personam, ubi et quomodo debeat inveniri. – Vgl. 37, 43,6.

2. 39 I, 245,4: Ideo tectus ad nos venit, facit nobis nebulam et umbram.

und der Erde, geht ein in die Begrenzung. Er begegnet Israel in einer bestimmten Geschichte konkreter Taten und Zeichen, in seinen Propheten, in den konkreten Verheißungen, deren Erfüllung man erlebt. Das alles sind die Kleider, die er sich angelegt hat, seine Larven und Masken.

Uns Christen weist er nicht mehr, wie die Menschen des Alten Bundes, an einen äußeren Ort. Was für sie Jerusalem und der Tempel war, das ist für uns Christus. Sein Menschsein ist der Ort, dahin Gott uns bescheidet. Er allein ist das Heiligtum, der Gnadenstuhl des Neuen Testaments. Hier allein ist Gott jetzt für die Menschen da, hier sollen wir mit ihm reden, nur hier will er uns hören. Suchen wir ihn außer Christo, so werden wir ihn selbst im Himmel nicht finden.

Auch Christus selber aber ist uns auf sehr irdische Weise gegenwärtig. Überall in der Offenbarungsgeschichte verleiblicht Gott sich für uns; sein Geist kommt in Gestalt der Taube, der feurigen Zungen in der Pfingstgeschichte. So geht Gott auch jetzt für uns in die Leibhaftigkeit ein. Der Heilige Geist kommt zu uns und bringt uns Christus durch die äußeren, leiblichen, sinnenhaften Mittel des Wortes, der *vox humana*, der Sakramente. Dieses alles, Wort und Sakramente, sind seine Hüllen und Kleider, »Larven« und Masken[3], mit denen er sich für uns bedeckt, damit wir ihn ertragen und fassen können. Erst in der Ewigkeit bedarf es dieses Amtes des Geistes, der Hüllen, der äußeren Mittel nicht mehr.

Das alles macht Luther aber nicht nur gegen die Gottes-Spekulation als solche geltend, sondern gegen alle eigenmächtigen Versuche des Menschen, Gott von sich aus zu finden; also auch gegen die anderen Religionen, darüber hinaus gegen die innerchristliche eigenmächtige Theologie, die sich nach ihren eigenen Gedanken ein Bild von Gott macht. Er stellt in diesem Zusammenhang oft die Juden, die Mohammedaner und die Papisten zusammen. Hier überall kann er nur menschliche Eigenmächtigkeit und Willkür sehen, mit Gott nach ihren eigenen Gedanken handeln zu wollen[4], statt ihm da gehorsam zu begegnen, wohin er uns gewiesen hat. So gilt nicht nur: man kann Gott nur an einem konkreten Ort finden, sondern auch: man kann ihn nur an dem einen konkreten Ort finden, nicht an anderen. Damit war es Luther schwerer Ernst. Er hat sagen können, wer Gott außerhalb von Jesus suche, der finde den Teufel. Das heißt: Bei solchen eigenmächtigen Versuchen kann nur in jedem Fall etwas schlechterdings Widergöttliches herauskommen, etwas, das der Teufel wirkt; nämlich: entweder, wenn der Mensch in Angst des Gewissens steht und doch Gott nicht in Christus sucht, Verzweiflung; wenn er aber außer Christus sich einer eitlen Religion hingibt und sich mit ihr beruhigt, Überhebung – beides ist des Teufels.

3. 17 II, 262,37.
4. 40 III, 335,13.

Gottes An-sich	Gott in seiner Offenbarung
Deus absolutus	*Deus patrum, filiorum Israel*
in sua (absoluta) majestate	
nudus	*vestitus (suis promissionibus) indutus (larva vel*
	persona nobis attemperata), velatus
extra verbum et promissiones	*verbo alligatus; revelatus verbo suo*
Deus in coelo	*in homine Christo*
speculatus	*manifestatus*
vagus	*sigillatus*
	qui certo loco, verbo et signis certis se ipsum cir-
	cumscripsit.

Die Theologia crucis

In der Heidelberger Disputation von 1518 bezeichnet Luther das Wesen wahrer Theologie durch den Begriff der *Theologia crucis*. Ihr steht die *Theologia gloriae* gegenüber[1].

Die Hauptsätze, mit denen er beide Arten von Theologie einander gegenüberstellt und die *Theologia crucis* kennzeichnet, sind, deutsch wiedergegeben, diese: »Nicht der heißt mit Recht ein Theologe, der Gottes unsichtbares Wesen ersieht, wenn er es wahrnimmt an seinen Werken. Sondern der, welcher, was von Gott sichtbar ist, seine Rückseite *(posteriora)* durch Leiden und Kreuz ersieht und wahrnimmt[2].« Um diese Sätze zu verstehen, muß man Ex 33,18 ff. und Röm 1,20 ff. vor Augen haben. Denn Luther bezieht sich auf beide Stellen durch die Begriffe, die er wählt. Mose bittet nach Ex 33: Laß mich deine Herrlichkeit sehen *(ostende mihi gloriam tuam)*; worauf Gott antwortet: »Mein Angesicht kannst du nicht sehen, denn kein Mensch wird leben, der mich siehet.« Aber Gott will ihn in eine Felsenritze stellen und seine Hand über ihn halten, bis er mit seiner Herrlichkeit vorüber ist – dann wird Gott seine Hand wegziehen und Mose wird Gottes Rücken *(posteriora mea)* schauen, nicht sein Angesicht voller Herrlichkeit. – Die Kennzeichnung der falschen Theologie aber ist aus Röm 1,20 entnommen[3]. Luther ruft also von einer Theologie im Stile von Röm 1,20 fort, und zwar mit Paulus 1 Kor 1,21 ff.: »Denn da die Welt unter der Weisheit Gottes Gott nicht erkannte durch diese Weisheit, gefiel es Gott, durch die Torheit der Predigt selig zu machen, die daran glauben[4].«

1. Vgl. *W. v. Loewenich:* Luthers Theologia crucis. 1929. 4. Aufl. 1954.
2. 1, 361,32; 362,2 (die Thesen 19 und 20 der Heidelberger Disputation): Non ille digne Theologus dicitur, qui invisibilia Dei per ea, quae facta sunt, intellecta conspicit. Sed qui visibilia et posteriora Dei per passiones et crucem conspecta intelligit.
3. Vulgata: Invisibilia enim ipsius ... per ea quae facta sunt, intellecta conspiciuntur.

Röm 1,20 ist eine urständliche Möglichkeit gewesen. Aber die Menschen haben sie mißbraucht; sie sind daran nicht fromm, sondern Narren geworden. Daher geht Gott jetzt einen anderen Weg. Jetzt handelt es sich nicht mehr um die Erkenntnis von Gottes unsichtbarem Wesen aus den Werken, sondern um die Erkenntnis seiner sichtbaren Rückseite durch die Leiden. Also Gottes unsichtbares Wesen und sein sichtbares, seine Hinterseite im Gegensatz zu der Glorie des Angesichts, treten einander gegenüber: das unsichtbare Wesen sind die Majestätseigenschaften Gottes (vgl. Röm 1,20), das sichtbare, die Hinterseite, besteht in seiner Menschlichkeit, Schwachheit, Torheit (vgl. 1 Kor 1,25). Ferner treten einander gegenüber die Erkenntnis Gottes aus den Werken und die aus den Leiden. »Da die Menschen die Erkenntnis Gottes aus seinen Werken mißbraucht haben, wollte Gott wiederum aus den Leiden erkannt werden und jene Weisheit des unsichtbaren Wesens verwerfen durch die Weisheit des sichtbaren, so daß sie, die Gott nicht verehrt hatten, wie er aus den Werken offenbar ist, ihn nun verehren sollen, wie er in den Leiden verborgen ist.« – »So ist es für niemand genug und nütze, daß er Gott in seiner Glorie und Majestät erkennt, wenn er ihn nicht auch erkennt in der Niedrigkeit und Schmach des Kreuzes[5].« So tritt auch Gottes Offenbarsein und sein Verborgensein im Leiden (Luther weist auf Jes 45,14 hin) einander gegenüber, das heißt: direkte und indirekte, paradoxe Erkenntnis Gottes. Der Theologia gloriae entspricht die Bitte des Philippus Joh 14,8: Zeige uns den Vater. Aber Jesu Antwort ruft ihn, der Gott anderswo sucht, zurück zu sich: Wer mich siehet, der siehet auch meinen Vater. Ergo in Christo crucifixo est vera theologia et cognitio Dei[6].

Die Theologia gloriae bedeutet: Erkenntnis Gottes aus den Werken, die Theologia crucis: Erkenntnis aus den Leiden. Nach dem Zusammenhang des Ganzen in Luthers Disputation und im Blick auf die Orientierung Luthers an Röm 1,20 und 1 Kor 1,21 ff. ist deutlich, daß Luther mit den Werken die Werke Gottes in seiner Schöpfung meint, mit den Leiden das Kreuz Christi. Aber im gleichen Atem bedeuten die Ausdrücke noch mehr: Luther meint mit den Werken nicht nur die Werke Gottes, sondern auch die des Menschen, mit den Leiden nicht nur die Passion Christi, sondern auch die des Menschen. Luther geht wie selbstverständlich von dem einen zu dem anderen über. Das ist keine Unklarheit seines Denkens, kein Sprung, sondern hat seinen tiefen sachlichen Grund und Sinn. Die Frage der rechten Erkenntnis Gottes und die Frage nach der rechten ethischen Haltung sind für Luther zuletzt nicht zweierlei, sondern eine und dieselbe. Die Theologia gloriae und die Theologia crucis haben es mit beiden zu tun. Die natürliche Theologie, die spekulative Meta-

---

4. Vulgata: Quia in Dei sapientia non cognovit mundus Deum per sapientiam, placuit Deo per stultitiam predicationis salvare credentes.

5. 1, 362,4.

6. 1, 362,15.23: Deum absconditum in passionibus.

physik, die Gott aus den Werken der Schöpfung erkennen will, und die Werk-heiligkeit des moralischen Menschen gehören zusammen. Beide sind Weisen der Selbsterhebung des Menschen zu Gott. Daher führen beide den Menschen zum Hochmut oder sind selber schon Ausdruck dieses Hochmutes. Beide dienen der »Inflation« des Menschen[7]. Beide wenden für Gott und für das Verhältnis des Menschen zu Gott den gleichen Maßstab an: Glorie und Macht. – Luther spricht in diesem Zusammenhang nicht nur von der Glorie Gottes, sondern auch da-von, daß man »die Glorie (den Glanz) der Werke«, nämlich der eigenen Werke liebt. Aber Gott will nach einem anderen Maßstab erkannt und geehrt sein. Beiden Zügen der *Theologia gloriae* steht das Kreuz entgegen und zwar in dem doppelten Sinn: als Kreuz Christi und als Kreuz des Christen. Die *Theologia crucis* hat einen der *Theologia gloriae* genau entgegengesetzten Maßstab, und dieser gilt sowohl für die Erkenntnis Gottes wie für das Selbstverständnis und die Haltung des Menschen vor Gott. Der Maßstab ist eben das Kreuz. Das heißt: wo die *Theologia gloriae* Gott direkt zu erkennen sucht, in seiner offen-kundigen göttlichen Macht, Weisheit, Herrlichkeit, da erkennt die *Theologia crucis* ihn paradox eben da, wo er sich verborgen hat, also in den Leiden, in dem, was nach dem Maßstab der *Theologia gloriae* Schwachheit, Torheit ist. Und wenn die *Theologia gloriae* den Menschen anleitet, als Handelnder, mit der ethischen Leistung, der Erfüllung des Gesetzes vor Gott zu stehen, so sieht die *Theologia crucis* ihn als zum Leiden, zur Passion berufen – dieses sein Kreuz »macht ihn zunichte«, daß er nun, statt selber etwas leisten zu wollen, vielmehr Gott alles in sich wirken läßt; er wird aus dem moralischen Aktivismus in das reine Empfangen geführt[8].

Es gehört zu dem Tiefsten in Luthers Theologie, daß er die innere Verwandt-schaft, ja Identität des religiösen Intellektualismus und des Moralismus er-kannt hat und beiden das Kreuz gegenüberstellt. Das Kreuz zerbricht in einem die natürliche Theologie und das Selbstbewußtsein des natürlichen Ethos. Gott wird nur im Leiden erkannt – das ist doppeldeutig, oder vielmehr: es bezeich-net die tiefe Korrelation: dem leidenden Christus, an dem Gott erkannt wird, entspricht der leidende Mensch, der nur als solcher Gemeinschaft mit Gott hat.

Daß Luther so von dem Kreuz Christi zu dem Leiden des Christen, von der Schwachheit Gottes in Christus zu dem Abbau des Menschen in seinem mora-lischen Selbstbewußtsein übergehen kann, hat noch eine weitere Bedeutung. Es heißt, daß die Erkenntnis Gottes nicht von theoretischer Art, sondern Sache der ganzen Existenz ist. Man kann das Kreuz nicht als eine objektive Wirk-

---

7. Luther sagt die Inflation des Menschen ebensowohl von seiner Erkenntnis Gottes in seinem unsichtbaren Wesen wie von seinen, des Menschen, Werken aus. Vgl. 1, 362,31 (impossibile est enim, ut non infletur operibus suis bonis ...) mit 362,35 (Sapientia illa, quae invisibilia Dei operibus intellecta conspicit, omnino inflat, excaecat et indurat).

8. 1, 362,32: ... exinanitus et destructus passionibus; 363,31: ... qui vero est per pas-siones exinanitus, iam non operatur, sed Deum in se operari et omnia agere novit.

lichkeit in Christus anschauen, ohne sich zugleich mit Christus gekreuzigt zu wissen. Das Kreuz bedeutet: Gott begegnet uns im Tode, im Tode Christi, aber nur so, daß man Christi Tod zugleich als den eigenen erfährt. Nur indem Christi Tod unser Tod wird, führt er uns zur Begegnung mit Gott. Das Anschauen des Todes Christi wird notwendig zum Mitsterben mit ihm.

Zusammengefaßt besagt Luthers *Theologia crucis* also: das Kreuz ist Verhüllung Gottes und insofern das Ende für alles Er-Denken Gottes durch die selbstbewußte Vernunft; das Kreuz ist Zeichen des Gerichtes über den Menschen und insofern das Ende für alles Er-Wirken der Gottesgemeinschaft durch den selbstbewußten moralischen Menschen. Das Kreuz bietet sich allein dem Er-Leben dar, besser: dem Er-Leiden Gottes, das uns von ihm durch Christus und mit ihm bereitet wird.

In der Erläuterung von These 20 handelt es sich bei den *opera* eindeutig um Gottes Schöpfungswerke – Luther bezieht sich ja auf Röm 1,20 (*manifestum ex operibus;* 1, 362,8). Bei dem Beginn der Erläuterung zu These 21 kann man schwanken. Da heißt es (362,24) vom *Theologus gloriae:* Praefert opera passionibus et gloriam cruci. Nach dem Vorigen möchte man zunächst wieder an die *opera* Gottes denken. Aber der Satz ist doppeldeutig, und im Folgenden sind ohne Frage die Werke des Menschen gemeint: Luther sagt von den »Theologen der Herrlichkeit« – sie sind die »Feinde des Kreuzes Christi«: odiunt crucem et passiones, amant vero opera et gloriam illorum (362,26). Sie halten das Kreuz für ein Übel, wogegen die Freunde des Kreuzes es als ein Gut betrachten, weil »durch das Kreuz die Werke abgebaut werden« und Adam gekreuzigt wird, »der durch die Werke vielmehr auferbaut wird« (362,26 ff.). Hier ist nicht mehr von den Werken Gottes die Rede, sondern von den Werken des Menschen, durch die er sich »erbaut«, d. h. zur Geltung bringt. Denn Luther fährt fort: Impossibile est enim, ut non infletur operibus suis bonis, qui non prius exinanitus et destructus est passionibus et malis, donec sciat seipsum esse nihil et opera non sua sed Dei esse. Das heißt: Die guten Werke wirken eine Inflation des Menschen bei sich selbst, es sei denn, daß er durch Leiden in sich selbst zunichte geworden ist und sich auf seine Werke nichts mehr zugute tut. – Entsprechend geht Luthers Gedanke von den Leiden Christi, in denen Gott verborgen ist, aber erkannt sein will, über zu den Leiden des Menschen – sie stehen, wie der soeben angeführte Schluß der Erläuterung von These 21 zeigt, im Gegensatz zu den Werken des Menschen, zu seiner anspruchsvollen ethischen Aktivität. Die Feinde des Kreuzes Christi sind auch Feinde des eigenen Kreuzes, sie wollen den Weg der Leiden nicht gehen. – Die Doppeldeutigkeit der Begriffe »Leiden« und »Werke«, der Bedeutungswechsel – in These 22 ist wieder von Gottes Werken die Rede, nachdem 21 ganz von den Werken des Menschen gehandelt hat – gibt der ganzen Stelle eine formelle Härte. Es ist zu verstehen, daß man, um sie zu vermeiden, die beiden Begriffe nur eindeutig gebraucht finden wollte. So hat C. Stange (Die ältesten ethischen Disputationen Luthers, 1904, S. 67, A. 1) gemeint, unter den »Werken« seien durchgehend nur die guten Werke des Menschen verstanden, um Gottes Werke gehe es gar nicht. Aber dieses Verständnis der Stelle scheitert an dem klaren Wortlaut, und es nimmt Luthers Gedanken ihre eigentliche Kühnheit und Tiefe.

Die *Theologia crucis* geht durch Luthers ganzes theologisches Denken hindurch. Alle rechte Theologie ist *Sapientia crucis*[9]. Das heißt: das Kreuz Christi gibt den Maßstab für die rechte Erkenntnis der Wirklichkeit Gottes, seiner Gnade, seines Heils, des Christenstandes, der Kirche Christi. Das Kreuz bedeutet, daß diese Wirklichkeiten allesamt verborgen sind. Das Kreuz ist Verborgenheit Gottes. Denn es offenbart nicht Macht, sondern Ohnmacht Gottes. Die Gottesmacht erscheint nicht direkt, sondern paradox, nämlich eben in der Ohnmacht und Niedrigkeit. So ist Gottes Gnade unter seinem Zorn verborgen, seine Gaben und Wohltaten »unter dem Kreuz verborgen«, das heißt: unter »Unglück und Plagen[10]«. Die Welt sieht nur den Zorn und die Plagen – zu der Welt gehören auch wir selber, unser eigenes Herz; auch wir fühlen nur den Zorn und die Not. Gottes Wirklichkeit widerstreitet also völlig den Maßstäben der Welt. Die Wahrheit Gottes erscheint in den Augen der Welt – und das sind auch unsere eigenen Augen! – als Lüge, die Lüge der Welt dagegen als Wahrheit. Gott kommt für die Welt – und zu ihr gehören auch die Christen! – als

9. 5, 42,8; 45,30.

10. 31 I, 51,21: Diese Gaben und Wohltat Gottes sind unter dem Kreuz verborgen, daß sie die Gottlosen weder sehen noch erkennen können, sondern haltens nur für eitel Unglück und Plagen. – 91,21: Darum so ist die Wohltat Gottes diesem Häuflein getan ganz verborgen der Welt und läßt sich nicht anders ansehen, denn als sei es eitel ewiger Zorn, Strafe, Plage von Gott selber. – Vor allem die gewaltige Stelle 249,15: Die Gnade scheint äußerlich, als sei es eitel Zorn, so tief liegt sie verborgen mit den zweien dicken Fellen oder Häuten zugedeckt, nämlich daß sie unser Widerteil und die Welt verdammen und meiden als eine Plage und Zorn Gottes, und wir selbst auch nicht anders fühlen in uns, daß wohl Petrus sagt: Allein das Wort leuchte uns wie in einem finstern Ort. Ja freilich, ein finster Ort! Also muß Gottes Treue und Wahrheit auch immerdar zuvor eine große Lüge werden, ehe sie uns zur Wahrheit wird. Denn vor der Welt heißt sie eine Ketzerei. So dünkt uns auch selbst immerdar, Gott wolle uns lassen und sein Wort nicht halten und fähet an, in unsern Herzen ein Lügner zu werden. Und Summa: Gott kann nicht Gott sein, er muß zuvor ein Teufel werden, und wir können nicht gen Himmel kommen, wir müssen vorhin in die Hölle fahren, können nicht Gottes Kinder werden, wir werden denn zuvor des Teufels Kinder. Denn alles was Gott redet und tut, das muß der Teufel geredet und getan haben. Und unser Fleisch hälts selbst auch dafür, daß uns genau und nerlich der Geist im Wort erhält und anders glauben lehrt. Wiederum aber der Welt Lüge kann nicht zur Lüge werden, sie muß zuvor die Wahrheit werden. Und die Gottlosen fahren nicht in die Hölle, sie seien denn zuvor in den Himmel gefahren, und werden nicht des Teufels Kinder, sie müssen zuvor Gottes Kinder sein. Und Summa, der Teufel wird und ist kein Teufel, er sei denn zuvor Gott gewest. Er wird kein Engel der Finsternis, er sei denn zuvor ein Engel des Lichts worden ... Wohlan, ich weiß vorhin wohl, daß Gottes Wort eine große Lüge werden muß auch in mir selbst, ehe es die Wahrheit wird. Wiederum weiß ich, daß des Teufels Wort muß zuvor die zarte göttliche Wahrheit werden, ehe sie zur Lüge wird. Ich muß dem Teufel ein Stündlein die Gottheit gönnen, und unserm Gott die Teufelheit zuschreiben lassen. Es ist damit noch nicht aller Tage Abend. Es heißt doch zuletzt: seine Güte und Treue waltet über uns.

Teufel zu stehen, angesichts dessen, wie er mit den Seinen umgeht[11]; der Teufel aber ist offenbar Gott, der Herr der Welt. Das ist der furchtbare Eindruck der Weltwirklichkeit, und ihn muß der Mensch, auch der Christ aushalten, davon kommt er immer wieder her, ehe das Wunder des Glaubens an ihm geschieht, mit dem er die unter dem Gegenteil verborgene Wirklichkeit der Gnade, der Treue und Wahrheit Gottes erkennt.

Es ist das gleiche, wenn Luther auf die Verborgenheit des Königtums Christi hinweist – daß der Gekreuzigte König sein soll, das ist für Heiden und Juden ein Ärgernis, das widerstreitet aller Vernunft und Erfahrung[12]. Das Heil, das dieser König den Seinen verheißt und bringt, ist das Widerspiel dessen, was jeder Mensch sich von dem König Gottes erhofft, nämlich Kreuz und Tod, der Haß der Welt und dergleichen[13]. So sind die Kinder Gottes als solche vor der Welt verborgen, ja auch vor sich selbst[14]. Sie sind weder der Welt noch sich selbst kenntlich als das, was sie von Gott her sind. Psalm 1 preist die Gerechten selig. Aber die »Seligkeit dieses Namens ist verborgen im Geiste, in Gott, so daß sie außer durch Glauben und Erfahrung nicht erkannt werden kann[15]«. »Wen der Prophet hier selig preist, den hält die Welt einstimmig für den Allerelendesten, wie es Jesaja an Christo, dem Haupt und Urbild dieser Seligen gesehen hat, wenn er sagt: er war der Allerverachtetste und Unwerteste[16].«

Die *Theologia crucis* bestimmt auch Luthers Sicht der Kirche. Die wahre Kirche Christi ist nicht identisch mit der geschichtlichen Körperschaft, die sich

11. 41, 675,8: Er (Gott) stellt sich ut Teufel.

12. 5, 68,35: Difficillimum omnium erit, agnoscere eum regem, qui tam desperata et ignominiosa morte interiit. Sensus fortiter repugnat, ratio abhorret, usus negat, exemplum deest, plane stulticia haec gentibus et Judaeis scandalum erit, nisi super haec omnia mentem elevaveritis.

13. 5, 69,1: Rex iste sic regnat, ut omnia, quae in lege sperastis, contemnenda, omnia, quae timuistis, amanda doceat, crucem mortemque proponit ... Moriendum est vobis, si sub hoc rege vivere vultis: Crux et odium totius mundi ferenda, ignominia.

14. 5, 45,30: Quia sapientia Crucis haec est, ideo solus Deus novit viam justorum (Ps. 1,6), adeo abscondita est etiam ipsis justis. Dextera enim eorum ducit eos mirabiliter, ut sit via non sensus, non rationis, sed solius fidei in caligine et invisibilia videntis. – Zu dem Verborgensein auch für die Christen selbst vgl. auch die Anm. 10 wiedergegebene Stelle 31 I, 249,15. Ferner 9, 196,16 f.: Daß auch all sein Volk inwendig und verborgen ist, auch von ihnen selber. – DB 7, 420,5: Es ist ein Christ auch wohl ihm selbst verborgen, daß er seine Heiligkeit und Tugend nicht siehet, sondern eitel Untugend und Unheiligkeit siehet er an sich.

15. 5, 36,15 (aus dem Lat.).

16. 5, 36,22; 41,35. Luther zitiert hier die gern von ihm angeführte Stelle Ps 4,4; mirificavit Dominus sanctum suum, die er in seiner Bibel übersetzt: »daß der Herr seine Heiligen wunderlich führet.« Diese Stelle führt er auch im Zusammenhang seiner Rechtfertigungslehre an; auch das ein Zeichen dafür, daß die Rechtfertigung des Sünders ein Sonderfall des in der *Theologia crucis* beschriebenen Handelns Gottes ist.

Kirche nennt, mit ihren Fehlern, Sünden, Spaltungen und Häresien. Sie ist unter dieser empirischen Wirklichkeit verborgen. Wir kommen bei Luthers Lehre von der Kirche noch darauf zurück. Die irdische Erscheinung der Kirche gibt Ärgernis: »Der Teufel kann sie wohl zudecken mit Ärgernissen und Rotten, daß du dich müssest daran ärgern, so kann sie Gott auch mit Gebrechen und allerlei Mangel verbergen, daß du mußt darüber zum Narren werden und ein falsch Urteil über sie fassen. Sie will nicht ersehen, sondern erglaubt sein, Glaube aber ist von dem, was man nicht siehet[17].«

Die *Theologia crucis* setzt sich ebenso in Luthers Verständnis der Rechtfertigung durch. Der Mensch, mit dem Gott handelt, ist Sünder, er erfährt und »fühlt« nichts als Gottes Zorn. Aber er soll es im Glauben an das Wort des Evangeliums wagen, sich als gerecht, als in Gottes Wohlgefallen zu wissen. Gottes Ja zu ihm ist verhüllt in einem strengen Nein. Aber der Glaube ist die Kunst, Gott in seinem Gegensatz zu ergreifen »und das tiefe heimliche Ja unter und über dem Nein mit festem Glauben auf Gottes Wort fassen und halten[18]«.

In alledem erweist sich, daß die *Theologia crucis* ein neues Verständnis dessen, was wir »Wirklichkeit« nennen, bedeutet. Was Welt und Vernunft für die wahre Wirklichkeit halten, ist es nicht. Die wahre Wirklichkeit Gottes und seines Heiles ist »paradox«, unter ihrem Gegenteil verborgen. Sie läßt sich daher nicht von der Vernunft erfassen, sie kann nicht Gegenstand ihrer Erfahrung sein. Nach den Maßstäben der Vernunft und Erfahrung – das ist aber der Maßstab der »Welt« – ist die wahre Wirklichkeit unwirklich – wirklich ist das Gegenteil zu ihr, das Widerspiel. Allein der Glaube kann die wahre, die paradoxe Wirklichkeit erfassen. So treten in Luthers *Theologia crucis* überall die Sicht der Vernunft, der Sinne, der Erfahrung, der »Welt« einerseits, die Sicht des Glaubens (und der ihm geschenkten Erfahrung) andererseits einander gegenüber[19].

Das bedeutet für das Wesen des Glaubens: er steht immer im Kampf mit der Wirklichkeit, welche die Welt, also auch die eigene Vernunft und weltliche Erfahrung sieht. Der Christ ist ständig angefochten. Die Anfechtung als wesentliches Merkmal des Christenstandes gehört mit der *Theologia crucis* zusammen. Es ist die Not des Christenstandes, daß der Christ mitten in der Wirklichkeit steht unter dem Eindruck dessen, was die Vernunft und ihre Erfahrung ihm zeigen. Glauben heißt, im ständigen Widerspruch zur empirischen Wirklichkeit sich zu der verborgenen bekennen; den Widerspruch der Vernunft und Erfahrung aushalten, durch die weltliche Wirklichkeit im Blick auf das Wort der Verheißung durchbrechen. Damit ist gegeben: Glaube ist nicht ein Standpunkt, sondern eine immer neue Bewegung. Die empirische Wirklichkeit des Menschen und der Welt, die Erfahrung der Not, des Zornes, des Todes hört

17. DB 7, 418,38.   18. 17 II, 203,15.
19. Vgl. weiter S. 58. Glaube und Erfahrung.

ja nicht auf, sie kann nicht übersprungen werden. Der Christ kann sie nur immer neu überwinden, indem er sich im Glauben an das Wort hält. Der Christ steht immer wieder in der Anfechtung, daß die Wahrheit Gottes ihm durch den Eindruck der Wirklichkeit zweifelhaft wird, als Lüge erscheint. Er hat den Himmel der Gemeinschaft mit Gott nicht, ohne immer wieder die Höllenfahrt des Zweifels, ja der Verzweiflung an Gottes Gnade machen zu müssen[20]. Daß der Glaube so im ständigen Widerstreit steht, nur als Durchbruch durch die von der Vernunft wahrgenommene Wirklichkeit lebendig ist, drückt sich theologisch darin aus, daß weithin die Darstellung der christlichen Wahrheit in der Form antinomischer Sätze geschehen muß. Das wird sich uns des genaueren z. B. bei Luthers Gedanken über den Zorn Gottes zeigen. Die dogmatische Darstellung kann nur so geschehen, daß nicht nur die Sicht des Glaubens, sondern auch die Anfechtung, aus der er ständig kommt und auf die er immer bezogen ist, also der Durchbruchscharakter des Glaubens zum Ausdruck kommt. Die Theologie des Kreuzes ist Theologie des Glaubens, die Theologie des Glaubens ist und bleibt Theologie der Anfechtung. Das theologische Denken und Reden geschieht nicht an einem Ort jenseits der Anfechtung und der Bewegung des Glaubens aus ihr heraus, sondern es ist und bleibt ein Denken in eben dieser Bewegung, also auch ein Denken in der Anfechtung.

Daß es rechte Theologie für uns nur als *Theologia crucis* geben kann, das ist für Luther mit dem Sündenfall des Menschen gegeben. Wie für den Apostel Paulus (1 Kor 1,21), so ist auch für Luther die *Theologia crucis* nicht uranfänglich die einzige Möglichkeit. Er kann sagen: jene »Weisheit«, mit der man Gott in seinen Werken erkennt, ist nicht an sich schlecht, so wenig wie Gottes Gesetz. Aber der sündige Mensch mißbraucht, wie alle guten Gaben Gottes, auch diese zur Erhöhung seiner selbst – und daher gibt es nur noch den Weg der *Theologia crucis* zur rechten Erkenntnis Gottes[21]. Aber daß Luther so die *Theologia crucis* mit der Sünde des Menschen zusammenbringt und durch sie bedingt sein läßt, hindert nicht, daß sie auf der anderen Seite aufs engste mit der Gottheit Gottes, wie er sie versteht, zusammenhängt und diese ausdrückt. Die Theologie des Kreuzes bedeutet, daß Gott sich in seinem Heilshandeln verbirgt, daß er unter der Hülle des Gegenteils paradox handelt und schafft. Darin aber – so sieht Luther es – bringt Gott gerade seine Gottheit zu Ehren. Sie ist die Macht, aus dem Nichts, aus dem Gegenteil zu schaffen. Sie erweist sich gerade in der Umkehrung aller irdischen Maßstäbe und Verhältnisse. Eben darin, daß er in der Schwachheit mächtig, in der Niedrigkeit herrlich, im Tode lebendig und Lebenschaffend ist, zeigt Gott sich als Gott. So gehören die Theologie des Kreuzes und die Gottheit Gottes bei Luther innig zusammen.

20. Vgl. die in Anm. 10 angeführte Stelle 31 I, 249.
21. Die 24. These der Heidelberger Disputation, 1, 363,25: Non tamen sapientia illa mala nec Lex fugienda, sed homo sine Theologia crucis optimis pessime abutitur.

Man braucht kaum auszusprechen, daß Luther mit seiner *Theologia crucis* in den Bahnen des Paulus geht. Die Gedanken von 1 Kor 1,18 ff. und des 2. Korintherbriefes über das Wirken des Lebens Gottes im Tode, seiner Kraft in der Ohnmacht werden vollmächtig erneuert. Das Kreuz als den gültigen Maßstab für die Erkenntnis Gottes und für das Selbstverständnis des Menschen anzusehen, darin ist Paulus Martin Luther voraufgegangen.

Wort und Geist Gottes

Gott begegnet dem Menschen zum Heile nur so, daß er sich »eingekleidet« hat, daß er sich an einem von ihm bestimmten Ort finden läßt (vgl. S. 32). Dieser Ort ist Christus. Wo aber finden wir Christus? Wie wird er uns gegenwärtig und bekannt? »Niemand wird ihn finden anderswo denn im Wort Gottes[1].« Allein durch das Evangelium, das Zeugnis von Christus, kommt er zu uns. Dieses ist ergangen in der Heiligen Schrift, sofern diese im Neuen und auch im Alten Testament – nach Luthers Ausdruck – »Christum treibet«, und es ergeht ständig in dem Wort der kirchlichen Verkündigung, in der Predigt, aber auch in dem Zuspruch, den ein Christ dem anderen und sonderlich der Diener am Wort den ihm Anvertrauten im Namen Christi geben darf. Das Verkündigungswort der Kirche ist christlich nicht zu denken ohne das biblische Wort, aus dem es lebt; aber auch das biblische Wort nicht ohne die heutige lebendige Verkündigung, das »mündlich Geschrei«, als welches nach Luther das Evangelium ursprünglich und wesentlich immer ergeht[2]. Beide aber, das Schriftwort und das mündliche Wort, sind »äußerlich Wort«, das heißt: nicht primär ein unmittelbares mystisches Sprechen von Gottes Geist zum menschlichen Geist, sondern ein von außen an den Menschen ergehendes, von Menschen getragenes und vermitteltes Wort. Das hängt daran, daß Christus in seiner Menschlichkeit, das heißt Geschichtlichkeit Gottes Gegenwart bei uns ist. Wie er Mensch und leibhaftig wurde, so tritt er auch an die Menschen auf die menschlich-geschichtliche Weise des »äußerlichen Wortes« heran. In diesem menschlichen Zeugnis von Christus kommt Christus mit seinem Heil zu den Menschen, ist er für sie gegenwärtig,

---

1. 10 III, 349,17: Wie haben wir denn nun Christum? Denn er sitzt im Himmel zur Rechten des Vaters. Er wird nicht zu uns herabsteigen in unser Haus. Nein, das tut er auch nit. Wie erlang und hab ich aber den? Ei, den magst du nit anders haben denn im Evangelio ... Und also kommt Christus durch das Evangelium in unser Herz, der muß auch mit dem Herzen angenommen werden. So ich nun glaub, daß er im Evangelio sei, so empfahe und hab ich ihn schön. – 210,11: Christus wird nicht erkannt, allein durch sein Wort, sonst hülfe mir Christus Fleisch nichts und wenn es gleich heute käme. – 12, 414,11.
2. 40 II, 410,37; 411,1. – 50, 240,31.

bei ihnen da und sie sind bei ihm[3]. Darum ist die menschliche Verkündigung »Gottes Wort«.

Aber Gottes Wort ist niemals nur »äußerliches Wort«, das von menschlichen Lippen gesprochen mit den Ohren gehört wird, sondern Gott spricht seine Wahrheit zugleich in das Herz hinein, so daß es von dem Menschen nicht nur äußerlich, sondern auch innerlich empfangen und geglaubt wird – das ist das Werk des Geistes Gottes. »Der Herr füllet mir mein Herz durch sein ewiges Wort und Geist[4].« Wie aber verhalten sich das äußerliche Wort und das innere Reden Gottes zum Herzen zueinander? Sie gehören für Luther aufs innigste zusammen. Was er hier zu sagen hat, läßt sich in die beiden Sätze fassen: Der Geist redet nicht ohne das Wort; und: Der Geist redet durch das Wort, im Worte.

Zuerst: Gott gibt seinen Geist nicht anders als so, daß das äußere Wort vorangeht; also nicht unmittelbar, »ohn Mittel«, sondern mittelbar[5]. Das hat Luther immer wieder gegen die Spiritualisten seiner Zeit, gegen die »Schwärmer« geltend gemacht[6]. »Der Glaube kann nicht aufgehen denn durch den Heiligen Geist, und dasselbige doch nicht ohne das äußerliche Wort. Also muß man vorhin das äußerliche Wort hören und dasselbige nicht verachten, wie etliche meinen. Denn Gott wird nicht zu dir in dein Kämmerlein kommen und mit dir reden. Es ist also beschlossen, das äußerliche Wort muß gepredigt sein und vorhergehen, darnach wenn man das Wort in die Ohren und zu Herzen gefasset hat, alsdenn so kommt der Heilige Geist, der rechte Schulmeister und gibt dem Wort Kraft, daß es bekleibet (haften bleibt)[7].« – »Wir müssen nicht wie die Rottengeister uns vornehmen, daß Gott ohne Mittel und ohn sein Wort im

3. 10 I, 1,13,19: Wenn du nu das Evangelienbuch auftust, liesest oder hörest, wie Christus hie oder dahin kommt oder jemand zu ihm bracht wird, sollst du dadurch vernehmen die Predigt oder das Evangelium, durch welches er zu dir kommt oder du zu ihm bracht wirst. Denn Evangelium predigen ist nichts anderes, denn Christum zu uns kommen oder uns zu ihm bringen. – 9, 632,21: Christus regiert in uns, doch fühlen wir und greifen ihn nicht, müssen allein das Wort fassen. So wird er kommen und den Glauben entzünden.

4. 31 I, 99,31 f.

5. 18, 695,28 ff. Auf die Frage, warum Gott sein Werk am Menschen nicht ohne das Wort tue, antwortet Luther hier, daß er wohl auch ohne das Wort vermöge, das aber nicht wolle, »damit er uns als seine Mitarbeiter habe«, nämlich in der äußeren Verkündigung. Sic placitum est Deo, ut non sine verbo, sed per verbum tribuat spiritum, ut nos habeat suos cooperatores, dum foris sonamus, quod intus ipse solus spirat.

6. Vor allem an der berühmten Stelle der Schmalk. Artikel über den Enthusiasmus 50, 245,1: In diesen Stücken, so das mündlich, äußerlich Wort betreffen, ist fest darauf zu bleiben, daß Gott niemand seinen Geist oder Gnade gibt ohne durch oder mit dem vorhergehenden äußerlichen Wort; damit wir uns bewahren vor den Enthusiasten, das ist Geistern, so sich rühmen, ohne und vor dem Wort den Geist zu haben ...

7. 17 II, 459,36.

Herzen tröste[8].« So ist also das Wirken des Geistes im Herzen auf alle Fälle an das vorherige Hören des »äußerlichen Wortes« gebunden. Das besagt zugleich: der Geist redet nichts anderes als das äußere Wort. Er gibt keine neuen Offenbarungen. Er macht das äußere Wort innerlich mächtig, daß es den Menschen im Herzen trifft. So ist das Reden des Geistes auch inhaltlich ganz an das Wort gebunden. Die Unmittelbarkeit des göttlichen Redens, wie die Spiritualisten sie wollten, würde bedeuten, daß der Geist von dem Worte frei ist, daß seine Inspirationen alles Mögliche enthalten können. Damit wäre ein anderer Weg zum Heil als das Evangelium von Jesus Christus aufgetan, eine andere Begegnung Gottes mit den sündigen Menschen behauptet als die in der Menschlichkeit, der Geschichtlichkeit Jesu, von der das Wort zeugt. Die Gebundenheit des Geistes an das Wort bedeutet: Gebundenheit unseres Heils an das menschliche Leben Jesu Christi; die Wortgebundenheit des Geisteswirkens sichert die Eindeutigkeit des göttlichen Sprechens als Gesetz und Evangelium. Geistesreden »ohn Mittel« kann viele Inhalte haben, das Wort aber ist eindeutig.

Zweitens: das alles besagt, auf das Wort angewandt: das äußere Wort ist selber geistmächtig, es bleibt nicht außen, sondern geht in den Menschen ein. Das äußere Wort wird selber inneres Wort, es ist des Herzens mächtig und erweist sich eben darin als Gottes Wort. Der Geist wirkt nicht allein, nicht »ohne« das Wort, sondern er wirkt durch das Wort, im Worte[9]. Es hat die Macht, daß Christus dadurch »ins Herz kommt«. Es ist imstande, »dem Herzen genug zu tun«, den Menschen »zu beschließen und begreifen, daß er gleich darinnen gefangen fühlt, wie wahr und recht es sei[10]«. Dem Wort eignet die Gottesmacht, uns im Geist zu überführen von seiner Wahrheit, das heißt davon, daß es Gottes Wort ist. Das Wort, das Evangelium bedarf also keiner Autorisierung oder Garantie durch eine andere Instanz, zum Beispiel durch die Kirche. Niemand braucht mir zu sagen, wo das Wort Gottes, das Evangelium sei – der Mensch fühlt das, das Wort nimmt ihn gefangen und erweist sich dem Menschen unmittelbar als Wort Gottes – das ist das »Zeugnis des Heiligen Geistes« im Herzen[11]. Das eine und selbe innere Geschehen, in dem der Mensch Gewißheit um das Evangelium erlangt, kann Luther sowohl als Selbstbezeugung des Wortes wie als Zeugnis des Heiligen Geistes bezeichnen. Beides ist das gleiche.

So gehören Wort und Geist nicht nur zusammen, sondern sie sind eine untrennbare Einheit. Luther gebraucht dafür Bilder aus der Natur und dem menschlichen Sprechen. Wort und Geist verhalten sich wie Glanz und Hitze, welche die Sonne beide miteinander von sich gibt, oder wie Stimme und Atem

---

8. 31 I, 99,33. 9. 9, 632,25; 633,2. 10. 10 I, 1, 130,15.
11. 30 II, 687,31: Evangelion non enim ideo creditur, quia Ecclesia approbat, sed quia verbum Dei esse sentitur. – 688,2: Certus erit de Evangelio unusquisque in semetipso testimonium habens spiritus sancti, hoc esse Evangelion.

beim Reden: »Man kann nicht voneinander scheiden die Stimme und den Atem. Wer die Stimme nicht will hören, den geht der Atem auch nicht an[12].«

Diese Beispiele sollen im Sinne Luthers zunächst sagen: man kann den Geist nicht haben ohne das Wort. Aber bedeuten sie auch: wo das Wort ist, da ist immer auch der Geist? Luther betont, wie wir sahen, daß das Wort des Herzens mächtig ist. Und doch unterscheidet er dann wieder das Wirken des Geistes Gottes von dem Hören des Wortes. Daß das äußere Wort ins Herz dringt und es »beschließt«, ist dann nicht als eine Dynamis verstanden, die dem Wort immer eigen, mit der es geladen ist. Sondern das Wirken des Geistes, so gewiß es durch das Wort geschieht, tritt zu dem Verkündigen und Hören des äußeren Wortes erst hinzu, und nicht immer sogleich. Es kommt als ein Zweites neben dem Verkündigen und Hören des Wortes zu stehen[13]. »Das Wort kann man mir wohl predigen, aber ins Herz geben kanns mir niemand, denn allein Gott, der muß im Herzen reden, sonst wird nichts draus. Denn wenn der schweigt, so ist ungesprochen[14].« Gott wirkt mit seinem Geist durch das Wort, daran ist kein Zweifel. Aber er hat seine Geistesmacht nicht an das Wort delegiert, sondern wirkt durch es in seiner Freiheit jeweils gegenwärtig-aktuell. Er gibt seinen Geist nicht dem Verkündiger in die Hand. Die Verkündigung und das Hören des Hörers muß unter Umständen auf ihn warten. Der Geist zum Wort muß erbeten werden. Die Prediger haben Gesetz und Evangelium zu verkündigen. Aber daß das Wort die Leute trifft und bekehrt, haben sie nicht in der Hand. Das behält Gott sich vor. Da muß Gottes Geist mitwirken. Er bekehrt die Menschen. Er macht das Wort durch seine Geisteswirkung wirksam, an welchen und wann er will[15]. Beide Bestimmungen sind wichtig, das Wann und das Wen. Wann – das bedeutet, daß man auf den Geist warten muß; daß es eine Frist dauern kann, bis Gott das Wort über das Herz wirksam werden läßt.

12. 9, 632,26; 633,5.

13. Vgl. das »darnach« 9, 632,33 und 17 II, 460,4. Dieses »darnach« will gewiß zunächst keinen zeitlichen Abstand bezeichnen, sondern nur die wesenhafte Gebundenheit des Geisteswirkens an das Wort. Luther kann betonen, daß der Geist kommt, sobald das Wort verkündet wird; 9, 633,3: »Also lehret Petrus in actis (2,14) nichts denn Wort, doch sobalde ers sagt, kommt der H. Geist und erleuchtet sie und zündt sie an, allein darum, daß sie still halten.« Aber nicht immer kommt der Geist sofort.

14. 10 III, 260,20. – 17 II, 174,19.

15. 18, 695,30: Foris sonamus, quod intus ipse solus spirat, ubi ubi voluerit. – 39 I, 369,1: Deus vult, ut legem doceamus. Hoc ubi fecerimus, videbit ipse, qui per eam convertantur, certe convertit per eam ad poenitentiam, quos et quando vult. – 12: Evangelium est omnium, sed non omnium est fides. Lex est omnium, sed non omnium est vis et sensus legis. Sic ego ago poenitentiam, quando Deus me trifft lege et Evangelio. De tempore et hora non possumus dicere, ipse novit, quando velit me convertere. – Vgl. weiter 370,4.10: (Predigen und) Deo postea committenda res, is corda movebit, quae vult. – 404,16; 406,6.15.

»Der Heilige Geist weiß wohl das äußerliche Wort im Herzen zu erinnern und aufzublasen, obs gleich vor zehn Jahren gehört wäre.« Das Wort kann also lange Jahre ohne Wirkung im Herzen gleichsam gewartet haben – und dann kommt Gottes Geisteswirken und macht das vordem gehörte Wort wirksam[16]. Aber Gott bestimmt nicht nur in seiner Freiheit das Wann, sondern auch das Wen[17]. An manche ergeht das Wort des Gesetzes und Evangeliums, ohne daß ihnen auch der Geist verliehen und so das Wort zum Heil empfangen wird. Warum Gott so handelt, ist sein Geheimnis; es ist uns nicht enthüllt und muß seinem Entscheid überlassen bleiben[18]. Das gilt vollends da, wo Gott einen Menschen durch sein Gebot, durch das äußere Wort vielmehr zum Widerstand, zum Trotz aufreizt, wie zum Beispiel Pharao[19].

Aber die so betonte Freiheit Gottes, zu wählen, wem und wann er seinen Geist zum äußeren Wort geben will, ändert nichts an der Wort-Gebundenheit des Geistes. Um Gottes Geist zu empfangen, ist der Mensch nach wie vor und ausschließlich an das äußere Wort gewiesen. Zu ihm soll er sich halten, bei ihm soll er aber auch mit Geduld warten – dessen gewiß, daß Gott mit ihm auf alle Fälle durch das Wort handeln und seinen Geist geben will, früher oder später. Diese Verheißung Gottes gilt jedem, der das Wort verkündigt und der es hört; sie wird durch die dunkle Grenzmöglichkeit, daß Gott seinen Geist auch verweigern kann, nicht aufgehoben. Der im Namen Gottes Redende und der Hörende sollen sich an sie halten, also treu sein im Predigen und im Hören. Gerade weil niemand es in der Hand hat, wann Gott durch seinen Geist zum Herzen reden will, gilt es, am Wort, am Hören zu bleiben. »Weil denn die Prediger das Amt, Namen und Ehre haben, daß sie Gottes Mithelfer sind, soll niemand so gelehrt oder so heilig sein, der die allergeringste Predigt versäumen oder verachten sollte, sintemal er nicht weiß, welche Zeit das Stündlein kommen werde, darin Gott sein Werk an ihm tu durch die Prediger[20].«

Das alles hat Luther in Auseinandersetzung mit dem spiritualistischen Schwärmertum unermüdlich vertreten. Auch er wußte wahrhaftig, daß Gottes Reden immer ein geisthaftes innerliches Bewegen des Herzens ist, immer ein gegenwärtiges unmittelbares Anrühren, ein »Einrünen« Gottes. Aber die geisthafte Innerlichkeit bindet sich nach Gottes Willen ganz an die Äußerlichkeit

---

16. 31 I, 100,1. – 38, 205,17: Und hie ist denn Zeit und Not Rettens und Helfens oben vom Himmel herab, daß entweder ein Bruder bei dir sei mit einem äußerlichen Wort Gottes oder der Heilige Geist selbst im Herzen mit Erinnerung solcher äußerlichen Wort. – 40 II, 410,24.37: Verbum, sive per fratrem praesentem inspiretur, sive incidat monente spiritu per verbum antea auditum.

17. 30 III, 180,15: (Gott) gibt auch durch dasselbige (Evangelium) als durch ein Mittel den Glauben mit seinem heiligen Geist, wie und wo er will.

18. 39 I, 578,23: At non omnibus contritis datur Spiritus sanctus. Cur sic et non aliter? Respondeo: Hoc nobis non est revelatum, sed relinquendum judicio Dei.

19. 18, 711,20.   20. 17 II, 179,23.

des Wortes menschlicher Verkündigung und seines äußeren Hörens, und die Unmittelbarkeit, mit der Gott ins Herz spricht, wird Ereignis nicht anders als in der Mittelbarkeit des Hörens auf das äußere Wort, und sie hat keinen anderen Inhalt als den des äußeren Wortes – ihm »gibt sie Kraft«, ihn drückt sie ins Herz. Der Geist wirkt nichts anderes, als daß das Wort Gewalt gewinnt über den Menschen. Auch Luther kennt ein »ohn Mittel«, eine Unmittelbarkeit, und auch die Schwärmer behaupten eine Mittelbarkeit – aber je an anderer Stelle und in anderem Sinn. Die Spiritualisten lehren und üben Methoden zur Vorbereitung auf den Empfang des Geistes; solche Technik der Seelenbehandlung lehnt Luther ab: »Ohn alle mein Bereiten und Zutun kommt mir Gottes Wort[21].« Es gibt nur eine rechte Bereitung: das Wort predigen, hören oder lesen – dabei aber verlasse ich mich nicht auf die eigene Kraft und Aktivität, wie die Schwärmer mit ihrer Methodik, sondern setze mich allein der Geistesmacht Gottes in seinem Worte aus[22]. Hier gibt es keine Unmittelbarkeit, die von dem Hören des Wortes dispensieren könnte. Die Schwärmer lehren eine Mittelbarkeit, nämlich menschliche Bereitung eben da, wo sie nicht behauptet werden darf, wo sie der Freiheit Gottes Eintrag tut; und sie lehren die Unmittelbarkeit da, wo der Christ vielmehr nach Gottes Ordnung auf die Mittel der Gnade angewiesen ist. Luthers zwiefaches Nein zu den Spiritualisten, an beiden Punkten, entspricht durchaus seinem Verständnis der Rechtfertigung. Luther wahrt zugleich Gottes Selbstbindung an das Wort und Gottes Freiheit.

Von diesem Wort Gottes in der Hand seines Geistes gilt nun, daß es für des Menschen Seele oder Geist schlechterdings unentbehrlich ist. Die Seele ist für das Wort geschaffen. Sie kann ohne das Wort Gottes nicht leben. Alles andere kann sie entbehren, aber das Wort nicht. Wenn sie das Wort hat, dann bedarf sie nichts anderes, denn in dem Wort findet sie den Inbegriff aller Güter und daher volles Genüge[23]. Das Wort ist auch die einzige alleinige unbedingte Autorität über die Seele und den Geist. Die Seele kann nur von Gottes Wort bestimmt und regiert werden, nicht von irgendeiner irdischen Instanz, denn sie ist »ein ewig Ding«, wie das Wort selbst. Sie transzendiert alles Innerweltliche. Das ist ihre Würde, ihre Freiheit[24].

21. 12, 497,2.

22. 12, 497,3: Das mag ich tun, daß ich hingeh und höre es (das Wort) oder lese oder predig, das er mir also ins Herz gehet: das ist die recht Bereitung, die stehet nicht in menschlichen Kräften und Vermögen, sondern in Gottes Kraft.

23. 7, 22,9: Die Seele kann alles Dinges entbehren ohne des Wortes Gottes, und ohne das Wort Gottes ist ihr mit keinem Ding geholfen. Wo sie aber das Wort hat, so bedarf sie auch keines anderen Dings mehr, sondern sie hat in dem Wort Genüge, Speis, Freud, Fried, Licht, Kunst, Gerechtigkeit, Wahrheit, Weisheit, Freiheit und alles Gut überschwänglich.

24. 11, 409,3: Die Seele des Menschen ist ein ewig Ding über alles, was zeitlich ist. Darum muß sie nur mit ewigem Wort geregiert und gefaßt sein. – 11, 262,9: Über die Seele kann und will Gott niemand lassen regieren, denn sich selbst alleine.

Der Glaube

In unserem Zusammenhang ist von dem Glauben noch nicht nach allen Seiten zu handeln. Was er zum Inhalt hat, wiefern an ihm das Heil hängt, davon kann die Rede sein erst, wenn das Wort Gottes in seine beiden Gestalten als Gesetz und Evangelium entfaltet ist. Was Glaube an Jesus Christus heißt, läßt sich erst innerhalb der Christologie und der Lehre von der Rechtfertigung zeigen. An unserer Stelle ist die Wesensstruktur des Glaubens darzulegen: seine Relation zum Wort Gottes, sein personaler Charakter, sein Verhältnis zur Erfahrung und zur Vernunft.

Der Glaube und das Wort Gottes

Der Glaube auf Gott in seinem Wort gerichtet. Man kann vom Glauben bei Luther nicht reden, ohne zugleich vom Wort Gottes zu reden. Beides gehört aufs engste zusammen. Man kann auch im Sinne Luthers vom Wort Gottes nicht sprechen, ohne zugleich vom Glauben zu sprechen. Denn das Wort Gottes ist dadurch gekennzeichnet, daß es zum Glauben ruft und Glauben wirkt; der Glaube aber dadurch, daß er auf das Wort gerichtet ist. Wort Gottes und Glaube gehören wesenhaft zusammen.

Glaube hat bei Luther nichts zu tun mit einer sogenannten schöpferischen Selbstermannung des Menschen, nichts mit dem seelischen Zustand einer »Gläubigkeit«, die keinen Gegenstand, kein Gegenüber hat. Den Glauben gibt es nur im Gegenüber zum Wort Gottes. Dieses allein gibt ihm den Grund und den Inhalt. Genauer gesagt handelt es sich um das Wort der »Verheißung«, also das Evangelium. Das Gesetz Gottes ist allen Menschen ins Herz geschrieben. Jeder weiß darum, mindestens, wenn er durch die Verkündigung darauf angesprochen wird. So ist das Gesetz nicht, jedenfalls nicht in dem Sinne wie das Evangelium, Gegenstand des Glaubens. »Der Glaube weidet sich nicht, denn allein von dem Wort Gottes ... Wo nicht Zusagung Gottes ist, da ist kein Glaub[1].« (Daß Glaube und »Verheißung« Gottes zusammengehören, übernimmt Luther von dem Apostel Paulus, Röm 4,13 ff.) Daher geht dem Glauben das Hören voraus, wie Luther mit Paulus Röm 10,14; Gal 3,2 immer wieder betont. »Der Glaub kommt nicht ohne durchs Hören«, nämlich der Verkündigung des Evangeliums[2]. Glauben heißt bei Luther: Gottes Verheißung von Herzen annehmen und es auf sie wagen. Glaube ist der Akt des Willens, mit dem der Mensch dem Wort der Verheißung »anhangt«[3]. »In dem Glauben muß man alle Ding aus

---

1. 6, 363,28; 364,8. – 39 II, 207,4: Fide accipitur promissio.
2. 17 II, 73,29; 176,30.
3. 40 III, 50,3: Natura fidei voluntas quae pendet in verbo, quod praescribit invisibilia gaudia, auxilia et patrocinia.

den Augen tun ohne das Wort Gottes ... Der Glaube hanget allein dem Wort bloß und lauter an, wendet die Augen nicht davon, siehet kein ander Ding an[4].«

Indem der Glaube ganz auf das Wort gerichtet ist, geht er auf Gott selbst bzw. auf Christus. Denn in seinem Wort sind Gott und Christus selber für uns da[5]. »Dem Wort glauben« heißt daher: »in Gott durchs Wort« glauben[6]. Das Glauben bezieht sich also unmittelbar auf Gott selbst. Das Wort der Verheißung, dem ich glaube, hat nicht die sachliche Autorität einer geltenden, sich als solche bezeugenden Wahrheit, sondern die personhafte Autorität des in ihm redenden, sich mir bezeugenden Gottes und Herrn. Es übermittelt dem Menschen nicht eine Sachwahrheit, sondern die persönliche Zuwendung und Anrede Gottes an ihn in Zusage und Aufruf, in Verheißung und Gebot. Daher ist das Glauben immer ein unmittelbares Verhalten zu Gott selbst und Christus. Glauben heißt: Gott in seinem Wort als wahrhaftig nehmen und ihn damit in seiner Gottheit anerkennen und ehren. Glauben ist das unbedingte Vertrauen zu Gott in seinem Wort. Mit nichts anderem kann der Mensch Gott so ehren wie mit dem Glauben, denn damit nimmt er Gottes Gottheit ernst; mit dem Nichtglauben verleugnet er sie. Daß wir mit dem Glauben Gott ehren und das erste Gebot erfüllen, das ist für Luthers Verständnis des Glaubens überaus bezeichnend. Es handelt sich für ihn bei dem Glauben nicht nur, anthropozentrisch, um das Heil des Menschen, um den einzigen Weg, das Leben zu gewinnen, sondern vor allem auch, theozentrisch, um die Ehre Gottes. »Wenn die Seele Gottes Wort festiglich glaubt, so hält sie ihn für wahrhaftig, fromm und gerecht. Damit tut sie ihm die allergrößte Ehre, die sie ihm tun kann, denn da gibt sie ihm recht, da läßt sie ihm recht, da ehrt sie seinen Namen. Wiederum kann man Gott keine größere Unehre antun, denn ihm nit glauben[7].« So »gehören« – nach dem berühmten Wort im Großen Katechismus – »Glaube und Gott zuhaufe[8]«. Sie sind Korrelate, und zwar in dem doppelten Sinn: rechter Glaube kann auf niemanden anders als auf Gott gerichtet sein – nur ihm kann man unbedingt glauben[9]; und: nur mit dem Glauben, dem unbedingten Vertrauen wird Gott wahrhaft als Gott behandelt. Glauben ist das Verhältnis zu Gott;

4. 10 III, 423,17.

5. 31 I, 456,1: Danke du, daß du mein Wort hast und durchs Wort mich selbst. – Andere Wendungen: das Wort ist Gott selbst, 8, 49,24; – wenn das Wort Gottes gelehrt wird, dann ist Gott gegenwärtig, 8, 50,20.

6. 10 I, 1,129,14.

7. 7, 25,5.

8. 30 I, 133,7.

9. 37, 42,5.15: Solchs lehret die Vernunft selbst und die Schrift bestätigt, daß Glaube oder Trauen des Herzens keinem Menschen widerfahren soll und niemand gehört ohne dem wahrhaftigen Gott, weil er allein ewig und unsterblich ist, und dazu auch allmächtig, daß er tun kann, was er will.

und Gott ist der, dem man glauben kann und muß. Will man aussagen, was Glauben heißt, so muß man von Gott sprechen. Will man aussagen, was Gott heißt, so muß man vom Glauben sprechen.

Gott kommt im Glauben des Menschen zur Ehre seiner Gottheit. Luther hat das in den kühnen Satz fassen können: »Der Glaube ist der Schöpfer der Gottheit.« Auf solche Sätze hat Feuerbach sich berufen für seine anthropologische Ableitung des Gottesgedankens als Vergegenständlichung des Menschenwesens (der Mensch schuf Gott nach seinem Bilde); Karl Barth meint: nicht ganz ohne Grund, und fragt, ob bei Luther, wenn solche Sätze bei ihm vorkommen können, die Unumkehrbarkeit des Verhältnisses von Gott und Mensch genug gesichert sei, die unbedingte Vorordnung und Initiative Gottes in seinem Verhältnis zum Menschen[10]. In Wahrheit beruft Feuerbach sich zu Unrecht auf Luther, und die Sorge Barths ist unbegründet – es läuft keine Linie von Luther zu Feuerbach. Luther fügt den angeführten Worten »der Glaube ist der Schöpfer der Gottheit« sofort hinzu: »nicht in der Person (Gottes), sondern in uns[11]«. Das heißt: selbstverständlich hat Gott seine Wirklichkeit, seine Gottheit auch ohne uns und vor allem unserem Glauben, aber er will sie auch »in uns« haben, und da hat er sie erst, wenn wir ihn im Glauben unseren Gott sein lassen. Daher wartet Gott auf unseren Glauben und gebietet ihn, um seiner Gottheit willen. In diesem Sinn ist auch das andere kühne Wort zu verstehen: »Außerhalb des Glaubens verliert Gott seine Gerechtigkeit, seine Ehre, Macht usw. und hat nichts an Majestät und Gottheit, wo der Glaube nicht ist[12].« Das ist nicht anders gemeint als die Erklärung der Ersten Bitte im Kleinen Katechismus: »Gottes Name ist wohl an ihm selbst heilig, aber wir bitten in diesem Gebet, daß er auch bei uns heilig werde.« Die Priorität Gottes, die Unumkehrbarkeit des Verhältnisses von Gott und Mensch kommt dadurch zur Geltung, daß der Glaube nicht etwa das Wort schafft, sondern es hört und annimmt. Aber die im Wort angebotene Gnade will eben im Glauben ergriffen sein – ohne das ist sie für den Menschen nicht wirklich. In diesem, nur in diesem Sinn schafft des Menschen Denken und Sich-Verhalten, also Glaube oder Unglaube, Wirklichkeit für ihn. Sein Denken über Gott, Glauben oder Nicht-Glauben ist nicht nur eine subjektive Angelegenheit, ohne Bedeutung und Konsequenz für die Wirklichkeit, sondern es entscheidet über das Transsubjektive, Gottes Verhältnis zu dem Menschen[13]. »Wie du denkst, so geschieht es.« – »Glaubst du, daß er Vater, Richter, dein Gott sei, so ist ers.« – »Wenn du Gott für zornig

10. Geschichte der Protestantischen Theologie. 1947. S. 487 f.

11. 40 I, 360,5: Fides est creatrix divinitatis, non in persona, sed in nobis. – Im Druck Zeile 24 hat man ein »ut ita dicam« hinzugesetzt.

12. 40 I, 360,6 ff.: Extra fidem amittit deus suam justitiam, gloriam, opes etc., et nihil majestatis, divinitatis, ubi non fides ... Deus non requirit, quam ut faciam deum. Si habet suam divinitatem integram, illaesam, tunc habet, quidquid possum ei tribuere.

13. 40 II, 343,4: Ideo non dicendum: Ich mag gedenken, sed nihil sequitur.

hältst, so ist er es. So richtet sich die Wirkung durchaus nach unseren Gedanken[14].« Solche Sätze Luthers sind nicht eigenmächtige und willkürliche Theologie, sondern nichts anderes als eine Auslegung des Wortes Jesu: »Wie du glaubst, so geschehe dir[15]!«

Indem der Glaube die Verheißung ergreift, wird sie ihm zuteil. Denn im Ergreifen der Verheißung hängt er an Gott, und das ist das ganze Heil. Daher ist das Glauben schon ewiges Leben im Anbruch. »Wo Glaub ist, da ist auch ewiges Leben angefangen[16].« Glauben ist die Weise, wie der Mensch inmitten des irdischen Lebens schon über ihm lebt, in Gott und damit im ganzen Heil.

Der Glaube durch Gott in seinem Worte gewirkt. Der Glaube ist ein auf das Wort der Verheißung gerichteter Akt des Menschen. Aber kein Akt, den der Mensch von sich aus aufbringen soll und kann, sondern er wird durch Gottes Wort selber geschaffen. Er ist Gottes, des Heiligen Geistes Werk im Menschen, das er durch das Wort, durch die Predigt wirkt. »Der Glaube kommt nicht außer allein durch Gottes Wort oder Evangelium[17].« Darin liegt eine zweifache Absage. Zuerst: Das Wort wirkt den Glauben, nicht ich; ich erfahre die Geisteswirkung des Wortes. Zweitens: Keine andere Autorität kann meinen Glauben begründen, sondern allein das Wort Gottes.

Zum ersten. Der Glaube ist nicht Sache menschlicher Anstrengung, nicht Gemächte des Menschen, sondern Gottes wunderbare Schöpfung in ihm. Immer wieder hat Luther eingeschärft: Man muß den echten Glauben von dem selbstgemachten klar unterscheiden. Natürlich vermag der Mensch, wenn er das Evangelium hört, ein intellektuelles und willentliches Ja zu ihm aufzubringen. Er kann das »Werk« eines solchen Ja vollbringen. Aber ein solches Glauben hat mit dem wahren Glauben nichts zu tun. Es ist nur ein Gedankengebilde, ein »menschlich Gedicht«, das man sich einreden kann; aber »des Herzens Grund« weiß nichts von ihm, das heißt: es ist nicht Sache des ganzen Menschen, er ist von der Wahrheit des Evangeliums nicht durch und durch ergriffen. Daher wandelt solches Glauben auch die Existenz des Menschen nicht. So sagt Luther in seiner Vorrede zum Römerbrief von 1522: »Glaube ist nicht der menschliche Wahn und Traum, den etliche für Glauben halten ... Wenn sie das Evangelium hören, so fallen sie daher und machen ihnen aus eigenen Kräften einen Gedanken im Herzen, der spricht: ich glaube; das halten sie dann für einen rechten Glauben. Aber wie es ein menschlich Gedicht und Gedanke ist, den des Her-

---

14. 8, 8,18. – 40 II, 342,16; 343,1. Ideo sequitur effectus maxime ad cogitationes nostras.

15. Luther beruft sich selber auf diese Stelle; jedenfalls nach dem von Veit Dietrich besorgten Druck seiner Vorlesung über Ps 51; 40 II, 342,36.

16. 31 I, 156,25.21.

17. DB 7, 7,17. – 39 I, 83,26: fides, quae ex auditu Christi nobis per spiritum sanctum infunditur. (Das »fides ex auditu« aus Röm 10,17 Vulg.)

zens Grund nimmer erfährt, also tut er auch nichts und folget keine Besserung hernach[18].« Der »gemachte Glaube«, das »Menschenwerk«, der »Wahn«, den der Mensch sich vornimmt und aufbringen kann, der hält vor allem nicht Stich im Tode. Er versagt im Ernstfall des Lebens vor der Sünde, dem Tod und der Hölle[19]. Dagegen der Glaube, den Gott im Herzen erweckt, der ist mächtig, der Sünde, dem Tod, der Hölle Trotz zu bieten. Weil er von Gott durch sein Wort geschaffen ist, hat er die gleiche Mächtigkeit wie das Wort, ja wie Gott selbst, denn Gott ist ja in seinem Wort gegenwärtig. Wie das Wort, so ist auch der Glaube »mächtiger als alle Kreaturen«, als die ganze Welt, mächtig, alles zu überwinden, was das Heil des Menschen bedroht. Denn der Glaube ist die Weise, in welcher das Wort und damit Gott selbst in dem Menschen gegenwärtig ist. Der Glaube ist Gottes Macht, nicht eine menschliche Mächtigkeit. Im Glauben hat der Mensch teil an der Macht Gottes. »Der Glaub ist ein allmächtig Ding wie Gott selber ist[20].« Das gilt von ihm aber nur, sofern er von Gott selber durch sein Wort im Herzen gewirkt wird. Der gemachte Glaube »ist nichts«. Er ist ohnmächtig. »Gott hat mit solchem Wahn nichts zu schaffen[21].«

Luther warnt vor dem selbstgemachten Glauben aber nicht nur deshalb, weil er im Ernstfall versagt und ohnmächtig ist. Er sieht in dem Versuch des Menschen, aus sich selber den Glauben aufzubringen, auch eine unerhörte Anmaßung Gott gegenüber. Denn der Mensch nimmt damit in Anspruch, das zu leisten, was allein Sache der Schöpfermacht Gottes ist, auf die er warten muß. Damit wird Gottes Ehre als des alleinigen Schöpfers angetastet. So ist das Unternehmen des Menschen, von sich aus zu glauben, nicht nur Illusion, sondern auch Sünde wider Gott[22].

Zum zweiten: das Wort allein wirkt den Glauben, indem es sich selber dem Menschen beglaubigt. Keine andere Autorität als die des Wortes, also Gottes

---

18. DB 7, 9,30. – Den Gegensatz zwischen dem gemachten und dem von Gott gewirkten Glauben hat Luther auch behandelt in der Erfurter Predigt vom 21. Oktober 1522 über die törichten und klugen Jungfrauen, 10 III, 355 ff. Daraus folgender Satz: dieser Glaub ist eine Kreatur des Menschen, darum ist er gleich wie der Schaum auf dem Wasser oder der Gest auf dem bösen Bier. 355,24.

19. 10 III, 356,9; 357,15.

20. 10 III, 214,26. – 17 I, 73,33: Haec passio contingit Christiano, daß der alte Adam wohl sterbe, ut in illo ostendatur potentia verbi et fidei, tum fit certus fidem potentiorem omnibus creaturis, item quod fides sit potentia dei, non humana potentia. – Es ist bezeichnend, wie Luther hier die *potentia verbi* zugleich als die *potentia fidei* bezeichnet und diese als *potentia Dei*.

21. 10 III, 356,15.19.

22. 12, 422,33 ff.: Keiner soll sich unterstehn, den Glauben aus seinen Kräften zu haben, wie viele tun, so sie vom Glauben hören, nehmen sie sich vor, denselben mit ihrem Vermögen zu überkommen und eignen ihnen das zu, das Gottes alleine ist, so es doch ein göttlich Werk ist, einen rechten Glauben zu haben.

selbst in seinem Wort, kann der Grund des Glaubens sein. Das macht den großen Unterschied zwischen »menschlichem« und »göttlichem« Glauben. Jener hängt an der menschlichen Person, die das Wort sagt, glaubt dem Wort um der Person, um der Autorität dessen willen, der es sagt, also zum Beispiel um der Autorität der Kirche, der Kirchenmänner, der kirchlichen Ämter und Institutionen (wie eines Konzils) willen. Der »göttliche« Glaube dagegen hängt allein an dem Wort, »das Gott selbst ist[23]«. Nicht irdische Autoritäten machen ihn der Wahrheit des Wortes gewiß, sondern das Wort selbst: Der Mensch »fühlt, daß es so gewiß wahr ist, daß ihn niemand davon mehr reißen kann«. Luther weist hier auf die Samariter Joh 4,42 hin: sie glauben zuerst um der Rede des Weibes willen, dann aber erkennen sie selber, wer Christus ist. Nicht einmal die irdische Person Jesu und etwa seine Wunder sind der letzte Grund des Glaubens an das Wort, sondern »das Wort für sich selbst, ohne alles Ansehen der Person, muß dem Herzen genugtun, den Menschen beschließen und begreifen, daß er gleich drin gefangen fühlet, wie wahr und recht es sei, wenngleich alle Welt, alle Engel, alle Fürsten der Hölle anders sagten, ja wenn Gott gleich selbst anders sagte[24]« (nämlich in der Anfechtung, da Gott sich verstellt). Das Wort kommt freilich durch irdische Zeugen und Autoritäten, durch die Kirche und ihre Organe an mich heran, und es gibt, wie bei den Samaritern, eine vorläufige Stufe des Glaubens auf die Autorität anderer hin. Aber zuletzt sind nicht diese es, die mir das Wort verbürgen, sondern es verbürgt sich dem Menschen durch sich selbst. Der rechte Glaube »steht auf dem bloßen Wort mit Verachtung aller Personen[25]«. Um diese Unabhängigkeit der Wahrheitsmacht des Wortes von allen menschlichen Instanzen, diese Ausschließlichkeit seiner Selbstbeglaubigung auszudrücken, stellt Luther das Wort Gottes in eine Reihe mit den mathematischen Axiomen, die auch ohne weiteres und unabhängig von jeder menschlichen Autorität einleuchten und dem Geist unerschütterlich gewiß sind. Gegen ihre Evidenz kommt kein Widerspruch einer menschlichen Instanz auf[26].

23. 10 I, 1,129,9; 130,1.   24. 10 I, 1, 130,14.
25. 10 I, 1,131,2.
26. 10 III, 260,22: Darum das Wort, das mich Gott lehrt, da laß ich mich nit von dringen, als wenn man spricht: drei und zwei machen fünf, das ist gewiß und öffentlich; wenn alle Konzilia anders beschlössen, so weiß ich dennoch, daß sie lügen. Eine Elle ist länger denn eine halbe, ob schon alle Welt darwider wäre, so weiß ich dennoch, daß es unrecht ist. Wer beschleußt mir das? Kein Mensch, sondern die Wahrheit, die ganz und gar gewiß ist. – 10 II, 90,8. Luther lehnt hier das traditionelle römische Verständnis des Augustin-Wortes »Ego evangelio non crederem, nisi me catholicae ecclesiae commoveret auctoritas« ab; »denn das wäre falsch und unchristlich. Es muß ein jeglicher allein darum glauben, daß es Gottes Wort ist und daß er inwendig befinde, daß es Wahrheit sei.« – Vgl. 39 I, 191,7. Hier legt Luther das Augustin-Wort so aus, daß er unter der Kirche, der man glaubt, die Apostel versteht.

Luther kann die Evidenz des Wortes Gottes mit jener der mathematischen Axiome natürlich nur in dem einen Punkt gleichsetzen, daß beide Male die Wahrheit von sich selbst überführt, ohne daß Autoritäten in Frage kommen. Im übrigen aber ist die Selbstbeglaubigung in beiden Fällen eine völlig verschiedene. Denn das Wort hat, inhaltlich gesehen, eben nicht den axiomatischen Charakter der mathematischen Grundsätze. Daher leuchtet es auch nicht durch sich selbst jedem Menschen ein, sondern nur so, daß Gott selber eben jetzt durch das Wort zu dem Herzen und Gewissen des Menschen spricht (vgl. S. 45). Die Selbstbeglaubigung ist keine »Eigenschaft« des Wortes, sondern sie vollzieht sich nur aktuell durch Gottes gegenwärtiges Sprechen in seinem Wort. So ist die Gewißheit um das Wort Gottes etwas völlig anderes als die Gewißheit um die Axiome. Die Selbstgewißheit der Vernunft, die Evidenz der Vernunftwahrheiten ist weit unterschieden von dem »Zeugnis des Heiligen Geistes«.

Dieses ist Luthers eigenster und zentraler Gedanke über den Glauben, daß er geboren wird in der inneren geisthaften Überführung durch das in dem Wort den Menschen erreichende lebendige Sprechen Gottes. Dem entspricht der Inhalt des Glaubens: wie das Wort Gottes Handeln mit dem Menschen zum Heil ist, so hat der Glaube eben dieses Heilshandeln Gottes mit uns zum Inhalt und nichts anderes. Wir dürfen aber nicht verschweigen, daß Luther vom Glauben auch anders hat reden können. Es findet sich bei ihm auch ein Begriff des Glaubens, den er mit der theologischen Tradition teilt. Er entspricht dem, daß auch Luther mit der Tradition die Bibel grundsätzlich, also trotz aller konkreten Kritik im einzelnen, für das mit seinem gesamten Inhalt vom Heiligen Geist inspirierte und daher wesentlich unfehlbare Buch ansieht. Sie ist »Wort Gottes« also nicht nur in der das Herz und Gewissen überführenden Anrede in Gesetz und Evangelium, sondern auch – grundsätzlich – in ihrem gesamten sonstigen Inhalt. Auch die Geschichtsdarstellung, auch das Weltbild der Bibel, auch alle ihre Wunderberichte sind, aufs Ganze gesehen, »Gottes Wort«, vom Heiligen Geist eingegeben, daher unfraglich Wahrheit, die zu »glauben« ist, eben weil dieses alles in dem Bibelbuch steht. Hier liegt offenkundig ein anderer Begriff des »Wortes Gottes« vor als in dem, was wir bisher aus Luther wiedergaben, und demgemäß auch ein anderer Begriff des Glaubens. Von dem so verstandenen Wort Gottes, als identisch mit dem gesamten Schriftinhalt, auch dem historischen und weltbildlichen, kann man nicht, wie von Gottes Anrede, sagen, daß er den Geist von sich überführt und sich selbst beglaubigt. Daher ist der Bibel im ganzen gegenüber nur ein solches Glauben möglich, das von dem »gemachten« Glauben im Sinne Luthers schwerlich unterschieden werden kann. Hier heißt es vielmehr: Du *mußt* glauben, und glauben hat hier den Sinn der demütigen Unterwerfung unter das geschriebene Wort als solches. Dieses Verständnis des Glaubens hat mit dem bei Luther zentralen, das wir bisher darstellten, das gemein, daß auch hier Gott die Ehre gegeben werden soll, der uns in der Schrift alle ihre Inhalte als von ihm verfaßt zu glauben gebietet und von uns fordert, daß wir unsere Vernunft, ihre Anstöße und Zweifel preisgeben angesichts dessen, daß er dieses alles in seinem Wort, das heißt hier: in der Schrift, gesagt hat[27]. Aber darüber hinaus läßt sich doch nicht verkennen, daß Luther mit dem hier maßgebenden Begriff des Wortes und des Glaubens seinem reformatorischen Verständnis des Wortes und des Glaubens widersprach und das theonome Verständnis der Autorität des Wortes Gottes und des Glaubens, damit auch das Verhältnis von Glaube und Vernunft heteronom überfremdete. Das rührt an das Tiefste seiner Theologie, an die klare Unterscheidung von Gesetz und Evangelium. Das Wort, das sich selber in der Vollmacht des Geistes Gottes mir bezeugt und beglaubigt – das ist Evangelium, und der Glaube, der sich überführen läßt, ist wahrhaft evangelischer Glaube. Aber was ich um seiner Verfaßtheit in dem Bibelbuch willen glauben muß – das ist Gesetz und das ihm entsprechende Glauben ein gesetzliches. Hier stehen wir also an Grenzen der reformatorischen Klarheit Luthers. Hier hat er trotz allem der Orthodoxie den Weg bereitet und damit die schwere und lebensgefährliche Krise mit heraufführen helfen, die entstand, als die neue Wissenschaft in der Aufklärung gegen die von der Theologie falsch verstandene und falsch geltend gemachte Autorität der Bibel sich erhob. Hatte die Theologie die falsche gesetzliche Autorität der Bibel ununterscheidbar mit ihrer wahren als Träger des lebendigen Wortes Gottes verknüpft, so wurde, als jene zerbrach, auch diese mitgetroffen. Das gleiche gilt von der Doppelgleisigkeit des Glaubensbegriffes. Die Theologie hat Mühe genug gehabt und hat sie vielerorts noch heute, diesen Schaden wiedergutzumachen, indem sie den wahren Sinn von »Wort Gottes« klar gegenüber einer falschen Bibeltheorie abhebt und das echte Wesen des Glaubens gegen seine gesetzliche Entstellung. Dazu muß sie, wie wir sehen, innerhalb von Luthers Theologie unterscheiden zwischen dem Zeitgebundenen, Traditionellen und dem Reformatorischen.

Auch mit Bezug auf das kirchliche Dogma, das christologische und trinitarische, führt Luther den katholischen Begriff des Glaubens weiter, nur mit dem Unterschied, daß für ihn hinter dem Dogma nicht primär die Autorität der Kirche, sondern die der Schrift steht (»was Gott selbst sagt und lehrt«). Hier heißt es: »Dies muß geglaubt werden, wer nicht will, ist ein Ketzer[28].« Hier

---

27. 37, 39,17: Aber weil es Gott sagt, so will ichs gläuben, daß also sei und dem Wort folgen, meine Gedanken und Verstand lassen nichts sein. Weiter 37, 40,5.15.

28. Im Blick auf das christologische (»daß Gott und Mensch eine Person sei«) und das trinitarische Dogma sagt Luther: »Gott will es von uns ungemeistert und ungereimt, sondern gegläubet haben und die Ehre haben, daß er hie allein weise sei, daß wir uns nach seinem Wort lenken sollen«; »es heißt schlecht dein Hütlein abziehen und ja dazu sagen und wahr lassen sein«, 37, 44,23.31; 45,1.7 (»was Gott selbst sagt und lehrt«). – 10 I, 1,152,9: »Ob das nu die Vernunft nit begreif, wie es zugehe, muß sie sich in diese

gibt es also *credenda,* Artikel, die zu glauben sind. Es wird nicht unterschieden zwischen dem Evangelium selbst, das uns zum Glauben ruft und ihn durch Überführung des Herzens und Geistes wirkt, und der Lehrgestalt, welche die theologische Reflexion aus dem Glauben an das Evangelium entwickelt. Diese Lehrgestalt kann nicht wiederum Gegenstand des Glaubens sein, sondern nur theologischer Besinnung und Einsicht auf dem Grunde des Glaubens an das Evangelium. Diesen uns heute selbstverständlichen Unterschied macht Luther nicht. Er ruft gegenüber dem theologisch verfaßten Dogma der Kirche im gleichen Sinne zum Glauben wie gegenüber dem »Worte Gottes«, dem Evangelium.

Glaube und Ich

Die persönliche Art der Glaubensgewißheit. Das Wort beglaubigt sich mir – so haben wir bisher gehört. Aber nun muß man im Sinn Luthers auch betonen: es beglaubigt sich *mir.* Im Menschen ist also eine Instanz, der das Wort sich als Gottes Wort bezeugt. Das Wort ist etwas anderes als des Menschen Inneres, es steht ihm gegenüber, es spricht von außen zu ihm. Es muß gehört werden – der Mensch kann es sich nicht selber sagen. Aber wenn es gehört wird, dann geht es so in den Menschen ein, daß es ihn im Inneren bewegt, überzeugt, überführt und darin sich ihm als die Wahrheit von Gott her bewährt. Die Instanz, der es sich bezeugt und bewährt, nennt Luther mit der Bibel »das Herz« oder »das Gewissen«. Hier ist der Ort der Gewißheit des Glaubens.

Ich bin »Herz« oder »Gewissen« aber nur als der einzelne, in der ganzen Eigenheit und Unvertretbarkeit meines persönlichen Seins. Gottes Wort spricht zu mir als dem einzelnen und macht mich zum einzelnen, der unmittelbar zu Gott ist. Da ist kein »man«, kein Kollektiv zwischengeschaltet. Niemand kann hier für mich eintreten, niemand sich zwischenschalten und mir die Gnade und Verantwortung meines ganz eigenen und einsamen Stehens vor Gott abnehmen. Gottes Wort und mein unvertretbares Ich-Selbst gehören zusammen. Das Wort stellt mich vor Gott in der völligen Eigenheit und Einsamkeit meiner selbst und beruft mich zu einem Glauben, der nur als ganz mein eigener wirk-

---

Wort und dergleichen gefangen geben und gläuben.« (Man beachte: Luther sagt sonst von dem Wort Gottes, daß es den Menschen gefangennehme: hier dagegen, daß die Vernunft sich gefangengeben muß). – 186,5.191,13; – 50, 273,28; – 39 II, 364,8.17: Da muß man still schweigen und sprechen: deus loquitur ibi, audio, esse unum deum et tres personas, wie das zugeht, nescio. – 384,19.22. – 39 II, 279,26 mit Bezug auf das trinitarische Dogma: Igitur nobis etiam illa arcana credenda sunt ... 280,2. – Auch solches Glauben heißt bei Luther: *credere verbo* (279,33). »Wort« ist nicht nur die *promissio,* sondern auch alles, was Gott in der Schrift »lehrt«. 10 I, 1,191,16: Der Glaube »haftet an der Schrift, die treugt noch leugt nit«. – 37, 54,18 zu dem Artikel von der Jungfrauengeburt: Darum bleiben wir bei dem Wort und Glauben wider alle solch Anfechten und Klügeln.

lich Glaube ist und Gewißheit hat. Das Glauben ist in diesem Sinn ein unbedingt persönlicher Akt.

Das alles sagt der gleiche Luther, der doch von der Wirklichkeit der Gemeinde weiß, von der Gemeinschaft im Glauben, von der Stärkung, welche der Glaube der Väter und Brüder für mein eigenes Glauben bedeutet. »Der Glaube der Kirche kommt meinem Zagen zu Hilfe[29].« Aber bei alledem bleibt klar: der Glaube der anderen kann mir immer nur Hilfe zum eigenen Glauben sein. Niemals kann einer stellvertretend für den anderen glauben, so daß sein Glauben das des anderen, sein ganz persönliches ersetzte[30]. Wir müssen glauben, »ein jeglicher für sich selbst alleine[31]«. »Ein Christ ist eine Person für sich selbst, er glaubt für sich selbst und sonst für niemand[32].« Alle Gemeinschaft in der Christenheit, alles sonstige Füreinandereintreten kann diese letzte Einsamkeit nicht aufheben, sondern vielmehr nur Hilfe zu ihr sein. Luther begründet die Einsamkeit des Glaubens mit dem Hinweis auf das Sterben. Im Sterben ist ein jeder ganz einsam und muß einen eigenen Tod sterben, kein anderer tritt da für ihn ein und kann für ihn streiten, das heißt den Kampf des Glaubens kämpfen in der schweren Anfechtung des Sterbens. Soll mein Glaube da standhalten, dann muß er ganz und gar mein persönlicher Glaube, meine eigenste Gewißheit sein. In dem letzten Ernstfall helfen mir die Urteile irdischer Autoritäten gar nichts, ich muß selber ganz persönlich gewiß sein. Es ist also todernst um den Glauben. Ich bin verloren im Sterben, wenn ich nicht für mich selber des Wortes Gottes so gewiß bin wie meiner eigenen Existenz. Nur dann kommt das Gewissen zum Frieden[33].

29. 6, 131,16.

30. 10 III, 306,11; 308,26; 310,23: Mein Glaub kann dir nichts anders helfen, allein daß er dir zum eignen Glauben förderlich und hilflich mag sein. Also ... steht es alles auf dem eigenen Glauben: je stärker er ist, je mehr er erlangt und hat, und je schwächer er ist, je mehr bedarf er fremden Glauben und Fürbitte, einen eignen Glauben zu überkommen und stark zu werden.

31. 10 II, 90,21.

32. 19, 648,19.

33. So vor allem in dem berühmten Anfang der Fastenpredigten vom März 1522, 10 III, 1 ff.: Wir sind alle zum Tode gefordert und wird keiner für den andern sterben, sondern ein jeglicher in eigner Person muß geharnischt und gerüstet sein für sich selbst mit dem Teufel und Tode zu kämpfen ... Ich werde dann nicht bei dir sein noch du bei mir. – Ferner 10 II, 23,15; – 10 III, 259,5: Du (der Papst) wirst nit für mich streiten noch antworten, wenn ich sterben soll, sondern ich muß sehen, wie ich daran sei, daß es Gottes Wort sei so gewiß, als du lebst und noch gewisser, darauf du dein Gewissen stellen kannst. Ob schon alle Menschen kämen, ja auch die Engel und beschlössen, – kannst du das Urteil nicht selbst beschließen und selbst urteilen, so bist du verloren ... Denn wenn du im Todbette wolltest sagen: der Papst hat das gesagt, die Konzilien haben das beschlossen, die heiligen Väter ... haben das bestimmt, da wird der Teufel alsbald ein Loch bohren und einbrechen: wie, wenns falsch wäre? haben sie nicht mögen

Man sieht: die Frage nach der Gewißheit des Glaubens hat für Luther den allergrößten Ernst. Das hängt daran: das Heil ist für ihn eine entscheidend-personhafte Wirklichkeit, die Gemeinschaft mit Gott. Diese aber verwirklicht sich nicht anders als im Personsein des Menschen selbst, in der »Subjektivität« des Glaubens. So nimmt die Frage nach dem Heil bei Luther notwendig die Gestalt der Frage nach der Gewißheit des Glaubens an. Die Gewißheit ist mehr als ein subjektiver Zustand, sie ist das Stehen im Heil selbst.

Glaube und Erfahrung

Glaube und Erfahrung im Widerstreit: der Glaube in der Anfechtung. Hier treffen wir noch einmal auf die *Theologia crucis*. Was Glauben heißt, ist nur innerhalb ihrer voll zu verstehen.

Der Glaube richtet sich auf das Wort der Verheißung und hat zunächst nichts als dieses Wort. Das Wort bietet eine Wirklichkeit an, die verborgen, unsichtbar ist[34], also kein Gegenstand der »Erfahrung«, sondern nur im Glauben an das Wort faßbar. So steht das Glauben im Gegensatz zur Erfahrung, zum »Sehen«. Es ist eine andere Weise, Wirklichkeit zu erfassen, als das Sehen und die Erfahrung. Immer wieder führt Luther die Stelle Hebr 11,1 an: *Fides est argumentum non apparentium* – er übersetzt sie später: »Nicht zweifeln an dem, das man nicht siehet.« Weil Gott selber verborgen ist, hat man ihn und das, was sein Wort verheißt, nur im Glauben an das Wort[35]. Gottes Verborgenheit und der Glaube gehören also zusammen. Ja, Luther kann sagen: Gott verbirgt sich und seinen Heilswillen geradezu, um Raum zu schaffen für den Glauben, zu dem er den Menschen berufen hat. Hat der Glaube es seinem Wesen nach mit unsichtbarer Wirklichkeit zu tun, so gilt: »Damit also Raum sei für den Glauben, ist es not, daß alles, was geglaubt wird, verborgen werde.« Und Luther fährt fort: »Es kann aber nicht tiefer verborgen werden, als wenn es dem Augenschein, den Sinnen, der Erfahrung gerade entgegengesetzt ist[36].« Gott und sein Heil werden also unter dem Gegenteil verborgen. Für das natürliche Auge scheint Gott das Gegenteil zu tun von dem, was er zuletzt will. Er ver-

irren? So liegst du schon darnieder. Darum muß du ohne allen Zweifel wissen, daß du sprechen kannst: das ist Gottes Wort, da steh ich drauf. – 260,6: Wohlan, laß sie beschließen und laß sie sagen, was sie wollen; da kannst du aber deine Zuversicht nit darauf stellen noch dein Gewissen befrieden. Es gilt dir deinen Hals, es gilt dir das Leben, darum muß dir Gott ins Herz sagen: das ist Gottes Wort – sonst ist es unbeschlossen. Also mußt du gewiß sein bei dir selbst, ausgeschlossen alle Menschen.

34. 40 III, 56,5: Verbum ejus celeste promittit invisibilia parata auxilia. – Ebd. 46,7.

35. 8, 8,16: Aber hie ist Glauben not, denn der Vater, der Richter, der Gott (vgl. Ps 68,6) ist verborgenlich da gegenwärtig. Seine Wohnung ist heilig, das ist abgesondert, kann niemand hineinsehen denn der Glaub.

36. 18, 633,7. – 8, 22,14.

birgt sich unter der Maske seines Widerspielers, des Satans. Der Glaube muß Erfahrung nicht nur entbehren, sondern er hat Erfahrung wider sich und muß sich ihr entgegen durchhalten und behaupten[37]. Daher steht der Glaubende zeitlebens in der Anfechtung, bedrängt von der Sichtbarkeit, der Empirie, also immer im Kampf mit dem Zweifel. Die Anfechtung ist nicht eine Ausnahme, sondern die Regel für den Glaubenden.

Luther zeigt die Gegensätzlichkeit von Glauben und Erfahrung auf vor allem an den Bedrängnissen und Trübsalen dieses Lebens, an der großen Anfechtung zum Verzweifeln, die sie für den Menschen bedeuten. Unser Herz wird bedrängt von der Gegenwärtigkeit der Trübsal, von ihrer harten Realität. Das Wort der Verheißung spricht von einer Erlösung, die zukünftig und jetzt noch verborgen ist. Unser Auge ist nicht imstande, dieses verborgene Zukünftige und damit das Ende der gegenwärtigen Trübsal zu sehen. Es sieht nur den Anfang, aber nicht das Ende – es ist zu stumpf, zu kurzsichtig, um bis zu dem Unsichtbaren, dem noch verborgenen Heil zu reichen. Gott aber sieht das Ende der Trübsal – und dieser Gott spricht zu uns das Wort der Verheißung. Darum muß man auf ihn in seinem Wort hören und nicht auf das kurzsichtige eigene Herz[38]. In Gottes Sicht sieht die zeitliche Trübsal ganz anders aus als in der unseren. (Luther beruft sich auf Paulus, 2 Kor 4,17: »Unsere Trübsal, die zeitlich und leicht ist«, und auf Jes 54,7: »Ich habe dich einen kleinen Augenblick verlassen[39].«) »Gott spricht: Bei mir ist deine Drangsal nur ein Punkt, ein Augenblick, ein Tropfen, ein Funke. Aber die Vernunft macht aus einem mathematischen Punkt eine unendliche Linie«, weil sie das Ende der Trübsal nicht sieht[40]. Der Herr dagegen: »Ich sehe besser als du.« Die Vernunft ist unbekannt mit der »göttlichen, himmlischen Mathematik«, nach der alle irdische Drangsal nur ein Augenblick, ein mathematischer Punkt ist. Glauben heißt aber: die Sicht unserer Vernunft, unseres eigenen Herzens beiseite lassen und es auf Gottes Wort hin mit seiner Sicht wagen[41]. Der Glaube sieht die Wirklichkeit der Not mit der Sicht Gottes. Dann werden die für das natürliche Auge so schrecklichen und großen Nöte und Ängste, die Verluste ganz klein, ja zu einem Nichts[42]. Was ist denn das alles, verglichen mit Gott, gemes-

37. 40 III, 55,5: Tantum sustine interim contraria et tamen constantissime credas, invisibilia exspectes.

38. 40 III, 59,1–19. – Vgl. auch 20 ff. den von Veit Dietrich nach Rörers Nachschrift besorgten Druck. 61,13: Ideo spectemus promissionem et non pendeamus ex nobis.

39. 40 III, 60,11; 63,9.

40. 40 III, 60,10; 61,4; 62,13.

41. Der Glaube muß glauben wider die Ratio, wider das eigene Fühlen und Empfinden, wider die Sinne, die nur das Empirische auffassen und gelten lassen. Vgl. S. 68.

42. 40 III, 61,13: Ideo spectemus promissionem et non pendeamus ex nobis. – 63,7: Et du laß hergehen diabolum, mundum, da ist Gott, hoc dicit dominus. Sic redigitur omnis pavor in corde meo in nihilum et werden kaum einer Laus groß.

sen an der Wirklichkeit seiner ewigen Gnade, gemessen an Christus[43]? Das lehrt uns die »göttliche, himmlische Mathematik«.

Die Anfechtung ist dann am schwersten, wenn ich die Bedrängnisse und Trübsale dieses Lebens, die mir Gottes Sinn mit mir verhüllen und in Frage stellen, als ein Nein nicht nur des Satans, nicht nur der »Welt«, sondern als Gottes eigenes Nein zu mir ansehen muß, also mein Schicksal im Lichte des Gesetzes Gottes verstehe. Luther hat diese Lage unvergeßlich klargemacht an der Geschichte vom kananäischen Weibe. Die einzigartige Schwere dieser Anfechtung besteht darin, daß Jesus Christus selber sich so stellt, wie unser Herz in der Anfechtung von ihm denkt. Er spricht selber ein Nein, und unser Herz hält dieses Nein für total und endgültig. Aber so steht es in Wahrheit gar nicht. »Drum muß das Herz sich von solchem Fühlen kehren und das tiefe heimliche Ja unter und über dem Nein mit festem Glauben auf Gottes Wort fassen.« Das soll uns die Begegnung Christi mit dem kananäischen Weib lehren. Diese Geschichte »ist uns allen zu Trost und Lehre geschrieben, daß wir wissen sollen, wie tief Gott seine Gnade verberge und wie wir nicht nach unserm Fühlen und Dünken von ihm halten sollen, sondern stracks nach seinem Worte[44]«.

Das alles kommt auf seine Höhe, wenn das Nein Gottes, das der Mensch zuerst vernimmt, direkt das des Gesetzes Gottes ist. Wenn das Gesetz ihn verklagt, dann muß das Herz und Gewissen ihm recht geben: Gott hat recht, wenn er uns verklagt und uns verdammt in seinem Zorn[45]. Aber eben dann soll das Herz Gott bei seinem Wort der Verheißung festhalten, daß er sich des Sünders und nicht des Gerechten annehmen will. Die letzte Tiefe der Anfechtung kommt dadurch zustande, daß der Mensch es mit der Doppelgestalt des göttlichen Willens und Wortes als Gesetz und Evangelium zu tun hat. Der Glaube steht in der Spannung zwischen Gesetz und Evangelium. Weil Gesetz und Evangelium widereinander sind, muß der Mensch, wenn er dem Evangelium glaubt, wider das Gesetz glauben, wider das vom Gesetz bestimmte Herz und Gewissen, das im Blick auf Gottes Gesetz an seiner Gnade zweifelt und verzweifelt[46]. Hier muß der Glaube mehr aufbringen, als nur durch die widersprechende

43. 40 III, 64,3.

44. 17 II, 203,15. − Von Christi ersten Worten zu dem Weibe sagt Luther: Sie lauten stärker aufs Nein denn aufs Ja, und ist doch mehr Ja drinnen denn Nein. Ja, eitel Ja ist drinnen, aber gar tief und heimlich und scheinet eitel Nein. Damit ist angezeigt, wie unser Herz stehet in der Anfechtung. Wie sichs fühlet, so stellt sich hie Christus. Es meinet nicht anders, es sei eitel Nein da, und ist doch nicht wahr. (Weiter wie oben im Text.) − Entsprechend auch in der Auslegung der Hochzeit zu Kana, des Gesprächs zwischen Jesus und Maria 17 II, 66.

45. 6, 208,34.

46. 39 I, 219,23: Nam Deus me credentem etiam contra legem salvat. − Diesem *contra legem* des Handelns Gottes entspricht ein *contra legem* des Glaubens an das Evangelium.

60

irdische Wirklichkeit hindurchzubrechen, hier muß er durch Gottes eigenes Gesetzes-Wort, durch seinen Zorn in seinem Gesetz hindurchbrechen[47]. Zu dem »Fühlen«, von dem der Mensch sich wegkehren und dem Wort des Evangeliums allein zukehren soll, gehört auch das Urteil und Empfinden seines Gewissens: er muß kämpfen mit seinem Gewissen und muß Christus und dem Evangelium von der Vergebung der Sünden mehr glauben als dem Gewissen[48]. Diese Anfechtung des Glaubens an das Evangelium durch das Gesetz bleibt des Christen Los sein Leben lang. Der Zweifel ist nicht immer da, aber er kommt immer wieder. Die Gewißheit, die der Heilige Geist durch das Evangelium schafft, und der Zweifel, den das Gesetz wirkt, stehen lebenslang im Streit miteinander. Zwar siegt die Gewißheit durch die Hilfe des Geistes Gottes immer wieder. Aber erst im künftigen Leben ist es mit dem Zweifel völlig zu Ende und herrscht die Gewißheit vollkommen[49]. So ist der Glaube immer wieder ein Wagen und der Glaubende ist ein Held. »Ein Christ ist ein solcher Held, der mit lauter unmöglichen Sachen umgeht[50].« Aber dieses »Heldentum« des Glaubens ist gebunden an die Not der Anfechtung. In ihr wird er »geübt«[51]. Da soll der alte Mensch sterben und der Glaube zur vollen Erfahrung der Macht des Wortes Gottes und damit zu seiner vollen Kraft kommen. Daß das geschehe, daß er inmitten der schweren Drangsale und Ängste bestehe und nicht untergehe in Verzweiflung, dazu hilft ihm der Blick auf die Todesnot Christi, die große Anfechtung des Gekreuzigten. Will man in den schwersten Nöten und Ängsten nicht verzweifeln, so muß man Christus bei sich haben[52].

Erfahrung im Glauben. Der Glaube steht immerdar im Ringen mit dem Widerspiel der natürlichen Erfahrung. Aber Glaube und Erfahrung sind doch nicht schlechterdings einander entgegengesetzt und im Widerstreit. Es gibt auch eine Erfahrung, die der Glaube selber macht. Sie ist von anderer Art als die gewöhnliche Empirie, Erfahrung in einer neuen Dimension.

47. 19, 224,21: Siehe, ein solch groß Ding ists zu Gott zu kommen, daß man durch seinen Zorn, durch Strafe und Ungnade zu ihm breche als durch eitel Dornen, ja durch eitel Spieße und Schwerter.

48. 27, 223,3: Sic ut tret a conscientia et sensu suo auf Christum, qui non potest mentiri, sed cor meum et Satan, qui vult peccata auf mich treiben, das ist falsch ... Du mußt nicht conscientiae tuae und Fühlen plus credere quam verbo quod de domino praedicatur, qui suscipit peccatores ... quando ita potes pugnare cum conscientia, ut dicas: du leugst, Christus hat wahr, non tu.

49. Vgl. die Darlegung in einer Disputation von 1542, 39 II, 163,14; 200,19: Ita semper pugnat promissio Evangelii contra dubitationem legis. Dubitatio, ob sie wohl mit der promissio in der Schlacht steht, soll doch endlich die promissio das Feld behalten.

50. 27, 276,8.31.

51. 17 I, 73,30.

52. 17 I, 73,32: Omnes desperant, qui Christum non habent in tali angustia.

Erfahrung macht der Glaube schon an sich selber. Zwar ist er als Akt des Menschen ein reines Wagen und Sich-Verlassen auf das Wort. Er ist so wenig das Erlebnis der eigenen Gläubigkeit, daß er gar nicht immer um sich weiß. Luther kann sogar sagen, daß oft jemand, der seines Glaubens gewiß zu sein meint, gar nicht glaubt, und ein anderer, der in lauter Zweifel und Verzweiflung zu stecken scheint, in Wahrheit am stärksten glaubt[53]. Glauben heißt: des Wortes Gottes gewiß sein, aber darum nicht auch schon seiner selbst als Glaube gewiß sein. Und doch ist der Glaube wiederum auch Erfahrung: ich erfahre, daß das Wort Gottes mächtig ist über mich, daß es mich, wie wir hörten, »beschließt und begreift«, mich gefangennimmt und nicht losläßt. Dieses Moment muß mit dem anderen des blinden Wagens auf das Wort unter allen Umständen zusammengenommen werden. Was als mein Akt ein Wagen mit Furcht und Zittern sein mag, wird mir doch eben als solches von dem Wort Gottes im Heiligen Geist abgewonnen. Wir erinnern uns noch einmal daran, wie Luther den falschen selbstgemachten Glauben und den wahren unterscheidet. Der wahre Glaube ist von dem gemachten eben durch dieses Merkmal unterschieden, daß er unter der Geisteswirkung des Wortes entsteht. Um das weiß er dann auch, das »fühlt« er. Der Mensch kann und wird zwar nicht von seinem Glauben reden und sich darin fühlen, aber er kann die Wahrheitsgewalt des Wortes bezeugen, von der er nicht loskommt, die seinen Zweifel immer wieder überwindet. Luther hat eine Fülle von Ausdrücken, um dieses Moment der Erfahrung im Glauben auszudrücken: das Wort »tut dem Herzen genug«, »beschließt«, »begreift« es, nimmt es »gefangen«[54], das Herz »fühlt, wie wahr und recht das Wort sei«; es muß »wissen«, »empfinden«, »schmecken« (sapere – Luther verwendet den alten Ausdruck für unmittelbares Innewerden)[55]. Der Glaube ist also in sich selber Erfahrung, gerade weil er rein am Wort hängt. Indem er sich immer wieder auf das Wort begründet weiß, hat er die Macht des Wortes im Heiligen Geist erfahren.

Freilich, diese Erfahrung des Glaubens in sich selbst ist nicht stetig. Sie kann

---

53. 26, 155,16: Denn es kommt, ja es gehet also zu mit dem Glauben, daß oft der, so da meinet, er glaube, nichts überhaupt glaube, und wiederum, der da meinet, er glaube nichts, sondern verzweifele, am allermeisten glaube.

54. Vgl. die Stellen auf S. 53.

55. 7, 546,24: Es mag niemand Gott noch Gottes Wort recht verstehen, er habs denn ohn Mittel von dem Heiligen Geist. Niemand kanns aber von dem Heiligen Geist haben, er erfahre es, versuchs und empfinds denn. – 10 III, 261,10: (daß Christus dein Erlöser ist, der dir die Vergebung deiner Sünden bringt), das mußt du fühlen und bekennen in deinem Herzen; fühlst du das nicht, so gedenk nur nicht, daß du den Glauben habest. – 10 II, 23,6: Du mußt bei dir im Gewissen fühlen Christum selbst und unerschütterlich empfinden, daß es Gottes Wort sei, wenn auch alle Welt dawider stritte; so lange du das Fühlen nicht hast, so lange hast du gewißlich Gottes Wort noch nicht geschmeckt.

aussetzen unter dem Druck des Leidens. Wie Christus am Kreuz seine Gottheit nicht mehr spürte, so geht es auch dem Christen nach seinem äußeren Menschen, daß er »den Glauben nicht mehr fühlt«, in dem er die Kindschaft hat – der Glaube »verkriecht sich« dann[56]. Die Freude, die der Glaube gibt, ist am Ende. Da ist der Glaube ganz ohne Erfahrung. Da bleibt nichts als der Blick auf Christus am Kreuz. Aber das ist nicht immer so. Luther weiß, daß der Glaube bisweilen durch solche Not hindurch muß, daß sie aber auch wieder abgelöst wird durch Erfahrung.

Der Glaube ist nicht nur in sich selber Erfahrung, sondern ihm wird auch Erfahrung im Leben zuteil. Der Christ erfährt, daß er im Glauben an das Wort Gottes wirklich Christus bei sich hat mit seiner Macht, die Sünde, den Teufel, die Todesangst zu überwinden. Freilich, der Glaube gründet sich nicht auf die vorgängige Erfahrung; es muß die rechte Ordnung festgehalten werden, daß er der Erfahrung immer voraufgeht: Wir müssen auch dann dem Wort glauben, wenn wir das Gegenteil von dem, was es uns zusagt, erfahren, wenn wir also ohne vorgängige Erfahrung oder vielmehr in gegenteiliger Erfahrung sind. Aber auf der anderen Seite wird das, was wir glauben, dann auch Gegenstand einer Erfahrung[57]. Glauben und Erfahren sind zweierlei. Aber der gleiche Glaube, der gegen die Erfahrung glauben muß und glaubt, macht in solchem Glauben dann doch Erfahrung. Am Anfang steht das Hören auf das Wort und das Glauben an die Heilandsmacht Christi, dann aber erfährt der Christ sie auch im eigenen Herzen[58]. Er erlebt die ethische Mächtigkeit der Gnade, die er im Wort empfängt. Die Gnade selber ist verborgen und daher zu glauben, aber ihre Wirkungen bleiben nicht verborgen, sondern sind offenkundig und als solche ein Erweis für die Gegenwart der Gnade[59]. In solcher Erfahrung »übt« und »stärkt«

56. 17 I, 72,12.32.

57. 40 III, 370,24: Non ex sensu nec ex re praesenti judicium faciendum est, verbo est sequendum et statuendum, quod haec credenda, non experienda sint. Credere enim non est experiri; non quod nunquam experienda sint, quae credimus, sed quod experientiam debet praecedere fides et est credendum verbo etiam tum, cum diversa a verbo sentimus et experimur ... (Veit Dietrichs Wiedergabe).

58. 45, 599,9: Da muß nun angehen die Erfahrung, daß ein Christ könne sagen: bisher hab ich gehöret und gegläubt, daß Christus mein Heiland sei, so meine Sünd und Tod überwunden habe. Nun erfahre ichs auch, daß es also sei. Denn ich bin jetzt und oft in Todes Angst und des Teufels Stricken gewesen, aber er hat mir herausgeholfen und offenbaret sich mir also, daß ich nun sehe und weiß, daß er mich lieb habe, und daß es wahr sei, wie ich gläube. (Wiedergabe von Cruciger.) – 19, 220,5: In der Erfahrung lehret sichs wohl, wie viel es mit rechtem Herzen glauben, da einer soll Leib und Leben auf solch Wort von der Allmächtigkeit Gottes wagen und selbst durch Tod und Sünde erfahren, daß wahr sei, wie das Wort davon lautet. Diese Erfahrung wird auch den größten Heiligen schwer zu erleiden.

59. 10 I, 1,114,20: Es ist gar ein groß, stark, mächtig und tätig Ding um Gottes Gnade; sie liegt nicht, wie die Traumprediger fabulieren, in der Seele und schläft oder

sich der Glaube. Er erfährt darin die Wirklichkeit der Erlösung durch Christus. Daher sind die Christen mit 2 Petr 1,10 zu rechten Werken aufzurufen – sie gewinnen daran die Bestätigung ihres Heilsstandes, den sie glauben.

Über das Verhältnis von Glaube und Erfahrung handelt Luther auch in einer Osterpredigt über Mk 16,1–8, die Stephan Roth in der von ihm herausgegebenen »Sommerpostille« 1526 bietet (10 I, 2,218 ff.). Bei der Verwendung der Predigten dieser Sammlung ist allerdings Vorsicht geboten, weil Roth seine Vorlagen nachweislich oft sehr frei bearbeitet hat; vgl. G. Buchwald in 21, S. IX ff. Aber die Gedanken, die Luther in dieser Predigt bietet über Glaube und Erfahrung, tragen doch den Stempel seiner Theologie.

Zuerst spricht Luther hier den Gegensatz von Glauben und Erfahrung (er sagt »Empfinden«) stark aus: »Ich hab vormals oft gesagt, es sei zweierlei Art: Empfinden und Glauben. Der Glaub ist der Art, daß er nicht empfindet, sondern die Vernunft fallen läßt, die Augen zutut und sich schlecht ins Wort ergibt und demselbigen nachfolgt durch Sterben und Leben, Empfinden aber gerät nicht weiter, denn was man mit Vernunft und Sinnen begreifen kann, als was man höret, sieht und empfindet oder mit den äußerlichen Sinnen erkennet. Derhalben Empfinden ist wider den Glauben, Glaub wider das Empfinden« (10 I, 2, 222,20). Dem »Empfinden« nach sind, im Gegensatz zu dem Evangelium vom gekreuzigten und auferstandenen Christus, meine Sünden noch da. Aber man muß demgegenüber »vom Empfinden abtreten und schlecht das Wort in die Ohren fassen und danach ins Herz schieben und dran hangen. Wenn es gleich keinen Schein hat, daß meine Sünd von mir hinweg sind, wenn ich sie gleich in mir noch empfinde – das Empfinden muß man nicht ansehen, sondern fest darauf dringen, daß der Tod, Sünd und Hölle überwunden sei, ob ich gleich wohl empfinde, daß ich im Tod, Sünd und Hölle stecke.« Dieses Empfinden soll uns gerade zum Glauben treiben« (222,30).

Zweitens: Glaube und »Empfinden« stehen also im Kampf miteinander. »Da hebt sich denn ein Kampf, daß das Empfinden streitet wider den Geist und Glauben, der Geist und Glaube wider das Empfinden« (223,18). Dabei gilt dann das Gesetz: »Je mehr der Glaube zunimmt, je mehr das Empfinden abnimmt und wiederum« (223,20). Das ist aber Gottes Wille und der Sinn der immer noch an uns erfahrenen Sündigkeit, daß dadurch der Glaube geübt werde und »von Tag zu Tage zunehme« (223,22). Geschieht das, dann nimmt das »Empfinden« ab, das heißt: dann wird die Anfechtung des Christen durch die verbleibende Sünde und Todverfallenheit immer geringer. Ja, Luther kann sagen: Da bekommen wir »ein ander Licht, ein ander Empfinden« (224,19). Aber ganz geschieht das erst mit dem Tode, wenn der alte Adam ganz dahingefallen ist (224,1). Erst in der Ewigkeit hört das »Empfinden« der Vernunft ganz auf, der Glaube kommt aus dem Widerstreit mit der Vernunft zum Sehen der Erlösung, die er geglaubt hat. »So führt uns denn der Glaube fein stille wider alles Empfinden und Begreifen der Vernunft durch die Sünde, durch den Tod und durch die Hölle. Danach sehen wir die

läßt sich tragen, wie ein gemalt Brett seine Farbe trägt. Nein, nicht also, sie trägt, sie führt, sie treibet, sie zeucht, sie wandelt, sie wirket alles im Menschen und läßt sich wohl fühlen und erfahren. Sie ist verborgen, aber ihre Werk sind unverborgen. Werk und Wort weisen, wo sie ist. – Ähnlich in der Römerbrief-Vorrede über den Glauben (»lebendig, schäftig, tätig, mächtig Ding ... «).

Erlösung vor Augen. Da werden wir dann erst recht vollkommlich gewahr, was wir geglaubt haben, nämlich, daß der Tod und alles Unglück überwunden ist« (223,4 ff.). Das alles heißt: Die Spannung zwischen Glauben und Empfinden bleibt lebenslang, aber sie bleibt nicht immer sich selbst gleich, sondern der Glaube gewinnt mehr und mehr Boden der Erfahrung ab; aber gelöst wird die Spannung völlig erst, wenn das Glauben zum Schauen wird, eschatologisch. – Vgl. 17 II, 66,29: Denn damit (daß wir im Glauben Gott die Ehre geben, daß er gütig und gnädig sei) wird das Fühlen getötet und gehet der alte Mensch unter, auf daß lauter Glauben in Gottes Güte und kein Fühlen in uns bleibe.

Die Vernunft

Wenn Luther von der *ratio* oder Vernunft spricht[1], so definiert er nicht, was mit ihr gemeint ist, noch differenziert er sie in ihre verschiedenen Erweisungen und Vermögen hinein. Er spricht von ihr immer im ganzen. Die Interpretation seiner Aussagen über sie wird freilich differenzieren müssen. Einerseits ist zu unterscheiden zwischen der Vernunft im weltlichen Bereich und der Vernunft im Verhältnis des Menschen zu Gott. Daneben zwischen der Vernunft als Schöpfungsgabe Gottes an den Menschen in seinem urständlichen Sein, der Vernunft bei dem gefallenen Menschen, der Vernunft im Leben des Wiedergeborenen, des Christen.

Die Vernunft ist Gabe Gottes, seine schöpfungsmäßige Mitgift an den Menschen: Gott hat mir »Vernunft und alle Sinne gegeben«. Luther kann von dieser Gabe Gottes und ihrer Herrlichkeit in den stärksten Worten reden; sie ist Inbegriff und Hauptsache aller irdischen Güter, das alle anderen Güter dieses Lebens überragt als »Bestes und gewissermaßen Göttliches«. Sie macht den wesenhaften Unterschied des Menschen von allen Lebewesen und allen Dingen aus. Kraft ihrer übt der Mensch die Herrschaft über die Erde, die ihm Gen 1,28 aufgegeben ist: Die Vernunft ist als Sonne und wie eine Gottheit zur herrscherlichen Besorgung der Dinge dieser Welt eingesetzt. Die Vernunft ist die Quelle und Trägerin aller Kultur; sie hat alle Künste und Wissenschaften, Heilkunde und Recht erfunden und handhabt sie; sie erweist sich in aller Weisheit, Macht, Tüchtigkeit, Ehre, die den Menschen in diesem Leben zu eigen ist[2]. Nichts davon ist zu verachten, vielmehr als edle Gabe Gottes zu achten und zu rühmen. So begrüßt Luther, nicht anders als die Humanisten, die neue Blüte der Wissenschaften zu seiner Zeit, im Unterschied von der Scholastik; er freut sich zum Beispiel auch der neuen Buchdruckerkunst und rühmt sie als höchste

---

1. *Bernhard Lohse:* Ratio und Fides. 1958.
2. Disp. de homine 39 I, 175,9. – 40 III, 221,6.14: Omnes leges natae ex sapientia humana et ratione. – 17: Humana sapientia seu ratio peperit leges et jura, sicut omnes aliae artes, quas habemus, ex humano ingenio sunt natae seu ex ratione.

und letzte Gabe Gottes vor dem Ende der Welt[3]. Alles das ist in der Schöpfung Gottes mit gesetzt und inbegriffen: Gott, der Schöpfer, hat die Kräfte zu alledem dem Menschen ursprünglich eingepflanzt und anerschaffen. Es gehört mit zu dem Erschaffen des Menschen, zum Bilde Gottes, nämlich zur Herrschaft über die Erde[4].

Luther hebt bei dieser Würdigung der königlichen Aufgabe der Vernunft, ihrer »Majestät«, wie er sagt, hervor, daß sie diesem irdischen Leben diene[5]. Sie hat es zu ordnen, zu entfalten. Damit ist schon ihre Grenze angedeutet. Aber innerhalb dieses Bereichs, also im »weltlich Regiment« im weiten Sinn Luthers, ist sie auch allein die letzte Instanz und hat die Normen zum Urteilen und Entscheiden über die rechte Ordnung und Verwaltung der irdischen Dinge, in Ökonomie und Politik, in sich selbst. Hier redet die Bibel, die christliche Verkündigung, die Theologie ihr nicht drein. Die Heilige Schrift und das Evangelium geben keine Lehre von der rechten Gesetzgebung oder Staatsverwaltung. Das alles ist Sache der menschlichen Vernunft, die als solche dem Menschen ursprünglich von dem Schöpfer mitgegeben ist. Das gilt, wie vom Recht und dem Staat, so auch von allen Künsten. Die Theologie hat auf allen diesen Gebieten nur die Aufgabe, die Vernunft gelten zu lassen, anzuerkennen und als Schöpfung Gottes zu bezeugen. Des letzteren bedarf die Vernunft des gefallenen Menschen, wie wir sogleich hören werden[6].

Die Vernunft in diesem Sinn als das Vermögen, die Welt einigermaßen zu erkennen[7], zu ordnen, zu gestalten, ist dem Menschen nach dem Fall nicht verlorengegangen. Gott hat der Vernunft ihre Herrenstellung nicht genommen[8]. Aber der gefallene Mensch mißbraucht sie und was er kraft ihrer leisten kann, auf doppelte Weise. Er vergißt über dem Besitz der Vernunft und ihren großen Leistungen Gott selbst, den Geber aller Gaben und Werke. Er brüstet sich mit seiner eigenen Leistung: »Das habe ich gemacht«, statt, wie es recht wäre, demütig-dankbar zu bekennen: »Das habe ich empfangen[9].« Aber nicht nur

---

3. Ti 4697: Nunc omnes artes illustratae florent. – Ti 2772: Mirum est nunc pariter omnes artes rediisse in lucem.

4. 40 III, 222,5.20. Nach der Anführung von Gen 1,27 f.: ... ubi implantatum et concreatum jus, scientia rerum oeconomicarum, Medicinae etc. – 8: Das sind vires et opes sapientiae implantatae in paradiso. Ideo Sacra Scriptura non curat, sed approbat leges conditas, inventas artes.

5. 39 I, 175,18: ... ut sit Sol et numen quoddam ad has res administrandas in hac vita positum. Die Majestas s. 20.

6. 40 III, 221,4: Ergo non docet psalmus (127), quomodo ordinandae leges. Ebenso 12. – 222,3: Ergo Theologia non disputat de ordinandis rebuspublicis, de inveniendis artibus.

7. 39 II, 375,14.

8. 39 I, 175,20: Nec eam Majestatem Deus post lapsum Adae ademit rationi, sed potius confirmavit. Bei Letzterem denkt Luther an Gottes Bund mit Noah, Gen 9,1 f.

mit seinem Selbstgefühl und Selbstvertrauen, das Gott seine Ehre als Schöpfer und Geber nimmt, überhebt sich der Mensch, sondern auch mit der Eigenmächtigkeit und Selbstherrlichkeit; er verkehrt die Aufgabe, die Gott ihm gab, die Welt zu besorgen, nach seinem Belieben und Gelüsten, sucht dabei seine Befriedigung, seinen Vorteil, seine Ehre, wider Gottes Gedanken mit seiner Welt. Statt dem Schöpferwillen gehorsam zu sein, geht er eigenmächtig um mit der kreatürlichen Welt[10]. Die Vernunft in ihrem logischen, technischen, kulturellen Vermögen, als solche durch den Fall nicht zerstört, muß dem sündigen Selbstgefühl und der Selbstherrlichkeit des gefallenen Menschen dienen. Hier wird offenbar, was es um die Vernunft in dem Verhältnis zwischen Gott und dem Menschen ist.

Die Vernunft des gefallenen Menschen ist »fleischlich«[11]. Luther spricht im gleichen Sinn wie von der Vernunft auch vom »Fleisch«, vom »Fleisch und Blut«, von der »Natur« des Menschen und »natürlich Vernunft«, vom *sensus*, vom »freien Willen«, ja auch von der »Welt« (»die ganze Welt«)[12]. Das alles gehört zusammen und ist weithin synonym[13]. Wenn es im Lied heißt: »Der frei Will haßte Gott's Gericht«, so könnte statt des »freien Willens«, auch einer jener anderen Begriffe stehen. Von ihnen allen gilt, daß sie »blind« sind, nämlich für Gott und für die wirkliche Verfassung und Lage des Menschen, für seine Sünde[14].

Auch auf dem Gebiet des Verhältnisses zu Gott hat die Vernunft Erkenntnis empfangen, sowohl sittliche wie religiöse. Luther hat immer betont, daß die Menschen das natürliche Gesetz in ihrer Vernunft tragen; alle Verkündigung des Willens Gottes, seines an Mose gegebenen Gesetzes würde den Menschen inwendig nicht erreichen, wenn das Gesetz ihm nicht ins Herz geschrieben wäre. Ebenso ist der Vernunft eine allgemeine Kenntnis Gottes und dessen, was der Mensch ihm schuldet, mitgegeben. »Die Vernunft weiß, daß Gott ist[15].« Aber

9. 40 III, 10 ff. Von der »gefallenen Natur« sagt Luther: Post Adae lapsum sic verdorben, ut non putemus esse dona. Jurista putat ex seipso habere etc., non respicit sursum, non glorificat deum: Ego feci. – 223,5: Das ist vitium humanae naturae, quod non putat creationem et dona, sed vult ein feci daraus machen; sed soll heißen: Ego accepi, Dominus dedit; non: homo fecit. – Vgl. in Veit Dietrichs Bearbeitung 222,31; 223,20. – Diesem *Ego feci* bei den Leistungen steht peinlich gegenüber ein *Ego non feci*, mit dem der sündige Mensch seit Adam und Eva sich entschuldigt und seine Sünde nicht wahrhaben will. 39 II, 276,18.

10. 40 III, 223,2: Natura autem non potest obedire istis donis. Sed sic: gubernabo, ducam in hunc finem, quaeram meam voluptatem, gloriam, commodum. 223,13 in Dietrichs Bearbeitung.

11. Z.B. 18, 676,38; 688,29.   12. 37, 46,5.14.

13. 18, 766,31: Ratio aut liberum arbitrium. – *Ratio* meint also nicht allein das Denken, sondern auch das Wollen des natürlichen Menschen.

14. Vgl. etwa 18, 673,4; 674,1; 677,8; 766,9. – 39 I, 82,15.   15. 19, 206,32.

was der Mensch nun mit dieser ethischen und religiösen Mitgift macht, darin erweist sich, daß er auch mit seiner Vernunft gefallener Mensch ist, »Fleisch«, vom Teufel besessen. Die Vernunft steht, sobald es um das Verhältnis zu Gott geht, im Widerspruch zu dem wirklichen Gott, wie er in seinem Wort sich bezeugt.

Die Vernunft ist innerweltlich gefangen[16]. Die irdischen Wirklichkeiten und Möglichkeiten sind ihr letztgültiger Maßstab, von dem sie sich nicht losmachen kann. Was sich dem nicht fügt, lehnt sie ab. Was sie anerkennen soll, muß ihrem Maß für das Wirkliche konform sein[17]. Daher ist die Vernunft verschlossen für das Wort Gottes und den Glauben. Denn das Wort verkündet Gottes verborgenes Heil; es verheißt Unglaubliches, Unmögliches, Absurdes, das über alle mögliche Erfahrung, über alles Fassungsvermögen und Vernunft hinaus ist, und der Glaube hat es mit diesem Unmöglichen zu tun. Er »geht mit unmöglichen Sachen um, die erst in Zukunft einmal möglich sein werden[18]«. Er transzendiert die Vernunft. Er muß glauben wider die Ratio oder, was dasselbe ist, wider »das Fleisch«, wider »das eigene Herz«, wider das eigene »Fühlen« oder »Empfinden«[19]. Wort Gottes und Ratio, Glaube und Ratio, das ist ein harter Gegensatz. Was das Wort verkündigt und der Glaube als Wirklichkeit bekennt, ist für die Ratio unwirklich, Widersinn[20]. Sie muß dem Wort und dem Glauben, der es annimmt, widersprechen. Sie bringt es nicht von sich aus zum Glauben. Gott allein kann ihn geben, und zwar gegen die Vernunft, gegen die Natur[21].

Diese innerweltliche Gebundenheit der Vernunft ist zugleich eine humanistische, an die menschlichen Begriffe und Postulate der Gerechtigkeit oder des Sin-

16. 40 III, 51,8: Ratio non potest ad invisibila se transferre.

17. 17 I, 68,20: die Vernunft urteilt secundum externam speciem. – 40 III, 35,10: conformes ad rationem naturalem. – 24. ... possumus judicare tales doctrinas esse Satanae sagittas, quantumvis sint speciosae et conveniant cum sapientia et justitia carnis (Bearb.).

18. 27, 275,4.26. Bes. 11: Sic naturalis homo geht um mit den Sachen quae possibiles. Christiani officium et artificium, ut cum impossibilibus umb etc. quae tamen possibilia futura sunt. – Vgl. 276,8.31.

19. 40 III, 54,11: secundum fidem, secundum carnem. – 59,16: Ideo non judicandum secundum cor nostrum. – 60,12: Tantum oportet judices secundum verbum dei, non tuum sensum. – 62,16: secundum sensum cordis. – 17 II, 66,18.28.

20. 40 III, 46,7: »Fides autem est notitia rerum invisibilium et expectandarum« (Hebr 11,1), quia ista notitia in promissione et in verbo Dei consistit, sicut autem divina est, außer omnem captum, sensum. »Oculus non videt, in cor« etc. (1 Kor 2,9), promittit absurda, incredibilia, impossibilia. – 15: Natura est intenta visibilibus. – Vgl. ebd. 34,31; 51,8. – 41, 675,4 von Christi Regieren: Non regit, ut ratio docet, quae vult intelligi beneficium gratiam et misericordiam.

21. 40 III, 46,12: carnem et rationem, quae militat in membris nostris (Röm 7,23) contra verbum et fidem. – 39 I, 90,23: ratio aversatur fidem; – 91,1: Solius Dei est, dare fidem contra naturam, contra rationem.

nes. Sie fordert, daß Gott nach dem Maßstab unserer menschlichen Vorstellungen von Gerechtigkeit handle, sie will ihm vorschreiben, wie er handeln muß, wenn anders er Gott sein will[22]. Daher ist die Vernunft verschlossen, blind und taub für Gottes wunderliches Walten[23], für die übermenschliche Dimension seiner Gerechtigkeit, für die Dialektik seines Handelns und Regierens, die Paradoxie, daß er seine Gerechtigkeit, seine Güte, sein Heil tief unter dem Gegenteil verbirgt. Das geht über ihr Begreifen, daran nimmt sie Anstoß[24]. Über ihr Begreifen geht auch das Mysterium der Menschwerdung, der Gottheit Christi und der Trinität. Sie begreift die Einheit Gottes, aber nicht die Dreiheit der Personen in der Einheit. Daher die christologischen und trinitarischen Ketzereien in der Dogmengeschichte, sie kommen auf das Konto der »natürlichen Vernunft«[25].

Die humanistische Gebundenheit der Vernunft erscheint vor allem auch darin, daß sie moralistisch gefangen ist. Sie denkt in der Frage des Weges zum Heil gesetzlich. Die Vernunft des erbsündigen Menschen ist durch den Fall so verderbt, so blind geworden, daß sie sich eine andere Weise der Rechtfertigung als den Weg der Werkgerechtigkeit nicht denken kann[26]. Sie will durchaus etwas vor Gott bringen, eine große Leistung aufweisen[27]. Das Gesetz versteht sie bis zu einem gewissen Grad[28]. Aber das Evangelium ist ihr verschlossen und zuwider. Sie weiß und versteht nichts von der unerhörten Größe und Macht der Barmherzigkeit Gottes, welche Sünder, die auch Sünder bleiben, als gerecht annimmt[29]. Das *simul justus et peccator* ist ihr unfaßlich und unglaublich, ja an-

22. 16, 140,3: Ejus natura est rationis, quod deum vult comprehendere et metiri secundum legem. – 18, 729,7.13.

23. 41, 737,5.

24. 18, 707,22; 708,1.

25. 10 I, 1, 191,1.13; 193,7. – 37, 39,3; 42,35; 44,7.

26. 39 I, 82,15: Natura vitio originalis peccati corrupta et excaecata non potest ultra et supra opera ullam justificationem imaginari aut concipere.

27. 40 II, 452,15: Das ist etiam rationis humanae manifesta stultitia, quod dona capta vult reddere et aliquid magni facere. – 17 II, 174,18: die Vernunft will selbst mit Werken vor Gott handeln.

28. Das Urteil des Gesetzes und das Urteil der Vernunft gehen zusammen. Vgl. 39 I, 82,26: secundum legem et nostram rationem. – Das gilt aber von dem Gesetz nur in seinem äußerlichen Verstand. Mit seinem Tiefgang, mit seinem Urteil über das Herz des Menschen »geht das Gesetz unvergleichlich über die natürliche Vernunft hinaus«. 8, 105,33: Vides ergo, quam excedat lex naturalem rationem incomparabiliter, et quam profundum sit peccatum, cujus cognitionem docet lex.

29. 39 I, 97,9: Ratio ignorat et non intelligit magnitudinem misericordiae divinae, aut quanta sit et quam efficax fides. – 24: Non enim credunt istam incredibilem potentiae Dei magnitudinem et misericordiam super misericordiam, quod illum velit admittere, qui est justus, et qui non est justus, illum velit reputare justum. – 39 I, 515,2 ff. darüber, daß der Mensch zugleich gerecht und nicht gerecht ist: Et hoc bene notandum

stößig. Und wie die Macht der göttlichen Barmherzigkeit, so auch – es ist ja das gleiche – die Mächtigkeit des Glaubens, das Heil zu wirken. So ist in Sachen des Heiles die Vernunft, die »Weisheit des Fleisches«, nichts als Torheit, »Tod und Finsternis«[30]. Es muß erst das Wunder der Erneuerung an der Vernunft geschehen, sonst glaubt sie dem Evangelium nicht.

Das alles ist gemeint, wenn Luther die Vernunft als eine Hure oder Metze, als »Frau Hulda« bezeichnet und sie ironisch als »Herrin Vernunft« anredet[31]. Er findet sie in der Philosophie[32], in der scholastischen Theologie, bei den Schwärmern, bei den Ketzern[33].

Aber der Widerstreit von Gottes Wort und Vernunft, Glaube und Vernunft bleibt nicht das letzte Wort. Gewiß ist die Vernunft durch die Sünde der Eitelkeit verfallen. Aber man muß bei ihr, wie bei dem Menschen überhaupt, das gottgeschaffene Wesen und die Entartung unterscheiden. Ja, nicht nur unterscheiden, sondern auch voneinander scheiden. Das vermag freilich der natürliche Mensch nicht, sondern erst der durch den Heiligen Geist erleuchtete und frei gemachte, also erst der Glaube, der auf das Wort gerichtet ist[34]. Zu der Entartung sagt er ein Nein. Die entartete Vernunft des unerlösten Menschen muß sterben. Aber zugleich wird die Vernunft in ihrem gottgegebenen Wesen lebendig gemacht, durch das Wort wiedergeboren. Sie bleibt dabei die eine und selbe Vernunft, wie ich der eine und selbe Mensch bleibe – und wird doch ganz neu, ebenso wie zum Beispiel meine Zunge vor und nach der Wiedergeburt. Sie wird nicht zerstört, sondern bekehrt, nicht abgetan, sondern erleuchtet[35].

War sie bisher gegen das Wort und den Glauben verschlossen und feindlich, so läßt sie sich nun, durch den Heiligen Geist erleuchtet, von dem Wort und dem Glauben bestimmen. »Sie nimmt alle Gedanken vom Wort.« Sie dient

est: etsi id rationi, quae ubique in rebus et operibus Dei vult sapere, non probatur, duo contraria esse in uno eodemque subjecto. – Daß ein Mensch, wie der Beter des Ps 51, Gottes Zorn fühlt und doch im Gebet nichts anderes ins Auge faßt als Gottes Barmherzigkeit, das ist nicht *theologia rationis,* sondern *supernaturalis.* 40 II, 342,7.

30. 39 I, 180,14. – Ti 2938 b.

31. 10 I, 1, 326,16; 18, 164,24; 182,11; 51, 126,7 ff.: die höchste Hur, die der Teufel hat. – Ti 6889. – 18, 674,13; 729,7.

32. 39 I, 180,29: Philosophia est prudentia carnis inimica Deo.

33. 40 III, 34,24: ... haeretici a verbo discedunt et ea afferunt, quae rationi convenire videntur (Bearb.).

34. Ti 2938: Sed fides substantiam a vanitate separat. – Der Huren Leib ist ebensowohl Gottes Kreatur als einer ehrlichen Matrone. Also soll man die Eitelkeit und das Narrenwerk absondern, nicht das Wesen und die Substanz oder Kreatur, von Gott geschaffen und gegeben. – Vgl. Ti 439: Substantia bleibt, vanitas, die geht unter, quando illustratur ratio a Spiritu.

35. Ti 2938: mortificata et iterum vivificata. – Ita mea lingua alia est quam olim; jetzt ist sie erleuchtet ... Atque haec est regeneratio per verbum, quae fit manente persona et membris eisdem.

nunmehr dem Glauben als treffliches Werkzeug und ist ihm nütze, als Gabe des Nachdenkens oder als Gabe der Verkündigung, als Beredsamkeit. Sie wird theologische Vernunft, hilft die Schrift recht verstehen und auslegen[36]. Luther hat das in seiner eigenen Theologie bewährt.

Die Heilige Schrift

Vom Wort zur Schrift

Gottes Mittel uns zu begegnen ist das Wort. Das Wort ist für Luther zuerst und zuletzt mündliches Wort, also die lebendige Verkündigung in der jeweiligen Gegenwart. Aber das lebendige Wort ist zugleich gebundenes Wort. Denn es ist seinem Inhalt nach das apostolische Wort. Christus hat die Apostel bestellt und sie geheißen, die Kunde von ihm als dem Heiland, das Zeugnis von dem Heil in ihm in die Welt zu tragen. Dafür hat er ihnen seinen Heiligen Geist verheißen und gegeben. Daher sind die Apostel die legitimen und in ihrer Verkündigung von Christus unfehlbaren Lehrer der Christenheit[1]. Alle christliche Verkündigung kann nur dieses apostolische Wort weitergeben und auslegen. Die Predigt der Apostel ist die Quelle und bleibende Norm des Wortes der Kirche.

Auch die Verkündigung der Apostel ist ursprünglich mündliches Wort. Das entspricht dem Wesen des Evangeliums. Denn dieses ist ja nicht einfach Mitteilung einer Wahrheit, die man auch durch Lesen zur Kenntnis nehmen könnte, sondern es ist Anrede an den Menschen. Daher ist seine Urform die mündliche Verkündigung. Das mündliche Wort ist nicht unzulängliche Vorform der Schrift und des Druckes, Schrift und Druck nicht ein Fortschritt über das lebendige Wort hinaus. Das mündliche Wort bleibt immer die wesentliche Gestalt des Evangeliums. Die Schrift kommt aus mündlicher Rede und ist um ihretwillen da. Sie ist zwischeneingekommen, notwendig, aber doch nur als un-

---

36. A.a.O.: Rationem ante fidem et cognitionem Dei esse tenebras, sed in credentibus optimum instrumentum ... Tunc fides promovetur ratione, facundia et lingua, quae prius ante fidem tantum impediebant. Erleuchtete Vernunft vom Glauben eingenommen empfähet Lehen vom Glauben ... Ratio in piis alia est, cum non pugnat cum fide, sed illam promovet. – Ti 439: Ratio illustrata a Spiritu hilft judizieren die Heilig Schrift ... Ratio dienet dem Glauben, daß sie einem Ding nachdenkt, quando est illustrata ... Ratio illustrata nimmt alle Gedanken vom Wort. – 39 I, 180,24 wird die *ratio theologica* von der *humana* unterschieden.

1. Vgl. die Stellen S. 18, Anm. 4. – Dazu 39 I, 206,15 über Paulus: non solum est homo, ut Caesar aut alius quispiam, sed est destinatus et electus a Deo ...; 207,4 läßt Luther die Apostel sagen: Habemus mandatum et potestatem super hac re tanquam Apostoli Dei, habentes spiritum sanctum.

erläßliches Mittel im Dienst der mündlichen Verkündigung. Die Schrift wurde nötig gegenüber der Gefahr, daß die Predigt häretisch entartete, weil die Norm der apostolischen Botschaft ihr nicht mehr gegenwärtig war. Daher bedarf die Christenheit der »Schrift«, des bleibenden Denkmals der apostolischen Predigt in schriftlicher Gestalt. Damit werden auch die Gemeinden unabhängiger von ihren Lehrern. Diese können versagen und Irrlehrer werden. So dürfen die Gemeinden nicht allein auf sie angewiesen sein. Sie müssen einen Maßstab der Kritik an ihren Lehrern und ein Korrektiv haben. Das gibt ihnen die Schrift[2].

Für Luther gehören Altes Testament und Buchstabe, Neues Testament und lebendige Stimme zusammen. Wohl sind beide Testamente jetzt »Schrift«, aber das hebt die grundsätzliche Verschiedenheit ihres Schriftcharakters nicht auf: das Alte Testament ist ursprünglich und wesentlich »Schrift«, das Neue Testament nur abgeleitet und »zum Überflusse«[3].

2. 10 I, 1, 626,15: Darum ists gar nicht neutestamentisch, Bücher schreiben von christlicher Lehre, sondern es sollten ohne Bücher an allen Orten sein gute, gelehrte, geistliche, fleißige Prediger, die das lebendige Wort aus der alten Schrift zögen und ohn Unterlaß dem Volk fürbleuten, wie die Apostel tan haben. Denn ehe sie schrieben, hatten sie zuvor die Leut mit leiblicher Stimm bepredigt und bekehrt, welches auch war ihr eigentlich apostolisch und neutestamentlich Werk ... Daß man aber hat müssen Bücher schreiben, ist schon ein großer Abbruch und ein Gebrechen des Geistes, daß es die Not erzwungen hat und nicht die Art ist des Neuen Testaments; denn da anstatt der frommen Prediger aufstunden Ketzer, falsche Lehrer und mancherlei Irrtum, die den Schafen Christi Gift für Weide gaben, da mußt man das Letzt versuchen, das zu tun und not war, auf daß doch etliche Schaf vor den Wölfen errettet würden: da fing man an zu schreiben und doch durch Schrift, soviel es möglich war, die Schäflein Christi in die Schrift zu führen und damit vorschaffen, daß doch die Schaf sich selbst weiden möchten und vor den Wölfen bewahren, wo ihre Hirten nicht weiden oder zu Wölfen werden wollten.

3. 12, 259,8: Evangelion aber heißt nichts anders, denn ein Predigt und Geschrei von der Gnad und Barmherzigkeit Gottes, durch den Herrn Jesum Christum mit seinem Tod verdienet und erworben, und ist eigentlich nicht das, was in Büchern stehet und in Buchstaben verfasset wird, sondern mehr ein mündliche Predigt und lebendig Wort, und ein Stimm, die da in die ganze Welt erschallet und öffentlich wird ausgeschrieen, daß mans überall höret ... – 12, 275,5: Also sind die Bücher Mosi und die Propheten auch Evangelium, sintemal sie eben das zuvor verkündiget und beschrieben haben von Christo, das die Apostel hernach geprediget oder geschrieben haben. Doch ist ein Unterschied dazwischen. Denn wiewohl beides dem Buchstaben nach ist auf Papier geschrieben, so soll doch das Evangelion oder das Neu Testament eigentlich nicht geschrieben, sondern in die lebendige Stimm gefasset werden die da erschalle und überall gehört werde in der Welt. Daß es aber auch geschrieben ist, ist aufs Überfluß geschehen. Aber das alte Testament ist nur in die Schrift verfasset, und drumb heißt es »ein Buchstab«, und also nennens die Apostel »die Schrift«, denn es hat allein gedeutet auf den zukünftigen Christum. Das Evangelion aber ist ein lebendige Predigt von Christo, der da kommen ist. – Die letztere Stelle zeigt, daß man nicht einfach mit *Paul Schempp,* Luthers

Luther übersieht keineswegs die Mannigfaltigkeit der Heiligen Schrift. Er hat ein Auge für die verschiedene schriftstellerische Art und die verschiedene Lehrweise der Apostel. Er weiß um die reiche Fülle des Inhalts der Bibel, als Gesetz, Geschichtserzählung, Gebet, Verkündigung, Prophetie usw. Aber theologisch genommen, das heißt im Blick auf ihr wesentliches Thema, ist ihm die Bibel eine große Einheit. Sie hat nur einen Inhalt. Das ist Christus. »Das ist ungezweifelt, daß die ganze Schrift auf Christum allein ist gericht[4].« – *Tolle Christum e scripturis, quid amplius in illis invenies[5]? – Universa Scriptura de solo Christo est ubique[6].* Christus ist ja das menschgewordene Wort Gottes. So kann die Bibel nur dann Wort Gottes sein, wenn ihr einziger und ganzer Inhalt Christus ist.

Nicht als ob die Heilige Schrift nichts anderes enthielte als Evangelium. Ihr Inhalt ist nach Luther Gesetz und Evangelium. Christus ist auch Ausleger des Gesetzes. Und soweit die Schrift Gesetz bietet, ist sie hin auf Christus als Heiland. Denn das Gesetz ist hin auf Christus und treibt ihm entgegen. So ist die Schrift als Gesetz und als Evangelium, also mittelbar und unmittelbar, Zeugnis von Christus. In diesem Sinn ist Christus ihr einziger Inhalt. So verstanden ist die Schrift eine Einheit. Sie enthält nicht nur Evangelium, aber sie bringt in allen ihren Teilen auch das Evangelium und ist als Gesetz überall hin auf das Evangelium[7].

Stellung zur Heiligen Schrift, 1929, S. 33 f. sagen kann: Für Luther »stehen Gesetz und Buchstabe, Evangelium und Wortverkündigung je in engem Zusammenhang«. Denn Luther sagt an dieser Stelle deutlich, daß auch das Alte Testament Evangelium ist und dennoch »Buchstabe«. Man wird hier also nicht zunächst Buchstabe und Gesetz zusammenzudenken haben. Aber allerdings: Der Buchstabe ist eine unzulängliche und nur vorläufige Gestalt des Evangeliums, während er dem Gesetz angemessen ist.

4. 10 II, 73,15.

5. 18, 606,29.

6. 46, 414,15.

7. Luther findet es gefährlich und bedenklich, daß man von »vier Evangelien« spricht und die Episteln von ihnen unterscheidet. Als ob es nicht nur *ein* Evangelium gäbe, das in den vier Evangelien, in den Briefen, ja auch von den Propheten verkündigt wird! 10 I, 1; 10,8: Wie nu nicht mehr denn ein Christus ist, so ist und mag nicht mehr denn ein Evangelium sein. Weil auch Paulus und Petrus nicht anders denn Christum lehren auf vorgesagte Weise, so mögen ihre Episteln nichts anders denn das Evangelium sein, ja auch die Propheten, dieweil sie das Evangelium verkündigt und von Christo gesagt haben ... So ist ihre Lehre an dem selben Ort, da sie von Christo reden, nichts anders, denn das wahre lauter recht Evangelium, als hätts Lukas oder Matthäus beschrieben ... – Vgl. 12, 259,20.

Durch diesen ihren Inhalt verbürgt die Heilige Schrift sich selbst. Das heißt, da Christus ihr Inhalt ist: Christus verbürgt sich im Heiligen Geist dem Menschen als die Wahrheit und verbürgt damit die Heilige Schrift. Diese Selbstbeglaubigung oder Autopistie der Schrift macht Luther geltend gegen die römische These, daß allein die Kirche, die den Kanon gebildet hat, als solche die Autorität der Schrift verbürge. Der Kanon ist durch das Urteil der Kirche festgesetzt worden – also steht die Kirche über der Schrift. Luther entgegnet, das sei ebenso klug, wie wenn man sage: Johannes der Täufer bekennt sich zu Christus, weist mit dem Finger auf ihn – also steht er über Christus! Nein, umgekehrt (hier beruft Luther sich auf Paulus, Gal 1,9), die Heilige Schrift ist die Königin – sie muß herrschen, und alle müssen ihr gehorchen und untergeben sein. Alle, wer es auch sei, dürfen nicht etwa Meister, Richter der Schriften sein, sondern nur schlichte Zeugen, Schüler, Bekenner[8]. Das heißt also: Niemand ist in der Lage, daß er die Schrift autorisieren könnte; sie autorisiert sich selber. Das Zeugnis der Kirche für die Schrift kann nie etwas anderes sein als die gehorsame Anerkennung des Zeugnisses, das die Schrift von sich selber gibt als Wort Gottes. Die Kirche mit ihrem Urteil ist auf keinen Fall eine Instanz über dem Wort Gottes, sondern nur unter ihm[9]. Nicht die Kirche autorisiert die Schrift, sondern umgekehrt: die Schrift autorisiert die Kirche[10]. Das gilt von der Schrift, sofern sie Wort Gottes ist, das von sich selbst überführt. »Das Evangelium wird nicht darum geglaubt, weil die Kirche es bestätigt, sondern weil man spürt, es sei Gottes Wort[11].« Aber das Wort Gottes ist für Luther, wie wir noch sehen werden, mit dem Kanon in seinem überlieferten Umfang nicht identisch. Wie also steht es um die Autorität des Kanons als solchen? Auch hier erkennt Luther nicht die Kirche als autorisierende Instanz an, sondern auch hier nur das Wort Gottes selbst; dieses entscheidet, ob eine Schrift mit Recht im Kanon steht oder nicht (siehe darüber weiter S. 80).

Der Selbstbeglaubigung der Schrift entspricht ihre Selbstauslegung[12].

8. 40 I, 119,23; 120,20: Haec regina debet dominari, huic omnes obedire et subjacere debent. Non ejus magistri, judices seu arbitri, sed simplices testes, discipuli et confessores esse debent, sive sit Papa, sive Lutherus, sive Augustinus, sive Paulus, sive angelus e coelo. – 30 II, 420,25.

9. 30 II, 420,18: Ecclesia Dei non habet potestantem approbandi articulos aut praecepta seu scripturas sacras more Majoris vel autoritate judiciali nec id unquam fecit aut faciet.

10. 30 II, 420,22.

11. 30 II, 687,32. – Vgl. 688,2.

12. Daß diese Lehre von der Selbstbeglaubigung der Schrift gegenüber der katholischen Gegenthese nicht ausreicht, wegen des Problems der historischen Authentizität der Schrift, darüber siehe meine »Christl. Wahrheit«, einb. Ausgabe, S. 166.

Für alle Bücher gilt nach Luther die Regel, daß sie im Geist des Autors auszulegen sind. Da der Geist des Autors sich nirgends so unmittelbar und lebendig erkennen läßt wie in seinen Schriften, heißt das: eine Schrift muß sich
selber auslegen[13]. Gilt das für alle Bücher, so mit besonderem Nachdruck für
die Heilige Schrift. Denn sie soll ja letzte Autorität, höchster Richter sein.
Dieser ihr Charakter als letzter, sich selbst begründender und bezeugender
Autorität schließt es aus, daß der Maßstab ihrer Auslegung irgendwie von
außen genommen werden dürfte, und schließt ein, daß sie sich selber auslegt,
ut sit ipsa per sese certissima, facillima, apertissima, sui ipsius interpres[14]. Legt
eine andere Instanz die Schrift aus, dann steht ihr auch die Beglaubigung zu.
Damit ginge die Schrift ihres Charakters als letzter Autorität verloren. Ihre
»Autopistie«, das heißt Selbstbeglaubigung, bedeutet notwendig zugleich Selbst-
Auslegung. »Also ist die Schrift ihr selbst ein eigen Licht. Das ist dann fein,
wenn sich die Schrift selbst auslegt[15].« Selbstauslegung der Schrift und Auslegung durch den Heiligen Geist – das sind bei Luther zusammengehörige Ausdrücke für die gleiche Sache.

Den Grundsatz, daß die Schrift sich selbst auslegt, macht Luther gegen zwei
Fronten geltend: sowohl gegen Rom wie gegen die Schwärmer. Auf beiden Seiten sollte die Auslegung durch etwas anderes als durch die Schrift selbst autorisiert sein: in Rom durch das kirchliche Amt, dem der Heilige Geist verheißen
sei, bei den Schwärmern durch die besondere Geistesbegabung, die einzelnen
abseits der Schrift zuteil wird. Auch Luther weiß: nur Menschen, die vom
Geist Gottes bewegt werden, können die Schrift auslegen[16]. Aber der Geist, in
dem sie die Schrift auszulegen vermögen, kommt zu ihnen durch die Schrift
selber. Erwartet man ihn von außerhalb der Schrift her und nimmt ihn für
sich in Anspruch, so führt das zu nichts anderem als dazu, daß man sich »über
die Schrift erhebt« und sie nach dem eigenen Gefallen auslegt, sie dem eigenen
Geist unterwirft[17]. Luther hat klar erkannt, daß Rom und das Schwärmertum

13. 7, 97,1: Scripturas non nisi eo spiritu intelligendas esse, quo scriptae sunt, qui
spiritus nusquam praesentius et vivacius quam in ipsis sacris suis, quas scripsit, literis
inveniri potest.
14. 7, 97,23.
15. 10 III, 238,10.
16. 5, 42,28: In spiritu loquentem audi in spiritu.
17. 18, 653,2: Neque illos probo, qui refugium suum ponunt in jactantia spiritus.
Nam satis acre mihi bellum isto anno fuit et adhuc est vum illis Phanaticis, qui scripturas suo spiritui subjiciunt interpretandas, quo nomine et Papam hactenus insectatus
sum, in cujus regno hac voce nihil vulgatius aut receptius est, Scripturas esse obscuras
et ambiguas, oportere spiritum interpretem ex sede Apostolica Romae petere, cum nihil
perniciosius dici possit, quod hinc homines impii sese supra Scripturas extulerint et

in dieser Hinsicht als »Enthusiasten« zusammengehören[18]. Beide ordnen die Schrift einem fremden Gesetz unter.

Der Grundsatz, daß die Schrift sich selbst auslegt, schließt die Regel ein, daß die Schrift nach dem schlichten Wortsinn auszulegen ist. Davon darf man abweichen nur an solchen Stellen, an denen der Text selber zu bildlichem Verständnis zwingt. Denn bei aller »geistlichen« Deutung kann jeder seinen eigenen Geist in die Worte hineinlegen. Die Schrift verliert dabei ihre Eindeutigkeit. Sie hat überall den einen und selben einfachen Sinn[19].

Die Selbstauslegung der Heiligen Schrift setzt voraus, daß die Schrift in sich selbst klar ist[20]. Die römische These, nach der die Schrift der Auslegung durch das Lehramt der Kirche bedürfe, wurde damit begründet, daß die Schrift dunkel sei. Hiermit mußte Luther sich auseinandersetzen. Er begründet den Satz, daß die Schrift klar und eindeutig ist, mit der Schrift selber. Das ist angesichts seiner Lehre von der Schrift der einzig mögliche Weg. Wie die Schrift selber sich beglaubigt, so kann sie auch nur selber für ihre Klarheit zeugen. Daher beweist Luther die Eindeutigkeit der Schrift aus ihr selbst, zum Beispiel aus der Tatsache, daß Jesus und die Apostel mit der Schrift argumentieren – dann muß sie doch eindeutig sein! –, ferner aus vielen Bibelstellen, zum Beispiel auch mit 2 Petr 1,19: das prophetische Wort »ein Licht, das da scheint in einem dunklen Ort«. Für Luther ist die Eindeutigkeit der Schrift also weder ein Postulat, das er von sich aus aufstellt, noch aus der Erfahrung zu begründen. Diese nämlich spricht ja durchaus nicht durchgängig für die Klarheit der Schrift. Denn für viele Menschen ist die Schrift gar nicht klar – sie verstehen sie nicht oder falsch. Das hat – so erklärt Luther – bei den Gottlosen seinen Grund darin, daß der Satan sie gefangenhält, bei den Frommen, daß Gott sie eine Zeitlang irren läßt, damit er auf diese Weise an ihnen zeige, wie er allein mächtig ist, sie zu erleuchten[21].

Selbstverständlich bleibt Luthers Lehre von der Klarheit der Schrift seinen Gedanken über das Verhältnis von Wort und Geist getreu. Das zeigt seine

ex ipsa fecerint, quicquid collibitum fuit. – 50, 245,5: Die »Enthusiasten« rühmen sich ohne und vor dem Wort den Geist zu haben und darnach die Schrift oder mündlich Wort richten, deuten und dehnen ihres Gefallens.

18. Außer in dem Anm. 17 wiedergegebenen Abschnitt aus *De servo arbitrio* die bekannte Stelle der Schmalk. Artikel 50, 245.

19. 7, 711,5: ... ut afferas unum constantem simplicemque sensum scripturae, sicut ego facio et feci ... Scis enim, quod solo literali sensu pugnandum est, qui et unicus est per totam scripturam. – 18, 700,31; 701,3.

20. Über die Klarheit der Schrift handelt Luther vor allem in *De servo arbitrio* mit Erasmus, 18, 609,4; 653 ff. – Vgl. 8, 99,20; – 10 III, 236,6. – Im gleichen Sinne spricht Luther von der *simplicitas* und *sinceritas* der Schrift, 8, 112,24.

21. 18, 659,21. – Welche Fragen hier für uns heute bleiben und welche auch an Luther zu richten sind, dafür vgl. *R. Hermann*: Von der Klarheit der Heiligen Schrift. 1958.

Unterscheidung der »äußeren« und der »inneren« Klarheit der Schrift[22]. Wir würden sagen: der objektiven und der subjektiven Klarheit. Die Schrift an sich selbst ist klar, sie setzt, wo sie verkündigt wird, alles ins helle Licht, da ist nichts dunkel und zweideutig. Aber von dieser Klarheit »an der Schrift selbst, wie sie daliegt« (so Justus Jonas in seiner Übersetzung der Stelle in Luthers *De servo arbitrio*), ist zu unterscheiden die Klarheit »inwendig im Herzen«: Sie wird erst durch den Empfang des Geistes Gottes ins Herz verliehen; von sich aus haben alle Menschen ein verfinstertes Herz und sehen »kein einziges Jota in der Schrift«. »Denn der Geist ist erfordert, um die ganze Schrift und irgendeinen Teil von ihr zu verstehen[23].«

Christus Dominus ac Rex Scripturae[24]

Die Selbstauslegung der Schrift durch den Geist, der in ihr redet, bedeutet für Luther, daß die Schrift sich von Christus als ihrer Mitte her auslegt, also christozentrisch. Das war an sich in der Kirche nichts Neues. Daß Christus die Mitte der Schrift sei, das wußte auch die überlieferte Theologie. Und daß sie christozentrisch auszulegen sei, dazu bekannte sich auch Erasmus. Es kommt aber darauf an, was das heißt. Man kann Christus ja auch moralistisch-gesetzlich verstehen als den Tugendlehrer, den sittlichen Propheten und Gesetzgeber -- so eben Erasmus oder in anderer Weise die Radikalen des späten Mittelalters. Für Luther bedeutete »Christus« das Evangelium von der freien Huld Gottes in ihm, an der allein des Menschen Heil hängt. Er findet es am schärfsten von dem Apostel Paulus erfaßt und ausgesprochen. Paulus wird ihm zum Schlüssel des Neuen und Alten Testaments: der Römerbrief ist »ein helles Licht, fast (=voll) genugsam, die ganze Schrift zu erleuchten«, das heißt das Ganze der Schrift ins Licht zu setzen[25]. »Christus« heißt bei Luther der Christus der in sich einheitlichen apostolischen Verkündigung, vorab des Paulus und Johannes – der apostolische Christus[26], dem auch das Alte Testament Zeugnis gibt. Er war gewiß, die ganze Schrift in ihrer durchfahrenden Linie für sich zu haben, also nicht von sich aus ein fremdes hermeneutisches Prinzip an die Schrift heranzutragen, sondern dem durch sie selbst dargebotenen zu folgen.

22. 18, 609,4; 653,18.
23. 18, 609,6.
24. Diese Ausdrücke 40 I, 458,11. 20.34.
25. DB 7,2.15. – 8, 107,40: das Verständnis der Sünde nach Paulus totam scripturam aperit.
26. 12, 260,1: Drum ist es alles ein Evangelion, was man predigt von Christo, wiewohl einer ein andere Weis führet und mit anderen Worten davon redet denn der andere ... Wenn es aber darauf gehet, daß Christus unser Heiland ist und wir durch den Glauben an ihn ohn unsere Werke rechtfertig und selig werden, so ist es einerlei Wort und ein Evangelion.

Man kann es in seinem Sinn dahin formulieren: Die Schrift ist überall nach der *analogia scripturae* auszulegen. Diese ist keine andere als die *analogia Evangelii*. Christozentrische Auslegung hat bei ihm also den bestimmten Sinn der evangeliozentrischen Interpretation, von dem Evangelium der Rechtfertigung *sola fide* her.

Von hier aus stritt Luther gegen einen Schriftgebrauch, der einzelne biblische Texte oder Stellen gegen das radikale Verständnis des Evangeliums gelten machte. Er hat demgegenüber erklärt: »Christus ist Herr, nicht Knecht, Herr des Sabbaths, des Gesetzes und aller Dinge. Und die Schrift ist nicht gegen Christus, sondern für ihn zu verstehen. Daher muß man eine Schriftstelle entweder auf ihn beziehen oder kann sie nicht für wahre Schrift halten. Wenn also die Gegner die Schrift gegen Christus ausspielen sollten, so spielen wir Christus gegen die Schrift aus[27].« In diesen berühmten Thesen aus dem Jahr 1535 und anderen verwandten Stellen sind folgende Gedanken enthalten. Das Schriftganze hat einen eindeutigen evangelischen Sinn. Ihm muß sich die Auslegung einzelner Stellen einordnen. Luther geht dabei immer von dem hermeneutischen Grundsatz aus, daß die Schrift nicht mit Christus, ihrem Haupt, das heißt mit dem Evangelium im Streite liegen könne; nur Blindheit und Unwissenheit sehen Widersprüche[28]. Der Ausleger hat das Recht, alle Teile und Stellen der Schrift so auszulegen, daß sie im Einklang mit dem Evangelium, der offenbaren Mitte der Schrift, stehen, also christozentrisch, evangeliozentrisch. Wenn also die Gegner etwa auf die sittlichen Imperative der Schrift hinwiesen und sie gegen das evangelische »allein durch den Glauben« moralistisch ins Feld führten, so antwortete Luther: Diese Imperative empfangen ihren Sinn erst von Christus her. Sie sind nicht absolut, sondern relativ, nämlich Christus-bezogen zu nehmen. Man muß sie lesen mit dem Zusatz *»in Christo«*, »im Glauben an ihn« (nämlich sollst du das und das tun). Sie sind also nicht als Gesetz, sondern als Evangelium auszulegen. Denn Christus ist der Herr, der König der Schrift, die einzelnen Schriftstellen sind seine Knechte. Er ist das Haupt, die Bibelstellen die Gliedmaßen. Man soll sich nicht

27. 39 I, 47,1.19: Christus est dominus, non servus, Dominus Sabbati, legis et omnium, Et Scriptura est non contra, sed pro Christo intelligenda, ideo vel ad eum referenda, vel pro vera Scriptura non habenda. – 19: Quod si adversarii scripturam urserint contra Christum, urgemus Christum contra scripturam.

28. 40 I, 458,8.32 erklärt Luther gegenüber denen, die Schriftstellen für die Werkgerechtigkeit anführen: Meinetwegen 400 oder 600 solche Stellen, »Ego potius manebo cum autore scripturae.« 33: »Ego autorem et Dominum Scripturae habeo, a cujus parte volo potius stare quam tibi credere, quamquam impossibile, quod scriptura pugnet nisi apud caecos et ignaros scripturae. Tu si non potes conciliare scripturam et ipsi urgent scripturam – : Ego urgeo patremfamilias; rex scripturae qui factus mihi pretium salutis. Dabei will ich bleiben. Tum es tutus. Cor manet fixum in objecto quod vocatur Christus ...«

an die Knechte halten, sondern an den Herrn, nicht an die Glieder, sondern an das Haupt[29].

Für den Fall, daß eine Schriftstelle sich der evangelischen Deutung widersetzt und mit dem Zeugnis der ganzen übrigen Schrift sich nicht vereinigen läßt, gilt: ihr kommt die Autorität als Wort Gottes nicht zu. Das hat Luther gegenüber der Rechtfertigungslehre des Jakobusbriefes (2,21 ff.) geltend gemacht. Er erklärt, bisher habe er den Jakobus-Brief nach dem Sinn der übrigen Heiligen Schrift auszulegen gepflegt, weil man aus ihm keine theologischen Sätze herleiten dürfe, die gegen den offenkundigen Sinn der ganzen Schrift verstießen. Will man aber diese seine Auslegung der Stelle nicht gelten lassen, dann – hinweg mit Jakobus! »Seine Autorität ist nicht so groß, daß man deswegen die Lehre vom Glauben fahren lassen und von der Autorität der übrigen Apostel und der ganzen Schrift abweichen dürfte[30].«

So wird Luthers Prinzip evangeliozentrischer Auslegung der Schrift da, wo der Text sich ihr widersetzt, zu evangeliozentrischer Schriftkritik. Neben den Satz: *Scriptura sacra sui ipsius interpres* muß im Sinne Luthers der andere gestellt werden (der sich freilich dem Wortlaut nach bei ihm nicht findet): *Scriptura sacra sui ipsius critica.*

Scriptura sacra sui ipsius critica

Luther hat gelegentlich auch historische Kritik an der biblischen Überlieferung geübt, zum Beispiel auf Widersprüche oder Unstimmigkeiten hingewiesen[31]. Man darf ihn deswegen aber schwerlich als einen der Väter der historischen Kritik hinstellen, denn er macht solche kritischen Bemerkungen nur gelegentlich, und er legt kein Gewicht auf sie. Entscheidend bleibt, daß wir »den rech-

29. 39 I, 47,5.21: Nos dominum habemus, illi servos, Nos caput, illi pedes seu membra, quibus caput oportet dominari et praeferri. – Daß mit den »Knechten« die Schrift gemeint ist, wird sichergestellt durch die Stelle der Galater-Vorlesung 40 I, 459,14: Tu urges servum, hoc est Scripturam (et eam non totam neque potiorem ejus partem, sed tantum aliquot locos de operibus); hunc servum relinquo tibi; Ego urgeo Dominum, qui rex est scripturae.

30. 39 II, 199,20 (aus dem Jahre 1542): Ego hactenus solitus sum jam operare et interpretari secundum sententiam reliquae scripturae. Nam nihil ex ea (epistola) contra manifestam scripturam sanctam statuendum esse judicabitis. Si igitur non admittent meas interpretationes, tum faciam quoque ex ea vastationem Ich will schier den Jeckel (Jakobus) in den Ofen werfen wie der Pfaff vom Kalenberg. (Der Pfarrer vom Kalenberg heizte beim Besuch der Herzogin die Stube mit den Holzstatuen der Apostel!) – 39 II, 219,9 (1543): Non est tanta ejus (des Jakobus) autoritas, ut propterea doctrina fidei relinquatur et discedatur ab autoritate reliquorum apostolorum et totius scripturae. – DB 7, 384,9 sagt Luther über die Jakobus-Epistel, »daß sie stracks wider S. Paulus und alle andere Schrift den Werken die Rechtfertigung gibt«. – 386,15.

31. Das Nähere siehe bei *K. Holl*, S. 574 ff.; *Loofs:* Dogmengeschichte[4]. S. 45 f.

ten Verstand der Schrift und die rechten Artikel unseres Glaubens haben« –
demgegenüber sind jene Dinge belanglos. Man kann die Fragen, die hier bleiben, auf sich beruhen lassen, zum Beispiel den Widerspruch in der Ansetzung
der Tempelreinigung bei Matthäus und Johannes[32].

Vor allem hat Luther theologische Kritik innerhalb des Kanons an einzelnen seiner Teile geübt. Der Maßstab dieser Kritik ist, wie das Prinzip der Auslegung, Christus, das Evangelium von der freien Gnade, von der Rechtfertigung allein durch den Glauben[33]. Oder was das gleiche bei Luther bedeutet:
Maßstab ist »das Apostolische«. »Apostolisch«, dieser Begriff bezeichnet bei
Luther nicht allein ein historisches Moment, nämlich den Kreis der von Christus
selbst berufenen und gesandten Zeugen, sondern zugleich ein inhaltliches: ein
Apostel erweist sich als solcher dadurch, daß er Christus als Heiland klar und
lauter verkündigt. »Denn das Amt eines rechten Apostels ist, daß er von
Christi Leiden und Auferstehung und Amt predige[34].« Darin erweist ein Apo-
stel sich als inspiriert vom Heiligen Geist, darin hat er seine Autorität und
Unfehlbarkeit. Weil es so ist, weil die apostolische Autorität sich in dem Evan-
gelium der Apostel zeigt, gründet sich für die Kirche die Autorität der Schrift
nicht in der Person der Apostel, sondern in dem sich selbst bezeugenden Wort
Gottes, dem Evangelium. Der apostolische Charakter eines neutestamentlichen
Autors bekundet sich an dem Inhalt seiner Schrift, an der Klarheit seines
Zeugnisses von Christus.

Mit diesem Maßstab oder Kriterium mißt Luther nun die kanonischen Bücher. »Darin stimmen alle rechtschaffene Bücher übereins, daß sie allesamt
Christum predigen und treiben.« Er läßt den Kanon in seinem von der alten
Kirche bestimmten Umfang stehen. Aber er macht Unterschiede innerhalb seiner. Er wertet die Bücher mit der Norm des »Apostolischen«. »Das ist der
rechte Prüfstein alle Bücher zu tadeln, wenn man siehet, ob sie Christum treiben oder nicht, sintemal alle Schrift Christum zeiget, Röm 3,21, und S. Paulus nichts denn Christum wissen will, 1 Kor 2,2. Was Christum nicht lehret, das ist noch nicht apostolisch, wenns gleich S. Petrus oder Paulus lehrete.
Wiederum: was Christum prediget, das wäre apostolisch, wenns gleich Judas,
Hannas, Pilatus und Herodes tät[35].« Wo es bei einer der kanonischen Schriften
an diesem Merkmal fehlt oder mangelt, wie zum Beispiel bei Jakobus, da kann
der Autor kein Apostel sein[36]. »Christum treiben« oder »predigen« hat bei

32. 46, 726,11.20.

33. 12, 260,4: daß Christus unser Heiland ist und wir durch den Glauben an ihn ohn
unsere Werk rechtfertig und selig werden.

34. DB 7, 384,22.25.

35. DB 7, 384,26. – Vgl. 12, 260,27 im Blick auf den 1 Petr, der »rechtes lauteres
Evangelion« ist: Aus dem (nämlich wie der 1 Petr im Einklang mit »S. Paulus und
allen Evangelisten« lehrt) kannst du nu richten von allen Büchern und Lehren, was Evangelion sei oder nicht.

Luther den Sinn: Christus, den Gekreuzigten und Auferstandenen als den alleinigen Heiland zu verkündigen, dessen Heil allein im Glauben empfangen wird. Luther war hier ebenso wie bei der Schriftauslegung gewiß, daß er nicht mit einem willkürlich und selbstherrlich gewählten Kriterium an den Kanon heranging, sondern mit dem Maßstab, den die Schrift selber mit ihrer durchgängigen zentralen Verkündigung (»S. Paulus und alle Evangelisten«) darbietet. Er hat ihn von nirgendwo anders her als aus der Schrift. Insofern ist die Schrift selber das Subjekt der am Kanon geübten Kritik.

In Anwendung dieses Maßstabes stellt Luther fest (in der Vorrede zum Neuen Testament von 1522), welche »die rechten und edelsten Bücher des Neuen Testamentes« sind[37] – der Abschnitt wird allerdings von 1534 ab fortgelassen; es sind: das Evangelium und der erste Brief des Johannes, die Paulus-Briefe, vor allem die an die Römer, Galater und Epheser, der 1. Petrusbrief – sie alle sind »der rechte Kern und Mark unter allen Büchern«. »Denn in diesen findest du nicht viel Werke und Wundertaten Christi beschrieben, du findest aber gar meisterlich ausgestrichen, wie der Glaube an Christum Sünde, Tod und Hölle überwindet und das Leben, Gerechtigkeit und Seligkeit gibt.« Für den Christenmenschen liegt es also weniger an dem Bericht über die historischen Wunder Jesu als an dem Zeugnis von seinem Glauben-wirkenden Wort und der Heilsmacht des Glaubens[38]. Daher ist auch das Johannes-Evangelium, das viele Worte Christi, aber wenig Wunder bringt, »das einige zarte rechte Hauptevangelium und den anderen dreien weit vorzuziehen und höher zu heben«, weil es bei diesen umgekehrt steht. Luther spricht in der Vorrede auf Jakobus 1522 und auch noch 1546 von den »rechten Hauptbüchern«; unter sie kann er den Jakobusbrief nicht setzen, weil er (statt des Evangeliums) das Gesetz treibt; Luther erkennt dabei die Absicht des Briefes als richtig an, aber Jakobus ist seiner Aufgabe nicht gewachsen gewesen: »Er hat wollen denen wehren, die auf den Glauben ohne Werke sich verließen, und ist der Sachen zu schwach gewesen, will es mit dem Gesetztreiben ausrichten, was die Apostel mit Reizen zur Liebe ausrichten[39].« Bei dem Hebräer-Brief betont Luther den Abstand gegen die apostolischen Briefe, er lobt ihn sehr wegen seines Zeugnisses von Christi Priestertum und wegen seiner Auslegung des Alten Testaments, mag unter das Gold, Silber und Edelsteine, mit denen der Brief auf dem apostolischen Grund baut, vielleicht auch »etwas Holz, Stroh oder Heu mit untergemenget« sein (nach 1 Kor 3,12)[40]. Von der Offenbarung des Johannes urteilt

36. DB 7, 384,18: Darum dieser Mangel schleußt, daß sie (die Epistel S. Jacobi) keines Apostels sei.
37. DB 6, 10,7.   38. Vgl. auch 12, 260,9.
39. DB 7, 386. – 39 I, 237,3. Luther erklärt, daß Jakobus und Paulus je an einer anderen Front stehen. Man muß bei der Auslegung der Schrift immer die besondere Lage und die Adressaten in Betracht ziehen, für welche die Texte jeweils bestimmt sind.
40. DB 7, 344.

er 1522, er könne überhaupt »nicht spüren«, daß dieses Buch »von dem Heiligen Geist gestellet sei«, das heißt inspiriert; er rückt es neben 4 Esra[41]. Dementsprechend änderte Luther auch die überkommene Reihenfolge der neutestamentlichen Schriften; er stellte die soeben genannten mit dem Judasbrief zusammen an den Schluß seiner Bibel – »sie haben vor Zeiten ein ander Ansehen gehabt« – sie gehören nicht zu den »rechten gewissen Hauptbüchern des Neuen Testaments[42]«.

Luther hat – das steht schon in den scharfen Vorreden von 1522 – seine Urteile niemandem aufzwingen wollen, sondern nur aussprechen, wie er selber zu den betreffenden Büchern stand[43]. Auch hat er in der Vorrede zu Jakobus seit 1530 die schärfsten Wendungen fortgelassen (zum Beispiel »darum will ich ihn nicht haben in meiner Bibel«); er hat also nicht gewollt, daß die Gemeinde diese Urteile noch las. Für sich selber und vor seinen theologischen Schülern hat er allerdings seine Beurteilung des Jakobusbriefes auch später festgehalten – es ging ihm dabei weniger um den Brief als solchen und im ganzen, als darum, ihn den römischen Gegnern zu entwinden, die ihn immer wieder gegen das reformatorische Evangelium ausspielten. – Bei der Offenbarung hat er die ablehnende Vorrede von 1522 seit 1530 durch eine andere ersetzt, die mit Hilfe der kirchengeschichtlichen Deutung den bleibenden Wert des Buches für die Kirche heraushebt[44]. Aber die Unterscheidung des Wertes der von ihm an den Schluß seiner Bibel gestellten Bücher gegenüber den »Hauptbüchern« hat er bis zuletzt festgehalten[45].

Wir werden Luthers einzelne Urteile über die letzten Bücher des Neuen Testaments nicht kanonisieren. Aber sie haben ihre bleibende Bedeutung schon dadurch, daß Luther überhaupt das Wort Gottes oder die Heilige Schrift im prägnanten Sinn von dem Kanon unterschieden und gerade um des Wortes, des Evangeliums (einschließlich seiner Beziehung auf das Gesetz Gottes) willen theologische Kritik am Kanon geübt hat. Damit hat er zur Geltung gebracht, daß die Bildung und Abgrenzung des Kanons durch die alte Kirche der Überprüfung nicht entzogen ist. Hiermit ist zugleich die Behandlung der Bibel als eines in allen seinen Teilen gleichmäßig verpflichtenden Gesetzbuches grundsätzlich überwunden; innerhalb des Kanons gibt es Unterschiede der Nähe oder Ferne zur Mitte der Schrift, Unterschiede der evangelischen Klarheit, damit auch der Autorität und Bedeutsamkeit für die Kirche. Der Kanon ist insofern nur relativ einheitlich, wie er auch nur relativ geschlossen ist. Damit ist aller formalen Fassung der Bibel-Autorität grundsätzlich der Abschied gegeben. Daß man späterhin in den deutschen Bibeln Luthers Vorreden mit seinen ganz per-

---

41. DB 7, 404. 42. DB 7, 344,2.
43. DB 7, 384,6; 404,2. 44. DB 7, 406 ff.
45. Diese Stelle der Vorrede zum Hebräerbrief blieb auch nach 1530 stehen. DB 7, 344,2.

sönlichen kritischen Urteilen nicht mehr abdruckte, läßt sich gewiß verstehen. Aber es bedeutet doch eine verhängnisvolle Einbuße an Erziehung zur rechten Freiheit im Verständnis und Gebrauch der Schrift. Die Überfremdung des Luthertums durch eine gesetzliche Theorie der Schrift wäre schwerlich so weit gegangen, wenn Luthers Vorreden noch in den Bibeln gestanden hätten – oder wenn man sie durch eine Anleitung zum rechten Schriftgebrauch in seinem Geist ersetzt hätte.

Bei alledem ist nicht zu übersehen, daß Luther theologische Kritik innerhalb des Kanons nur namens des von der Schrift verkündeten Evangeliums übt, also nicht etwa auch namens der Vernunft, also zum Beispiel auch dessen, was wir das wissenschaftliche Weltbild oder das moderne Daseinsverständnis nennen. Nur da, wo Luther Verdunkelung des Evangeliums in der Schrift findet, bestreitet er den Charakter als Wort Gottes. Wo es sich nicht um dieses Entscheidende, das »Christum treiben« handelt, ist die Schrift für ihn, wie für die Tradition, überall das vom Heiligen Geist verfaßte Buch und als solches unfehlbare Autorität, der man sich zu beugen, der gegenüber man allen Einspruch der Vernunft fahrenzulassen hat[46]. So ist Luthers Kritik eine streng begrenzte. Die Probleme, die seit der Aufklärung brennend sind, das Verhältnis zwischen der Bibel und den naturwissenschaftlichen sowie den historischen, anthropologischen und philosophischen Erkenntnissen, sind für ihn noch nicht da.

Das Alte und das Neue Testament

Es bedarf einer besonderen Darstellung dessen, wie das Alte Testament bei Luther zu stehen kommt.

Dessen Verhältnis zum Neuen Testament ist sowohl Unterschied wie Einheit[47]. Der entscheidende Unterschied im Wort Gottes ist für Luther der von Gesetz und Evangelium. Aber der Unterschied vom Alten und Neuen Testament deckt sich nicht einfach mit ihm; dieser geht vielmehr durch beide Testamente hindurch. Auch im Alten Testament wird das Evangelium laut, nämlich in den Verheißungen. Und auch im Neuen findet sich Gesetz, zum Beispiel in der Bergpredigt, in der Jesus das Gesetz auslegt. Aber im Alten Testament

46. Vgl. meinen Aufsatz: Gehorsam und Freiheit in Luthers Stellung zur Bibel. Theol. Aufsätze I. 1929. S. 140 ff. Einzelne Beispiele: 1 Mose 1 redet der Heilige Geist von den sechs Tagen – dem gilt es sich zu beugen – »tue dem Heiligen Geist die Ehre, daß er gelehrter gewesen sei denn du« (12, 440,13 ff.). Daß Jona drei Tage und Nächte im Bauche des Fisches war – »wer wollts auch glauben und nicht für eine Lügen und Märlein halten, wo es nicht in der Schrift stünde?« (19, 219,26). – Die Psalmen sind vom Heiligen Geist verfaßt, 40 III, 16,24. – Die Stelle Röm 11,25 f. von der endlichen Rettung ganz Israels »vexiert« Luther; »ich will aber dem Spiritui Sancto die Ehr geben und sagen, wie ichs auch weiß, daß er gelehrter ist denn ich«. Ti 1610.
47. Vgl. *Heinrich Bornkamm*: Luther und das Alte Testament. 1948. S. 69 ff.

findet sich mehr Gesetz, im Neuen mehr Evangelium. Der Inhalt des Alten Testaments ist hauptsächlich »Gesetze lehren und Sünde anzeigen und Guts fordern«, der des Neuen: »Gnade und Friede durch Vergebung der Sünden in Christo[48]«. Daher ist das Alte Testament vorzugsweise doch Gesetzbuch, das Neue vorzugsweise Evangelium zu nennen[49]. Das unterscheidet sie in erster Linie und bedeutet einen Gegensatz. Aber insofern das Alte Testament auch Evangelium enthält, besteht zwischen beiden Teilen der Bibel eine Einheit – nur mit dem Unterschied, daß im Alten Testament Christus und das Heil verheißen, im Neuen als erfüllt bezeugt wird. Beide verhalten sich also wie Verheißung und Erfüllung[50].

Aber damit ist noch nicht alles gesagt. Sofern beide Testamente Evangelium enthalten, läßt sich ihr Verhältnis bei Luther in zwei Sätze fassen: 1. die ganze Wahrheit, das Evangelium, ist im Alten Testament schon da – daher gründet das Neue Testament im Alten; 2. aber sie ist verborgen da, sie muß erst aufgeschlossen, offenbart werden – das geschieht durch das neutestamentliche Wort.

Was das erstere betrifft, so kann Luther sagen: »Mose ist ein Brunn aller Weisheit und Verstandes, daraus gequollen ist alles, was alle Propheten gewußt und gesagt haben, dazu auch das Neue Testament herausfleußt und drein gegründet ist[51].« Oder: »Alles, was die Apostel gelehret und geschrieben haben, das haben sie aus dem Alten Testament gezogen; denn in demselben ist alles verkündigt, was in Christo zukünftig geschehen sollt und gepredigt werden. Darum gründen sie auch alle ihre Predigt in das Alte Testament, und ist kein Wort im Neuen Testament, das nicht hinter sich sähe in das Alte, darinnen es zuvorverkündigt ist[52].« Ja sogar: *Primum caput Genesis totam scripturam in se continet*[53]. Ebenso ist für Luther in den Eingangsworten des Ersten Gebotes in der Zusage »Ich bin der Herr dein Gott« das ganze Evangelium beschlossen. Aus ihnen fließt die Botschaft der Propheten[54], aber auch das Wort des Neuen

---

48. DB 8, 12,18. – 18, 692,19: Novum testamentum proprie constat promissionibus et exhortationibus, sicut Vetus proprie constat legibus et minis. (Unter *exhortationes* versteht Luther, wie das Folgende zeigt, die Paränese des Neuen Testaments an die schon Gerechtfertigten.

49. 10 I, 2, 159,7.

50. DB 8, 11,19: Was ist das Neue Testament anders denn ein öffentliche Predigt und Verkündigung von Christo, durch die Sprüche im Alten Testament gesetzt, und durch Christum erfüllet.

51. DB 8, 29,27. Ebenso 54,2,6.

52. 10 I, 1, 181,15. – Ferner 12, 274,28: Wir sollen das Neu Testament aus dem alten gründen lernen. – 33: Darum soll man die unnützen Schwätzer lassen fahren, die das alt Testament verachten und sprechen, es sei nicht mehr vonnöten, so wir doch alleine daraus den Grund unsers Glaubens nehmen.

53. Ti Nr. 3043.

Testaments von der Kindschaft[55], ja der ganze Inhalt des dritten Glaubensartikels[56].

Aber – und damit kommen wir zum Zweiten – dieser Sinn des Alten Testaments, des Ersten Gebotes muß erst offenbart werden: Christus erst erschließt das Alte Testament. Er erst enthüllt in seinem Wort (Mt 22,32), daß Gott ein Gott der Lebendigen und nicht der Toten sei, den Sinn des Ersten Gebotes als eines Zeugnisses von der Auferstehung der Toten[57]. Ja, das Neue Testament hat im Grunde keine andere Aufgabe als das Alte Testament zu erschließen, das in ihm verborgene Evangelium zu offenbaren[58]. Neutestamentliche Verkündigung ist ihrem Wesen nach Auslegung des Alten Testaments. In diesem Zusammenhang wird es für Luther bedeutsam, daß Jesus gar nichts und die Apostel nur wenig aufgeschrieben haben – sie verweisen und gründen sich eben auf die schon vorliegende »Schrift«, das heißt: das Alte Testament. Sie weisen uns in die alte Schrift gleichwie die Engel die Hirten zur Krippe und Windeln[59]. Man muß also im Sinn Luthers das Doppelte sagen: Das Neue Testament ist ganz im Alten gegründet, ja beschlossen; das Alte Testament ist erst im Neuen erschlossen und nicht anders als durch dieses zu verstehen.

Das alles gilt von dem Alten Testament, sofern es Evangelium in sich trägt, also von Christus handelt. Aber darin geht sein Inhalt nicht auf. Es ist auch das Buch Israels: Es bietet das Israel gegebene Gesetz und die Geschichte Israels. Wir haben von beidem zu handeln, von dem Buch Israels und dem Buch von Christus. Das Alte Testament ist beides in einem[60]. Aber es handelt sich um

54. 14, 640,24. – 40 III, 165,35: Videmus autem hoc, quod in psalmis et prophetis optimum est, manare ex promissione primi praecepti ego sum Deus tuus. (So freilich nur in Veit Dietrichs Bearbeitung, nicht in Rörers Nachschrift.)

55. 40 III, 161,14; 162,21.

56. 31 I, 154,30.

57. 40 III, 494,10; 495,5.8; 497,3.

58. 10 I, 1, 181,24: Das neu Testament ist nit mehr denn ein Offenbarung des alten. – DB 7, 27,23: Paulus will mit dem Römerbrief »einen Eingang bereiten in das ganze Alte Testament«. »Wer diese Epistel wohl im Herzen hat, der hat des alten Testaments Licht und Kraft bei sich.«

59. DB 8, 12,5: Hie (im Alten Testament) wirst du die Windeln und die Krippen finden, da Christus innen liegt, dahin auch der Engel die Hirten weiset. Schlechte und geringe Windeln sind es, aber teuer ist der Schatz, Christus, der drinnen liegt. – 10 I, 1, 625,18: Durchs Evangelium sind die Propheten aufgetan ... Denn im Neuen Testament sollen die Predigten mündlich mit lebendiger Stimm öffentlich geschehen und das hervorbringen in die Sprache und Gehör, das zuvor, in den Buchstaben und heimlich Gesicht verborgen ist. Sintemal das Neue Testament nichts anders ist, denn ein Auftun und Offenbarung des Alten Testaments. – 626,12: Die Apostel, die geschrieben haben, »tun nit mehr, denn weisen uns in die alte Schrift«. – Ebenso 10 I, 1, 15,1 ff.

60. Die Menschen des Alten Testaments standen unter dem Mose-Gesetz; aber viele unter ihnen, wie Abraham und Isaak, hatten zugleich die Predigt von Christus. 39 II, 203,13.

zwei ganz verschiedene Gesichtspunkte, und demgemäß ist auch Luthers Stellung zum Alten Testament je eine verschiedene.

Das Alte Testament als Buch Israels

Hier ist zunächst von dem Gesetz Israels zu reden[61]. Luther beurteilt es unter verschiedenen Gesichtspunkten. Wie es im Alten Testament vorliegt, ist es zunächst das Israel von Gott gegebene Volk-Gesetz, für Israel verpflichtend, aber als solches auch nur für Israel gültig, »der Jüden Sachsenspiegel[62]«. Als solcher geht er die Christen nichts an, ist für sie unverbindlich. Luther kämpft hier leidenschaftlich gegen die Schwärmer und Täufer, die sich auf alttestamentliche Vorschriften berufen mit der Begründung, daß das Mose-Gesetz doch Gottes Wort sei: »Gottes Wort hin, Gottes Wort her, ich muß wissen und achthaben, zu wem das Wort Gottes geredet werde[63].« – »Man muß nicht allein ansehen, ob es Gottes Wort sei, ob es Gott geredet hab, sondern vielmehr zu wem es geredet sei, ob es dich treffe[64].« Gott hat im Gesetz zu Israel, nicht zu den Christen geredet. »Mose ist allein dem jüdischen Volk gegeben und geht uns Heiden und Christen nichts an[65].« Das gilt nicht etwa nur von dem mosaischen Kultus- und Rechtgesetz, sondern auch – entgegen der weithin üblichen Unterscheidung – auch vom Dekalog: Er ist ja die Quelle und die Mitte aller anderen Gesetze Israels; auch das Zeremonial- und Rechtgesetz »hangen alle drinnen und gehören hinein«. Auch das Bilderverbot und das Sabbatgebot des Dekalogs sind »zeitliche Zeremonien, im Neuen Testament aufgehoben«. Jesus Christus ist das Ende dieses Gesetzes.

Aber das Gesetz des Alten Bundes ist doch mehr als nur Mose-Gesetz, allein für Irael gegeben. Es ist zugleich auch ein besonderer Ausdruck des Naturgesetzes, das in aller Menschen Herzen geschrieben ist – nämlich das Gebot der Gottesverehrung und der Nächstenliebe, das sich nach Luther in die Regel von Mt 7,12 fassen läßt[66]. Soweit Moses Gesetz mit diesem natürlichen Gesetz

---

61. Quellen: vor allem die Auslegung von Ex 19 und 20, gegen die Schwärmer, 16,363 ff.; Wider die himmlischen Propheten, 18,75 ff.; Wider die Sabbather, 50,312 ff. – Vgl. hierzu die genaue Darstellung bei *H. Bornkamm*, S. 104 ff.; *G. Merz*: Gesetz Gottes und Volksnomos bei M. Luther. Luther-Jahrbuch 1934. S. 51 ff.

62. 16, 378,11; 18, 81,14.

63. 16, 384,13. – 19, 195,2 von den Schwärmern, die »das weltliche Schwert ins Moses Gesetze fassen wollten und schrieen getrost: Hie ist Gottes Wort, Gottes Wort, Gottes Wort. Gerade als wäre es genug, daß Gottes Wort da sei, und nicht auch mit Unterschied darauf zu sehen sei, welche die sind, denen es befohlen ist ... Darum müssen wir nicht darnach fragen, obs Gottes Wort sei, sondern ob uns dasselbige sei gesagt oder nicht, und alsdenn desselbigen uns annehmen oder nicht.«

64. 16, 385,7.

65. 18, 76,4; – 31 I, 238,20.

zusammenstimmt, gilt es auch uns Nicht-Juden und ist für uns verbindlich, aber nicht als Mose-Gesetz, sondern weil es uns durch seinen Inhalt im Herzen, im Gewissen bindet[67]. Mose ist nicht der Autor, sondern nur der Ausleger der Gesetze, die in aller Menschen Sinn geschrieben sind[68]. Wenn die Christenheit trotzdem das Mose-Gesetz lehrt, nämlich die Zehn Gebote, so nur deswegen, weil »die natürlichen Gesetze nirgend so fein und ordentlich sind verfasset als in Mose; darum nimmt man billig das Exempel von Mose[69]«. Aber – das ist noch einmal zu betonen – das gilt nicht von dem Dekalog in seiner historischen Gestalt im ganzen, sondern auch in ihm ist zwischen dem Unverbindlichen und dem Verbindlichen klar zu unterscheiden. Was er darüber hinaus, daß er schöne Gestalt des natürlichen Gesetzes ist, enthält, davon ist nicht anders als vom Zeremonial- und Rechtsgesetz zu sagen: »Darum laß man Mose der Juden Sachsenspiegel sein und uns Heiden unverworren damit, gleich wie Frankreich den Sachsenspiegel nicht achtet und doch in dem natürlichen Gesetze wohl mit ihm stimmt[70].«

Diese klare Unterscheidung zwischen dem für die Christen Unverbindlichen und dem Verbindlichen am Mose-Gesetz schließt nun nicht aus, daß einiges im Mose-Gesetz auch für die anderen Völker, ohne verbindlich zu sein, doch vorbildlich sein kann. Luther nennt den Zehnten, das Halljahr (Lev 25,8 ff.), das Freijahr (Lev 25,2 ff.), das Ehescheidungsrecht (Deut 24,1 ff.)[71]. Luther sähe es gerne, wenn man diese und andere Anordnungen des Mose-Gesetzes auf dem weltlichen Gebiet übernähme, nicht gezwungen, als wäre das alles göttliches Gebot, sondern in Freiheit, aus vernünftiger Einsicht, wie es auch sonst in der Geschichte vorgekommen ist, daß ein Volk Gesetze eines anderen, die es als gut erkannte, übernahm[72].

Hat so das Gesetz des Alten Testaments in mehrfacher Hinsicht auch für die

66. 11, 279,19: Die Natur lehrt, wie die Liebe tut, daß ich tun soll, was ich mir wollt getan haben.

67. 16, 380,9: Also halt ich die Gebot, die Moses geben hat, nicht darumb daß Moses geboten hat, sondern daß sie mir von Natur eingepflanzt sind und Moses gleich mit der Natur stimmt. 39 I, 540,3; – 541,1; – 540,10 heißt es von dem alle betreffenden Gottesgesetz im Mose-Gesetz: ... sentio in corde, me certe hoc debere Deo, non quia traditus et scriptus decalogus sit nobis, sed quod scimus vel leges has nobiscum in mundum attulimus.

68. 39 I, 454,4.15.   69. 18, 81,18.   70. 18, 81,14.

71. 18, 81,20. – 16, 376,10 f.; 377,14 ff. – 31 I, 238,26.

72. 16, 377,17: Also sind andere aus der Maßen schöne Gebote in Mose, die man mocht annehmen, brauchen und im Schwange lassen gehen, nicht daß man dadurch sollt zwingen oder gezwungen werden, sondern ... der Kaiser mocht ein Exempel daraus nehmen, ein fein Regiment aus dem Mosi stellen. – 18, 81,24: ... gleich als wenn ein Land von des andern Landen Gesetzen Exempel nimmt, wie die Römer von den Griechen die Zwölf Tafeln nahmen.

Nicht-Juden bleibende Bedeutung, so gilt das auch von der Geschichte Israels, wie das Alte Testament sie berichtet. Was das Alte Testament in dieser Hinsicht für Luther selbst bedeutete, was er aus ihm lernte und lehrte, das läßt sich nicht schnell auf eine Formel bringen. H. Bornkamm hat einen Eindruck davon gegeben, wie das Alte Testament für Luther ein »Spiegel des Lebens« war, der politischen und der inneren Welt[73]. Wir brauchen darauf in unserem Zusammenhang nicht einzugehen. Uns geht hier nur Luthers ausdrückliche theologische Würdigung der alttestamentlichen Geschichte an. Da steht bei ihm im Mittelpunkt der Gedanke, daß das Alte Testament ein Exempelbuch ist dafür, wie man Gottes Gesetz gehorcht und nicht gehorcht hat[74] und wie Gott darauf geantwortet hat in Gnade und Zorn. Das geht auch die Christenheit an. Der Mensch bleibt im Entscheidenden durch alle Zeiten hin der gleiche und hat es in seiner Geschichte mit Gott mit den gleichen oder doch verwandten Fragen und Entscheidungen zu tun. Daher ist die Geschichte des Volkes Israel von exemplarischer Bedeutung für alle anderen. Wir kommen darauf im nächsten Abschnitt noch zurück.

Das Alte Testament als Buch von Christus

Daß das Alte Testament von Christus zeugt, hat einen doppelten Sinn. 1. Das Alte Testament ist hin auf Christus, nämlich als Gesetz. 2. Das Alte Testament ist voll von Christus, nämlich als Verheißung und Vorbildung Christi und seiner Kirche. Sowohl mit seinem Gehalt an Gesetz wie mit dem an Verheißung zeugt das Alte Testament von Christus.

Mose »treibt« das Gesetz, damit das Volk »durch solch Treiben erkenne seine Krankheit und Unlust zu Gottes Gesetz und nach der Gnade trachte«. Er verwaltet das »Amt der Sünde und des Todes« – das ist nötig, denn ohne solches Amt würde die menschliche Vernunft die Sünde und das Elend des Menschen nicht erkennen. »Diese Blindheit und verstockte Vermessenheit zu vertreiben ist Mose Amt not[75].« Daher muß Mose das Gesetz lehren. »An dem guten Gesetze Gottes muß die Natur ihre Bosheit erkennen und fühlen und nach der Hülfe seufzen in Christo« – das ist »das eigentliche Amt Moses«. Luther kann Moses Amt so beschreiben, weil er das Gesetz des Alten Testaments radikal von Jesu Auslegung her versteht. Mit alledem erneuert er nur die Gedanken des Apostels Paulus über die Bedeutung des Gesetzes in Gottes Heilsplan.

Mit dem Treiben des Gesetzes führt Mose hin zu Christus. Wie Mose, so auch die Propheten. Luther sieht bei ihnen nicht nur die Verheißung, sondern auch das Gesetz. Ebenso in den Geschichtsbüchern. »Sie treiben allesamt Moses

---

73. A.a.O. S. 9–37.   74. Vgl. DB 6, 2,16. – 12, 275,18.
75. Vgl. zu diesem Abschnitt im ganzen Luthers »Vorrede auf das Alte Testament«, DB 8,10 ff. – Hier DB 8,20 ff.

Amt ... und halten fest darob, daß sie durch des Gesetzes rechten Verstand die Leute in ihrer eigenen Untüchtigkeit behalten und auf Christum treiben, wie Mose tut ... Also daß die Propheten nichts anderes sind denn Handhaber und Zeugen Mose und seines Amts, daß sie durchs Gesetze jedermann zu Christo bringen[76].« Die Propheten geben »eitel Exempel, wie Gott sein erst Gebot so strenge und hart bestätigt hat[77]«. So ist die Verkündigung der Propheten schon in diesem ihrem Mose-Amt christozentrisch zu verstehen.

Das alles ist aber nur die eine Seite des Alten Testaments. Es bietet nicht nur Hinführung zu Christus, sondern ist selber schon voll von ihm. Das gilt zunächst insofern, als in dem Gott des Alten Testaments, in seinem Handeln und Verheißen, in dem Umgang der Frommen mit ihm Christus immer schon dabei ist. Denn im Alten Testament haben die Menschen es nicht mit einem überweltlichen Gott an sich zu tun, sondern mit dem bestimmten »Gott der Väter«, der sich an bestimmtem Ort unter bestimmten äußeren Zeichen finden läßt, der dem Volk seine Verheißungen gibt. Diese aber gehen alle auf Christus. In ihnen redet der Gott, der schon unterwegs ist, sie zu erfüllen und die Welt durch Christus selig zu machen[78]. Dabei können wir die unmittelbare Verheißung und die Vorbildung Christi unterscheiden[79].

Christus wird verheißen in den Propheten und Psalmen und an den bekannten messianischen Stellen der Geschichtsbücher, aber auch weit darüber hinaus. Soviel die Propheten auch mit ihrer Gegenwart zu tun haben, und wenn sich auch Voraussagen kommender geschichtlicher Ereignisse bei ihnen finden – sie haben sich darin oft geirrt[80] –, der entscheidende Sinn und Gehalt ihrer Verkündigung ist doch der eine, daß sie Jesus Christus und sein Reich vorausverkündigen[81]. Sie wollen ihrem Volk dazu helfen, daß sie diesem Reich im

76. DB 8, 29,12 ff. – 12, 275,20: ... die Propheten, die aus Mose gegründet sein und was er geschrieben hat, weiter und mit klärern Worten ausgestrichen und verklärt haben. – 8, 105,6.11.

77. Vorrede auf die Propheten, DB 11 I, 5,10.

78. 40 II, 329,6. Obgleich David im 51. Psalm Christus nicht erwähnt, gilt doch: loquitur cum Deo patrum suorum, cum deo promissore, daß Christus mit drinnen sei. – 387,1: ... loquitur de deo promissore et se signis externis et locis se ostendentem, ille includit Christi promissorem. Sic Christus non excluditur. – Vgl. im Druck 387,19.

79. Das Folgende ist nur eine Skizze. Nähere Ausführung bietet H. Bornkamm, a.a.O. S. 86 ff.; 126 ff.

80. 17 II, 39,32.

81. 13, 88,1: Omnium prophetarum una est sententia: hic enim unus est scopus, ut in futurum Christum seu in futurum regnum Christi respiciant. Huc omnes eorum spectant prophetiae nec alio sunt referendae, quamquam varias intermisceant historias sive rerum praesentium sive futurarum, tamen eo omnia pertinent, ut regnum Christi futuram declarent. – Über Jesaja heißt es DB 11 I, 21.28: Denn es ist ihm alles um den Christum zu tun, daß desselbigen Zukunft und das verheißen Reich der Gnaden und Seligkeit nicht veracht oder durch Unglauben und vor großem Unglück und Ungeduld

Glauben entgegenwarten. Neben den Propheten sind die Psalmen voll von Weissagung auf Christus, seine Person, sein Leiden, Sterben und Auferstehen, sein Herrschen als König, auf das Evangelium, das Reich, die Christenheit oder die Kirche[82]. Aber nicht nur die Psalmen sind christologisch-prophetisch auszulegen, sondern auch vieles in der Geschichtserzählung des Alten Testaments, in den Büchern Mose. Mose geht nicht auf in seinem Gesetzes-Amt, er »weissagt doch daneben gewaltiglich von Jesu Christo, unserem Herrn[83]«. Mose kündet also nicht allein das Gesetz, sondern auch das Evangelium.

Neben der Wort-Verheißung, der offenkundigen und der verborgenen, bietet der Alte Bund auch Vorbildung Christi und seiner Kirche. Luther findet sie vor allem in dem levitischen Gesetz und Priestertum, im Opferwesen, aber auch im Königtum. Hier folgt er der Typologie des Hebräerbriefes. »Wenn du

bei seinem Volk verloren und umsonst sein mußte, wo sie des nicht wollten warten und gewißlich zukünftig gläuben. – 6, 514,1: Hoc testamentum Christi praefiguratum est in omnibus promissionibus dei ab initio mundi, immo omnes promissiones antiquae in ista nova futura in Christi promissione valuerunt, quicquid valuerunt, in eaque perpenderunt. – Das besagt: alle Verheißungen Gottes, die im Alten Testament enthalten sind, bieten eine Vorbildung der in dem gekreuzigten Christus gegebenen Verheißung der Vergebung der Sünden und haben in dieser ihre Gültigkeit bekommen.

82. *Bornkamm,* S. 90; dort auch ein Verzeichnis der Psalmen, die Luther als Weissagungspsalmen auslegt – es sind nicht weniger als 27. – »Aber auch in den anderen Gattungen der Psalmen steckt eine Fülle von Weissagung.« – Verborgene Verkündigung Christi und seines Heiles findet Luther auch in den Psalmen, in denen die Beter in ihren irdischen Nöten und angesichts des Todesloses sich an Gott wenden. 31 I, 154,27: Und hie sollen wir die Regel lernen, daß, wo im Psalter und in der Schrift die Heiligen also mit Gott handeln vom Trost und Hülfe in ihren Nöten, daß daselbst gewißlich vom ewigen Leben und Auferstehung der Toten gehandelt wird und daß solche Text allzumal gehören auf den Artikel von der Auferstehung und ewigem Leben, ja auf das ganze dritte Stück des Glaubens, als vom heiligen Geist, von der heiligen Christenheit, von Vergebung der Sünde, von der Auferstehung, vom ewigen Leben. Und fleußt alles aus dem ersten Gebot, da Gott spricht: Ich bin dein Gott etc. Dies Wort gibt dasselbige dritte Stück des Glaubens gewaltiglich. Denn weil sie klagen, daß sie sterben und Not leiden in diesem Leben und sich doch gleichwohl trösten eines andern denn dieses Lebens, nämlich Gottes selbst, der über und außer diesem Leben ist, so ists nicht möglich, daß sie sollten ganz und gar sterben und nicht wiederum ewiglich leben. – Ebenso in der Auslegung des 90. Psalms, 40 III, 488 ff. Seine Überschrift lautet: »Ein Gebet Moses, des Mannes Gottes«. Daß Mose angesichts des Todesverhängnisses, von dem der Psalm handelt, betet, das weist hin auf Christus, den Erlöser vom Tode. Denn mit seinem Beten erfüllt Mose das erste Gebot. Wo aber in der Schrift vom ersten Gebot die Rede ist, da wird Christus, da wird die Auferstehung der Toten und ewiges Leben verkündigt – nach Christi eigener Auslegung Mt 22,32. Im Gebet, das dem ersten Gebot gehorcht, ist Gemeinschaft mit Gott da, und diese schließt auf alle Fälle Überwindung des Todes ein.

83. 54, 95,4.

willst wohl und sicher deuten, so nimm Christum für dich, denn das ist der Mann, dem es alles ganz und gar gilt[84].« Der Hohepriester, das Opfer usw. sind »Figuren«, die Christus bedeuten. »Das Alte Testament hat gedeutet auf Christum, das Neue aber gibt uns nun das, das zuvor im Alten verheißen und durch die Figuren bedeutet ist gewesen[85].« Christus aber ist schon in den »Figuren« da[86]. So muß das alttestamentliche Gesetz und Wesen doppelt gesehen werden: Es ist einerseits Modell, das über sich selbst hinausweist auf Christus – aber es ist andererseits in ihm aufgehoben und bindet die Christenheit nicht[87].

Luther nennt solche Auslegung des Alten Testaments »geistliche Deutung«[88]. Er unterscheidet sie bestimmt von der überlieferten Allegorese, wie Origenes, Hieronymus und andere sie geübt haben: Sie lassen den Wortsinn und die wirkliche Geschichte Israels beiseite und finden überall einen textfremden spirituellen Sinn[89]. Luthers »geistliche Deutung« unterscheidet sich von dieser Allegorese dadurch, daß sie heilsgeschichtlich begründet ist und die Texte als auf Christus bezogen auslegt. Die allegorische Deutung geht über den Wortsinn der Texte hinaus, weil man sich seiner als nicht auf der Höhe geistigen Christentums schämt; so weiß man mit ihnen nicht anders fertig zu werden als indem man annimmt, daß die Texte Geheimschrift für einen völlig anderen und

84. In der Vorrede auf das Alte Testament DB 8, 29,32.

85. 12, 275,25. – Der Begriff der »Figuren« stammt aus dem Hebräerbrief: das griechische *hypodeigma* oder *antitypa* gibt die Vulgata mit *figurae* wieder; Luther übersetzt »Bilder«, »Furbilder«, »Gegenbild« (Hebr 9,23 f. Vgl. 1 Petr 3,21).

86. 8, 87,13.

87. 12, 275,28: Drum sind nu die Figuren aufgehoben, denn dazu sie gedient haben, das ist jetzt vollendet und aufgericht und erfüllet, was darin ist verheißen.

88. DB 8, 28,24.

89. DB 8, 11,4: ... geben für, eitel geistlichen Sinn im Alten Testament zu suchen. – Für Luthers Verhältnis zur allegorischen Methode der Schriftauslegung vgl. *K. Holl: Luther*³. S. 553 ff. – *G. Ebeling:* Evangelische Evangelienauslegung. Eine Untersuchung zu Luthers Hermeneutik. 1942. – *H. Bornkamm,* a.a.O. S. 74 ff. – Luther selber erklärt 1525 gegenüber Erasmus, man dürfe eine Schriftstelle nur dann bildlich verstehen, wenn der Kontext es verlange oder wenn der schlichte Wortsinn einen Widerspruch ergebe, der die *analogia fidei* verletzt. 18, 700,31. So auch schon 1521 Latomus gegenüber, 8, 63,27; 64,10. Obgleich Luther also grundsätzlich die Auslegung nach dem Wortsinn fordert und vor der Allegorie warnt, hat er sich ihrer doch bis in seine spätesten Jahre vielfach bedient, aber »gezügelt« (*H. Bornkamm*). Als einzige Auslegung hat er sie nur dort angewandt, wo ihm ein übertragener Sinn als der allein mögliche erschien. Sonst hat er die Auslegung nach dem buchstäblichen Sinn und die Allegorie oft nebeneinander geübt. Dabei hat er »außer in den Fällen offenbarer Notwendigkeit den wörtlichen Sinn nie durch den allegorischen aufgehoben, wohl aber oft genug der wörtlichen Auslegung noch das Spiel der geistlichen Deutung auf Christus und sein Reich hinzugefügt« (*Bornkamm,* S. 81). Vgl. z. B. die Evangelienpredigten in der Fastenpostille von 1525, 17 II.

anderweit begründeten Sinn sind. Luthers »geistliche Deutung« dagegen schließt die Weissagung in der Geschichte auf, kraft deren die Züge alttestamentlicher Geschichte und Institution über sich selbst hinausweisen auf den Christus, in welchem die Geschichte des Alten Bundes wirklich zu ihrem von Gott gesetzten Ziel kommt. Der Allegorese ist die geschehene äußere Geschichte, von der der Text seinem Wortlaut nach handelt, gleichgültig. Luthers geistliche Deutung würdigt gerade den Wortsinn, denn die Geschichte, von der dieser handelt, ist Weissagung. Daher kann Luther den ursprünglichen Wortsinn und die geistliche Deutung nebeneinanderstellen und in lebendige Beziehung setzen durch den Begriff des »Zeichens« oder »Vorbildes«.

Ein Beispiel. Den Psalm 111 soll die Christenheit beten als Dankpsalm angesichts des Heiligen Abendmahls. Aber darüber soll der alte, ursprüngliche Sinn als Passah-Lied nicht vergessen werden: »Dennoch ists fein, daß man den Psalmen auch habe nach seinem alten und ersten Verstand, wie die lieben Väter und Propheten denselbigen gebraucht haben.« So gibt Luther denn auch zunächst eine »geschichtliche« Auslegung des Psalms und deutet ihn dann erst als das Lied der neutestamentlichen Gemeinde. Das alttestamentliche Osterfest ist ja »Zeichen und Vorbild« unseres Osterfestes. Wofür Israel damals Gott dankte, das ist ihm jetzt geraubt; darum kann es den Psalm nicht mehr singen. Allein die Christen können ihn singen, »welche nicht allein solche Wohltaten haben (wie etwa auch die ›Türken und Tattern‹), sondern auch erkennen, daß es Gottes Wohltaten und nicht menschlich Vermögen sei«. »So gehet nu dieser Dankpsalm frei durch die ganze Welt, wo Christen beieinander zur Messe sind, und ist nicht mehr in dem engen Lande Kanaan, als in einem kleinen Winkel der Welt; er ist nu größer worden und klinget weiter ...[90]«

Luther hat mit seiner geistlichen Deutung nichts eigenes unternehmen wollen. Er war sich bewußt, nichts anderes zu tun als der Herr selber und die Apostel mit ihrem Schriftgebrauch[91]. Zu Joh 3,14 (»wie Mose in der Wüste eine Schlange erhöht hat, also muß des Menschen Sohn erhöhet werden«) sagt er: »Der Herr weiset uns damit den rechten Griff, Mosen und alle Propheten auszulegen, und gibt zu verstehen, daß Moses mit allen seinen Geschichten und Bildern auf ihn deute und auf Christum gehe und ihn meine, nämlich daß Christus sei der Punkt im Cirkel, da der ganze Cirkel aufgezogen ist und auf ihn siehet; und wer sich nach ihm richtet, gehört auch drein. Denn er ist das Mittelpünktlein im Cirkel, und alle Historien in der Heiligen Schrift, so sie recht angesehen werden, gehen auf Christum[92].« Das heißt: es gibt im Ernst nur eine Hoffnung, die Hoffnung auf Christus; wo immer in der Heiligen Schrift Hoffnung laut wird, da meint sie zuletzt nichts anderes als Christus. Es gibt nur eine wirkliche Hilfe, Christus, der von Sünde und Tod hilft; wo immer im Alten Testament Gottes Hilfe erbeten wird, da wird im Grunde die Sendung Christi erbeten[93]. Über Psalm 102 sagt Luther: »Ein Betpsalm, darin

90. 31 I, 393.   91. Vgl. z.B. 10 I, 1, 15,5.   92. 47, 66,18.   93. 38, 49,13.

die lieben alten Väter des Gesetzes, der Sünden und des Sterbens müde, so
herzlich sich sehnen und rufen nach dem Reich der Gnaden, in Christo verheißen[94].« Es gibt nur einen Segen, nämlich die Überwindung des Adams-Fluches;
wo immer in der Schrift Segen verheißen wird, da ist zuletzt Christus gemeint.
»Denn wo Christus nicht ist, da ist noch der Fluch, der über Adam und seine
Kinder fiel, da er gesündiget hatte, daß sie allezumal der Sünde, des Todes
und der Höllen schuldig und eigen sein müssen[95].«

In aller Verheißung und Vorbildung Christi ist er selber im Alten Bund
schon da. Ist er aber da, so auch schon der Glaube, denn Gottes Verheißung,
wo sie laut wird, wirkt auch den Glauben. So ist für Luther das Alte Testament voll von den »schönen Exempeln des Glaubens, Liebe und Kreuzes« in
den Vätern von Adam an[96]. Luther folgt damit Paulus Röm 4, der in Abraham das große Vorbild des rechten Glaubens sieht. Und zwar ist der Glaube
der Väter für Luther wie für Paulus nicht ein im Wesen anderer, vorchrist-
licher Glaube, sondern, weil Christus im alttestamentlichen Verheißungswort
schon selber gegenwärtig ist, echter Glaube an Christus, der eine und selbe
Glaube wie die Christenheit ihn hat – nur durch den »Modus«, nämlich das
zeitliche Verhältnis zu dem in der Geschichte Mensch-werdenden Christus unterschieden: bei den Vätern Glaube an den verheißenen, bei uns Glaube an den
erschienenen Christus; dort Glaube an die Verheißung, hier Glaube an die erfüllte Verheißung[97]. Der Glaube aber an Christus ist rechtfertigender Glaube,
sowohl vor wie nach dem geschichtlichen Erscheinen Christi. So geschieht
Rechtfertigung vom Anfang der Welt an, Rechtfertigung durch den Glauben
an Christus[98]. Der Gott, der im Alten Bund mit den Vätern gehandelt hat, ist

94. 38, 52,20.
95. DB 6, 7,3.
96. 16, 391,7. – 39 II, 187 die Thesen 1 ff. Umgekehrt ist, weil seit Adams Fall die
promissio Christi da ist, alle Sünde von Anfang an *incredulitas et ignorantia Christi*,
39 I, 404,1.
97. 10 I 2, 4,27; 5,16. Derselben göttlichen Verheißung haben alle Heiligen vor
Christus Geburt geglaubt, und also in und durch den zukünftigen Christum mit solchem
Glauben behalten und selig worden ... Und ist ein Glaub wie der ander an ihm selbst,
ohne daß sie nach einander folgen; denn sie hangen beide an dem Samen Abrahae, das
ist: Christo, einer vor, der andere nach seiner Zukunft. – 6,18: Die Väter haben denselbigen Glauben gehabt und eben den selbigen Christum. Er ist ihnen ebenso nahe
gewesen als uns, wie Hebr. 13 sagt: Christus gestern, heute und ewiglich, das ist:
Christus ist gewesen vom Anfang der Welt bis ans Ende, und sind alle durch ihn und in
ihm behalten. – 39 I, 64,3: Omnium fidelium antiquorum fides fuit in Christum futurum, sicut scriptum est: Christus heri et hodie. Credebant in Deum, sed eum, qui Christum promiserat, et hunc exspectabant. – 39 II, 162,18; 187, These 7 und 8: in fide
promissionis ..., in fide impletae promissionis.
98. 39 II, 188,26: Sola enim fide in Christum, olim promissum, nun exhibitum, tota
Ecclesia ab initio mundi usque in finem justificatur. – 197,3.

kein anderer als der Vater Jesu Christi, der Gott der Christenheit – es ist der eine und selbe Gott[99]. Das heißt nichts anderes, als daß die Kirche vom Anbeginn der Welt schon da ist, eben in den Glaubenden.

Luther sucht hierbei sowohl die überzeitliche Gegenwärtigkeit Christi und seines Heiles für die Glaubenden wie andererseits auch die Zeitlichkeit der Heilsgeschichte, die Epoche, welche das Kommen Christi im Fleisch setzt, zur Geltung zu bringen, die wesentliche Gleichzeitigkeit aller Glaubenden vor und nach Christus ebenso wie ihre geschichtliche Ungleichzeitigkeit.

Daher tritt neben den Satz, daß die Kirche vom Anfang der Welt an und also schon im Alten Testament da war, der andere, daß wie Christus so auch seine Kirche im Alten Testament vorgebildet wird, nämlich in dem Schicksal seiner Frommen, wie vor allem die Psalmen es ausdrücken; aber auch in der Geschichte des Volkes Israel, in seiner Not und Bedrängnis durch seine Feinde. Er versteht die Psalmen zunächst in ihrem geschichtlichen Sinn als Lieder des Volkes Israel und seiner Frommen. Aber deren Gottesverhältnis und Schicksal hat wieder typologische Bedeutung. »Es ist öffentlich am Tage, daß alles, was vorzeiten das Volk Israel hat leiblich gelitten von seinen Feinden und umliegenden Nachbarn, ist eine Figur gewest der Leiden, so jetzund die Kirche Christi von ihren Feinden und Nächsten, das ist von falschen Brüdern, Lehrern und Ketzern leidet. Derohalben bleiben uns ebendieselben Psalmen und Gebete untern selben Titeln oder Namen, die wir auch wider unsere Feinde beten mögen, gleich wie jene haben wider die ihren gebetet[100].« So begründet Luther das Recht, die Feind-Psalmen des Alten Testaments auf den gegenwärtigen Kampf der Christenheit zu deuten. Er legt sie in Gestalt seiner Psalmen-Lieder der Gemeinde Christi in den Mund[101]. So ist ihm der Psalter das feinste »Exempelbuch der Heiligen auf Erden«; wer sich selber und seine Erfahrung im Psalter wiedererkennt, darf gewiß sein, »er sei in der Gemeinschaft der Heiligen und hab allen Heiligen gegangen, wie es ihm gehet, weil sie ein Liedlein mit ihm singen; sonderlich so er sie auch also kann gegen Gott reden wie sie getan haben, welchs im Glauben geschehen muß, denn einem gottlosen Menschen

---

99. 39 II, 187,4: Unus et idem Deus ab initio mundi variis modis per fidem in eundem Christum cultus est. (Zu dem *variis modis* vgl. 10 I, 2, 6,6: aber auf ein ander Weise; 39 II, 270,1: Semper est et fuit una et eadem invocatio et una fides, sed tempora fuerunt dissimilia, alii ritus et caerimoniae fuerunt.)

100. 31 I, 29,16; – 40 III, 16,18.24: Magnum beneficium est habere etiam praescripta a Spiritu sancto verba, quibus in hoc periculo pii uti possunt. – Die Christenheit, in ähnlicher Bedrängnis wie die Psalmisten, hat also an den Psalmen vom Heiligen Geist vorgeformte Gebetstexte.

101. Es sind »Aus tiefer Not« (nach Ps 130), »Ach Gott vom Himmel sieh darein« (Ps 12), »Es spricht der Unweisen Mund« (Ps 14), »Es wollt uns Gott genädig sein« (Ps 67), »Wär Gott nicht mit uns diese Zeit« (Ps 124), »Wohl dem, der in Gottes Furcht steht« (Ps 128). Abgedruckt in 35, 415 ff.

schmecken sie nichts[102]«. Ja, nicht nur die Heiligen findet der Christ im Psalter, sondern auch »das Haupt selbst aller Heiligen«, Jesus Christus selber – mit seinem Leiden und seiner Auferstehung[103]. (In einigen Psalmen, wie 22 und 69, spricht der gekreuzigte Christus selbst[104].) Die Erfahrung von Gottes Zorn und von seiner Gnade redet in diesem Buch. Daher ist es für die Christenheit ein gegenwärtiges Buch, ihr eigen Bild[105].

Auch hier ist Luthers Deutung nicht willkürlich, sondern in einem für ihn grundlegenden theologischen Gedanken begründet, nämlich daß alle Geschichte im tiefsten Grunde immer eine und dieselbe ist. Trotz allem Wandel und Wechsel der Zeiten und Verhältnisse, der Personen und Gestalten sind die Menschen insofern allezeit die einen und selben, als sie immer in der einen großen Entscheidung für den Glauben oder Unglauben stehen. Der Aufruf zum Glauben ist immer für sie da, nicht erst in dem gekommenen Christus, sondern schon für Adam und Abraham und die anderen Väter in der Verheißung des kommenden Christus. Glaube und Unglaube sind durch alle Zeiten hindurch wesentlich die gleichen. Es ist der eine und selbe Geist des Glaubens, der in allen Gliedern des Leibes Christi von Anbeginn der Welt bis zu ihrem Ende lebt. Das gibt die Möglichkeit, die Bekenntnisse der biblischen Männer sich in der Kirche jederzeit anzueignen, auf die eigene Generation anzuwenden[106].

Dieses Verständnis des Alten Testaments bestimmt dann auch Luthers Übersetzen. Sein Verdeutschen ist mehr als »Übersetzen«, ist selber schon zu einem Teil Auslegung der Schrift von Christus her, christliche Verkündigung. Er übersetzt aus dem Glauben an das Evangelium. Dieses ist ihm Maßstab bei der Wiedergabe alttestamentlicher Texte. Ist eine Stelle mehrfacher Auslegung fähig, so nimmt Luther bewußt die Auslegung und Übersetzung, die »sich reimt auf das Neue Testament[107]«.

---

102. DB 10 I, 98 ff. – 31 I, 57,17.

103. DB 10 I, 98,20. – 38, 25,6 über Ps 22: Ist eine Weissagung vom Leiden, Auferstehen Christi und vom Evangelio ... Und vor aller anderen Schrift deutet er klärlich Christus Marter am Kreuz.

104. 8, 86,34.

105. DB 10 I, 102.

106. 5, 29,28: Etsi varient per tempora mores, personae, loca, ritus, eadem tamen vel pietas vel impietas transit per omnia saecula; 30,1; – 8, 69,24: Variant secula, res et corpora et tribulationes, sed idem spiritus, idem sensus, eadem esca, idem potus omnium per omnia manet; Z. 19: Idem iste spiritus, quem hic Isaias habet suo seculo et sua tribulatione, fuit in Iob, fuit in Abraham, in Adam, et est adhuc in omnibus membris totius corporis Christi ab initio mundi in finem, in suo cujusque seculo et sua tribulatione.

107. Ti 5, N. 5533. – Vgl. E. Hirsch: Luthers deutsche Bibel. 1928. S. 46 ff. »Luthers Übersetzung des Alten Testaments verleugnet es an keiner religiös entscheidenden Stelle, daß die Worte durch ein Christenherz hindurchgegangen sind.« Hirsch spricht von

Wir heute können Luthers Auslegung des Alten Testaments in ihrer konkreten Gestalt nicht wiederholen (sowenig wie die des Urchristentums). Zwischen ihm und uns steht die geschichtliche Exegese. Hinter sie können wir nicht zurückgehen. Es ist uns durch sie verwehrt, die prophetischen Weissagungen christologisch auszulegen. Wir haben den Blick bekommen für ihren konkreten historischen Sinn und dafür, daß dieser in Jesus Christus nicht erfüllt wird. So ist uns das Verhältnis des Alten Testaments zu Christus und zum Neuen Testament spannungsvoller geworden. Aber mit Luther bekennen auch wir, daß dieses Buch, wie die Geschichte Israels, hin ist auf Jesus Christus. Insofern versuchen auch wir das Alte Testament auf Christus hin, also christozentrisch auszulegen[108].

ihrem »Offensein gegen das Neue Testament«. »Luther hat das Alte Testament aufs Evangelium gedolmetscht« (49). Dort auch Einzelbelege dafür. Vgl. weiter *H. Bornkamm,* a.a.O. S. 185 ff.

108. Vgl. dazu meine »Christliche Wahrheit« § 21, S. 205 ff. – *H. Bornkamm,* a.a.O. S. 104.224. – *R. Hermann:* Von der Klarheit der Heiligen Schrift. 1958. S. 38.

Gottes Werk

Wenn wir in der Darstellung der Theologie Luthers »Gottes Gottheit« voran-
stellen, so benutzen wir dabei einen Begriff, den er selber immer wieder verwendet hat[1].

Der Schöpfer und seine Allwirksamkeit

Gott sein und Schöpfer sein, das ist für Luther ein und dasselbe. Gott ist Gott
darin, daß er der Schaffende ist und zwar der allein Schaffende.

Gott schafft und erhält alles. Nichts ist entstanden und nichts besteht ohne
Gottes lebendiges Wirken. »Es muß alles Gottes sein, daß wo er nicht anfähet,
da kann nichts sein noch werden; wo er aufhöret, da kann nichts bestehen.«
Gottes Verhältnis zur Welt ist ein anderes als das eines Menschen zu seinem
Werk. Dieses, einmal fertig, hat Selbständigkeit seinem Hersteller gegenüber.
Es besteht auch ohne ihn weiter. Anders die Welt: sie kann keinen Augenblick
fortbestehen, ohne daß Gott sie hält. Gott »wirket für und für«, und nur
durch dieses sein fortgehendes, unaufhörliches Wirken besteht Wirklichkeit.
»Er hat die Welt nicht also geschaffen wie ein Zimmermann ein Haus bauet
und darnach davon gehet, läßt es stehen wie es stehet, sondern bleibt dabei und
erhält alles, wie er es gemacht hat, sonst würde es weder stehen noch bleiben
können[2].« Dieses ständige gegenwärtige Erhalten Gottes ist zugleich ein fortgehendes Schaffen von Neuem[3]. Das führt Luther in seinen Predigten sehr lebendig und konkret aus – man merkt, wieviel ihm an dieser Gewißheit des
fortgehenden Schaffens und Erhaltens Gottes als des Grundes aller Wirklichkeit liegt. Gott ist mit seinem Schöpferwerk noch nicht fertig, sondern noch
dabei: »Also ist es in der ganzen Welt, daß Gott täglich immerdar schafft, wiewohl er alle Menschen auf einmal könnte machen[4].« Er schafft nicht alles mit
einem Male, sondern nach und nach, unaufhörlich. Sein Schaffen ist nicht ein
einmaliger, sondern ein fortgehender Akt.

Mit seinem lebendigen Erhalten und fortgehenden Schaffen ist Gott in aller
Wirklichkeit gegenwärtig. Von dieser schöpferischen Präsenz Gottes in aller
Wirklichkeit handelt Luther besonders gewaltig in der Abendmahlsschrift

1. Er findet ihn in der Bibel Röm 1,20; Kol 2,9. Außerdem übersetzt er 1 Kor 2,10
(»Der Geist erforschet alles, auch die Tiefen Gottes«) das paulinische θεοῦ mit »Gottheit«. – Wie oft der Begriff bei Luther vorkommt, werden die Zitate dieses Kapitels
zeigen. Vgl. etwa auch 31 I, 126,8: ... unmöglich ..., daß er seine Gottheit fahren lasse.

2. 21, 521,20; 46, 558,20.

3. 46, 559,26: Täglich sehen wir vor Augen, daß neue Menschen, junge Kinder zur
Welt geboren werden, die vor nicht gewesen sind, neue Bäume, neue Tiere auf Erden,
neue Fische im Wasser und neue Vögel in der Luft werden, und höret nicht auf zu
schaffen und zu nähren bis an den Jüngsten Tag.

4. 12, 441,6.

»Daß diese Worte Christi ›das ist mein Leib‹ noch feststehen«, 1527. Hier entwickelt er sein Verständnis der »rechten Hand Gottes« gegen Zwingli und die Seinen. Gottes rechte Hand ist nicht »ein sonderlicher Ort«, sondern »die allmächtige Gewalt Gottes, welche zugleich nirgend sein kann und doch an allen Orten sein muß ... Sie muß an allen Orten wesentlich und gegenwärtig sein, auch in dem geringsten Baumblatt. Ursach ist die: denn Gott ist's, der alle Ding schafft, wirkt und erhält durch seine allmächtige Gewalt und rechte Hand, wie unser Glaube bekennet. Denn er schickt keine Amtleut oder Engel aus, wenn er etwas schafft oder erhält, sondern solchs alles ist seiner göttlichen Gewalt selbst eigen Werk. Soll ers aber schaffen und erhalten, so muß er daselbst sein, und seine Kreatur sowohl im Allerinwendigsten als im Auswendigsten machen und erhalten. Drum muß er ja in einer jeglichen Kreatur in ihrem Allerinwendigsten, Auswendigsten um und um, durch und durch, unten und oben, vorn und hinten selbst da sein, daß nichts Gegenwärtigeres und Innerlicheres sein kann in allen Kreaturen denn Gott selbst mit seiner Gewalt[5].« Gottes schaffende Mächtigkeit in allem ist also zugleich unmittelbarste, alles umfassende und innerlichst durchdringende Gegenwärtigkeit.

Aber diese in allem gegenwärtig wirkende Mächtigkeit Gottes geht doch nicht in der Weltwirklichkeit auf, so gewiß sie ganz in sie eingeht. Sie bleibt der Welt gegenüber transzendent. Das spricht Luther an der gleichen Stelle der Abendmahlsschrift aus, in dem gleichen Atem, in dem er Gottes wirkendes Innesein in allem Wirklichen verkündet. Die allmächtige Gewalt Gottes muß an allen Orten sein und kann doch zugleich nirgend sein. »Die göttliche Gewalt mag und kann nicht also an einem Ort beschlossen und abgemessen sein, denn sie ist unbegreiflich und unmeßlich, außer und über alles, was da ist und sein kann[6].« – »Sein eigen göttlich Wesen kann ganz und gar in allen Kreaturen und in einer jeglichen besondern sein, tiefer, innerlicher, gegenwärtiger denn die Kreatur ihr selbst ist, und doch wiederum nirgend und in keiner mag und kann umfangen sein, daß er wohl alle Dinge umfähet und drinnen ist, aber keins ihn umfähet und in ihm ist[7].« Gott ist in den Kreaturen und ist außer den Kreaturen. »Nichts ist so klein, Gott ist noch kleiner, nichts ist so groß, Gott ist noch größer, nichts ist so kurz, Gott ist noch kürzer, nichts ist so lang, Gott ist noch länger, nichts ist so breit, Gott ist noch breiter, nichts ist so schmal, Gott ist noch schmäler und so fort an, ists ein unaussprechlich Wesen über und außer allem, das man nennen oder denken kann[8].« Gottes Gewalt ist also transzendent auch in dem Sinne, daß sie jenseits aller ihrer Maße ist, jenseits aller Unterschiede von groß und klein usw. Sie hat eine Dimension ganz für sich. Sie ist in allem und ist zugleich außer allem.

Das lebendige allgegenwärtige Wirken Gottes ist das Geheimnis aller Wirk-

5. 23, 133,19.30.   6. 23, 133,21.
7. 23, 137,31.   8. 26, 339,39.

lichkeit. Die Allwirksamkeit ist Alleinwirksamkeit. Gott ist in allem der eigentlich Wirkende, nicht die Kräfte in der Welt, die persönlichen und die unterpersönlichen, die wir zunächst als Wirker ansehen. Gott ist die *causa prima* oder *principalis*, sie nur *causae secundae* oder *instrumentales*[9]. Sie sind nur Werkzeuge, die er für sein selbstherrliches, freies, alleiniges Wirken in Dienst stellt, nur seine Masken, unter denen er sein Wirken verbirgt. »Alle Kreaturen sind Gottes Larven und Mummereien, die er will lassen mit ihm wirken und helfen allerlei schaffen, was er doch sonst ohne ihr Mitwirken tun kann und auch tut[10].« Er bedarf der irdischen Wirker nicht. Daß er sie zum Mitwirken beruft und anstellt, ist seine freie Ordnung. Er gebietet uns, das Unsere mit Ernst zu tun, ein jeder, was sein Stand von ihm fordert. Wir sollen es tun, weil Gott es geboten hat und uns seinen Segen nicht ohne unsere Arbeit geben will. Aber wir sollen uns ja nicht für die eigentlichen Wirker halten und uns nicht auf unsere Arbeit verlassen, als schaffte sie es. Der Erfolg, die Wirkung ist und bleibt Gottes. Unser Arbeiten ist nicht die Ursache des Erfolges und Segens, sondern nur eine von Gottes Willen gesetzte Bedingung, unter der er uns geben will. Luther macht das klar an dem Beispiel der Kinder, die vor Weihnachten fasten und beten und ihre Kleider nachts hinlegen, damit das Christkind oder St. Nikolaus ihnen beschere; was sie da tun, ist nicht die Ursache, welche die Gaben herbringt, sondern nur kindlicher Ausdruck der Bitte um sie, der Bereitschaft, sie zu empfangen. »Was ist aber alle unsere Arbeit auf dem Felde, im Garten, in der Stadt, im Hause, im Streit, im Regieren anders gegen Gott, denn ein solche Kinderwerk, dadurch Gott seine Gaben zu Felde, zu Hause und allenthalben geben will? Es sind unseres Herrn Gottes Larven, darunter will er verborgen sein und alles tun[11].« Zwischen unserer Arbeit und dem Erfolg besteht keine immanente Kontinuität, keine kausale Notwendigkeit. Arbeit und Segen sind allein durch Gottes Gebot und Verheißung miteinander verbunden, aufeinander bezogen. Gott verheißt unserer Arbeit seinen Segen. Sein Geben wartet auf unsere Arbeit, aber die Arbeit muß wiederum auf das Geben seiner Güte warten und ihn darum bitten. Wir sollen uns nicht auf unsere Arbeit, sondern auf ihn verlassen. Ihm allein gebührt auch hier die Ehre des Wirkers[12].

9. 40 III, 210,14; 211,3.16; 215,6.
10. 17 II, 192,28. – 15, 373,14: ... daß man wohl mag sagen, der Welt Lauf und sonderlich seiner Heiligen Wesen sei Gottes Mummerei, darunter er sich verbirgt und in der Welt so wunderlich regiert und rumort. – Das gilt auch von den Predigern des Evangeliums; 17 II, 262,37: die das Evangelium jetzt treiben, sind es nit, die es tun, sie sind nur eine Larve und Mummerei, durch welche Gott sein Werk und Willen ausrichtet. Ihr seids nicht, spricht er, die die Fische fahen, ich ziehe das Netz selbst. – 30 I, 136,8: Die Kreaturen sind nur die Hand, Rohre und Mittel, dadurch Gott alles gibt. – 40 I, 175,17.
11. 31 I, 436,3.
12. 15, 366,15: Arbeiten muß und soll man, aber die Nahrung und des Hauses Fülle

So empfängt die menschliche Arbeit im Glauben an den Schöpfer ihren zugleich notwendigen und bescheidenen Platz, ihre Würde und ihre Demut. Sie wird durch Gottes Schöpferwillen begründet und begrenzt in einem. Alle menschliche Tätigkeit ist nichts anderes als eine Gestalt der Bereitschaft, Gottes Gaben zu empfangen. Ohne diese aktive Bereitschaft will Gott nicht geben, aber die mit dem Arbeiten bekundete Bereitschaft wirkt nicht die Gabe. Hier bleibt die Freiheit des Gebens Gottes.

Gott wirkt alles durch sein *Wort*. Das weiß Luther aus der Schöpfungsgeschichte und dem Alten Testament überhaupt, ebenso von Paulus Röm 4,17: »Gott rufet dem, das nicht ist, daß es sei.« – »Sein Reden und Sprechen ist soviel als Schaffen.« Sein Wort waltet in der Natur und in der Geschichte. Gott wirkt mit seinem Wort den Wechsel der Jahreszeiten. Luther sieht hier nicht gesetzmäßige Vorgänge, deren natürliche Ursachen man erkennen kann, sondern »eitel große Wundertaten Gottes[13]«. Nicht erst in dem Außerordentlichen, sondern schon überall in dem Ordentlichen des Naturlaufs tut Gott Wunder. Nicht minder wirkt Gott durch sein Wort in dem geschichtlichen Zusammenleben der

ja nicht der Arbeit zuschreiben, sondern allein der Güte und dem Segen Gottes .... Gott will die Ehre haben, als der alleine gibt alles Gedeihen. 367,4: Arbeiten gebührt dir, aber Ernähren und Haushalten gehöret Gott alleine zu. 15: Gott will, Adam soll arbeiten. Und ohne Arbeit will er ihm nicht geben. Wiederum will er ihm auch nichts durch seine Arbeit geben, sondern bloß allein durch seine Güte und Segen. 369,3: So finden wirs denn, daß alle unsere Arbeit nichts ist denn Gottes Güter finden und aufheben, nichts aber mögen machen oder erhalten. – In der Auslegung von Ps 147,2 (»Denn er macht feste die Riegel deiner Tore«) 31 I, 435,29: Du sollst bauen und Riegel machen, die Stadt befesten und dich rüsten, gut Ordnung und Recht stellen, das best du vermagst. Aber da siehe zu, wenn du solches getan hast, daß du dich nicht darauf verlassest. 36: Er könnte dir wohl Korn und Früchte geben ohne dein Pflügen und Pflanzen. Aber er will es nicht tun. So will er auch nicht, daß dein Pflügen und Pflanzen Korn und Früchte geben, sondern du sollst pflügen und pflanzen und darauf einen Segen sprechen und beten also: Nu berat Gott, nu gib Korn und Frucht, lieber Herr. Unser Pflügen und Pflanzen werdens uns nicht geben. Es ist deine Gabe ... Er könnte wohl Kinder schaffen ohne Mann und Weib. Aber er wills nicht tun, sondern gibt Mann und Weib zusammen, auf daß scheine, als tue es Mann und Weib, und er tuts doch unter einer solchen Larven verborgen ... Du mußt arbeiten und damit Gott Ursachen und eine Larven geben. 436,27: Regiere du und laß ihn Glück dazu geben. Kriege du und lasse ihn den Sieg geben. Predige du und laß ihn die Herzen fromm machen. Nimm dir Mann oder Weib und laß ihn Kinder zeugen. Iß und trink du und laß ihn dich nähren und stärken. Und so fort an in allem unserem Tun soll ers alles in und durch uns tun und er allein die Ehre davon haben. 437,12: Nicht faul und müßig sein, auch nicht auf eigen Arbeit und Tun sich verlassen, sondern arbeiten und tun und doch alles von Gott allein gewarten. – Für die Zusammengehörigkeit von Arbeit und Gebet um Segen vgl. noch 40 III, 213,6; 216,7.

13. 31 I, 445,3.21; 450,10.35.

Menschen, in den politischen Ordnungen. Gott selber ist es, der die Staaten regiert. Daß das Gebot des Fürsten Autorität bei den Untertanen hat, daß sie sich der Autorität beugen und gehorchen, das muß Gott mit seinem Worte wirken; mit ihm gibt er den Herren wirksame Autorität, den Untertanen Ehrfurcht und Gehorsam. So hält er mit seinem Worte die Ordnungen in Kraft[14]. Dabei handelt es sich nicht um das Wort des Evangeliums, sondern um Gottes geheimes Schöpfer- und Erhalter-Wort.

Diesem Verständnis des göttlichen Schaffens entspricht es, daß Luther Gottes Allmacht nicht potentiell, sondern ganz und gar aktuell auffaßt, nicht als eine Potenz auch zu dem, was er tatsächlich nicht tut, sondern als unaufhörliche Aktualität, mit der er alles in allem wirkt[15]. Allmacht bedeutet: Allwirksamkeit in allem Wirklichen. Sie ist für Luther »nicht die unendliche Fülle von Möglichkeiten, die Gott frei zu seiner Verfügung hat, sondern die in der Gestaltung der wirklichen Welt sich betätigende unendliche Macht« (K. Holl).

Das Wissen um Gottes All- und Alleinwirksamkeit hat unmittelbare Bedeutung für den Glauben. An Gottes Alleinwirken hängt die Unveränderlichkeit und Unerschütterlichkeit seines wirkenden Willens und damit die Glaubwürdigkeit seiner Verheißungen (und Drohungen). Weil er mit seinem allmächtigen Wirken alles bestimmt, weiß ich, daß nichts und niemand seinem Willen widerstehen, ihn ändern oder hemmen kann, daß Gott also seinen ewigen Liebeswillen, den er mir in seinen Verheißungen bezeugt, unbedingt durchzuführen und zu seinem Ziele zu bringen imstande ist[16].

Weil Gott überall und in allem wirkt, sind wir überall in seiner Hand. Man kann, wohin man auch gehe, nur in Gottes Hände fallen. »Wohin gelangt der, der auf Gott hofft, wenn nicht in sein eigen Nichts? Wohin aber geht der, der ins Nichts geht, wenn nicht dahin, woher er kommt? Er kommt aber aus Gott und seinem eigenen Nichtsein, daher kehrt er zu Gott zurück, wenn er in das Nichts zurückkehrt. Denn unmöglich kann außer Gottes Hand fallen, wer aus sich selbst und aller Kreatur herausfällt, die ja Gottes Hand von allen Seiten

---

14. 31 I, 445,32: Es muß sein Wort dazu tun und dem Gebot des Fürsten Kraft und den Untertanen Furcht und Gehorsam zu tun geben. 79,22: Und hie sollten die Herren und Fürsten sowohl als die Untertanen lernen, daß Land und Leute regieren und im Gehorsam haben sei ein lauter bloße Güte und Gabe Gottes. – Ebenso 81,28; 82,25.

15. 7, 574,27 (zu Lk 1,49): »der da mächtig ist«): Das Wörtlein »mächtig« soll hie nit heißen ein still ruhende Macht, wie man von einem zeitlichen Könige sagt, er sei mächtig, ob er schon still sitzt und nichts tut, sondern eine wirkende Macht und stetige Tätigkeit, die ohn Unterlaß geht im Schwang und wirkt. – Ebenso 18, 718,28: Omnipotentiam vero Dei voco non illam potentiam, qua multa non facit quae potest, sed actualem illam, qua potenter omnia facit in omnibus, quo modo scriptura vocat eum omnipotentem. – Die Wendung *operatur omnia in omnibus* entnimmt Luther aus 1 Kor 12,6.

16. 18, 619,1.16; 716,6.13.

umschließt. Laufe also durch die Welt, wohin wirst du laufen? Immer in Gottes Hand und Schoß[17].« Diese unentrinnbare lebendige Gegenwärtigkeit Gottes in allem Wirklichen ist nun für den Menschen, je nachdem, wie er Gott zu sich stehen weiß, seligste oder furchtbarste Wirklichkeit. Gottes Allwirksamkeit ist für ihn nie neutral, sondern immer Heil oder Unheil. Hier greift also die Doppelheit des Handelns Gottes mit dem Menschen in Gesetz und Evangelium ein. Hat der Mensch im Glauben an das Evangelium Frieden mit Gott, so kann er nun auch inmitten furchtbarster Wirklichkeit getrost sein, denn auch darin ist Gott da, und sie ist in seiner allmächtigen Hand, sei es der Tod oder die Hölle, seien es irdische feindliche Mächte: »Er ist allenthalben gegenwärtig im Tod, in der Hölle, mitten unter den Feinden, ja, auch in ihrem Herzen. Denn er hats alles gemacht und regiert es auch alles, daß es tun muß, was er will[18].« Darum sollen wir nichts anderes fürchten als Gott und auf nichts anderes vertrauen, sondern im Glauben gewiß sein, daß nichts uns etwas anhaben kann, weil Gott aller uns bedrohenden Mächte Herr ist und wir trotz allem in seiner gnädigen Hand sind. Darin gründet die königliche Freiheit und Freudigkeit eines glaubenden Menschen[19]. Er hat es zuletzt immer mit Gott selbst zu tun, nicht mit der Kreatur, und er weiß, wie er mit Gott daran ist[20].

Ganz anders aber, gegenteilig, wenn der Mensch im Streit mit Gott und im Unglauben steht. Dann wird ihm durch sein böses Gewissen Gottes wirkende Gegenwart in allen Kreaturen zu einer furchtbaren Wirklichkeit, nämlich zum Mittel seines ihn verfolgenden Zornes[21]. Ist Gott wider ihn, der Gott, in dessen Gewalt doch alle Kreaturen stehen, so erfährt er auch, daß alle Kreaturen ihm feind sind: er muß sich vor allen fürchten, ja – wie es 3 Mose 26,36 heißt –, auch ein rauschendes Blatt, das vom Baume fällt, erschreckt ihn[22]. Nicht als ob die Kreatur, die aus Gottes Hand hervorgeht, sich gewandelt hätte; sie ist und bleibt gut. Der Eindruck ihrer Feindschaft kommt nicht aus ihr, sondern aus uns, die wir uns vor Gott fürchten und fliehen. Es ist das böse Gewissen, das uns die Welt, die Schöpfung Gottes wandelt zu einer Stätte der Feindschaft und Angst[23]. Die eine und selbe Gegenwart und lebendige Wirk-

17. 5, 168,1 (übers.).

18. 19, 219,28; – 18, 623,12.

19. 12, 442,17. Am Schluß der Stelle (23): Darum stehet ein solcher gläubiger Mensch in solcher Freud und Fröhlichkeit, daß er sich vor keiner Kreatur läßt erschrecken, ist aller Dinge Herr, und fürchtet sich allein vor Gott, seinem Herrn, der im Himmel ist – und sonst fürchtet er sich nichts vor keinem Dinge, das ihm möchte zuhanden stoßen.

20. 12, 442,22; 443,23: ... daß sie sich vor keinem Ding fürchten, denn sie wissen, daß es Gott mit ihnen hat.

21. 5, 213,3. – 14, 101,30: sine fide mala conscientia in omnibus creaturis deum praesentem vides, quem fugis. – 19, 226,12. – 44, 546,34: das böse Gewissen universam creaturam armat contra nos.

22. 12, 443,4; – 17 I, 72,18; – 19, 226,15; – 44, 500,36.

samkeit Gottes in aller Kreatur bedeutet für den Glaubenden den Himmel, für den Gottlosen die Hölle[24].

Mit seinem allmächtigen Wirken hat Gott auch den Menschen ganz in seiner Hand. Auch er wird von Gottes Allwirksamkeit umschlossen und durchdrungen, wie alle Kreatur, deren er ein Teil ist[25]. Gott wirkt alles in ihm. Damit ist für Luther gegeben, daß von einer Freiheit des Willens Gott gegenüber keine Rede sein kann. Gott wirkt auch den Willen des Menschen; der Wille ist unfrei. Das führt Luther vor allem in *De servo arbitrio* gegenüber Erasmus unerbittlich aus. Der freie Wille ist ein göttliches Attribut und kommt allein der göttlichen Majestät zu[26]. Noch mehr: daß Gott alles im Menschen wirkt, bedeutet auch, daß der Mensch ständig etwas wollen und wirken muß, denn Gott selbst ist ständig am Wirken, er feiert nicht. So ist er auch in allen seinen Kreaturen ständig der rastlos Bewegende und Treibende. Er läßt keine Kreatur feiern, er treibt sie mit seiner eigenen Dynamik[27].

Auch hier gilt, daß diese Allwirksamkeit Gottes für den Menschen die seligste oder die furchtbarste Wirklichkeit ist, je nachdem wie er mit Gott steht. Für den Glaubenden ist es ein großer Trost, daß Gott selbst den Glauben in ihm wirkt. Damit ist sein Christenstand und sein Heil der eigenen Schwachheit und Anfälligkeit gegenüber dem Satan entrückt und hat unerschütterlichen Grund. Die Allmächtigkeit Gottes auch in meinem Herzen, das *Servum arbitrium* begründet Heilsgewißheit[28]. Bei den Gottlosen aber ist Gottes allmächtiges Wirken in den Herzen eine furchtbare Wirklichkeit. Gott wirkt auch im Satan und in den Gottlosen: auch sie werden, so wie sie sind, bewegt, getrieben, fortgerissen durch die Dynamik des Allwirkens Gottes. Gott gleicht dem Reiter, der auch auf dem lahmen Pferd reitet, dem Zimmermann, der auch mit

23. 44, 546,35.: Omnia enim irascuntur ac tristia, torva, tetrica, adversa sunt, non creaturae vitio, quae bona est nec minatur nec nocet nobis, sed nostra culpa, qui pavemus et fugimus.

24. 12, 443,5.21; – 40 III, 512,1.14: Quod autem potest esse refugium, si ille irascitur, cujus manu omnia facta sunt et qui potest omnia?

25. 12, 442,1: Wer das verstehet (sc. Gottes Allwirksamkeit), der wird so bald inne, daß er kein Adern regen und nicht einen Gedanken haben kann, Gott muß es wirken; daß sein Leben ganz in seiner Hand nit stehet, sondern ganz bloß in Gottes Hand. Denn so ich das glaub, daß er die ganze Welt aus nichts gemacht, sondern allein als auf seinem Wort und Gebot gestanden sei, so muß ich ja bekennen, daß ich auch ein Stück von der Welt und seiner Schöpfung sei; darum muß folgen, daß in meiner Macht nicht stehet, eine Hand zu regen, sondern allein, daß Gott alles in mir tue und wirk.

26. 18, 636,27; 718,25.31: Pugnat itaque ex diametro praescientia et omnipotentia Dei cum nostro libero arbitrio; 638,4; 662,5; 781,8.

27. 18, 711,1: ... quam inquietus actor Deus in omnibus creaturis suis nullamque sinat feriari. 711,27: ... omnipotens actor cum illam agat inevitabili motu ut reliquas creaturas, necesse est eam (sc. voluntatem) aliquid velle.

28. 18, 783,17.

der schartigen und stumpfen Axt schlägt – so hält Gott auch die Bösen, seine schlechten Werkzeuge, in ruheloser Bewegung: »Daher kommt es, daß der Gottlose immer irren und sündigen muß, weil er, von der göttlichen Macht fortgerissen, nicht müßig gelassen wird, er muß daher so wollen, wünschen und handeln, wie er ist[29].« Gott hält also den Gottlosen in dessen rebellischem Willen fest und läßt ihn immer neu wider Gott sündigen. Noch mehr: Gott kann den Bösen noch böser machen, er vermag ihn zu verstocken, zu verhärten. Luther hat das vor allem an der Gestalt Pharaos aufgezeigt[30]. Gottes unaufhörliches Bewegen und sein Verhärten des Gottlosen ist Mittel und Erweis seines Zornes. Aber der Zorn ist auch hier nicht selbstzwecklich, vielmehr gebraucht Gott auch das schlimme Werkzeug »nach seiner Weisheit gut zu seiner Ehre und unserem Heil[31]«. So auch im Falle des Pharao – Luther weist auf Ex 9,16 und Röm 9,17 hin. Gott verstockt Pharao, um durch seine Verstocktheit Raum zu gewinnen für seine Zeichen, um seine Macht zu offenbaren und dadurch den Glauben der Seinen zu stärken[32]. So steht auch die Verstockung zuletzt in Dienst seiner Heilsgedanken.

Man darf bei Luthers Lehre von der Allwirksamkeit Gottes keinen Augenblick vergessen, daß sie nicht sein ganzes Wort über das Seins-Verhältnis Gottes zum Menschen ist. Luther weiß den Menschen, der ganz in Gottes Hand ist und von ihm in jedem Augenblick bewegt und gewirkt wird, zugleich im Gegenüber zu Gott, vor ihm verantwortlich und schuldig, von ihm gerichtet. Vor allem: er sieht den Menschen zugleich als Gegenstand der Liebe Gottes, die ihn zu dem Akt freier Hingabe beruft. Dadurch wird der Gedanke der Allwirksamkeit Gottes im Menschen in einer unüberschreitbaren Grenze gehalten. Luther setzt ihn nicht absolut und hütet sich, ihn in alle seine logischen Konsequenzen auszuziehen. Das wird unmittelbar deutlich daran, daß Luther trotz des Satzes, daß Gott auch in dem Satan und in den Gottlosen wirkt, niemals die Sünde des

---

29. 18, 709,18: Illud igitur reliquum quod dicimus naturae in impio et Satana ut creatura et opus Dei est minus subjectum omnipotentiae et actioni divinae quam omnes aliae creaturae et opera Dei. Quando ergo Deus omnia movet et agit, necessario movet etiam et agit in Satana et impio. Agit autem in illis taliter, quales illi sunt et quales invenit, hoc est, cum illi sint aversi et mali et rapiantur motu illo divinae omnipotentiae, non nisi aversa et mala faciunt (folgt das Bild des Reiters und des Zimmermeisters). 34: Hinc fit, quod impius non possit non semper errare et peccare, quod raptu divinae potentiae motus ociari non sinitur, sed velit, cupiat, faciat taliter, qualis ipse est. – Die Wörter *rapere* und *raptus* gebraucht Luther in diesem Zusammenhang immer wieder; siehe z.B. 18, 709,31.34; 711,5.16.18; *raptus* ist wiederzugeben etwa mit »treibende Gewalt«.

30. 18, 710,10.22; 711,20 und die nächsten Seiten.

31. 18, 711,6.

32. 18, 714,1.9: Ne terreamini duritia Pharaonis. Nam et illam ipsam ego operor et in manu mea habeo, qui libero vos; tantum illa utar ad multa signa facienda et ad declarandum majestatem meam pro fide vestra.

Menschen auf Gottes Willen und Wirken zurückgeführt hat. Er unterscheidet in *De servo arbitrio* scharf: Gott wirkt auch in den Gottlosen, daß sie fortgehend sein müssen, was sie sind; aber daß sie so sind, das rührt nicht von ihm her – er bewegt sie so, wie sie immer schon sind und wie er sie schon vorfindet[33]. Luther bricht hier also die logische Verfolgung seines Grundgedankens von Gottes Allwirksamkeit ab. Damit bezeugt er, daß uns, den Sündern, die wir täglich die Sünde neu vollziehen, jene Konsequenz zu ziehen verboten ist: sie würde die Sünde und Schuld relativieren und damit der Lage des Menschen vor Gott in Gericht und Vergebung ihren unbedingten Ernst nehmen. Luther läßt also den Widerspruch zwischen seinem Gedanken der Allwirksamkeit Gottes und dem Behaften des Menschen bei seiner Sünde einfach stehen und zeugt damit gegenüber allem theologischen Logizismus für das Geheimnis Gottes und unserer Existenz durch ihn und vor ihm, das aller menschlichen Erkenntnis, auch der theologischen, entzogen ist. Man kann daher schwerlich Schleiermacher, der die Sünde als von Gott gesetzt erklärt, vor Luther den Vorzug geben. Schleiermacher redet über Gottes Verhältnis zur Sünde objektiv, wie vom Standort Gottes aus; Luther aber im Entscheidenden »subjektiv«, vom Standort des schuldigen und begnadigten Menschen aus. Wie Schleiermacher denken, heißt sich in objektivem Denken über seine Sünde stellen können – das aber ist uns nach Luther verwehrt; erst und nur Gottes wunderbares Vergeben, nicht eine Theorie von Gottes Hervorbringen der Sünde stellt uns über sie. Das theologische Denken darf sich an dieser Stelle nicht verführen lassen.

Die gebende Liebe

Auf den Menschen bezogen ist Gottes Schaffen lauter Geben und Helfen. So bezeugt es nicht nur seine göttliche Mächtigkeit, sondern zugleich seinen Charakter als schlechthin gebende Güte, als Liebe. Wer Gottes Gottheit, seine »Natur« beschreiben will, darf nicht nur von ihm als dem Schöpfer, dem allein und immerdar Schaffenden sprechen, sondern muß von ihm als Liebe reden. Gott ist in der Tiefe nichts als Liebe, und die Liebe ist göttlich, Gott selber[34].

---

33. 18, 709,22; 711,3 siehe S. 106 A. 29. *Karl Holl* hält es offenbar für einen Mangel an Luthers Theologie, daß er sich vor der Folgerung, Gott bringe das Böse hervor, gescheut hat; erst Schleiermacher (Glaubenslehre § 83) habe sie gezogen mit dem Gedanken, der »die einzige ernsthafte Lösung zu bieten scheint: Gott bewirkt auch das Böse, weil ohne das Nebeneinander von gut und bös niemals eine Unterscheidung, niemals ein Gewissen möglich wäre« (Ges. Aufsätze zur Kirchengeschichte III. 1928. S. 551, A.; Luther², S. 48 bei und in Anm. 2).

34. 36, 424,2: Si deus pingendus, soll ichs malen, quod in Abgrund seiner göttlichen Natur nihil aliud quam ein Feuer und Brunst, quae dicitur Lieb zu Leuten. Econtra Lieb est talis res, ut non humana, angelica, sed göttlich, ja Gott selber. 425,1: Ibi eitel Backofen dilectionis.

»Göttlich Natur ist nit anders denn eitel Wohltätigkeit.« Darin besteht seine Ehre: nicht zu empfangen, sondern immerdar nur zu geben – und zwar umsonst, ohne auf Dank zu rechnen, unabhängig von der Haltung der Menschen ihm gegenüber, also ganz anders, als wir Menschen von Natur Wohltaten üben. So ist Gottes Güte »recht natürlich gut«. Sie »verliert gern ihre Wohltat bei den Undankbaren[35]«.

Diese Liebe erweist Gott auf verschiedene Weise, in mehreren Stufen[36]. Zunächst so, wie Luther es in der Erklärung zum ersten Artikel beschreibt und in seinen Predigten bewegt und beredt schildert: daß Gott uns das Leben gibt, erhält, durch die Gaben der Natur ernährt und erquickt, alle Kreatur uns dienen läßt »und das alles aus lauter väterlicher göttlicher Güte und Barmherzigkeit[37]«. Schon daran erfahren wir Gott als »eitel Brunst und glühenden Backofen voller Liebe[38]«. Aber über alle diese zeitlichen Gaben hinaus gibt Gott den Menschen die ewigen Güter, seinen Sohn, darin sich selbst: »und hat also beide, mit zeitlichen und ewigen Gütern und mit seiner selbst Wesen uns überschüttet und sich gar ausgossen mit allem, das er ist, hat und vermag über uns, die wir Sünder, unwürdig, Feinde und des Teufels Diener waren, daß er uns nicht mehr kann tun noch geben[39]«. Also Christus und sein »für uns« ist die höchste Gabe der Liebe Gottes. In ihr gibt er sich selbst. Aber schon daß Gott die irdischen Güter gibt, ist nicht nur Schöpfergüte, sondern die gleiche Barmherzigkeit, mit der Gott sich in Jesus Christus dem Sünder zuwendet. Denn – das hebt Luther immer wieder hervor – Gott gibt auch die irdischen Gaben trotz aller Undankbarkeit und anderer Bosheit der Menschen, also mit vergebender Güte – »das ist und heißt eine göttliche Güte, die um keiner Bosheit willen abläßt oder müde wird[40]«. Insofern gibt Gott auch schon in den irdischen Gaben sich selbst, seine ewige Güte.

Gott »überschüttet uns mit sein selbst Wesen«. Was er ist, das gibt er uns. Dieses Sich-Mitteilen ist für Luther das tiefste an Gottes Gottheit. Es bedeutet, daß die »Eigenschaften« Gottes schöpferischer Art sind, nicht nur sein eigen, an ihm selbst sind und bleiben, sondern den Menschen mitgeteilt werden. Das

35. 4, 269,25: Hoc est esse deum: non accipere bona, sed dare, ergo pro malis bona retribuere. – 56, 520,20: Gloria Dei est, quod beneficus in nos est. – 17 I, 233,4: Gottes natura est, quae omni dat et juvat. Si hoc agnosco, habeo pro vero deo. – 40 I, 224,10: nam Deus est, qui sua dona gratis largitur omnibus eaque est laus divinitatis ipsius. – 31 I, 68,27: Denn er ist ja ein herzlicher, gnädiger, frommer, gütiger Gott, der immer und immer wohltut und eine Güte über die andere mit Haufen über uns ausschüttet. – 31 I, 182,19.

36. 17 II, 205,28: Wie hat er uns aber geliebt? Nicht allein auf die gemeine Weise, daß er uns Unwürdige zeitlich ernähret samt allen Gottlosen auf Erden ..., sondern auch auf die sonderliche Weise, daß er seinen Sohn für uns geben hat.

37. Vgl. etwa 31 I, 69,14; 77,2.   38. 36, 425,1.12.
39. 17 II, 205,33.   40. 31 I, 77,1.6.

gilt für Luther von allen Eigenschaften Gottes. Aufgegangen ist es ihm an dem biblischen Begriff der Gerechtigkeit Gottes. Zuerst verstand er sie als die richtende, strafende Gerechtigkeit, bis er in der Schrift ihre Synonymität mit der Gnade entdeckte und sie nun erkannte als die Gerechtigkeit, mit der Gott in seiner Barmherzigkeit den Menschen durch den Glauben gerecht macht, ihm also seine eigene Gerechtigkeit mitteilt[41]. Von da aus erkannte er, daß Analoges auch von den anderen Begriffen für Gottes Wesen gelte, von seiner Stärke – mit ihr macht er uns stark; von seiner Weisheit – mit ihr macht er uns weise; von seiner Seligkeit und Herrlichkeit – an ihr gibt er uns Anteil[42]. Alle Eigenschaften Gottes bezeichnen also ein auf den Menschen gerichtetes Handeln der Selbstmitteilung Gottes, des Anteilgebens an seinem Wesen. Gott vollzieht es in Christus. Für Christi Gerechtigkeit gilt also das Gleiche wie für die Gerechtigkeit Gottes – sie sind ja eins und dasselbe. Seine Herrschaft besteht darin, daß er die Seinen seinem eigenen Wesen gleichmacht[43].

Gottes Gottheit als Sinn der Rechtfertigungslehre

Gott der alleinige Schöpfer, Gott der schlechthin und umsonst Gebende, das gilt – wie wir im letzten Abschnitt schon sahen – nicht nur für die natürliche Existenz des Menschen, also im Raume des ersten Glaubensartikels, sondern in dem gleichen strengen Sinne auch für die theologische Existenz des Menschen, für seinen Stand und Wert vor Gott, also im Raum des zweiten und dritten Artikels. Das Bekenntnis zu Gottes Schöpfertum bestimmt durch und durch das Selbstverständnis des Menschen, seines Heilsstandes nicht minder als seines irdischen Lebens. Daher kann Luther den Glauben an Gott den Schöpfer als die schlechterdings entscheidende Wahrheit bezeichnen. So in einer Predigt von

41. 54, 186,3 (die bekannte Stelle aus der Vorrede zur Wittenberger Ausgabe 1545); – 56, 172,4: Hic justitia Dei non ea debet accipi, qua ipse justus est in se ipso, sed qua nos ex ipso justificamur; – 31 I, 331,5.

42. 54, 186,10: ... colligebam etiam in aliis vocabulis analogiam, ut opus Dei, id est, quod operatur in nobis Deus, virtus Dei, qua nos potentes facit sapientia Dei, qua nos sapientes facit, fortitudo Dei, salus Dei, gloria Dei. – In der Römerbriefvorlesung 56, 169,28: »Virtus Dei« non, qua ipse potens est formaliter in se ipso, sed qua potentes et volentes ipse facit. 173,27: Sapientia ... et virtus Dei est vita secundum Evangelium vel ipsa regula vitae evangelicae, qua nos sapientes et fortes coram ipso facit et reputat.

43. 5, 301,14 (über Ps 9,9: Et ipse judicabit orbem terrae in aequitate, Judicabit populos in justitia): Debemus autem justitiam et aequitatem intelligere non internam Christi solum, qua ipse justus et aequus est, sed opera ejus, quibus justificat et rectificat populos, et gratiam ejus, qua illis justitiam et aequitatem largitur ... 24: Ita regnum Christi in veritate, justitia, aequitate, pace, sapientia consistit non quia solus ipse, sed et fideles sui per eum sunt veraces, justi, aequi, pacifici, sapientes ... 30: Justitiam et aequitatem ... esse aliud nihil quam opus misericordiae et judicii Dei.

1523: »Das ist ohne Zweifel der höchste Artikel des Glaubens, darinnen wir sprechen: Ich glaube an Gott Vater, allmächtigen Schöpfer Himmels und der Erden. Und welcher das rechtschaffen gläubt, dem ist schon geholfen und ist wieder zurecht bracht und dahin kommen, da Adam von gefallen ist. Aber wenig sind ihr, die so weit kommen, daß sie völliglich gläuben, daß er der Gott sei, der alle Dinge schafft und macht. Denn ein solch Mensch muß allen Dingen gestorben sein, dem Guten und Bösen, dem Tod und Leben, der Hölle und dem Himmel, und von Herzen bekennen, daß er aus eigenen Kräften nichts vermag[44].« Sich zu dem Schöpfer bekennen heißt also zugleich: das eigene Unvermögen bekennen, alles allein von Gott erwarten.

Hier sind nun zwei Wesenszüge des Schaffens Gottes hervorzuheben. Zuerst: Schaffen heißt: aus dem Nichts schaffen. Luther betont das *ex nihilo* mit der dogmatischen Tradition (nach 2 Makk 7,28 und Röm 4,17; in Luthers Revision der Vulgata von 1529: *vocat ea, quae non sunt, ut sint*). Es ist bei ihm aber mehr als eine Aussage über die Entstehung der Welt, nämlich ein umfassendes Kennzeichen von Gottes Schaffen und Wirken[45]. Als solches erweist es sich auch in der Weise, wie Gott des Menschen Heil wirkt; er schafft auch hier aus dem Nichts alles, setzt den, der nichts vor ihm ist, in die Würde des Gerechten ein. Als zweites Merkmal des schöpferischen Handelns Gottes hebt Luther hervor: Gott wirkt sein Werk unter der Hülle, der Gestalt des Gegenteils, *sub contraria specie*, daher auch *aus* dem Gegenteil. Er schafft das Leben unter der Gestalt des Todes, ja auf dem Wege des Todes. Wo er erhöhen will, da versetzt er zuvor in die Niedrigkeit. Wo er uns beschenken will mit seinen Gaben, da macht er uns und das Unsere zuvor zunichte und schafft dadurch Raum für sein Geschenk. Luther beruft sich hierfür auf die Worte aus dem Gebete der Hanna (1 Sam 2,6 ff.): »Der Herr tötet und macht lebendig, führt in die Hölle und wieder heraus[46].« So paradox zu handeln, sein Werk unter dem Gegenteil zu verbergen, auch das ist Gottes »Natur«. »Du erhöhest uns, wenn du uns niedrigest; du führst uns gen Himmel, wenn du uns in die Hölle stö-

---

44. 24, 18,26 (Crucigers Bearbeitung auf Grund von Nachschriften; 1527; in 12, 439,16 eine etwas kürzere Fassung nach der Sonderausgabe der Predigt von 1524).

45. 40 III, 154,11: Ejus natura, ex nihilo omnia creare. Et propriissima ejus natura: vocat, quae non, ut sint. – 40 III, 90,10 von Christus: Et ejus officium proprium, quia est Deus: ex nihilo omnia. – Ti 6515. – 39, I, 470,1: nihil et omnia sunt unsers Herrgotts materia.

46. 56, 375,18: Natura Dei est, prius destruere et annihilare, quicquid in nobis est, antequam sua donet (folgt 1 Sam 2,6 f.). Et enim consilio suo piissimo facit nos capaces donorum suorum; – 376,31: Necesse est enim opus Dei abscondi et non intelligi tunc, quando fit. Non autem absconditur aliter quam sub contraria specie nostri conceptus seu cogitationis. – 39 I, 470,2: Ipse ex omnibus facit nihil et ex nihil facit omnia. Haec opera sunt creatoris, non nostra ... Deus destruit omnia et ex nihilo facit hominem et deinde justificat. – Vgl. 8, 22,14.

ßest, du gibst uns Sieg, wenn du uns unterliegen lässest, du machst uns lebendig, wenn du uns töten lässest[47].« Nach Jesaja 28,21 drückt Luther diesen Stil des Wirkens Gottes auch so aus: Gott tut ein ihm fremdes Werk *(opus alienum)*, damit er zu seinem eigenen *(opus suum* oder *proprium)* komme[48]. Eben hiermit erweist Gott seine Gottheit, die mit allem menschlichen Wirken unvergleichbare Majestät seines Schaffens.

In diesem Zusammenhang der Merkmale von Gottes Schöpfertum will Luthers Lehre von der Rechtfertigung gesehen werden. *Ex nihilo omnia* und *sub contraria specie,* beides kommt hier zur Geltung. Luther hat die Rechtfertigung ausdrücklich unter die Züge paradoxen göttlichen Schaffens eingereiht[49]. Die Rechtfertigung des Gottlosen kommt als ein Sonderfall dieses Stiles Gottes zu stehen. Im Schöpfungsgedanken liegt der entscheidende Grund für Luthers Verständnis der Rechtfertigung, *sola fide.*

Warum wird der Mensch vor Gott nicht gerecht durch seine »Werke«, das heißt durch das Erfüllen des Gesetzes Gottes? Die nächste Antwort darauf ist gewiß diese: weil kein Mensch Gottes Gesetz im Ernst erfüllt, kein einziger vom Anbeginn der Welt bis zu ihrem Ende, auch kein Christenmensch[50]. Des Menschen Gehorsam ist immer gebrochen und befleckt.

Aber diese Antwort ist nicht Luthers ganzes und letztes Wort[51]. Das zeigt eine ganze Reihe von Äußerungen Luthers, von denen viele aus den Jahren 1531–1533 stammen. So erklärt er im großen Galater-Kommentar bei der Auslegung von Gal 2,16 (»Wir wissen, daß der Mensch durch des Gesetzes Werke nicht gerecht wird«): Auch wenn der Mensch die Summe des Gesetzes, das große Doppelgebot der Liebe, ganz erfüllt hat, so wird er dadurch vor Gott doch nicht gerecht. Denn Gott erkennt nun einmal die Erfüllung des Gesetzes nicht als Weg zur Gerechtigkeit an[52]. Dabei macht es am entscheidenden Punkt keinen

---

47. 31 I, 171,15.

48. 5, 63,36 ff. und an mancher anderen Stelle.

49. 40 III, 154,15: Deum delectat ex tenebris lucem, ex nihilo facere etc. Sic creavit omnia, sic juvat desertos, justificat peccatores, vivificat mortuos, salvat damnatos.

50. 39 I, 51,13.

51. Sowenig wie bei Paulus. Auch Paulus sagt beides: daß der Mensch die Gerechtigkeit durch Gesetzeswerke nicht erlangen kann und daß er es nicht soll.

52. 40 I, 218,1 f.: Si feceris opus legis, si hanc legem feceris: diliges etc., tamen non justificaberis per ... Si dicit: ex lege, per Antithesin: lex est Justitia, quae potest parari sive virtute divina sive humana secundum legem, nihil. – Ti 6720: Derhalben, wenns möglich wäre, daß du gleich ein Werk tätest nach diesem Gebot: »Du sollst lieben Gott deinen Herrn, aus ganzem Herzen« usw., wirst du dennoch dadurch vor Gott nicht gerecht ... Das Gesetze, wenns gleich getan und erfüllet würde (wiewols menschlicher Natur unmöglich ist zu erfüllen) nicht gerecht macht. – 40 II, 452,18. Weil Gott die Werke nicht zum Zwecke der Versöhnung mit ihm geboten hat, sondern zum Dienst am Nächsten, ist ihr Abzielen auf die Versöhnung nicht nur ein vergebliches Unternehmen,

Unterschied, ob der Mensch es mit seinen eigenen Kräften versucht, Gottes Gesetz zu erfüllen, oder ob er mit Hilfe der Kraft Gottes zur Gesetzesgerechtigkeit gelangt. Noch schärfer als in der Galater-Vorlesung spricht Luther das in einer gleichzeitigen Tischrede aus (Herbst 1531). Er grenzt sich dort ab gegen die Meinung Augustins, daß zwar der Versuch, mit den natürlichen Kräften des Menschen das Gesetz zu erfüllen, nicht zur Rechtfertigung führe, wohl aber die Erfüllung des Gesetzes mit Hilfe des Heiligen Geistes. Luther erklärt, daß die Frage allein um dieses Letztere gehe. Er verneint es: »Wenn ein Mensch durch die Kraft des Heiligen Geistes ganz und gar das Gesetz erfüllte, so müßte er doch Gottes Barmherzigkeit anrufen, denn Gott hat beschlossen, die Menschen nicht durch das Gesetz, sondern durch Christus selig zu machen[53].« Welche Bedeutung immer das Gesetz haben mag, sein Sinn ist ein anderer, als Mittel zur Rechtfertigung, zum Heil zu sein[54]. Das heißt: zwischen Gott und dem Menschen gilt nach Gottes Willen unter keinen Umständen die Gesetzesordnung, sondern allein die Ordnung seiner freien Gnade, die im Glauben empfangen wird. Der Mensch kann nicht nur tatsächlich kein Verdienst vor Gott erwerben, sondern auch grundsätzlich nicht; er ist in jedem Falle auf Gottes unaussprechliche Barmherzigkeit für seine Seligkeit angewiesen. Also auch eine Lehre von der Gnade oder vom Heiligen Geist, die den Sinn der Gnade des Heiligen Geistes in der übernatürlichen Ermöglichung, das Gesetz zu erfüllen und Verdienste zu erwerben, sieht, verkennt Gottes Willen. Denn auch sie weist den Menschen auf den Wert der Werke, der sittlichen Leistung, wenn auch mit Hilfe der Gnade. Daß es Rechtfertigung nur durch Christus, also umsonst und damit allein durch den Glauben gibt, gilt ganz unabhängig davon, daß der sündige Mensch das Gesetz nicht erfüllen kann. Es gilt auch für den, der es etwa mit übernatürlichen Gnadenkräften erfüllen könnte, also für den Christen. Die Erfüllung des Gesetzes macht ebensowenig vor Gott gerecht wie die Nichterfüllung. Gott will eben auf diese Weise nicht mit dem Menschen handeln[55].

sondern zugleich Beleidigung Gottes (non solum non placari per ea Deum, sed etiam offendi).

53. Ti 85: Augustini sententia est, legem impletam viribus rationis non justificare, sicut neque moralia opera justificant gentes; ac si accessisset Spiritus Sanctus, tum opera legis justificare. Est autem quaestio non, utrum lex vel opera rationis justificent, sed an lex facta in spiritu justificet. Respondemus autem, quod non, et quod homo, qui per omnia legem virtute Spiritus Sancti impleret, tamen debeat implorare misericordiam Dei, qui constituit non per legem, sed per Christum salvare.

54. 39 I, 213,6 ff.: Et jam, si quis faceret legem, tamen per hoc non justus est, quia alius est finis legis, quam justificatio.

55. 15, 415,26: »Quia apud te propitiatio« (Ps 130,4), du hast beschlossen bei dir, ut nemo accedat, nisi qui sperat in gratiam ... Oportet cogitemus: Herr, es leit an deiner Gunst, Gnaden; quam sanctus sum et probus, nihil juvat, oportet timeo ... Vult

Dieser Wille Gottes ist aber in seinem Wesen als Gott begründet, in seinem gottheitlichen Ur-Verhältnis zum Menschen. Gottes Gottheit besteht darin, daß er der Schöpfer und Geber ist. »Werke« als Leistungen vor Gott bringen zu wollen, das bedeutet eine Gott als den Geber und Schöpfer entehrende Lüge zuerst insofern, als der Mensch ja alles, was er bringen könnte, von Gott selber empfangen hat. Auf moralische oder religiöse Leistungen vor Gott ausgehen heißt also nichts Geringeres, als daß der Mensch Gottes Gottheit vergißt, nämlich seine Schöpferherrlichkeit, kraft deren der Mensch alles, was er ist und hat, in jedem Augenblicke nur durch Gottes Geben ist und hat. Der Mensch leugnet damit die völlige Angewiesenheit jedes Augenblickes auf Gottes Geben. Er stellt sich Gott in falscher Weise gegenüber, nämlich auf dem gleichen Fuße eines Wechselverhältnisses: Gott gibt dem Menschen, der Mensch gibt Gott. Aber ein Wechselverhältnis in diesem Sinne würde bedeuten, daß Gott nicht mehr Gott ist. Das Leben vor Gott wird zum Angriff auf Gottes Gottheit, wenn es nicht in jedem Augenblick als Leben von Gott her verstanden und gelebt wird. »Darin besteht die offenkundige Torheit der menschlichen Vernunft, daß sie das, was sie als Geschenk empfangen hat, Gott als ihr eigenes zurückgeben und durchaus etwas Großes tun will.« Gewiß soll der Mensch Gott das bringen, was Gott ihm gegeben hat. Aber – das ist der Widersinn – er bringt, was Gott ihm gab, nicht als Gottes Gabe und Eigentum, sondern als wäre es sein eigen, sein Vermögen, seine Leistung. Dem Schöpfer aller Gaben und Kräfte gegenüber ist die »Leistung« des Menschen eine Anmaßung. Ihm

timeri et honorem dari verbo suo. Des und kein anders. Vgl. 15, 482,7 f. Ganz entsprechend heißt es in der zweiten Strophe von Luthers Lied »Aus tiefer Not«: »Bei dir gilt nichts denn Gnad und Gunst / Die Sünde zu vergeben.« (Diese Entsprechung macht es wahrscheinlich, daß das Lied gleichzeitig mit der angeführten Predigt, um die Jahreswende 1523/24 entstanden ist. Vgl. *W. Lucke*, WA 35,101.) »Bei dir gilt nichts denn Gnad und Gunst« entspricht den Worten »du hast beschlossen« in der Predigt 15,415. Und das »quam sanctus sum et probus, nihil juvat, oportet timeo« kehrt wieder in dem »es ist doch unser Tun umsonst / auch in dem besten Leben / ... Des muß dich fürchten jedermann«. So scheint auch das Lied auszusprechen, was wir in den anderen Texten finden: daß Gottes Beschluß, nur durch »Gnad und Gunst« mit dem Menschen zu handeln, auch für den Fall des »besten Lebens« gilt, also auch bei völliger Erfüllung des Gesetzes, wenn sie möglich wäre. Gottes Gnadenordnung gilt also nicht nur dem Sünder, sondern auch dem Gerechten gegenüber. – 39 I, 48,10: Operator sit sanctus, sit sapiens, sit justus, sit quidquid volet, si fides desit, sub ira manet et damnatur. – 39 I, 236,19: vult enim Deus nobis dare vitam, justitiam, sed non remota misericordia. – 39 I, 238,3 (ein Schüler Luthers?): Deus nulla opera acceptat, sed fidem, quae apprehendit misericordiam in Christo promissam. Ideo nulli unquam homini unquam dabit neque vult dare vitam aeternam propter ulla opera, quantumvis speciosa et magna et secundum legem divinam facta, sed propter suam ineffabilem misericordiam. Ideo nunquam tulit neque perferet, ut aliquis dicat: Ego sic sum meritus, ut hoc mihi decet, o Deus.

gegenüber gibt es nur eins: den Dank, und alles was wir ihm bringen, kann nur den Sinn des Dankens haben[56]. Damit hat es seinen falschen Ton verloren. Will man aber Leistungen vor Gott bringen, so geht das Danken unter[57]. Wobei nicht zu vergessen ist: auch das »mit Danksagung erkennen« des Gebers aller Güter bringt kein Mensch von sich selber auf, sondern auch dieses ist ein Geschenk Gottes an uns. Er gibt nicht nur die Gaben, für die wir ihm danken, sondern auch den Dank[58]. Wo man von etwas anderem vor Gott leben will als allein von seiner Vergebung, da ist keine wahrhafte Furcht Gottes mehr. Gott aber spricht: »Ich will Gott bleiben, ich will geliebet, geehrt, gefürchtet sein!« Und auf daß er Gott bleibe und als solcher gefürchtet werde, vergibt er dem Menschen und heißt ihn von dieser Vergebung allein zu leben. Denn das heißt Gott fürchten in seiner Gottheit: ihn anerkennen als den, der allein alles umsonst gibt und geben will und nichts anderes von uns begehrt, als daß wir uns von ihm geben lassen[59]. Wer nicht umsonst, aus seiner freien Gnade empfangen

56. 16, 444,5.25: Du kannst mir nichts dafür geben noch tun, denn allein mir danken, mich preisen und loben. – 40 II, 452,10 (Rörers Nachschrift): Quid tamen in me, quod non sit ejus donum? ... Omnia a Deo ... Nihil reliquum nisi hoc, ut soli deo agamus gratias; quicquid sumus, vivimus, habemus, dona dei sunt. »Quis prior dedit illi?« (Röm 11,35). Da ist etiam rationis humanae manifesta stultitia, quod dona capta vult reddere et aliquid magni facere. Nihil potes dare deo, nisi quae prius ejus sunt ... Si omnia habes a deo et vis dare, ut tua Ratio arguit deum ut mendacem; – 433,24 (in Veit Dietrichs Bearbeitung von Rörers Nachschrift): Hoc vero est Deo sua reddere tanquam non sua, sed tanquam propria.

57. 31 I, 252,23: Weil durch dasselbige Werkopfer das Dankopfer muß untergehen und nicht daneben bleiben kann. – Vgl. noch 6, 237,31 von den Ungläubigen, die der Gnade Gottes nicht bedürfen wollen, »und ihn nit lassen einen Gott sein, der jedermann gibt und nichts dafür nimmt«. – Wie es Luther in der Rechtfertigungslehre zuletzt um Gottes Ehre als des Schöpfers geht, der aus nichts schafft, dafür siehe auch 40 I, 131,4: quibus adimimus omnem justitiam et tribuimus creatori, qui facit ex nihilo.

58. 40 II, 453,5: Reddere gloriam, posse scire, quod habeam a te deo, ipsum hoc est donum dei. – Etiam gratiarum actio est acceptum donum, quanto magis res, de qua gratiam agis, est acceptum donum.

59. 40 III, 356,14 (Vorlesung über Ps 130): Ideo bene, quod justitia steh in tua misericordia ignoscente et tolerante, ut maneas deus, alias amitteres divinitatem, non aestimareris flocci ... Si amittatur deus et fingitur novus, qui sedet in throno et cogitet quod Barfüßer cogitat. Non. Ergo sequitur ex legis justitia aliud nihil quam vera idolatria, et per se est idolatria justitia operum, quia fictio est alieni dei, quae aliud nihil facit, quam quod adorem meipsum, quia Barfüßer, operista quicunque: Ego praedicavi, passus multa. Quid? sum idolatra, me cum meis operibus adoro, quia puto, deum respicere ea. Illa imaginatio mea est idolum cordis mei. Ergo operator est idolatra, quia tollit deum et Deus amittit suam divinitatem. Cum igitur aliter non possit fieri, quam quod ex operibus amittit deus suam culturam, nomen, timorem, majestatem, melius, ut dicat deus: Ich will Gott bleiben, Ich will geliebet, geehret, gefürchtet sein: Et dicam: gratis debetis justificari, ut non contemnatis me et superbiatis. Simpliciter deus decrevit:

will, nimmt Gott die Ehre seiner Gottheit[60]. »Es ist Anmaßung, durch dich selbst Gott bringen zu wollen, was du von ihm empfangen mußt. Das ist die allerschwerste Sünde überhaupt[61].«

Wer durch seine sittliche Leistung vor Gott gerecht werden will, der maßt sich selbst die Stelle des Schöpfers an. Gerechtigkeit schaffen, die Sünde zerstören, Leben geben – das ist alles das Werk des Schöpfers allein. »Er hat uns gemacht und nicht wir selber« – dieses Wort aus dem Psalm 100 gilt nicht nur von der ersten Schöpfung, mit der Gott das irdische Leben gab, sondern nicht minder auch von der zweiten, der Wiedergeburt zum ewigen Leben. Daher bedeutet jede synergistische Lehre eine völlige Verkennung Gottes und dessen, was unser Tun bedeuten kann und soll. Die Meinung, man solle und könne durch eigene Leistung die Gemeinschaft mit Gott und dadurch das ewige Leben erwirken, ist nicht nur Torheit, weil kein Mensch wegen seiner Sündigkeit dazu imstande ist, sondern, wie Luther ausdrücklich erklärt, auch Gottlosigkeit, Blasphemie, weil man sich damit an Gottes Gottheit vergreift. Der Anspruch, etwas vor Gott zu bringen und sich dadurch die Stellung bei Gott zu sichern, bedeutet nichts Geringeres, als daß der Mensch sich selbst an Gottes Stelle setzt, sich zum Schöpfer, zu seinem eigenen Gott macht. Denn er traut sich zu, was doch Gott sich allein vorbehalten hat: Schöpfer von Gerechtigkeit und Leben zu sein. Durch seine eigenen Werke gerecht werden wollen, das heißt genausoviel wie das biblische Wort umkehren und verkünden: »Wir haben uns gemacht und nicht Gott hat uns gemacht« – das eine ist genausogut Lästerung, Blasphemie wie das andere[62].

nisi stet doctrina remissionis peccatorum, gratiae, propiciationis, tunc regnat idolatria, quia »apud te« (sc. propiciatio, ut timearis; Ps 130,4). – 358,14: Imo habere deum non stat et impossibilis combinatio, esse justum ex lege et habere deum. Timere et colere deum et velle justum ex lege, plus pugnantia sunt quam ignis et aqua, diabolus et deus ... Ubi non est propiciatio, ibi nullus deus, sed manet simpliciter idolatria. Justitia operum est verissima et per se idolatria ... Sed haec ars principalis Christianorum, scire, quod apud Deum maneat propiciatio, et proveniet in orbem terrarum, tum se ideo manere deum, si credamus eum redimentem, propiciantem. Vgl. aus Veit Dietrichs Wiedergabe von Luthers Vorlesung folgende Wendungen (40 III, 358,18): Nam sublata gratia etiam timorem Dei tolli propheta dicit (Ps 130,4). Quid autem est timere aliud quam colere et venerari Deum; item agnoscere, quod sit beneficus, et ideo ei obedire?

60. 40 I, 224,10.28 (In Rörers Druck): Nam Deus est qui sua dona gratis largitur omnibus, eaque est laus divinitatis ipsius. Verum hanc suam divinitatem non potest defendere contra justiarios qui gratiam et vitam aeternam non volunt accipere ab eo, sed illa mereri suis operibus. Illi simpliciter volunt ei adimere gloriam divinitatis. – 17 I, 233,4: Gottes natura est, quae omni dat et juvat, si hoc agnosco, habeo pro vero deo, si quid mihi tribuo, ademi deo honorem.

61. 9, 462,35; 463,2.

62. 40 II, 466,1: Summum cultum suum repudiat et simpliciter damnat, si velis ita facere, ut teipsum consoleris etc. Hoc est teipsum facere tui creatorem. Ipse non fecisti te,

Luthers Kritik des Moralismus ist also theozentrischen Charakters. Sie hat ihren Maßstab an Gottes wirklicher Gottheit. Der Moralismus kommt als Abgötterei und Blasphemie zu stehen. »Die Werkgerechtigkeit ist recht eigentlich und ihrem Wesen nach Abgötterei[63].« Der Mensch läßt die echte Wirklichkeit Gottes fahren und setzt an die Stelle ein selbstverfertigtes Götzenbild: er macht sich nämlich ein Bild von Gottes Wesen und Willen, das seiner eigenen sittlichen Eitelkeit entspricht[64], aber mit Gottes wirklichem Wollen nichts zu tun hat – also das Bild eines Götzen. Der wirkliche Gott ist der Gott der Versöhnung durch Jesus Christus, der da alleine gibt und schafft. Der Weg des Moralismus bedeutet also nicht nur eine Illusion in ethischer Hinsicht – weil kein Mensch die Gebote halten kann –, sondern vor allem auch eine Fiktion in religiöser Hinsicht – weil der Gott, mit dem man dabei rechnet, nichts als ein Gebilde des eigenen Herzens ist. Gott wird seiner wahren Gottheit beraubt und damit als Gott beseitigt. Abgötterei treibt der ethische Mensch auch insofern, als er seinen letzten Halt nicht in Gott, sondern in sich selber und seinen Leistungen findet. Diese sind in seinen Augen ein unbedingter Wert, den Gott berücksichtigen muß. Der ethische Mensch betet also gleichsam sich selbst samt seinen Leistungen an. Er ist sein eigener Götze. So schließen Moralismus und wahre Gottesfurcht sich aus. »Gesetzesgerechtigkeit begehren und einen Gott haben, das ist unmöglich zu vereinigen. Gott fürchten und ehren – und nach dem Gesetze gerecht werden wollen, das streitet widereinander mehr denn Feuer und Wasser, mehr denn Satan und Gott.« So hat Luther Psalm 130,4 ver-

et secundam creaturam vis in te creare? Est imaginatio falsa de Deo et de opere nostro; fingo deum velle quod ego facio. Vgl. auch die entsprechende Stelle in Veit Dietrichs Ausgabe 40 II, 457,12, vor allem 17: Ergo non falsa solum, sed impia quoque opinio est. – 40 I, 442,3: Ipsi prorsus nihil vident et faciunt nos 10 peccatores magis quam meretrices, quia tribuunt meo operi divinitatem majestatis, cujus est solius destruere peccatum et creare justitiam, dare vitam. Das ist ja creatio, et hoc dant meo operi. Das ist »constituere in locum dei« et facere me idolum, et opera dant, quae propriissime naturae divinae. – 31 I, 244,20: Heißt das nicht lästerlich und greulich unser Werk vor und über Gottes Gnade setzen und heben? Heißt das nicht Gott die Gottheit nehmen und Christum verleugnen? – 39 I, 48,22 im Blicke darauf, daß die Gerechten in der Schrift *nova creatura* genannt werden (2 Kor 5,17): Quis autem ferat hanc blasphemiam, ut opera nostra nos creent vel ut simus operum nostrorum creaturae? Tunc liceret dicere contra Prophetam (gemeint ist Ps 100,3): Nos ipsi fecimus nos, et non Deus fecit nos. Quam blasphemum igitur est dicere, Se ipsum esse sui ipsius Deum creatorem seu generantem, tam blasphemum est suis operibus justificari. – 17 I, 233,2: Vides fiduciam in se, non in Deum, et haec est blasphemia Dei.

63. 31 I, 252,20: Das kann das Gnadenreich nicht leiden, daß wir Gott geben, verdienen oder bezahlen wollten mit unsern Werken, sondern ist die größte Lästerung und Abgötterei und nichts anders denn Gott verleugnen und spotten dazu.

64. 40 II, 466,3: Est imaginatio falsa de deo et opere nostro; fingo deum velle, quod ego facio.

standen: »Bei dir ist die Vergebung, daß man dich fürchte, das heißt, daß du Gott bleibest[65].« An diesem Psalmvers ist Luther immer wieder des theozentrischen Sinnes der Rechtfertigung bewußt geworden. Der Vers war sein entscheidender Schriftgrund. Die ethische Hybris (praesumtio) bedeutet Preisgabe der Furcht Gottes und damit Verleugnung der Gottheit Gottes.

Der Negation entspricht die Position. Wie die Kritik des Moralismus, so ist auch die Würdigung des Glaubens bei Luther theozentrisch bestimmt. Wie der Moralismus Götzendienst, so ist der Glaube an Gottes Verheißung in Jesus Christus der wahre Gottesdienst. Der Glaube ist die rechte Weise, mit Gott zu handeln, nicht etwa nur um unsertwillen, weil der Mensch auf dem Wege der Werke notwendig scheitert, sondern ursprünglich, um Gottes willen. »Vor dir niemand sich rühmen kann«, niemand, das gilt nicht nur, weil jeder ein Sünder ist, sondern schon weil Gott Gott und der Mensch Mensch ist. Es gilt zu glauben, nicht nur, weil dem Sünder nichts anderes übrigbleibt, sondern weil Gott Gott ist und der Mensch ihn in seiner Gottheit mit nichts anderem ehren kann als mit dem Glauben – weil der Glaube die Erfüllung des Ersten Gebotes ist[66]. Der Glaube ist die einzige Haltung des Menschen, die Gottes Wesen, seiner Gottheit entspricht. Gottes eigentliche Gottheit besteht in seinem Schöpfertum, darin, daß er aus dem Nichts schafft, ja aus dem Gegenteil. Genau dem entsprechend heißt Glauben: dort von Gott etwas erwarten, wo nichts zu sehen ist; harren wider allen Augenschein. Gottes Gottheit und das Glauben entsprechen einander. Der Glaube ist ganz auf Gottes Gottheit gerichtet; man kann nur dem ganz glauben und trauen, der wesenhaft Gott ist[67]; und wiederum: seine Gottheit kann von dem Menschen mit nichts anderem erfaßt, anerkannt, geehrt werden als allein mit dem Glauben. Nur er ist wahrhaft Gehorsam gegen Gottes Wirklichkeit, rechter Gottesdienst – bezeichnend genug für den theozentrischen Charakter der Rechtfertigungslehre tritt der Glaube bei Luther, wie bei Paulus, unter den Gesichtspunkt des Gehorsams und des Gottesdienstes. Er ist der einzige Kultus, den Gott sich gefallen läßt, er allein ist die rechte Furcht Gottes[68].

Das theozentrische Verständnis der Rechtfertigung und des Glaubens bedeutet für Luther den entscheidenden Maßstab, mit dem wahre und falsche Religion zu unterscheiden sind. Die ihm bekannten Religionen treten in zwei Typen auseinander: auf der einen Seite stehen sämtliche Religionen außerhalb des

65. 40 III, 360,7: »Apud te propiciatio, ut timearis«, i. e. ut maneas deus, scio te remittere mihi, et manes, Si non, amisi te deum verum.

66. 5, 394,33: Fides est vere latria et primi mandati primum opus. – 6, 516,37.

67. 37, 42,15.

68. 40 III, 154,6 ff. Vor allem: Nihil sinamus deo sacrificare quam confidere et sperare. Dann wird von Gottes »Natur« gesprochen als dem Schöpfer aus nichts (vgl. S. 110 A. 45) und gefolgert: Ergo qui consentit ejus naturae et obtemperat, is rectus vir. Das sind die speculantes et expectantes, etiam si non videant.

Evangeliums, einschließlich der römischen Entstellung des Evangeliums, ja selbst des jüdisch verstandenen gottgebotenen Opferkultus; auf der anderen Seite einsam das Evangelium, die Religion des Glaubens. Wie verschieden jene Religionen auch sind, darin kommen sie überein, daß der Mensch etwas vor Gott bringen zu müssen meint, daß er nicht an die bedingungslose Versöhnung und Rechtfertigung glaubt. Luther kann Judentum, Islam, Papsttum, Mönchtum, Schweizer- und Schwärmertum zusammenfassen als *praesumtio*, Hybris des Menschen, Götzendienst, Widerspruch zu der echten Furcht Gottes (im Sinne von Ps 130,4). Solchem falschen, von Gott nicht gewollten Kultus steht einzig und allein die Religion des vorbehaltlosen Glaubens an Gottes Barmherzigkeit gegenüber als der wahre Kultus. Der theozentrische Gesichtspunkt also ist es, der die Scheidelinie durch die Welt der Religionen legt[69].

Ebenso hat Luther ausdrücklich den theozentrischen Charakter seiner Lehre als Kriterium für ihre Wahrheit geltend gemacht. Seine Lehre wird dadurch als wahr erwiesen, daß sie Gott Gott sein läßt, ihn groß macht, ihm die Ehre gibt und nicht dem Menschen[70]. Luther findet dieses Kriterium bei Paulus Gal 1,10; er übersetzt: »Predige ich denn jetzt Menschen oder Gott zu Dienst?« Dieses Kriterium für die Wahrheit einer Theologie kann er für seine eigene geltend machen. Seine Theologie macht Gott groß und nicht den Menschen[71].

So ist die Rechtfertigung *sola fide* für Luther ganz und gar begründet in seinem Grundsatz von Gottes alleinigem Schöpfertum. Dieses Verständnis der Rechtfertigung allein macht in Luthers Sinn vollen Ernst mit der Geschöpflichkeit des Menschen[72]. Die Rechtfertigung des Gottlosen ist der erhabene Sonderfall des göttlichen Schaffens *ex nihilo, sub contraria specie*.

69. 40 II, 451,9: Sacrificium dei, quod institutum divinitus per Mosen et approbatum per prophetas et patres, soll nichts gelten ... Distingue ergo inter religiones omnes mundi a Christo, qui soll über Mosen sein, remissio peccatorum et gratia soll etwas Größeres sein quam cultus in toto mundo. – 40 III, 359: Papatus, Mahometismus, monachatus, Novissimus heretismus est idolatria, Cinglius, Oecolampadius. So in Rörers Nachschrift. Nach Veit Dietrichs Bearbeitung hat Luther in der Aufzählung noch den Judaismus hinzugefügt. – 37, 59,30: Denn da wird aus allem Glauben ein Glaube, wenn man Christum verlieret und der einige Heiland aus dem Herzen ist. Denn sie sind alle in dem Stück eins, daß sie den Glauben nicht haben und auf ander Ding bauen.

70. 17 I, 232,9: Haec mea doctrina est, quae sinit deum esse deum, ergo non potest mentiri, quae dat deo honorem.

71. In seiner Auslegung von Gal 1,10 sagt Luther 40 I, 121,2: Mea praedicatio est dahin gericht, quod glorificem deo et gratiam dei quaero et reconciliari deo. Vgl. auch das Weitere. – 40 I, 131,1.17.25; 132,1. Hoc certo scio, quod humana non suadeo, sed divina, hoc est, quod Deo omnia tribuo, hominibus nihil ... Et verum est, doctrinam Evangelii adimere hominibus omnem gloriam, sapientiam, justitiam etc. et ista tribuere soli Creatori, qui es nihilo omnia facit. Multo autem tutius est tribuere nimium Deo quam hominibus.

72. Ti 5492: Wo bin ich herkommen? Wo seid ihr herkommen? Wir werden uns ja

Der Wille Gottes an den Menschen

Man könnte diesen Abschnitt auch überschreiben: das Gesetz Gottes. Aber es ist besser, diesen Titel aufzubehalten bis dahin, wo es um das Verhältnis von Gesetz und Evangelium angesichts der Sünde geht. Gottes Wille an den Menschen, obgleich er sich in den »Geboten« ausspricht, übergreift doch den Unterschied von Gesetz und Evangelium. Er ist als Ruf in das Heil Evangelium und Gesetz zugleich.

Der Wille Gottes tritt an den Menschen heran in den Geboten. Das wichtigste, das entscheidende ist das Erste Gebot. Dieses ist für Luther eine Gestalt, in der das Evangelium zu ihm kommt. Es war für ihn von großer Bedeutung, daß das Evangelium an den Menschen sogleich auch in der Gestalt eines Gebotes Gottes herantritt. »Ich bin der Herr dein Gott«, das ist der Inbegriff des Evangeliums. Damit ist aber sofort der Aufruf zum Glauben gegeben: »Lasse mich alleine deinen Gott sein[1].« Dieser Aufruf hat die ganze Strenge eines Gebotes. Luther hat die Gebotsgestalt des Evangeliums als Hilfe zum Glauben in der Not des Zweifels und der Verzweiflung verstanden und ergriffen, für sich selbst und für andere. In der Zeit seiner Klosterkämpfe kam sein Gewissen weder durch die Absolution noch durch andere Tröstungen seiner Beichtväter zur Ruhe – bis sein »Lehrer«, dem er seine Anfechtungen klagte, ihm sagte: »Mein Sohn, was tust du? Weißt du nicht, daß der Herr selbst uns geboten hat zu hoffen?« Dieser Zuspruch brachte die Wendung. Luther berichtet: »Durch dieses eine Wort ›geboten‹ wurde ich so gestärkt, daß ich nun wußte, ich müsse der Absolution glauben[2].« Die Gebots-Gestalt, in der das Evangelium ihm hier begegnete, hat ihm zum Glauben geholfen. Das ist für seine Seelsorge an anderen bestimmend geblieben. Immer wieder weist er den Zweifelnden und Verzweifelnden auf das Erste Gebot hin: Gott hat dir geboten, daß du auf ihn hoffest und an ihn glaubest; zweifelst und verzweifelst du, dann sündigst du gegen das Erste Gebot[3].

nicht selber gemacht haben, da wir nichts gewesen sein. Es muß ja jemand sein, der uns gemacht hat, und wir wollen nun zufahren und mit unserm Herrgott einen Kauf anschlagen, ihm unser Werk verkaufen, darum daß er uns den Himmel geben soll? Ists nicht ein schändlich Ding, daß sich eine Kreatur so hoch erheben soll und sich mit seinem Schöpfer also zu handeln unterstehen dürfen? Es ist also, daß wir nicht gläuben, quod Deus sit creator. Si illum creatorem crederemus, wir würden wohl ein anders anheben. Sed eum nemo creatorem credit (etiam si quis dicat), et conscientia quanquam convincit esse Deum creatorem omnium nostrorum. Si nos ab alieno Deo essemus creati, so hätte es noch wohl ein Ansehen, und kämen also vor Gott: Herrgott, sieh mich an um meiner Werk willen, ich komme her zu dir, du hast mich nicht gemacht.

1. 30 I, 133,11.   2. 40 II, 412,23.

3. 40 III, 343,4.21: Wie stellst du dich? deus non vult desperare te; praecipit spem, fidem; vult coli et fiduciam misericordiae suae, 1. praeceptum. – 39 I, 428,14: Deus vult

Das Erste Gebot ist »das allererste, höchste, beste, aus welchem die anderen alle fließen[4]«. So ist auch das »Werk« des Ersten Gebotes, »der Glaube oder Zuversicht zu Gottes Hulden zu aller Zeit«, das allererste, höchste, beste »Werk«, aus welchem alle anderen fließen. Das Erste Gebot nimmt in Anspruch »das ganze Herz des Menschen und alle Zuversicht auf Gott allein und niemand anders«. »Darin wird Gott als Gott geehrt«; das ist »die rechte Ehr und Gottesdienst, so Gott gefället[5]« (siehe S. 117 f.). Wer ihm glaubt in seinen Verheißungen, wer auf ihn allein hofft, der bekennt sich damit zu seiner Gottheit, zu seiner Mächtigkeit, Wahrhaftigkeit, Güte[6]. In solchem Glauben besteht die Reinheit des Herzens, die Gott will – sie allein gibt allem anderen, was wir tun, die Reinheit. »Ohn Glaub ist kein Herz rein, ohne des Herzens Reinigkeit ist kein Werk recht und rein[7].« Die Erfüllung des Ersten Gebotes erfüllt zugleich alle anderen, und ohne das Erste wird kein anderes Gebot wahrhaft erfüllt.

Das Glauben, in dem wir Gott als Gott ehren, erweist sich konkret vor allem in der Dankbarkeit, in dem Loben und Danken. Dieses ist das einzige Opfer des Neuen Bundes, der edelste und höchste Gottesdienst[8].

Zum Danken und Loben tritt als Erweisung des Vertrauens auf Gott das Bitten. Immer wieder hat Luther das Bittgebet mit dem Gebot Gottes begründet. Es steht dem Menschen nicht frei, ob er in der Bedrängnis und Not seines Lebens, der äußeren und der inneren, Gott anrufen will oder nicht. Vielmehr Gott will darin geehrt und als Gott behandelt sein, daß der Mensch in seiner

te et praecipit tibi per os meum et sancti Pauli, ut speres in eum et credas Christum pro te mortuum et resuscitatum esse ... Hic si dubitaveris ac desperaveris, peccas contra primum praeceptum, quod vult, ut credas eum esse Deum tuum.

4. 28, 510,5.

5. 30 I, 134,18.20. – 37, 42,23: Das ist der einigste hoheste Gottesdienst, trauen und gläuben, gegen den alle andere äußerliche Dienst ein Kinderspiel sind. Und er fordert auch nicht mehr denn solch ein Herz, das ihm kann gläuben. – 40 I, 360,2: Vide, quid fides: est incomparabilis res et ejus virtus inestimabilis, dare gloriam deo. 20: Tribuit enim Deo gloriam, qua nihil majus ei tribui potest. Tribuere autem Deo gloriam est credere ei, est reputare eum esse veracem, sapientem, justum, misericordem, omnipotentem, in summa: agnoscere eum autorem et largitorem omnis boni.

6. 5, 103,27: Gloria et cultus dei consistit in syncera fide, robusta spe et perfecta charitate in deum. 104,4: Cultus dei brevissimo compendio aliud nihil est quam gloria dei. Gloria dei aliud nihil est quam ei credere, in eum sperare, eum diligere. Quia qui ei credit, veracem eum ducit et per hoc veritatem ei tribuit. Qui sperat in eum, potentem et sapientem et bonum arbitratur, ut a quo possit juvari et salvari, ac per hoc ei potentiam, qua possit, sapientiam, qua novit, bonitatem, qua velit juvare, tribuit; hoc autem est vere deum esse, vere deum habere. – 7, 25,5.

7. DB 7,186, zu Gal 5,3, am Rande.

8. 31 I, 59,4: unicum illud sacrificium novae legis. – 76,8: Sintemal wir können gegen Gott kein größer noch besser Werk tun, noch edleren Gottesdienst erzeigen, denn ihm danken.

Not sich an ihn wendet[9]. Gewiß, der Mensch bedarf es, in seinen Nöten und Anfechtungen Gott anzurufen. Aber der böse Geist sucht das mit allen Kräften zu verhindern, etwa auch, indem er dem Menschen den Zweifel einredet, ob er auch würdig sei, die hohe Majestät zu bitten. Dagegen hilft zuletzt nur die Erinnerung daran, daß Gott dem Beter nicht allein Erhörung zugesagt hat, sondern ihm das Beten auch gebietet »bei seiner ewigen Ungnade und Zorn«. »Also muß man des Teufels Eingeben mit Gottes Gebot ausstoßen, so höret er auf und sonst nimmermehr.« Der Mut des Glaubens, auf Gottes Zusage hin ihn getrost zu bitten, nimmt also sein zuletzt entscheidendes und durchschlagendes Motiv aus dem Gehorsam gegen Gottes gnädiges, aber sehr ernstes Gebot. Nirgends hat Luther das eindringlicher ausgesprochen als in der Einleitung zum Vaterunser im Großen Katechismus. »Wir sind um Gottes Gebots willen schuldig zu beten ... Also daß es streng und ernstlich geboten ist, so hoch als alle andere: keinen andern Gott haben, nicht töten, nicht stehlen ... Gott anrufen in allen Nöten – das will er von uns haben, und soll nicht in unserer Willkür stehen, sondern wir sollen und müssen beten, wollen wir Christen sein ... Es steht nicht in meinem Willen zu tun und zu lassen, sondern es soll und muß gebetet sein ... Alle unsere Gebete sollen sich gründen und stehen auf Gottes Gehorsam[10].«

Der Glaube erweist sich weiter darin, daß der Mensch mit freudigem Gehorsam Gottes Gebote erfüllen will. Der Glaube macht ihn bereit, »um Gottes willen alles Übel zu leiden, Leib und Leben, Gut und Ehre an ihn zu wagen[11]«.

Neben das Gebot der Gottesliebe tritt das der Nächstenliebe. Im Grunde sind es nicht zwei Gebote, sondern ein und dasselbe. Gott weist mich an meinen Nächsten. Er will für sich selbst, unmittelbar, von uns nichts anderes als einzig dieses, daß wir ihm glauben. Unser Werk braucht er für sich nicht[12]. Er braucht es aber für unseren Nächsten[13]. In der Mittelbarkeit der Liebe zum Nächsten

9. 6,223; 235,21. – 31 I, 98,8: Ich bitte um Trost und Hülfe, damit wird er geehret als ein rechter Gott, als von dem ich Hülfe und Trost bitte, welches gebührt einem rechten Gott zu tun.

10. 30 I, 193,16.21.34; 194,7; 195,22.   11. 31 I, 433,8.

12. 6, 516,31: ... nec nos cum deo unquam agere aliter possumus quam fide in verbum promissionis ejus. Opera ille nihil curat nec eis indiget, quibus potius erga homines et cum hominibus et nobis ipsis agimus.

13. 20, 513,8.32: Gott hat genug an meinem Glauben ... Daher will er auch, daß ich alle meine Werke herunter wende nur auf den Nächsten ... Er bedarf meiner Werke gar nichts ... Er ist selbst reich genug ohne mich und ohne meine Werke. Darum läßt er mich aber auf Erden leben, daß ich solche Freundschaft wieder beweise dem Nächsten, wie Gott mir gnädiglich tan hat ... Also schmelzt Gott die zwei Gebote ineinander, daß es gleich ein Werk, eine Liebe ist: was wir dem Nächsten tun mit Predigen, Lehren, Kleiden, Speisen, ist alles Christo selbst geschehen. – In Rörers Nachschrift heißt es u. a.: Dilectio, quam erga deum habeo, est eadem, quae est ad proximum, nam per dilectionem sui weist er uns auf unsern Nächsten.

sollen wir Gott lieben, im Dienst am Nächsten Gott selber dienen. In meinem Nächsten ist Gott für mich da. »In allen Gassen, vor deiner Tür findest Du Christum, gaff nicht in den Himmel und sprich: Ei, sollte ich unsern Herrgott einmal sehen, wie wollte ich ihm alle möglichen Dienste beweisen[14]!« Das ist für Luther mit der Menschwerdung Christi gegeben. Indem er die menschliche Knechtsgestalt annahm, hat er unserer Liebe die falsche Richtung nach oben, in den Himmel, nehmen wollen und sie »ganz und gar heruntergezogen« in die Liebe zum Nächsten. Wie unser Glaube Gott nicht im Himmel suchen soll, in seiner Gottheit, sondern in der Menschheit Jesu Christi, so auch unsere Liebe. Daß Gott Mensch wurde, bedeutet, daß unsere Gottesliebe sich als Menschenliebe erweisen soll. Gott ist uns ganz nahe, nämlich in dem Menschen – das gilt für unsere Liebe nicht minder wie für unseren Glauben. So wird auch das Verständnis der Liebe ganz von dem Bekenntnis zur Inkarnation beherrscht.

Wie Gott unmittelbar von mir nichts anderes will und braucht als meinen Glauben, so bedarf auch ich Gott gegenüber nichts anderes zur Seligkeit, als daß ich im Glauben seine Huld empfange, die mein Heil ist. Ich bedarf nichts mehr zur Seligkeit. Aber mein Nächster bedarf meines Werkes, er hat noch nicht genug. Um seinetwillen, nicht in eigener Sache, nicht um meiner Seligkeit willen habe ich mit meinem Leben meinem Nächsten zu dienen[15]. So soll niemand sein Leben für sich selber leben. »Es ist ein jeder Mensch um des andern willen geschaffen und geboren[16].« Das bedeutet: ein jeder ist für die Liebe, für den Dienst am Nächsten geboren. »Alles, was wir haben, muß stehen im Dienst; wo es

14. 20, 514,27. In Rörers Nachschrift 515,6: Plenus est mundus deo. Im Druck 515,25: Willst du mich lieben ..., hilf den Armen mit allem, das du wolltest, das man dir täte ... so hast du mich ganz recht lieb. Siehe nur wohl, daß du mich nicht übergehest: ich will dir nahe genug sein; in einem jeglichen armen Menschen, der deiner Hülfe und Lehre bedarf, da stecke ich mitten drin ... – 17 I, 99,18: Da (in den elenden notdürftigen Nächsten) soll man Gott finden und lieben, da soll man ihm dienen und Gutes tun, wer ihm Gutes tun und dienen will; daß also das Gebot von der Liebe Gottes ganz und gar herunter in die Liebe des Nächsten gezogen ist ... Denn er hat darum sich der göttlichen Gestalt geäußert und die knechtische Gestalt angenommen, auf daß er unsere Liebe gegen ihn herunterzöge und auf den Nächsten heftete. So lassen wir dieselben hier liegen und gaffen dieweil in den Himmel und wollen große Gottes-Liebe und -dienst vorgeben. – Ti 5906: Amare deum est amare proximum.

15. 10 III, 168,19: Ja, du bedarfst nichts mehr tun, das da not sei zur Seligkeit, zur Vergebung der Sünde und zur Errettung der Gewissen. Du hast genugsam an deinem Glauben. Aber dein Nächster hat noch nicht genugsam, dem mußt du auch helfen. Darum läßt dich auch Gott leben ..., daß du mit deinem Leben nicht dir Sünder, sondern deinem Nächsten dienst. – 7, 35,10: Alle Werke sollen gerichtet sein dem Nächsten zugut, dieweil ein jeglicher für sich selbst genug hat an seinem Glauben und alle anderen Werke und Leben ihm übrig sein, seinem Nächsten damit aus freier Lieb zu dienen. – 36,2: ... dieweil ich doch durch meinen Glauben alles Dinges in Christo genug habe.

16. 21, 346,21.

nicht im Dienst stehet, so stehets im Raub[17].« Diene ich meinem Nächsten nicht mit allem, was ich habe, so raube ich ihm das, was ihm von mir nach Gottes Willen zusteht. Daher kann Luther mehr als einmal das starke Wort prägen: »Vermaledeit sei das Leben, darin jemand sich selber lebt und nicht seinem Nächsten. Und wiederum: Gebenedeit sei das Leben, darin einer nicht sich, sondern seinem Nächsten lebt und dient mit Lehre, mit Strafen, mit Hilfe, wie es mag geschehen[18].«

Die Liebe zum Nächsten teilt mit dem Glauben das Merkmal, daß der Mensch in ihr außer sich ist, im anderen lebt. Im Glauben ist er nicht bei sich, ruht nicht in sich, sondern in Gottes Huld. In der Liebe ist er nicht bei sich, sondern bei dem anderen, ist nicht auf sich gerichtet, sondern auf den anderen. So ist der Mensch als Glaubender und als Liebender in einer »Ekstase« besonderer Art[19].

Das Urbild und Maß für das, was Nächstenliebe oder Dienst am Nächsten heißt, findet Luther an Christus, das heißt an Gottes Handeln mit uns in Christus. Ich soll meinem Nächsten so begegnen wie Christus mir (Luther weist hin auf Phil 2,5). Ich soll »gegen meinen Nächsten auch werden ein Christus, wie Christus mir worden ist[20]«.

Das gilt nun in der ganzen Breite des Lebens und umfaßt alles, was meinem Nächsten »not, nütze und seliglich« ist[21]. Es reicht vom äußeren Helfen bis zum innersten Eintreten[22]. Dem Nächsten gehört all unser Besitz, soweit er nicht zur Fristung des eigenen Lebens für uns nötig ist. »Das man übrig hat und dem Nächsten nicht hilft, das besitzt man mit Unrecht und ist gestohlen vor Gott, denn vor Gott ist man schuldig zu geben, leihen und sich nehmen lassen[23].« Das Eigentum ist zwar für Luther als solches nicht Diebstahl, kann es aber werden, wenn es nicht unter jener Regel verwaltet wird. Dem Nächsten gehört aber auch jede innere Begabung und Kraft, die eigene Frömmigkeit oder Gerechtigkeit, das eigene Vermögen in jedem Sinne. »Wir sind schuldig der Lieb halben dem Nächsten zu dienen in allerlei Dingen: ist er arm, daß wir ihm dienen lassen unsere

17. 12, 470,40.

18. 10 III, 98,6; 168,25. – 11, 272,1: Verflucht und verdammt ist alles Leben, das sich selbst zu Nutz und zugut gelebt und gesucht wird; verflucht alle Werke, die nicht in der Liebe gehen.

19. 7, 38,6: Ein Christenmensch lebt nicht in ihm selbst, sondern in Christo und seinem Nächsten; in Christo durch den Glauben, im Nächsten durch die Liebe. Durch den Glauben fährt er über sich in Gott, aus Gott fährt er wieder unter sich durch die Liebe und bleibt doch immer in Gott und göttlicher Liebe.

20. 7, 35,12.34; 66,25: Ideo sicut pater coelestis nobis in Christo gratis auxiliatus est, ita et nos debemus gratis per corpus et opera ejus proximo nostro auxiliari et unusquisque alteri Christus quidam fieri, ut simus mutuum Christi et Christus idem in omnibus, hoc est vere Christiani.

21. 7, 36,1.   22. 11, 76,27.32.   23. 10 III, 275,8.

Güter; ist er geschändet, daß wir ihm unsere Ehre lassen ein Deckel sein; ist er ein Sünder, daß wir ihn schmücken mit unserer Gerechtigkeit und Frömmigkeit. Also hat uns Christus auch getan[24].« Das erst ist die höchste Erweisung der Liebe wie Gott sie fordert. Alles, was ich habe, gehört dem Nächsten. Aller Reichtum soll zu denen fließen, die arm sind. Die Liebe hebt die Distanz von gerecht und Sünder auf. Der Gerechte will nirgendwo anders stehen als bei dem Sünder. Die Liebe ist Gütergemeinschaft und Lastengemeinschaft. Ich trage mit an den Lasten meines Nächsten und gebe ihm Teil an dem, was mir von Gott gegeben ist[25]. Ich soll vor Gott nirgendwo anders stehen als bei ihm, dem Belasteten, Gefallenen, Schuldigen, ja, an seiner Stelle und für ihn. So ist die Liebe allezeit volles Eintreten für den anderen mit allem, was ich habe, und damit zugleich grenzenlose Stellvertretung, stellvertretendes brüderliches Eingehen in seine Lage. Alles in allem: es gilt, daß du dich deinem Nächsten »ganz ergibst und ihm dienst, wo er dein bedarf und du vermagst«, bis hin zum Leiden und Sterben für ihn[26].

Gottes Gebot will also die Liebe. Wir sollen lieben – dadurch wird das gebotene Handeln aber nicht nur seinem sachlichen Gehalt nach bestimmt, sondern auch nach seiner persönlichen Wirklichkeit im Menschen. Gottes Gebot fordert nämlich weiter, daß der Wille *allein* durch Gottes guten Willen, also durch das reine Wohlgefallen an seinem Gesetz[27] bewegt und daß er ganz des Menschen *eigener* Wille sei.

Gottes Gebot muß also um seiner selbst willen erfüllt werden. Das bedeutet negativ: der Gehorsam darf nicht als Mittel zum Zweck geschehen, sondern er muß reiner Gehorsam sein, dessen Sinn eben darin liegt, Gottes gutem Willen zu entsprechen. Er muß also streng theonom begründet sein, nicht heteronom. Luther grenzt den rechten Gehorsam damit ab zunächst gegen die Motivierung durch innerweltliche Zwecke, also zum Beispiel durch die Rücksicht auf Ehre und Schande in der menschlichen Gesellschaft. Mag man den Appell an Ehre oder Schande pädagogisch jungen Leuten gegenüber für erforderlich halten – mit dem Wesen des Gebotes Gottes und des rechten Gehorsams, wie Gott ihn

24. 10 III, 217,7; – 238,20: Eine Jungfrau soll mit ihrer Frömmigkeit dienen einer Huren, ein weiser Mann einem Narren, ein Frommer einem Sünder, der Rechtfertige dem Irrigen. – 11, 76,27; – 12, 470,27.

25. 7, 37,32: Siehe, also müssen Gottes Güter fließen aus einem in den anderen und gemein werden, daß ein jeglicher sich seines Nächsten also annehme, als wäre ers selbst. Aus Christo fließen sie in uns, der sich unser hat angenommen in seinem Leben, als wäre er das gewesen, das wir sein. Aus uns sollen sie fließen in die, so ihrer bedürfen, auch so gar, daß ich muß auch meinen Glauben und Gerechtigkeit für meinen Nächsten setzen vor Gott, seine Sünde zu decken, auf mich nehmen und nicht anders tun, denn als wären sie mein eigen, eben wie Christus uns allen getan hat. Sieh, das ist die Natur der Liebe, wo sie wahrhaftig ist.

26. 10 I, 2,38,20.   27. 5, 33,18.

will, ist ein solcher Appell unverträglich. Wem es um den rechten Gehorsam zu tun ist, bedarf eines solchen Motivs nicht. Er läßt sich bewegen oder soll sich bewegen lassen allein durch Gottes Gebot selbst, das heißt: durch die Furcht Gottes, durch Glaube und Liebe zu Gott. Ein Handeln, das durch die Rücksicht auf Ehre und Schande bestimmt wird, mag vor den Augen der Welt gut sein, bei Gott ist es nicht gut und gilt nichts[28].

Der Gehorsam darf aber auch nicht als Mittel zum Zweck für das überweltliche Ziel der Seligkeit zu stehen kommen. Was Luther von den Kindern Gottes sagt, das will auch Gottes Gebot: »Die Kinder Gottes tun aus Lust und umsonst das Gute, suchen keinen Lohn, sondern allein den Ruhm und den Willen Gottes, bereit, das Gute zu tun, auch wenn es, was unmöglich ist, weder einen Himmel noch eine Hölle gäbe[29].« Gott wird den Gehorsam lohnen, aber wer den Lohn begehrt und deswegen gehorchen will, der gehorcht nicht wirklich und geht daher auch des Lohnes verlustig. Solche Leute haben nicht Gottes Ehre und Willen im Auge, sondern suchen mit argem, eigennützigem Auge das Ihre auch bei Gott[30]. Wie sollten sie da das Ziel des Menschen, das Reich Gottes erlangen können und seine Seligkeit? Man kann und darf das Reich Gottes nicht als Erfüllung des natürlichen Glücksstrebens verstehen und begehren; vielmehr umgekehrt: das Reich selbst ist die Seligkeit (»das heißt selig sein, wenn Gott in uns regiert und wir sein Reich sein«) – daher muß man die Herrschaft Gottes, die gewiß unsere Seligkeit ist, um ihrer selbst willen begehren und nicht etwa als Mittel zur Seligkeit. Sonst bekommt man keins von beidem, weder das Reich noch die Seligkeit. Denn diese ist nur die »Folge« des Reiches[31]. Sie ist die von uns abgekehrte Seite des Willens Gottes. Sie kann nicht geradezu und für sich begehrt werden. Alles in allem: wir sollen fromm sein, rein um des Frommseins willen, das heißt aber: um Gottes willen[32].

Die Schärfe, mit der Luther den Eudämonismus abweist, drückt sich beson-

---

28. 6, 220,34.

29. 18, 694,17 (aus dem Lat.); – 5, 33,18: Est autem voluntas haec purum illud beneplacitum cordis ac voluptas quaedam in lege, quae non quaerit, quid lex promittat nec quid minetur, sed solum id, quod lex sancta, justa, bona est.

30. 18, 694,15: Quia si bonum operarentur propter regnum obtinendum, nunquam obtinerent et ad impios potius pertinerent, qui oculo nequam et mercenario ea, quae sua sunt, quaerunt etiam in Deo.

31. 2, 98,29.

32. 7, 801,6: Wir sollen nicht fromm sein, etwas damit zu verdienen oder meiden, denn das sind allesamt Mietlinge, Knechte und Tagelöhner, nicht freiwillige Kinder und Erben, welche nur fromm sind um der Frömmigkeit willen selbst, das ist um Gottes willen allein, denn Gott ist die Gerechtigkeit, Wahrheit, Gutheit, Weisheit, Frömmigkeit selbst. Und wer nicht mehr sucht denn Frömmigkeit, der sucht und findet Gott selber. Wer aber den Lohn sucht und Pein fleucht, der findet ihn nimmermehr und macht Lohn zu seinem Gott. Denn warum der Mensch etwas tut, das ist sein Gott.

ders stark aus in seinem Satz: Was der Mensch aus Furcht vor der Strafe, die das Gesetz androht, oder aus Begierde nach dem Lohn, den das Gesetz verheißt, tut, das ist gar nicht sein eigenes Werk, sondern vielmehr Werk des Gesetzes, ihm durch des Gesetzes Drohen oder Locken abgedrungen. Nicht des Menschen eigener persönlicher Wille, sondern der psychische Zwang des Gesetzes, sofern es ihn bedroht oder lockt, drückt sich in solchem Handeln aus[33]. So versteht Luther den paulinischen Begriff »des Gesetzes Werke« in abwertendem Sinne. Der Mensch ist in ihnen nicht drin mit seinem Herzen. Gott will aber das wahrhaft eigene Werk des Menschen. »Ein jeglicher muß durch sein eigen Werk selig werden[34].«

Luther steht in der Auslegung des Gebotes Gottes streng wider allen ethischen Eudämonismus, auch gegen den religiös-transzendenten. Der Wille des Menschen, der das vom Gesetz gebotene tut, muß ganz und rein auf das Gute, auf Gottes guten Willen gerichtet sein, in klarer Einfalt des Beweggrundes, ohne zur Seite zu schielen auf eigenes Glück. Diese Strenge hat Kant in seiner praktischen Philosophie wieder aufgenommen. Der Mensch soll in seinem Handeln durch nichts anderes bestimmt sein als durch die Achtung vor dem Sittengesetz. Aber eben hier scheiden sich dann doch die Wege. Kant weiß, daß der Kern des Sittengesetzes in der Bibel das Gebot der Liebe zu Gott und zum Nächsten ist. Und er fährt fort: Gott lieben heißt »seine Gebote gerne tun«, den Nächsten lieben heißt »alle Pflicht gegen ihn gerne ausüben«. Dieses »gerne tun« kann uns aber das Gesetz nicht gebieten, sondern nur das Streben danach. Das »gerne tun« ist ein Ideal, dem wir uns in einem stetigen, aber unendlichen Fortschreiten anzunähern streben sollen[35]. Aber was bei Kant als Ideal zu stehen

33. 2, 492,23: Ideo opera legis appellat (Paulus) ad differentiam operum gratiae seu operum dei, quia opera legis vere legis sunt, non nostra, cum non fiant voluntate nostra operante, sed lege per minas ea extorquente vel per promissa eliciente. Quod autem nostra voluntate libere non fit, sed alio exigente, jam non nostrum sed exactoris potius opus est. Ejus enim sunt opera, quo operante fiunt. Sed fiunt imperante lege, non lubente voluntate. – 10 I, 1, 450; 451,10: Ein jeglich Mensch, dieweil er noch in der Natur ist, außer der Gnaden, tut er nicht, was er will, sondern muß tun, was das Gesetz, sein Zuchtmeister, will ... Darum, dieweil solche Werk nicht seines freien Geistes sind, so sind sie nicht sein, sondern des zwingenden und treibenden Gesetzes, das wohl der Apostel solch Werk nicht unsere Werke, sondern des Gesetzes Werk nennt. Denn was wir nicht mit Willen tun, das tun wir nicht, sondern der, von dem wir gezwungen werden.

34. 10 I, 1,451,25.

35. *Kant:* Kritik der praktischen Vernunft. Vgl. Reclam, S. 101 f.: Jenes Gesetz aller Gesetze (Liebe zu Gott und zum Nächsten) stellt also, wie alle moralische Vorschrift des Evangelii, die sittliche Gesinnung in ihrer ganzen Vollkommenheit dar, so sie als ein Ideal der Heiligkeit von keinem Geschöpf erreichbar, dennoch das Urbild ist, welchem wir uns zu nähern und in einem ununterbrochenen, aber unendlichen Progressus gleich zu werden streben sollen.

kommt (denn der irdische Mensch bedarf immer »Selbstzwang, das ist innere Nötigung zu dem, was man nicht ganz gern tut – zu dieser Stufe der moralischen Gesinnung aber kann es ein Geschöpf niemals bringen«), eben das ist für Luther klares Gebot Gottes an den Menschen, nicht als ein in unendlicher Annäherung anzustrebendes Ziel, sondern für heute und jetzt. Das Ideal kann warten, das Gebot nicht. Kant ermäßigt die Schärfe des Gebotes Jesu im Blick auf den empirischen Menschen und sein Versagen gegenüber dieser Höhe der Forderung; Luther läßt das Gebot sagen, was es sagt, auch wenn niemand es erfüllen kann. Ja, Gott fordert für heute: »Du sollst lieben.« Das heißt: der Gehorsam gegen Gottes Gebot soll mit fröhlichem Herzen, »im Geiste der Freiheit« geschehen[36]. Einen »Selbstzwang« läßt Gott nicht gelten. In dem Gehorsam muß der ganze Mensch drin sein, einschließlich seines Empfindungslebens, der unwillkürlichen Triebe und Neigungen des Gemüts. Gott fordert nicht nur den bewußten Willen, sondern »des Herzens Grund[37]«. Es darf nicht so sein, daß das Empfindungsleben das Gebot lieber nicht sähe und es wegwünscht. Nein, es muß mit ihm in unmittelbarer Freude eins sein. Was nicht unmittelbar, von allen Kräften, selbstverständlich geschieht, was nur Sittlichkeit des bewußten Willens ist, im Widerspruch zu dem, was der Mensch nach seinen geheimen Neigungen möchte, das hat vor Gott keinen Wert. »Wie soll das Werk Gott gelüsten, das aus einem unlustigen und widerwilligen Herzen gehet[38]?« – »So große Lust mußt du haben zur Keuschheit als große Lust du hast gehabt zur Unkeuschheit[39].« Das heißt: Das Gute muß uns eben so natürlich sein wie unserem alten Menschen das Böse; unser ganzes Wesen muß ebenso elementar dahin drängen. Dem rechten Tun muß »Leichtigkeit des Gemütes« eignen[40].

36. 56, 205,22: Man muß das Gesetz halten hilari et pura voluntate. – 2, 500,24: cum nullum opus bonum fiat, nisi hilari volente gaudenteque corde fiat, id est in spiritu libertatis. – 5, 564,20: Gott will hilares gratuitos operarios in lege sua.
37. DB 7, 3,24; 5,5: Wo nun nicht ist freie Lust zum Guten, da ist des Herzens Grund nicht am Gesetz Gottes. – 31 I, 421,37: Wo das Herz nicht im Werk ist, da ist keine Wahrheit noch rechte Werk. – 7, 800,20: Denn Gott will nit allein solch Werk haben, sondern daß sie mit Lust und Willen geschehen. Und wie Lust und Wille nicht drinnen ist, sind sie tot vor Gott.
38. DB 7, 7,10 f.
39. 10 III, 88,22.
40. 56, 205,26: prompti ad opera bona, etiam facilitate animi. Die volle *facilitas* setzt freilich voraus, daß die *concupiscentia* ganz ausgelöscht ist. Das wird erst im kommenden Leben so sein. Aber es fängt jetzt schon an. – 2, 493,1: Opera pacis et perfectae sanitatis, quae, extincta concupiscentia, plenissima facilitate et suavitate fiunt, quod in futura vita erit, hic incipitur.

Der Mensch in der Sünde

Vom Erkennen der Sünde

Der Mensch erkennt seine Sündigkeit nicht von selbst, jedenfalls nicht in ihrem eigentlichen Wesen und in ihrer Tiefe. Zu einem Teil hat er freilich von Natur Erkenntnis der Sünde. Ihm ist ja von Natur das Gesetz ins Herz geschrieben. Soweit er es vernimmt, weiß er auch darum, daß er es übertritt, also daß er Sünde tut[1]. Aber wie ihm der Tiefgang der Forderung Gottes im Gesetze ohne sein Wort und die Erleuchtung des Heiligen Geistes verborgen bleibt, so auch die Sünde in der Tiefe des Herzens, die innere Unreinheit. »Des Menschen Herz ist so tief, daß es nicht von uns selbst erforscht werden kann.« Daher die Bitte des Psalmisten, daß der Herr ihn seine Sünde erkennen lasse[2]. Die Sünde ist ein unendlich Großes, vollends die gegen das Erste Gebot – »welch ein Abgrund ist der Unglaube!« –, wie sollte der Mensch sie von sich aus ausloten und aussagen können[3]! Er erkennt von Natur vielleicht einzelne Sünden, aber nicht die »Grund-, Haupt- und eigentliche Tod-Sünde«, die Ur- oder Erbsünde, deren Wesen der Unglaube an Gott und seinen Christus ist, die Sünde wider das Erste Gebot. Der Mensch weiß auch nicht, woher sie kommt. Das alles sagt ihm erst Gottes Wort[4]. Die Schrift ist es, die uns bezeugt, daß wir nicht nur hie und da sündigen, sondern daß nichts Gutes in der Natur des Menschen sei und, was an Gutem etwa da ist, mißbraucht werde[5]. Im Lichte des Wortes, durch das Gesetz Gottes, wird der Mensch seiner Sünde ganz gewahr. Aber auch dann erkennt er die Sünde in ihrer Furchtbarkeit und Todesmacht nur wie von ferne und verschleiert. »Wenn ein Mensch die Größe der Sünde fühlte, so würde er nicht einen Augenblick mehr leben, solche Gewalt hat die Sünde.« Zu ertragen ist diese Erkenntnis nur unter dem Zuspruch des Evangeliums[6].

Demgemäß entwickelt Luther selber seine Lehre von der Sünde immer wie-

---

1. 39 II, 367,1: Habet quidem aliqua ex parte naturaliter cognitionem peccati. Nam lex est illi naturaliter inscripta et impressa.
2. 39 II, 232,8.
3. 39 II, 366,21. – 8, 115,4: Neque enim malum ejus (peccati) ullus hominum unquam investigare aut comprehendere penitus potuit, cum sit infinitum et aeternum.
4. 39 I, 84,10: Peccatum radicale, capitale et vere mortale est incognitum hominibus in universo mundo. 14: Nullus ex omnibus hominibus cogitare potuit peccatum mundi esse, non credere in Christum Jesum crucifixum. – 39 II, 365,25: Homo sua natura non solum nescit, unde peccatum sit, sed ipsum peccatum nescit. Manet autem cognitio peccati in homine per verbum Dei. – 366,20. – 8, 104,7.
5. 39 I, 86,5.
6. 39 II, 210,20.25: Ex quo patet, et nos non intelligere veram peccati definitionem, sed tantum simulacra et ambigua (E. Hirsch: Hilfsbuch z. Studium der Dogmatik, S. 155 übersetzt: »Schattenbilder und Rätselworte«).

der so, daß er Bibelstellen auslegt, also einen Schriftbeweis gibt[7]. Aber er beruft sich zugleich auf die Erfahrung[8] und redet auf Grund ihrer. Das ist kein Gegensatz. Unter dem Wort der Schrift lernt der Mensch sich selber erst ganz kennen. Und umgekehrt: die Worte der Schrift, jedenfalls die Bekenntnisse der Psalmen und des Apostels Paulus, auf die Luther immer wieder hinweist und sich beruft, drücken die Erfahrung aus, welche Menschen in der Begegnung Gottes mit ihnen an sich selbst gemacht haben. So ist die Berufung auf die Schrift hier zugleich eine solche auf menschliche Erfahrung vor Gott. Das Schriftwort wird in eigener Erfahrung angeeignet. Luther findet in den biblischen Bekenntnissen der Sünde sich selbst wieder.

Es ist ein entscheidendes Anliegen seiner Theologie, daß die Größe und Schwere der Sünde nicht verkleinert und verharmlost werde. Nirgends hat er mit solchem leidenschaftlichen Ernst wider seine Gegner, die scholastischen Theologen, gekämpft, wie in dieser Sache – man denke nur an seine gewaltige Schrift wider Latomus (1521). Hier stand ja das Größte auf dem Spiel, nämlich die Erkenntnis von der unendlichen Größe und Wunder-Herrlichkeit der Gnade, des Heilswerkes Gottes in Jesus Christus. Die Sünde groß machen und die Gnade hoch erheben und preisen, das hängt unlöslich aneinander. Daher wirft Luther den Theologen, welche die Wirklichkeit der Sünde in ihrer ganzen Schwere nicht wahrhaben wollen, vor, daß sie von Christus gar nichts wissen. Zur Ehre der Barmherzigkeit Gottes, zur Ehre Christi, der von der Sünde erlöst, muß die Sünde in ihrem vollen Ernst ohne Ermäßigung erkannt werden. »Man kann die Sünde gar nicht groß genug machen« und »man kann die Herrlichkeit der Gnade gar nicht hoch genug erheben«, das beides bedingt einander, es steht und fällt miteinander. Daß Gott und seinem Christus die ganze Ehre werde, das ist Luthers tiefstes Motiv bei dem unerbittlichen Ernst, der unbeugsamen Strenge seines Wortes von der Sünde[9].

Justitia civilis

Luther urteilt über die moralischen Möglichkeiten des Menschen nicht eng. Er kennt eine »Gerechtigkeit«, die der Mensch aufzubringen vermag. Es ist die zwischenmenschliche, die »moralische«, »bürgerliche«, »äußere«, »politische« Gerechtigkeit; sie besteht in der Erfüllung des bürgerlichen oder moralischen Gesetzes im Sinne der zwischenmenschlichen Forderungen[10]. Sie ist der Inbegriff

7. Vgl. vor allem die Schrift gegen Latomus 1521; 8,59 ff.
8. Etwa 10 III, 245,11: Nun gehet in die Erfahrung und sehet an andere Leut und euch selbst, da werdet ihr befinden, daß ihm niemand daraus helfen kann. – 8, 98,15. Da tritt neben die Zeugnisse der Schrift experientia quotidiana nostra et omnium sanctorum. – 109,3; 110,37; 122,42.
9. 8, 108,1; 112,21; 115,2–22.
10. 18, 767,42; – 39 I, 459,11; – 39 II, 289,2.

der politischen Tugenden, wie Aristoteles und Cicero sie lehren. Die besten Männer der Antike haben hervorragende Beispiele für sie gegeben – Luther rühmt sie mit starken Worten[11]. Diese Gerechtigkeit findet sich auch sonst bei den Heiden und Türken. Luther sieht sie weithin in der Geschichte und Gegenwart der Völker. Er spricht von »heroischen Tugenden[12]«. Diese Tugenden und Taten sind nötig, um die Ordnung und den Frieden in den Völkern zu wahren. Gott will und fordert die »bürgerliche Gerechtigkeit«, denn er braucht sie, damit die Welt in Frieden und Ordnung bleibt und sich nicht selbst zerstört. Daher läßt Gott sie in ihrem Bereich gelten, ja, er belohnt und schmückt sie mit den höchsten irdischen Gütern[13].

Aber in letzter Hinsicht gilt sie doch nur vor den Menschen und hat bei ihnen Ehre, nicht auch bei Gott (Luther knüpft an Paulus Röm 4,2 an)[14]. Man muß das »doppelte Forum« unterscheiden, das »theologische« und das »politische«. »Gott urteilt bei weitem anders als die Welt.« (Mit der Welt gehört auch das Urteil des eigenen Gewissens zusammen, solange dieses nicht durch Gottes Geist erleuchtet ist[15].) »Die Gerechtigkeit, die mich vor dem politischen Richter rechtfertigt, ist nicht auch sogleich Gerechtigkeit vor Gott.« Vor ihm und in seinem Gericht hilft sie nicht[16]. Sie genügt vor ihm nicht. Ja, sie ist vielmehr in seinem Urteil nur eine Maske, Heuchelei, Lüge. Denn ihr fehlt »die Wahrheit, die im Verborgenen liegt«, zu der »Gott Lust hat« (Ps 51,8). Das heißt: das äußere Handeln als solches mag als »bürgerliches«, »politisches« in Ordnung sein. Aber Gott sieht auf das Herz. Dieses aber ist trotz und unter der bürgerlichen Rechtschaffenheit unrein. Denn der Mensch sucht in der Tiefe immer das Seine und vertraut auf sich selbst[17]. Gerade die großen Leistungen, die »heroischen Tugenden« sind dadurch entstellt. Luther sieht die großen Männer der Antike und aller Völker durch das Gift des Ehrgeizes, der Ruhmsucht ganz verseucht. Mag Ruhmsucht bei den Menschen als ehrenhaft gelten, vor Gott ist sie Schande, der schlimmste Frevel, nämlich Raub an Gottes Ehre[18]. So weit gehen das menschliche Urteil und das Gottes auseinander. Das gleiche gilt von der moralischen Selbstsicherheit, zu der die bürgerliche Gerechtigkeit verleitet[19].

11. 40 I, 219,22; – 40 II, 389,4; – 18, 742,31.
12. 39 I, 202,14.
13. 8, 104,41. – 39 I, 82,21; 100 f. 202,18; – 39 II, 289,2; – 40 II, 393,33.
14. 39 I, 82,8; 441,5.
15. 8, 67,22; – 39 I, 82,10.
16. 39 I, 230,7.
17. 40 II, 389,10; – 39 I, 82,22; 202,12; 212,11; – 18, 767,42.
18. 6, 220,13; – 18, 742,36; 743,4; – 40 II, 325,22; – 42, 350,22.
19. 39 I, 459,17; – 2, 492,7.

Was ist die Sünde? Die Schrift meint mit dem Wort viel weniger das, was die Menschen gewöhnlich »Sünden« nennen, jedenfalls nicht allein das, sondern auch und vor allem den Wurzelgrund, aus dem die Taten kommen[20]. »Sünde heißet in der Schrift nicht alleine das äußerliche Werk am Leibe, sondern alles das Geschäfte, das sich mit reget und weget zu dem äußerlichen Werk, nämlich des Herzens Grund mit allen Kräften.« Die Schrift »siehet ins Herz« und findet da als »die Wurzel und Hauptquelle aller Sünde« den »Unglauben im Grunde des Herzens[21]«. Luther kann aber auch mit Augustin die Eigenliebe als »Anfang aller Sünde« bezeichnen. Das eine ist mit dem anderen gegeben. Die Eigenliebe sucht das Ihre, »nimmt Gott, was sein ist und den Menschen, was derselben ist, und gibt weder Gott noch den Menschen etwas von dem, das sie hat, ist und mag[22]«.

Der Unglaube, der Mangel an Furcht, Vertrauen und Liebe zu Gott, zeigt sich vor allem in der Undankbarkeit. Sie ist »das allerschändlichste Laster und die höchste Unehre Gottes[23]«. Das liest Luther bei dem Apostel Paulus Röm 1,21. Und zwar hängt die Undankbarkeit wieder an der Eigenliebe, dem Wohlgefallen an sich selbst, dem Selbstvertrauen, dem Sich-Verlassen auf die eigene Gerechtigkeit[24]. Die Menschen behandeln die Güter des Lebens, die sie doch empfangen haben von Gott, nicht als seine Gabe. Sie vergessen über der Gabe den Geber. Sie nehmen die Güter als selbstverständlich ihnen zukommend oder als Frucht ihrer eigenen Arbeit. »Wir gehen damit um, als hätten wir es selbst und nicht Gott geschafft[25].« Aber Gottes Gaben innehaben, ohne sie als solche zu erkennen und zu behandeln, also ohne zu danken, das ist »ebensoviel als gestohlen und geraubt Gut[26]«. Wer in Undankbarkeit über den Gütern Gott verachtet, der treibt Mißbrauch mit ihnen, sowohl gegen Gott wie gegen den Nächsten: gegen Gott, denn die Menschen pochen auf sich selbst, als hätten sie alles sich selbst zu verdanken, und auf irdische Güter, statt sich auf Gott zu verlassen; gegen den Nächsten: da sie die Güter nicht aus Gottes Hand nehmen als sein Lehen, verfügen sie selbstherrlich darüber und benutzen sie zum Schaden ihres Nächsten, als »wären wir selbst Gott und Herren auf Erden«. So folgt aus der Verachtung Gottes die des Nächsten[27].

20. 8, 104,4.
21. DB 7, 6,27; – 31 I, 148,1: seine rechte Hauptsünde, als da ist: Unglaube, Verachtung Gottes, daß er nicht Gott fürchtet, trauet und liebet, wie es wohl sein sollte.
22. 7, 212,4.
23. 31 I, 76,16; – 39 I, 580,13.
24. 56, 178,24; 179,13: quod facit ipsa complacentia sui.
25. 56, 178,26; – 31 I, 433,32; 443,29; 454,13.
26. 31 I, 454,30.
27. 31 I, 438,10; 434,30.

Der Mensch übertritt ständig das Erste Gebot, er setzt nicht sein ganzes Vertrauen auf Gott. Sonst würde er auch in der Trübsal an Gottes Liebe glauben und ihn loben. Aber das bringt er nicht fertig[28]. »Wenn eine Anfechtung kommt oder daß ich sterben soll, so halte ich Gott für den Teufel, ja für einen zornigen Gott, der mir gram sei.« Der Mensch mag sich in guten Zeiten einbilden, er liebe Gott im Ernst. Er kann einen ansehnlichen Schein der Gottes- und Nächstenliebe zustande bringen. Aber nur so lange, als er nicht auf die Probe des Leidens gestellt wird. »Gott hat viele Liebhaber.« Das gilt »im Frieden«. Da ist die echte und die unechte Liebe zum Verwechseln ähnlich und daher die echte verborgen. Anders aber »im Kriege«, das heißt wenn Gott die Menschen schlägt und verstört, wenn der Nächste mich kränkt und alles andere als liebenswürdig ist. Das gleiche gilt von der Freude an Gott und an dem, was er dem Nächsten gibt. »Solange das Wetter heiter ist, loben die Leute, die dem Fleische folgen, Gott und Gottes Gaben an den Menschen – bis sie in einen Konflikt kommen: dann brechen die Werke des Fleisches heraus; sie setzen die gleichen Gaben Gottes, die sie zuvor gelobt hatten, herab und ärgern sich, wenn sie mit solchem Herabsetzen keinen Erfolg haben und ihr Nächster nicht an Ansehen verliert. Niemand glaubt, wie tief die Bosheit des Fleisches ist. So viele verdirbt sie, ohne daß sie es ahnen, bis die Versuchung und die Probe kommt[29].« Äußerlich vermag der Mensch ein »heiliges Leben« zu führen. Aber inwendig ist das Herz ohne Glauben, fürchtet den Tod, steckt voller Ehrgeiz, »und wo es Raum hat, bricht's heraus[30]«. Die wahre Furcht Gottes und das Vertrauen auf ihn müßte sich darin erweisen, daß wir von der Gunst und Ungunst der Menschen unabhängig sind. Aber »wir sind so geartet, daß die Gunst der Leute uns kitzelt. Das ist das Zeichen eines unreinen Herzens« (Luther sagt das zunächst von dem Prediger)[31].

In alledem zeigt sich nun, daß der Mensch nicht wirklich Gott hingegeben ist, sondern sich selbst und das Seine sucht, auch bei Gott und mit Hilfe Gottes[32]. »In allem, was er tut und läßt, sucht er mehr seinen Nutz, Willen und Ehre, denn Gottes und seines Nächsten. Darum sind alle seine Werke, alle seine Worte, alle seine Gedanken, all sein Leben böse und nicht göttlich[33].« Am eindringlichsten hat Luther davon gesprochen in der Vorlesung über den Römerbrief 1515/16: »Der Mensch ist so sehr in sich verkrümmt (incurvatus in se), daß er nicht nur die leiblichen, sondern auch die geistlichen Güter sich selbst zudreht und sich in allem sucht.« Die menschliche Natur »sieht sich allein, sich

28. 31 I, 94,6; – 46, 661,15. 29. 2, 593,14.24 (lat.).
30. 17 I, 240,9. 31. 17 I, 237,7 (lat.).
32. 1, 360,27: dum facit, quod est in se, peccat et sua quaerit omnino. – 40 II, 325,7: omnia incurvata, ich such an Gott, an allen Kreaturen, quod mihi placet. Im Druck (Veit Dietrich) heißt es: non Dei gloriam, sed nostram ipsorum gloriam quaerimus in Deo et omnibus creaturis.
33. 6, 244,10.

allein sucht und erstrebt sie in allen Dingen und über alles andere, was dazwischen liegt, auch Gott selbst, geht sie hinweg, als ob sie es gar nicht sähe, und richtet sich rein auf sich selbst«. – »Sie setzt sich selbst an die Stelle von allem anderen, ja, sogar an die Stelle Gottes selbst und sucht allein das Ihre und nicht das, was Gottes ist. Darum ist sie sich selber der vornehmste und wichtigste Abgott[34].« Sie benutzt also auch Gott[35]. Sie benutzt und bewirtschaftet auch den Gehorsam, die Hingabe an Gottes Willen, für ihre eigenen Zwecke. Sie sieht nicht auf Gottes Willen allein, sondern schielt zur Seite. Daher fehlt ihr jene »Lust, Liebe, Freude«, mit der Gottes Wille getan sein will. Sie ist »unwillig, ja falschwillig fromm«. Sie sucht ihren »Nutz und Wohlgefallen darinnen«. Niemand ist fromm »lauter um Gottes willen oder allein darum, daß es so recht ist«. »Es will und muß die Natur je etwas suchen, darum sie fromm sei, kann und mag nicht um der Frömmigkeit willen fromm sein.« So verkehrt und verfälscht der Mensch in seiner natürlichen Religion fortwährend das Verhältnis zu Gott: er ist nur dazu und nur soweit für Gott da, als Gott ihm für seine eigenen Zwecke nütze ist[36]. Er sündigt ständig wider das Erste Gebot. Was später bei Feuerbach als das Wesen der Religion zu stehen kommt, das ist für Luther ihre ständige tatsächliche Verkehrung. Die Frömmigkeit wird zum Mittel herabgesetzt, statt als das eine höchste Gut erkannt und gewollt zu werden.

Der Mensch sucht sich selbst auch in seinem Ethos. Letzten Endes will er »sich selbst in seinen Werken genießen und sich als Götzen anbeten[37]«. So tritt als weiterer Zug der Eigenliebe, des *amor sui*, zu der Gier, *concupiscentia*, die Hoffart, die *superbia*. Sie entzündet sich gerade an den eigenen sittlichen Leistungen. Mit der niederen Begierlichkeit kann der Mensch durch sittliche Anspannung fertig werden, aber mit der *superbia* nicht, denn sie entsteht eben an den Siegen über Fehler, an den sittlichen Fortschritten[38].

Diese Hoffart und Selbstgefälligkeit wurzelt so tief im Menschen, daß sie sich auch an der Demut und Buße nähren kann. Dabei handelt es sich natürlich nicht um die echte Demut, sondern um die unechte, »gemachte«, denn die wahrhaft Demütigen »werden selbst nimmer gewahr, daß sie demütig sind«. »Rechte Demut weiß nimmer, daß sie demütig ist; denn wo sie es wüßte, so würde sie hochmütig von dem Ansehen derselben schönen Tugend ... kann sich selbst

---

34. 56, 356,4.27; 357,2.

35. 1, 425,2: Contra primum peccant praeceptum, quia non quae dei, sed quae sua sunt in ipso etiam deo et sanctis ejus quaerunt suntque sibi hujus operis sui ultimus (ut dicitur) finis et idolum, utentes deo, fruentes seipsis.

36. 7, 800,24.

37. 1, 358,5: Haec autem tota est perversitas, scilicet sibi placere fruique seipso in operibus suis seque idolum adorare.

38. An einer von mir zur Zeit nicht nachweisbaren Stelle: Multi enim non faciunt peccata, sed omnia bona, et tamen sola superbia subtilissima de ipsis virtutibus nata polluit eos. – 3, 486,24.

nicht sehen noch ihrer selbst gewahr werden ... Die Demut ist so zart und so köstlich, daß sie nicht leiden kann ihr eigen Ansehen, sondern das Bild ist allein dem göttlichen Gesicht vorbehalten.« Also nur Gott sieht die Demut. Wenn sie sich selbst besieht, dann wird sie hochmütig und fühlt es gar nicht[39]. So geschieht es bei dem natürlichen Menschen gerade dann, wenn er es ernst nimmt: eben an seinem Ernst nährt sich seine Eigenliebe. Das sind die »verborgenen Fehle« von Psalm 19,13, vor uns verborgen, weil wir ihnen gerade dann verfallen, wenn wir ein gutes Gewissen haben zu können meinen, zum Beispiel, wenn wir uns demütigen, Selbstgericht halten, uns preisgeben: gerade dann gefallen wir uns eben in unserer Selbstdemütigung, tun uns heimlich etwas zugute auf unsere Buße und Selbstanklage, sind auf unsere Selbstverachtung stolz. So bleibt der Mensch er selbst und bei sich selbst auch im Selbstgericht, in der Verzweiflung an sich selbst. Nicht allein im zuversichtlichen ethischen Idealismus, sondern auch in seiner negativen, enttäuschten Gestalt als ethischer Pessimismus behauptet und genießt er sich. Wie kann er von dieser Dynamik, daß e immerdar sich selbst zuschaut und sich wohlgefällig spiegelt, je loskommen[40]?

Die Hoffart macht alles Tun des Menschen sündig, gerade auch seine »guten Werke[41]«. Aufs schärfste ausgedrückt: »Niemand ist gewiß, daß er nit allzei tödlich sündige um des allerheimlichsten Lasters willen der Hoffart.« Diese Satz, den der Papst in seiner Bulle verurteilte, verschärft Luther in seiner Ver teidigung 1521 noch dahin: »Drum muß ich diesen Artikel auch widerrufen un nun also sagen: Es soll niemand daran zweifeln, daß alle unsere guten Werk Todsünde sind, so sie nach Gottes Gericht und Ernst geurteilt und nit allei aus Gnaden für gut angenommen werden[42].« Das liegt nicht an den guten Wer ken, als einzelne Taten für sich genommen, sondern eben an der Hoffart d Menschen, die sie alle befleckt. Zu dieser aber, zu dem »falschen Vertrauen«, ve leiten die Werke ihrerseits durch ihren »Schein« den Menschen, der nicht in d Tiefe des Gebotes Gottes blickt[43].

Das alles bedeutet: der Mensch sündigt an Gott nicht nur dadurch, daß sein Werke immer »Gesetzeswerke« bleiben, daß er mit dem Innersten nicht dab ist, sondern ebenso – und das ist das schlimmste –, daß er eben dann, wenn

---

39. Magnificat (1520) 7, 561,32; 562,5.19.32; 563,31.

40. 5, 564,28: Ea est carnis nequitia, ut saepius in ipsa media tribulatione et hum litate nos fallat, ut de humilitate ipsa nobis placeamus ac de ipso nostri contemptu, ipsa peccati confessione, de ipsa superbiae accusatione superbiamus. – Das ist das occu tum praesumptionis et superbiae vitium.

41. 7, 433,13; 438,7: Ein frommer Mensch sündigt in allen guten Werken. Ein g Werk, aufs beste getan, ist eine tägliche Sünde nach der Barmherzigkeit und eine To sünde nach dem gestrengen Gericht Gottes.

42. 7, 445,2.17 – 8, 93,18: Omne opus bonum esse peccatum, nisi ignoscat mise cordia.

43. 2, 492,7: opera legis, ... falsam fiduciam hypocritis in specie sua praestant.

es mit dem Gesetz ganz ernst nimmt, seine eigene Gerechtigkeit aufrichten will und sich der Gerechtigkeit, die Gott geben will, verschließt. Er sündigt also gerade mit dem Besten, das er von sich aus kann, eben mit seinen besten Werken. Auch da hat Luther von Paulus gelernt – er beruft sich selber auf Röm 10,2. Er legt die Stelle so aus: Indem die Juden eifern um Gott und der Gerechtigkeit des Gesetzes nachjagen, sind sie dennoch Übertreter des Gesetzes, weil sie nicht »im Geiste« Juden sind, vielmehr hartnäckig der Gerechtigkeit des Glaubens widerstehen. »Was bleibt also übrig, als daß der freie Wille, wenn er am besten ist, am schlechtesten ist, und je mehr er strebt, desto ärger wird und sich verhält[44]?«

Der Wille Gottes ergeht an den Menschen einerseits in den »sittlichen« Geboten der zweiten Tafel, andererseits in den »religiösen« der ersten Tafel, vor allem dem Ersten Gebot. Dem entspricht es, daß die Sünde des Menschen in einem Doppelten besteht: einmal darin, daß er die Gebote nicht erfüllt, sondern übertritt, sodann darin, daß er in seinem Trachten nach Erfüllung, nach Gewinnen des Heils gegen das Erste Gebot sündigt, gegen Gottes alleinige Gottheit, sein alleiniges Schöpfertum, das alleine dem Menschen die Gerechtigkeit bereitet. Der Mensch wird an Gott schuldig, nicht nur in seinem Unernst, sondern auch in seinem sittlichen Ernst. Dieser läßt ihn der schlimmsten, der religiösen Sünde anheimfallen, dem Vertrauen auf sich selbst. Selbstvertrauen statt des Vertrauens auf Gott ist Blasphemie[45]. Diese Hauptsünde wider das Erste Gebot geschieht zuhöchst da, wo die Menschen nicht an den gekreuzigten Christus glauben, den Gott uns zum Heiland gegeben hat[46]. Hier überall geht Luther ganz in der Bahn des Apostels Paulus, dessen Anklage des Menschen, in der Gestalt des Juden, die gleiche Doppelheit zeigt[47].

Die Sünde: der Raub am Nächsten

Wie die *superbia,* die Selbstgefälligkeit und Hoffart, Sünde wider das Erste Gebot, Raub an Gottes Gottheit ist, so wird sie auch an dem Nächsten schuldig. Der Pharisäer verletzt nicht nur den Glauben, sondern auch die Liebe[48]. Er braucht – es ist furchtbar zu sagen – das Versagen und den Fall der Brüder, um sich ihm gegenüber als der Gerechte zu fühlen und zu genießen. Und in dieser Selbstgerechtigkeit sieht er auf die anderen herab. Er nimmt sich ihrer sittlichen Not nicht an, wie die Liebe es fordert, sondern freut sich dieser dunklen Folie für sich selbst. Luther erklärt, eine größere Sünde als diese gebe es auf Erden nicht[49].

44. 18, 760,10; 761,32. 45. 17 I, 233,2. 46. 39 I, 84,15.18.22.
47. Vgl. meine Schrift: Paulus und Luther. 3. Aufl. 1958. S. 49.
48. 15, 673,9.
49. 2, 606,38. – 15, 673,19: Das tut ihm in seinem Herzen sanft (sc. daß ich in Sün-

Das gilt von dem Pharisäer im besonderen, also von dem »Gerechten«. Aber es ist ganz allgemein von den Menschen zu sagen: Die Gaben, die Gott uns gibt, sollten wir in den Dienst des Nächsten stellen. Statt dessen mißbrauchen wir jede Gabe, die Gott uns vor anderen verleiht, dazu, uns über den anderen zu erheben. »Die Vernunft kanns nicht lassen: so sie sich vor den anderen von Gott begnadet findet, sie muß die Nase rümpfen gegen die, die ihr nicht gleich sind[50].« Des Nächsten Leid sollte nach dem Gesetz der Liebe unser Kummer sein. Statt dessen herrscht unter den Menschen die Schadenfreude. »Wo sind aber die, denen es leid darum ist und eine Unlust oder Verdruß daran haben? Wenn du es so ansiehst, ist die ganze Welt ein wütender Hund, der eitel blutige Zähne hat.« Die Schadenfreude ist schon Mord, Übertretung des fünften Gebotes[51]. Kein Mensch erfüllt dieses Gebot im Sinne Jesu. Hier gilt wahrlich nicht: »Du kannst, denn du sollst«, sondern: »Wir müssen es tun und können es nicht.« Was Jesus fordert, geht über unsere Kraft, wider unsere Natur. Luther beruft sich dafür auf die Erfahrung aller Zeiten und des eigenen Herzens. Wir können unserem Herzen nicht gebieten. Das Zürnen wider die Feinde ist unaustilgbar. Äußerlich können wir uns freundlich stellen gegen den anderen, »aber daß du ihm das Herz gebest, das kannst du nicht tun, mach daraus, was du willst, wenn du dich darüber zerreißen solltest«. Daher kann niemand sich selber hier heraushelfen. Die Gebote Gottes, wie Jesu sie auslegt, können nicht als ein sittlicher Aufruf an uns Menschen, wie wir sind, verstanden werden, nicht als Appell an unseren freien Willen; im Gegenteil: sie zeigen uns unsere ganze Ohnmacht. Sie meinen nicht weniger als einen ganz neuen Menschen, die Wiedergeburt. »Du sollst nicht töten« heißt, in der Tiefe genommen, soviel wie: »Du mußt wiedergeboren und ein anderer Mensch werden[52].« Der Mensch sucht eben im Innersten trotz allem Schein der Freundlichkeit sich selbst, daher ist er seinem Bruder trotz allem innerlich verschlossen und feind.

Luther leugnet durchaus nicht die Macht des sittlichen Willens. Der Mensch kann sich mit ihm bewußt dem Gebot Gottes unterwerfen und »Gesetzeswerke« tun. Aber der Wille hat die Grenze seiner Macht an dem Unwillkürlichen. Er reicht nicht bis in »des Herzens Grund« und seine heimlichen Empfindungen, Gedanken, Wünsche. Daher tun wir auch das, was als Handlung richtig ist, nicht »von Herzen«. Der bewußte Wille, durch das Gebot bestimmt, sagt ja,

den stecke): si enim probus essem, non posset gloriari. Num justus est talis? Nullum peccatum majus quam illius in toto mundo. Vgl. das Vorangehende und Folgende.

50. 10 III, 238,22.

51. 27, 264,15.10: Si dico: est eis recht factum, sum occisor.

52. 10 III, 243,14; 244,15; 245,10; 247,1. – 244,19: Darum sind die Gesetze Gottes allein ein Spiegel, darin wir sehen unser Gebrechen und Bosheit und beschließen uns alle unter die Sünden, daß wir uns nicht herausarbeiten könnten mit unserer Hilfe und dem freien Willen, es komme denn etwas anderes dazu.

aber »des Herzens Grund«, das unwillkürliche Triebleben, sagt so oft nein dazu. So wird auch die bewußte Hingabe an Gott durch den heimlichen Widerstand gelähmt. Da sie diesen Widerstand immer erst überwinden muß, und wäre er noch so klein, ist die Liebe zu Gott und zum Nächsten, wo wir sie aufbringen, nicht so frei und freudig, wie Gott sie haben will. An die Bewegung des bewußten Wollens hängt sich im Inneren das Gewicht eines Nicht-Wollens. Daher hat das Wollen statt der »Leichtigkeit«, die der Liebe eignen muß, mehr oder weniger »Schwere«, »Schwerfälligkeit«[53]. Der Mensch ist nicht ganz im Gesetz des Herrn, sondern nur mit einem Teil seiner selbst. Seinem Handeln fehlt die Ganzheit, die volle Echtheit, Freiheit und Freudigkeit, die das Gebot meint. Insofern ist seine Sittlichkeit »Heuchelei«, Hypokrisie, nur Fassade, hinter der es auch ganz anders aussieht, also Sünde[54]. Das gilt nicht nur von dem Menschen ohne Christus, sondern auch noch von dem Christenmenschen. Denn obgleich er den Geist Gottes empfangen hat, ist er zugleich noch »Fleisch«, das dem Willen Gottes widerstrebt. Er sündigt daher auch, wo er recht tut, immer wieder.

Caro

Die *superbia*, der Ich-Wille, der den Menschen weder zur echten Menschennoch zur Gottesliebe kommen läßt, ist nicht eine dann und wann eintretende Entartung, sondern das Wesen des gefallenen Menschen. Das heißt: die Sünde besteht nicht nur in einzelnen Akten oder Unterlassungen, sondern in der Unreinheit des ganzen Wesens. Man darf, wenn man von der Sünde redet, nicht, wie die Gegner, die scholastischen Theologen, nur an die Übertretung des Gesetzes in Gedanken, Worten und Werken denken. Damit faßt man die Sünde nicht tief genug, nämlich die Wurzel von alledem, die eigentliche Krankheit[55].

53. 2, 412,19: Cum nunquam sit sine repugnantia, nunquam sine vitio bene facit, nunquam ergo plene implet legem dei. Quare, ut sic dixerim, noluntas (Nichtwollen) illa legis dei in carne semper est, quando voluntas est legis dei: per hanc bene facit, per illam male facit. – 27: difficultas, quae impedit hilarem et liberam legis dilectionem, officit, quominus legi dei satisfiat, quae non nisi puro et libero animo impletur. – 413,16 ff.: Igitur tantum est ibi peccati, quantum noluntatis, difficultatis, repugnantiae, et tantum ibi meriti, quantum voluntatis, libertatis, hilaritatis. Mixta sunt haec duo in omni vita et opere nostro ... Tota autem voluntas in hac vita non est: ideo semper peccamus, dum bene facimus, licet quandoque minus quandoque magis, secundum quod caro minus fuerit importuna cum suis immundis desideriis. Vgl. schon 1, 367,18. Ferner 8, 95,32: Hoc malo impedimus, ne toti simus in ejus lege, et pars nostri, quae nobiscum pugnat, legi ejus adversatur.

54. 7, 760,1: quicquid enim lege cogente fit, peccatum est, quia non fit voluntario spiritu, sed invita ac per hoc contraria legis voluntate, id quod revera est peccatum.

55. 40 II, 316,9: Non inspexerunt profundius definitionem peccati: esse radicem et morbum ipsum. – 8, 104,6: radicale illud fermentum, quod fructificat mala opera et verba.

»Unser Gebrechen liegt nicht an den Werken, sondern an der Natur; die Person, Natur und ganz Wesen ist in uns durch Adams Fall verderbet[56].« An den Akten erkennt man die Unreinheit der ganzen Natur, das heißt, daß schlechthin nichts anderes in uns ist als die Sünde[57]. Dem Satz der nominalistischen Schullehre *integra sunt naturalia* ist entgegenzusetzen: *naturalia sunt corrupta*[58]. So geht die Sündigkeit des Menschen allen seinen Gedanken, Worten, Taten schon voraus. Diese fließen aus jener[59]. Das ist »die rechte Hauptsünde; wo die nicht wäre, so wäre auch keine wirkliche Sünde. Diese Sünde wird nicht getan wie alle andere Sünde, sondern sie ist, sie lebt und tut alle Sünde und ist die wesentliche Sünde, die da nicht eine Stunde oder zeitlang sündigt, sondern wo und wie lang die Person ist, da ist die Sünde auch. Auf diese natürliche Sünde siehet Gott allein[60].«

Diesen Tatbestand drückt Luther mit Paulus aus in dem Satz: Der Mensch ist Fleisch. »Fleisch« bezeichnet also den ganzen Menschen, sofern er im Widerspruch zu Gott steht[61]. Die Unterscheidung von »Geist« und »Fleisch« ist etwas ganz anders als die von der Schrift (1 Thess 5,23) dargebotene Einteilung des Menschen in Geist, Seele und Leib. Diese ist rein anthropologischer Art, jene theologisch. Sie unterscheidet also nicht Teile oder Stücke der menschlichen Natur, sondern ihre Qualität im Verhältnis zu Gott. Sie bezieht sich daher auf den ganzen Menschen, also auf Geist, Seele und Leib zugleich. Der Mensch kann mit allen drei Schichten entweder »Geist« oder »Fleisch« sein, entweder gut oder böse[62]. Die mittelalterliche Theologie neigte dazu, im Zuge des hellenistischen Dualismus jene beiden Unterscheidungen so miteinander zu verbinden, daß das Fleisch mit der Sinnlichkeit gleichgesetzt wurde. Der Mensch ist »Fleisch« in seiner sinnlichen Begierlichkeit, die sich gegen den Geist, das heißt die Vernunft auflehnt. Demgegenüber erklärt Luther mit Paulus: »Fleisch« ist alles, was »außerhalb der Gnade und des Geistes Christi« ist, alles, was nicht aus dem Glauben geht, also nicht ein Stück des Menschen, nicht etwa nur seine Sinnlichkeit, sondern der ganze Mensch[63]. Der Mensch ist »Fleisch« gerade auch in seiner

56. 10 I, 1, 508,6. – 8, 104,26.

57. 40 II, 322,1: (David) ibi ex isto facto (dem Ehebruch und der Ermordung des Uria) coepit agnoscere ipsum totum peccatum ... Ergo scientia in posterum, scire, simpliciter nihil esse in nobis quam peccatum.

58. 40 II, 323,8.

59. 40 II, 322,20 (in Veit Dietrichs Bearbeitung): ... peccatum esse hoc totum, quod est natum ex patre et matre, antequam homo possit per aetatem aliquid dicere, facere aut cogitare.

60. 10 I, 1,508,20.

61. Luther weiß, daß das Wort »Fleisch« in der Schrift, absolut gebraucht, den Leib und die Leiblichkeit des Menschen bedeutet. Aber wo es dem »Geist« gegenübergestellt wird, bezeichnet es alles, was im Gegensatz zum »Geist« steht. 18, 735,31.

62. 7, 550,19.

Geistigkeit, mit seinem »Herzen«, seiner Seele, »mit seinen besten und höchsten Kräften[64]«, also gerade in seinem Ethos und in seiner Frömmigkeit, als *homo religiosus*. Hier ist der Ort der eigentlich schweren Sünde. Die Selbstgefälligkeit des Menschen, der Dünkel, die Vermessenheit, sein Unglaube, seine Sucht, eigene Gerechtigkeit vor Gott zu bringen, das alles ist etwas Geistiges, aber eben um deswillen und darin ist der Mensch »Fleisch«. »Fleischlich« ist alle Philosophie und Theologie, alle Menschenweisheit, wenn sie nicht den Glauben lehrt[65]. »Geist«, »geistlich« dagegen ist der Mensch, soweit er Gottes Gesetz liebt. So bekommt auch der überlieferte Begriff *concupiscentia*, Begierlichkeit, bei Luther einen neuen Sinn, gemäß der Theologie des Apostels Paulus: *concupiscentia* ist viel mehr als das Begehren der Sinnlichkeit gegen die Vernunft, den höheren Teil des Menschen, nämlich die Auflehnung des ganzen Menschen gegen Gott, die ihren Sitz gerade in seiner Seele und seinem Geist hat. Luther ist sich bewußt, mit alledem den echten Sinn der Begriffe bei Paulus wiederzugeben, der in der altkirchlichen und mittelalterlichen Theologie verfehlt worden ist[66].

63. 2, 509,21 zu Gal 3,3: Ex quo loco claret, carnem non modo pro sensualitate seu concupiscentiis carnis accipi, sed pro omni eo, quod extra gratiam et spiritum Christi est. Die Werkgerechtigkeit der Galater ist caro. – 509,27: Quicquid igitur ex fide non est, caro est. 610,19: Paulus gebraucht caro pro omni eo, quod non est spiritus, id est pro toto homine. – 2, 415,6 von den Gegnern: causa erroris est, quod ... carnem et spiritum distinguunt metaphysice tanquam duas substantias, cum totus homo sit spiritus et caro, tantum spiritus, quantum diligit legem dei, tantum caro, quantum odit legem dei. – 2, 585,31: Ego ... carnem, animam, spiritum prorsus non separo. Non enim caro concupiscit nisi per animam et spiritum, quo vivit, sed spiritum et carnem intelligo totum hominem, maxime ipsam animam. – Weitere Stellen zum Verständnis von »Fleisch« und »Geist« bei Luther DB 7, 12,5; 17 II, 8,11; 11,32. »Fleischlich ist, was durchs Fleisch geschieht, es sei wie heimlich und tief es in der Seele sein kann«; »was der alte Mensch ist mit seinen besten und höchsten Kräften, beide äußerlich und innerlich, als da sind die tiefe Bosheit des Eigensinnes, Dünkels, Vernunft, Weisheit, Vermessenheit in guten Werken, geistlichem Leben, und was denn mehr Gottes Gaben in den Menschen sind.«

64. 18, 743,35; 744,7. – 761,32: At ea ignorantia et contemptus procul dubio non sunt in carne (*caro* hier für Leiblichkeit!) et inferioribus crassioribusque affectibus, sed in summis illis et praestantissimis viribus hominum, in quibus regnare debet justitia, pietas, cognitio et reverentia Dei, nempe in ratione et voluntate atque adeo in ipsa vi liberi arbitrii, in ipso semine honesti seu praestantissimo, quod est in homine.

65. 2, 509,34: Quibus fit, ut omnis omnium hominum, philosophorum, oratorum, etiam pontificum doctrina et justicia carnalis sit, ubi non fidem docent.

66. 2, 585,22 – DB 7, 12,21: Ohn solchen Verstand dieser Wörter wirst du diese Epistel Sanct Pauli noch kein Buch der Heiligen Schrift nimmer verstehen. Drum hüt dich vor allen Lehrern, die anders dieser Wort brauchen, sie seien auch wer sie wollen, ob gleich Hieronymus, Augustinus, Ambrosius, Origenes und ihresgleichen und noch höher wären.

Der natürliche Mensch ist nach Luther ganz Fleisch. Das heißt nicht, daß wir »so schlechthin zum Bösen geneigt« wären, »daß nicht noch ein Teil in uns übrig wäre, der dem Gesetze zugewandt ist«. Mit einer Seite seines Wesens will der Mensch das Gute, allerdings nur mit einer »winzigen Bewegung«[67]. Luther spricht davon, indem er den scholastischen Begriff der *syntheresis* aufnimmt[68]. Aber darauf liegt bei ihm kein Ton. »Mensch im Widerspruch« ist bei ihm im Ernst doch erst der Christ. Bei ihm sind das Gute und das Böse lebenslang in jedem Akt gemischt[69]. Die paulinische Schilderung des Widerstreites im Menschen Röm 7,14 ff. versteht Luther ja nicht von dem natürlichen Menschen, ohne Christus und den Heiligen Geist, sondern von dem Christen, dem der Heilige Geist gegeben ist. Von dem Menschen ohne Christus aber gilt, daß er als ganzer voller Begierden ist, trotz jener »winzigen Bewegung«[70].

Servum arbitrium

Der Mensch ist Fleisch. Das schließt ein, daß sein sittlicher Zustand für ihn unentrinnbar, mit seinen natürlichen Kräften unüberwindbar ist. Luther steht hier scharf gegen Aristoteles und die von ihm bestimmte theologische Tradition. Da wies man hin auf die Bedeutung der Übung. Luther hält entgegen: Liebe, Keuschheit, Demut sind nicht durch Übung zu erlangen[71]. Es bedarf der Wiedergeburt durch den Glauben. Ohne sie ist der Wille des Menschen verknechtet, *servum arbitrium*. Der Mensch steht unter der unentrinnbaren Notwendigkeit, mit allem, was er ist und tut, zu sündigen. Aber das hebt die Verantwortlich-

67. 56, 237,5: Verum quidem esse faceor, quod aliqua bona eo animo possit facere et velle, sed non omnia, quia non sic inclinati sumus ad malum omninô, quin reliqua sit nobis portio, quae ad bonum sit affecta. Ut patet in Syntheresi. – 275,20: Ita enim quia voluntas habens istam syntheresin, qua, licet infirmiter, »inclinatur ad bonum«. Et hujus parvulum motum in Deum (quem naturaliter potest) illi somniant esse actum diligendi Deum super omnia! Vgl. hierzu auch meine Schrift: Paulus und Luther über den Menschen. 3. Aufl. 1958. S. 59 f. *Karl Holl:* Luther[2]. S. 61 f. führt zum Beleg für die Doppelheit von Fleisch und »besserem Ich« im Menschen auch Stellen aus der *Assertio* (1520) an; 8,119; 120. Aber diese gelten, entsprechend Luthers Verständnis von Röm 7,14 ff. nicht von dem Menschen ohne Christus, sondern erst von dem Christenmenschen.

68. Zu Luthers Lehre vom Gewissen vgl. *E. Hirsch:* Lutherstudien I. 1954.

69. 2, 413,16: Mixta sunt haec duo (Fleisch und guter Wille) in omni vita et opere nostro.

70. 56, 275,22 (Fortsetzung der in A. 67 angeführten Stelle): Sed inspice totum hominem plenum concupiscentiis (non obstante isto motu parvissimo).

71. 10 III, 92,19: Da irret Thomas mit den Seinen, das ist mit dem Aristoteli, die da sagen: durch Übung wird einer Virtuosus; wie ein Harfenspieler durch lange Übung wird ein guter Harfenspieler, so meinen die Narren, die Tugenden, Liebe, Keuschheit, Demut durch Übung zu erlangen. Es ist nicht wahr.

keit und die Schuld nicht auf. Der Mensch wird nicht wider seinen innersten Willen gezwungen zu sündigen, sondern erlebt die Unentrinnbarkeit *an* seinem Willen. Er ist notwendig Sünder, aber er ist es mit Willen. »Nicht wider Willen, sondern mit Willen sündigen wir[72].« Der Mensch vermag seinen Grundwillen freilich nicht zu ändern. Aber er ist in ihm selber drin als Person[73]. Er kann seine Unfreiheit zum Guten, seine Verfallenheit an das Böse nicht als ein Schicksal behandeln, nicht als eine naturhafte Wirklichkeit seines Daseins, die er von sich als Person zu unterscheiden vermöchte. Sein Wille ist gebunden, aber er ist und bleibt *sein* Wille, zu dem er sich immer aufs neue wollend bekennt. Daher wird durch die Unentrinnbarkeit, zu sündigen, auch seine Schuld nicht in Frage gestellt. Luther hat immer beides zugleich festgehalten. Schuldig ist und bleibt der Mensch in seiner Sünde, weil ihm das Gesetz gegeben ist, in welchem Gott ihm seinen guten Willen kundtut. Indem der Sünder immerfort wider das Gesetz handelt, ist sein Handeln böse, Schuld[74].

Gott ist es, der den Willen des Menschen gefangenhält. Das ist Strafe der Sünde. Der Mensch hat seine ursprüngliche Freiheit zum Guten durch Gottes Gerichtsfügung eingebüßt. Er ist seiner eigenen Sünde verknechtet. Damit hat Gott ihn zugleich an die Knechtschaft unter den Satan dahingegeben (vgl. S. 144 ff.). Indem der Mensch seiner eigenen Sünde verknechtet ist, ist er dem Satan verfallen. Nun kann er sich nicht mehr von selbst zum Guten wenden[75]. Aber er kann von Gott gewendet werden. Dessen bleibt er fähig. Luther nimmt den scholastischen Begriff der *aptitudo passiva* auf. Ist der Mensch in Sachen seines Verhältnisses zu Gott auch jeder aktiven Fähigkeit zum Guten bar, so ist ihm doch die passive geblieben: von der Gnade, vom Geiste Gottes ergriffen zu werden. Das wird auch durch die Sünde nicht zerstört. Denn es bleibt bestehen, daß Gott den Menschen zum ewigen Leben – ebenso wie zu der Möglichkeit des ewigen Todes – geschaffen und bestimmt hat[76].

72. 39 I, 378,16: Congenita est nobis illa concupiscentia et non est involuntaria, sed est voluptas et voluntas maxima peccandi et in peccato originali, nec possunt peccare involentes. 27 (in einer anderen Nachschrift): Adam peccavit voluntarie et libere et ab illo voluntas peccandi nobis est congenita, ita ut non inviti, sed volentes peccemus. Verum hoc ipsum est malum nostrum.

73. 18, 693,32: qui volenter faciunt bonum vel malum, etiamsi hanc voluntatem suis viribus mutare non possunt. – 39 I, 379,25: habet voluntatem peccandi et voluntarie peccat, non coacte aut invitus, etiamsi per se voluntatem illam nequeat mutare.

74. 16, 143,5: Ille autem, qui facit (malum), malus est, quia legem habet.

75. 18, 636,4; 670,4.

76. 18, 636,16: Homo aptus est rapi spiritu et imbui gratia Dei, ut qui sit creatus ad vitam vel mortem aeternam.

Die Sünde ist Personsünde, die Personsünde zugleich »Natursünde«, das heißt:
sie ist uns mit unserer Natur überkommen. Sie wird unser Schicksal nicht erst
durch die einzelnen Entscheidungen im Leben, sondern ist »mit uns geboren«,
»uns eingeboren«. Sie »heißt darum eine Erbsünde, daß wir sie nicht getan haben, sondern wir bringen sie mit uns von unseren Eltern her und wird uns nicht
weniger zugerechnet, denn als hätten wir sie selbst getan«. Sie kommt zu uns
durch unsere Eltern von Adam her, durch seinen Fall[77].

Adam ist gefallen. Gott hat ihn nicht sündig geschaffen. Luther lehrt mit der
kirchlichen Tradition den Urstand. Adam war »gerecht, fromm und heilig von
Gott geschaffen«, ohne Neigung zum Bösen, nur zum Guten geneigt[78]. Warum
ist er gefallen? Hier entsteht für Luther ein Problem, das vom theologischen
Denken nicht gelöst werden kann, sondern als Rätsel stehenbleiben muß. Auf
der einen Seite ist es für Luther gewiß, daß Gott nicht der Urheber der Sünde
sein kann. Das zu denken verbietet Gottes Heiligkeit und Gerechtigkeit, die
wir erkennen an dem Ernst seiner Gebote. »Der Teufel und unser Wille sind
Ursache der Sünde[79].« Aber auf der anderen Seite sieht Luther sich durch seine
Lehre von der Allwirksamkeit gezwungen, Gott so nahe an die Sünde heran-
zurücken, als es möglich ist, ohne ihn zum Urheber der Sünde zu machen. Wirkt
Gott auch den Sündenfall Adams nicht, so läßt er ihn doch zu[80]. Der Satan
sündigt, indem Gott ihn verläßt[81]. Und wo der Satan nun böse geworden ist,
reizt Gott ihn weiter zum Bösen, ja, er reizt ihn auch, daß er den Menschen
zum Sündigen bringt[82]. Luther will streng unterscheiden: Gott ist nicht *auctor
peccati*, er tut nichts Böses – aber am Ursprung der satanischen und daher auch
der menschlichen Sünde steht ein *deserente Deo* und ein *incitari* durch Gott,

---

77. 17 II, 282,15; 40 II, 379 ff.; – 39 I, 84,16: Hoc est peccatum originale post lapsum
Adae, nobis ingenitum et non tantum personale, sed et naturale.

78. 17 II, 282,29; – 40 II, 323,10: Creavit deus hominem rectum.

79. 39 I, 379,4: Deus non est autor, quia ipse non jussit, sed prohibuit magis, ne
peccemus. Sed diabolus et voluntas nostra sunt causa peccati; – 39 II, 361,10.20:
Hoc non est Deo tribuendum, sed potius defendenda est justitia divina.

80. 18, 712,29.

81. 18, 711,7: Satanae voluntatem malam inveniens, non autem creans, sed deserente
Deo et peccante Satana malam factam arripit. – 18, 710,2: impium esse creaturam
Dei, aversam vero relictamque sibi. – Das Problem steckt in dem Verhältnis des *deserente*
und *peccante* im ersten Zitat, des *aversam* und *relictam* im zweiten. Was ist das Primäre:
daß Gott den Menschen verläßt, ihn sich selber überläßt – oder daß der Mensch sich von
ihm abwendet und sündigt? Oder liegt beides ineinander, so daß nach einem Prius gar
nicht gefragt werden darf?

82. 16, 143,4: Deus incitat diabolum ad malum, sed non facit malum ... (Deus) in
hoc incitat diabolum, ut te in peccatum conjiciat.

unmittelbar (am Satan) und mittelbar (durch den Satan an den Menschen), Abkehr Gottes und Reizen zur Sünde – was beides doch eben keine Urheberschaft Gottes bei der Sünde bedeuten soll. Luther muß beides sagen. Aber was bedeutet das? Heißt es, daß Gottes Wille wider sich selbst ist? Er gibt uns das Gesetz und will, daß wir es erfüllen – und reizt doch den Teufel, uns zur Sünde zu verführen? Es geht hart auf hart – ein unlösbarer Widerstreit für das theologische Denken. Luther weiß zuletzt nur zu sagen: »Das ist zu hoch. Gottes Wille ist da, aber wie das zugehet, das soll ich nicht wissen[83].« Luther steht hier schon vor dem gleichen Problem, das in *De servo arbitrio* die Gestalt der Unterscheidung des verborgenen und des offenbaren Gottes annimmt. Daher entspricht auch der seelsorgerliche Rat, den er den Christen angesichts dieses Problems gibt, ganz dem angesichts des verborgenen Gottes der Allwirksamkeit und des Mysteriums der Prädestination. Der Christ soll sich an den offenbaren Willen Gottes im Gesetz und Evangelium halten; da ist ihm gesagt, was er tun soll. Die Frage, warum Gott so und so handle, zum Beispiel im Reizen zur Sünde, soll er anstehen lassen. Wenn er eingeübt ist durch Gesetz und Evangelium, dann wird er auch das verstehen, was jetzt an Gottes Willen und Handeln so dunkel ist[84].

Das alles gilt auch für die Frage, warum Gott den Fall Adams zugelassen hat, vor dem er Adam doch hätte bewahren können. Luther antwortet darauf zunächst so, daß er die Frage abweist. Gott ist Gott, das heißt: man darf nicht nach einem uns einsichtigen Grunde für seinen Willen fragen, sondern sein Wille ist letzter Grund. Daß er Adam fallen ließ, gehört zu den »Geheimnissen der Majestät«, die wir nicht erforschen, sondern nur anbeten sollen[85]. Aber Luther hat trotzdem an anderer Stelle selber einen Sinn in dem Handeln Gottes mit Adam finden können, sogar in doppelter Weise. Er kann sagen: Gott hat an Adam durch ein furchtbares Beispiel gezeigt, was der »freie Wille« des Menschen vermag, wenn Gott ihn sich selbst überläßt und ihn nicht ständig und immer mehr mit seinem Geiste treibt und stärkt. Gilt das schon von Adam, der damals noch nicht gefallen war, wieviel mehr von uns, die wir gefallen sind? So soll Adams Fall unseren moralischen Hochmut zerbrechen[86]. Er soll uns die völlige Unentbehrlichkeit der Gnade des Heiligen Geistes vor Augen führen und einschärfen. Die zweite Sinngebung dafür, daß Gott Adams Fall zuläßt, ist ein *o felix culpa!* »Wenn man Gott bei dem Jüngsten Gericht fragen würde:

---

83. 16, 143,5.24. Das letzte Zitat im Text nach Aurifabers Bearbeitung der Predigt. In Rörers Nachschrift heißt es: Sed hoc tam excelsum, ut nihil responderi possit nisi quia sic placet deo.
84. 16, 143,9.28.   85. 18, 712,25.29.
86. 18, 675,28.31: Ostensum est ergo in isto homine terribili exemplo pro nostra superbia conterenda, quid possit liberum arbitrium nostrum sibi relictum ac non continuo magis actum et auctum spiritu Dei.

Warum hast du zugelassen, daß Adam fiel, wird Gott antworten: auf daß meine Güte gegen das menschliche Geschlecht erkannt werden könnte, daß ich meinen Sohn gebe für das Heil der Menschen!« Luther fügt hinzu: dann würden wir sagen: »Laß noch einmal fallen alles Geschlecht, auf daß deine Herrlichkeit kundwerde!« Das heißt: ohne den Fall der Menschheit in Adam, ohne die Sünde und Schuld würden wir die ganze Größe der Barmherzigkeit Gottes nie erfahren und kennengelernt haben[87].

Die Sünde pflanzt sich auf dem natürlichen Wege der Zeugung fort, nach Psalm 51,7[88]. Das liegt nicht an der Sündigkeit der ehelichen Gemeinschaft und des Zeugungsaktes – dieser ist freilich, obgleich als solcher von Gott gewollt und ihm wohlgefällig, durch die *libido*, das Lust-Begehren, aus seiner urständlichen Reinheit gefallen und sündig geworden[89] –, sondern an der Sündigkeit des Samens. Aus Adams sündig gewordenem Samen schafft Gott Menschen[90]. Warum er das tut, ist sein Geheimnis, das wir nicht erforschen können. Wir sind also Sünder durch unsere Abkunft von Adam. Luther neigt daher, was den Ursprung der individuellen Seele angeht, mit Augustin zur Theorie des Traduzianismus, ohne ihn dogmatisieren zu wollen[91].

Der Mensch zwischen Gott und Satan

Wenn Luther die Macht bezeichnen will, der jeder Mensch in seinem Sündigen verfallen ist, so spricht er vom »Fleisch«, von »der Welt«, vom »Teufel« – er stellt die drei Begriffe immer wieder nebeneinander. Von jeder der drei Mächte gilt, daß sie zur Sünde verführen und in ihr gefangenhalten, daß sie wider Gott, wider sein Wort und den Glauben stehen. Ihre Wirkung auf uns läßt sich nicht durchweg unterscheiden. Es gilt ebenso von dem Teufel wie von der »Welt«, daß sie Gottes Wahrheit verfolgen[1], und ebenso von unserer »Natur«, dem »Fleische«, der fleischlichen Vernunft wie von Welt und Satan, daß sie dem Wort und Glauben verschlossen und feind sind. Durch unser »Fleisch«, durch »die Welt« wirkt der Teufel. Er ist ja der Herr dieser Welt, wie Luther mit der Bibel sagt. Und doch sind die drei Mächte auch wieder unterschieden. Alle drei bezeichnen das uns als einzelne Übergreifende, Umgreifende des wider-

87. Ti 5071.

88. 40 II, 380 ff.; 37, 55,38.

89. 2, 167,17.35. – 12, 403,29: Wenn es noch könnt geschehen, daß ein Weib ohne männlichen Samen gebären möcht, so wäre dieselbige Geburt auch rein. – Daher wird Christus von der Jungfrau geboren.

90. 18, 784,6; – 37, 55,22.31.

91. 39 II, 341. 349 f. 354 f. 358 f. 390 ff.

1. Für die Welt siehe 18, 766,13; die Welt haßt und verfolgt Gottes Gerechtigkeit, die durch das Evangelium verkündet wird. Das gleiche sagt Luther oft vom Teufel.

göttlichen Willens. Es ist sowohl in uns wie um uns wie »über« uns. Das Böse ist für Luther noch mehr als nur eine die ganze Menschheit umgreifende Macht, nämlich zugleich Wirkung und Bereich eines personhaften Willens, der nicht nur über die einzelnen Menschenwillen, sondern auch über den Gesamtwillen der Menschheit als etwas Eigenes übergreift, übermenschlicher wider Gott gerichteter Wille.

Daß Luther auch eine Lehre vom Teufel bietet, geschieht unter der Autorität der Heiligen Schrift und knüpft zugleich an die kirchliche Tradition an. Aber daß und wie er vom Teufel redet, geht über bloßen Biblizismus und Traditionalismus weit hinaus. Er führt nicht einfach ein Stück theologischer und auch volkstümlicher Überlieferung weiter, sondern bezeugt die Wirklichkeit und Furchtbarkeit der Macht des Teufels aus eigener Erfahrung mit persönlichster Überzeugung in größtem Ernst[2]. Es ist nicht möglich, seine Theologie an diesem Punkt nur als mittelalterliches Erbe verstehen zu wollen, soviel er im einzelnen auch durch den traditionellen Teufels- und Dämonenglauben bestimmt ist. Er hat den Teufel viel ernster genommen als das Mittelalter. »Der Teufel Luthers hat, sozusagen, mehr höllische Majestät als der mittelalterliche Teufel, er ist ernsthafter, gewaltiger und grausamer geworden« (R. Seeberg). Das hängt ohne Frage daran, daß Luther das Wesen der Herrschaft Gottes und Christi mit neuer Klarheit erkannt hat und dadurch auch einen neuen scharfen Blick für die Gegenmacht und die Schwere und Tiefe des umfassenden Kampfes zwischen Gott und der Macht des Widerstandes gewonnen hat. Luther kehrt auch hier zu der Sicht Jesu und des Urchristentums zurück. Sein Reden vom Teufel gehört aufs engste und untrennbar mit dem Zentrum seiner Theologie zusammen. Nur davon soll die folgende Skizze einen Eindruck geben. Sie will also nicht den ganzen Reichtum dessen, was Luther über den Satan gedacht und gesagt hat, ausbreiten[3].

Der Teufel ist der große Gegenspieler Gottes und Christi. Daher kann Luther ihn in allem am Werke sehen, was Gottes eigenstem und letztem Willen mit seiner Schöpfung und mit den Menschen insonderheit widerspricht. Er wirkt also auch in dem Unglück, den Krankheiten und anderen Nöten des Lebens, im Tode: er ist – nach Hebr 2,14 – der Meister und Gewalthaber des Todes[4]. Das Entscheidende aber ist: der Teufel steht in allem wider Gott, als Gottes ursprünglicher und mächtigster Widersacher. Er hat wider Gott sein Reich der Sünde, des Ungehorsams gegründet. Er hat die ersten Menschen zur Sünde verführt und ist noch immer der Verführer und Antreiber. Er wirkt in

2. 23, 70,26: Man wende es hin und her, so ist er der Welt Fürst. Wers nicht weiß, der versuchs. Ich hab etwas davon erfahren. – 26, 500,23: Ich kenne den Satan von Gottes Gnaden ein groß Teil.
3. Dafür vgl. *Th. Harnack*, § 18. – *H. Obendieck:* Luthers Teufelsglaube. 1931.
4. 40 III, 68,10; 69,2.

der Geschichte Gott und Christus, der Wahrheit, dem Evangelium entgegen. Er haßt Christus und verfolgt ihn in seiner Gemeinde[5]. Er steht hinter allen Feinden des Wortes, hinter der Mißdeutung der Schrift, hinter aller Irrlehre und allen »Rotten«, hinter der Philosophie[6]. Er kann das reine Wort, die wahre Lehre nicht leiden, er sucht sie zu verfälschen, vor allem ihren entscheidenden Inhalt, die Rechtfertigung allein durch den Glauben[7]. Er setzt alles in Bewegung, daß er die Lehre von der Rechtfertigung beseitige[8]. Er wirkt die Blindheit für Gottes klare Worte und den Anstoß der Vernunft an ihnen[9]. Er verhärtet die Menschen, daß sie über Gottes Gerichte nicht erschrecken, daß sie nicht zur Erkenntnis ihres Elends kommen[10]. Sein Werk ist ebenso die Sicherheit, Vermessenheit, Stumpfheit wie das hoffnungslose Verzweifeln an Gottes und Christi Barmherzigkeit[11].

Jeder Mensch ist jederzeit von ihm bedroht, der Versuchung durch ihn ausgesetzt. Denn der Teufel hat darin teil an der Dimension gottheitlichen Seins, daß er jedem allgegenwärtig nahe ist[12]. So stehen Gottes Macht und des Teufels Macht einander gegenüber und daher notwendig im härtesten Kampf miteinander, der durch die ganze Geschichte währt und sie in Unruhe hält, der Teufel wider Gott, Gott wider den Teufel, der wahre Gott wider den Gegengott[13]. Denn auch der Teufel will Gott sein: er ist »der Fürst dieser Welt« (Joh 12,31; 14,30), der »Gott dieser Welt« (2 Kor 4,4)[14]. Gott und Teufel streiten um den Menschen[15], um die Menschheit, um die Herrschaft. Es gibt hier keine Neutralität, keinen mittleren Bereich. Wo nicht Gottes und Christi Reich ist, da ist des Teufels Reich[16]. Der Mensch hat in Sachen seines Verhältnisses zu Gott, in Sachen seines Heils oder Verderbens keine Freiheit; er ist immer in der Gewalt ent-

5. 37, 50,15; 39 I, 420,11.   6. 39 I, 180,29.
7. 18, 764,16; – 39 II, 266,10.   8. 39 I, 420,19; 489,4.11.
9. 18, 659,21; – 37, 58,17.   10. 39 I, 429,12; – 18, 679,31.
11. 37, 47,25; 39 I, 426,14; 427,11; – 40 II, 338,50.
12. 23, 70,20 von den »Lehrern und Buchschreibern«, die »nicht denken, daß er um sie her ist«. – 30 I, 142,16: ... wider den Teufel, der immerdar um uns ist und darauf lauert, wie er uns möchte zu Sünd und Schanden, Jammer und Not bringen. 146,27. – Der Teufel ist gerade auch den Theologen ständig nahe. Er kann ihnen »die allerschönsten Gedanken mit der Schrift geschmückt« eingeben, und sie merken nicht, daß sie Irrlehre und des Satans sind.
13. 18, 626,22: Mundus et Deus ejus verbum veri Dei ferre non potest nec vult, Deus verus tacere nec vult nec potest; quid jam illis duobus Deis bellantibus nisi tumultus fieret in toto mundo? – 627,32; 782,30; 39 I, 420,11.
14. 23, 70,8.   15. 18, 635,21.
16. 18, 659,6: Quid enim est universum genus humanum extra spiritum nisi regnum Diaboli ... confusum cahos tenebrarum? – 743,32: Quodsi a regno et spiritu Dei alienum est, necessario sequi, quod sub regno et spiritu Satanae sit, cum non medium regnum inter regnum Dei et regnum Satanae, mutuo sibi et perpetuo pugnantia. – 17 II, 217,20.

weder Gottes oder des Satans[17]. »Der menschliche Wille ist in die Mitte zwischen beide gestellt wie ein Reittier: hat Gott sich darauf gesetzt, so will und geht es, wohin Gott will; hat der Satan sich darauf gesetzt, so will und geht es, wohin der Satan will. Und es steht nicht in der Willkür des Menschen, zu dem einen oder dem anderen Reiter zu laufen und ihn zu suchen, sondern die Reiter selber streiten darum, ihn zu gewinnen und zu besitzen[18].« Dabei gilt von dem Satan, wenn er des Menschen mächtig geworden ist, das gleiche wie von Gott: Er treibt ihn mit der Dynamik seines Willens ohne Rast und Ruhe auf dem bösen Wege voran[19]. Wer nicht von Christus ergriffen und in seines Geistes Gewalt ist, der ist in der Gewalt des Teufels, und dieser läßt sie sich durch keine Macht entreißen außer durch den Geist Gottes, durch den Stärkeren, der nach Jesu Gleichnis über den Starken kommt[20].

Gott reißt in Christus den Menschen aus der Macht des Teufels. Dieser Freiheit vom Satan wird der Mensch in der Taufe teilhaftig[21]. Aber die Freiheit kann nur in lebenslangem Kampf wider den Teufel behauptet werden[22]. Es gibt nur das Entweder-Oder: wider den Teufel kämpfen oder ihm verfallen sein[23]. Die Waffe in diesem Kampf ist das Wort Gottes[24]. Das gilt für den einzelnen Christen wie für die Kirche im ganzen: sie muß durch ihre Verkündigung des Wortes Gottes den Teufel »tot lehren«[25]. Weil er dennoch in der Welt und Geschichte mächtig bleibt – denn der Glaube ist nicht jedermanns Ding –, wartet die Christenheit mit Verlangen des Jüngsten Tages, da Christus, der Wiederkommende, den Teufel endgültig entmächtigen wird.

Der Teufel steht Gott als sein Widersacher gegenüber. Aber obgleich seine Macht und sein Anspruch so groß ist, daß er »Gott dieser Welt« genannt werden kann, wird die alleinige Gottheit des wahren Gottes keinen Augenblick in Frage gestellt. Luther bändigt den Dualismus in die Grenzen der Allmacht

17. 18, 638,9: Erga Deum vel in rebus, quae pertinent ad salutem vel damnationem, non habet liberum arbitrium, sed captivus, subjectus et servus est voluntatis Dei vel voluntatis Satanae.

18. 18, 635,17; 636,4.

19. 31 I, 119,19: Denn der Teufel ist ihr Gott, der sie also treibet, läßt sie nicht feiern noch ruhen, so lange sie etwas vermögen. – 120,20: Und müssen also ins Teufels Dienst einher rennen, stürmen und poltern, wie er sie treibt und jagt, sie können nicht ablassen noch sich aufhalten. – 40 III, 35,17.

20. 17 II, 218,20. – 18, 782,30.

21. 30 I, 217,17; 222,7.

22. 39 I, 420,13: Non est spes pacis, semper in acie standum, semper hic pugnandum erit.

23. 23, 70,11: So wähle du nu, ob du dich lieber willt mit dem Teufel raufen oder lieber sein eigen sein ... Willtu nicht sein eigen sein, so wehre dich, greif ihm in die Haare.

24. 30 I, 127,7; 146,31.

25. 30 I, 129,2.

und Alleinwirksamkeit Gottes. Auch der Satan und sein böses Wirken unterliegen der allmächtigen Wirkung Gottes[26]. Damit ist sofort das andere gegeben: auch der Teufel, unbeschadet seines wider Gott gerichteten Willens und Wirkens, muß doch Gottes Willen über den Menschen und die Welt dienen. Gott stellt ihn in seinen Dienst, benutzt ihn für sein eigenes Werk. Er gebraucht ihn vor allem als Werkzeug seines Zornes[27]. Was Gottes Zorn tut und was der Satan tut, das ist in der Erscheinung weithin das eine und selbe. Der Teufel ist »Gottes Teufel«. Und er bleibt doch zugleich der Teufel, der Feind Gottes, der das Gegenteil will von dem, was Gott will. Wie verhält sich dann bei Luther das Wollen und Wirken des Satans zu Gottes Tun, vor allem zu seinem Zorn? Das ist ein Sonderfall der Frage, wie Gottes Wirken sich überhaupt zu dem seiner Kreaturen verhält, das es umgreift und mit dem es doch nicht identisch ist.

Das Verhältnis des Wirkens Gottes zu dem Wirken der Kreaturen kommt zu hoher Spannung da, wo es sich um Mächte handelt, die das Leben der Menschen bedrohen und zerstören wollen, an Leib und Seele. Was zum Beispiel dem frommen Hiob geschah, das sind wahrlich Teufelswerke[28]. Und doch führt die Schrift es zugleich auf Gott selbst zurück (Hiob 2,3). Was bedeutet das? Wie ist es zu verstehen? »Gott tut es nicht durch sich selbst, sondern durch Mittel oder Werkzeuge[29].« Damit ist zweierlei ausgesagt; einmal daß es Gott selber ist, der durch die Werkzeuge wirkt; zweitens: daß doch in dem einen und selben, was den Menschen Schlimmes zugefügt wird, Gottes und seiner Werkzeuge Tun unterschieden werden müssen.

Zuerst: als solche Werkzeuge benutzt Gott zum Beispiel den Satan; aber Luther nennt unter den Mitteln auch das Gesetz, das dann gleichsam als eine Gott und den Menschen feindliche Macht zu stehen kommt. Gott benutzt auch das Gesetz[30]. Er selber ist es also, den wir in allem, was Schlimmes an uns geschieht, durch die Werkzeuge hindurch am Werke wissen sollen. So stark Luther auch betont, daß der Satan die Gewalt über den Tod hat (vgl. Hebr 2,14)[31], so stark erinnert er zugleich daran, daß nach Psalm 90,3 Gott selber es ist, der uns ster-

---

26. 18, 710,10: Auch der Satan regiert sub motu isto divinae omnipotentiae.

27. 40 III, 519,13 (in Veit Dietrichs Druck): Utitur quidem Deus diabolo ad affligendos nos et accidendos, sed Diabolus id non potest, nisi Deus hoc modo vellet puniri peccatum.

28. 40 II, 416,14: Ista omnia fiunt diaboli operibus. Vgl. 32.

29. 40 II, 416,10: Observare debetis diligenter a prophetis, quod mala pronuncient ab ipso deo venire, quamquam Deus per se non faciat, sed per media, ministros. Folgt Hiob 2,3. – 417,2: Deus facit per instrumentum.

30. 40 II, 417,3: Si lex est instrumentum, deus utitur lege. Et Paulus facit eam personam contra deum. »Victoriam«, inquit Paulus, »dedit nobis« contra legem, quae est quasi inimica dei.

31. 31 I, 149,2: So ist er auch ein Fürst des Todes so lange gewest.

ben läßt: »der du die Menschen lässest sterben[32]«. Der Mensch hat es hier mit Gott zu tun. Unter keinen Umständen darf er das Unglück und den Tod auf eine andere, dämonische Macht zurückführen. Das hieße, mit den Manichäern die Einheit Gottes und des Glaubens an ihn verletzen[33]. Es geht nicht an, nur das Gute und nicht auch das Böse, das uns geschieht, aus Gottes Hand zu nehmen[34]. Gott selber ist es, der immer mit uns handelt, sei es in seinem Zorn, sei es in seiner Gnade. Der Mensch bringt sich um die Begegnung mit Gott in Zorn und Gnade, wenn er das Unglück und den Tod nicht von Gott, sondern von einer anderen Macht sich zugefügt denkt. Er drückt sich dann um die Erfahrung des Zornes Gottes und nimmt ihn als solchen nicht ernst, sondern meint zum Beispiel mit der Antike, den Tod verachten zu können[35]. Und auf der anderen Seite verkennt er, daß das Unglück und der Tod auch Mittel in der Hand der Gnade Gottes sind. Gott benutzt das Unglück, das Leid Leibes und der Seele, den Tod, um die Seinen zu demütigen und sie von dem Vertrauen auf alles Irdische zum Vertrauen auf ihn allein zu führen[36]. Wir haben es nicht im Glück mit Gott und im Unglück mit jemandem anders zu tun, sondern immer mit dem einen und selben Gott, der immer sich selbst gleich und von unerschütterlicher Beständigkeit ist, nicht bald freundlich, bald erzürnt, sondern immer der Barmherzige, auch wenn er mich schlägt[37]. Freilich, das mitten im Unglück, unter seinen Schlägen zu glauben – »das ist eine Kunst«, die nur der Heilige Geist gibt[38]. Denn Gott verbirgt und verstellt sich, während er durch seine Werkzeuge mit uns handelt[39].

So hat der Mensch es zuletzt allein mit Gott selbst zu tun. Und doch, als Werkzeug ist eben auch der Satan oder das Gesetz am Werk. Man soll also Gottes und des Satans Wirken nicht nur in eins sehen, sondern wiederum auch unterscheiden. Wie wir schon hörten: durch sich selbst tut Gott das nicht, was unser Leben zerstört. Aber wieso kann man hier noch unterscheiden zwischen

32. 40 III, 514 ff., bes. 517,13; 518,12.

33. 40 II, 417,20; 40 III, 516,13; 517,10. – 40 II, 417,28: Hoc autem est alium fingere Deum et non manere in simplicitate fidei, quod sit unus Deus. 418,17.

34. 40 III, 517,11: Sed referendum utrumque ad unum et eundem Deum. – 16, 138,9: Quis hoc malum excitavit super nos? Impii dicunt: diabolus, deus est fromm, non facit. Sed deus facit ideo, quia aliter cognosci non potest.

35. 40 III, 517,4: Sic non cogitandum de Deo, ut tantum reservemus misericordiam etc.: hoc est declinare et velle effugere, effugere iram divinam.

36. 40 II, 417,5: Deus dissimulat, donec per instrumenta humana nos humiliet, donec discamus sola misericordia confidere. Vgl. 417,15.

37. 40 II, 417,30: Neque enim Deus est crudelis, sed est pater consolationis (2 Kor 1,3). Quia autem suspendit auxilium, ideo mox corda nostra ex Deo semper sui simili et constanti faciunt Idolum iratum.

38. 40 II, 418,4.9.

39. 40 II, 417,5: Deus dissimulat ...

dem »Teufelswerk«, das der Satan tut, und dem Tun Gottes, der dem Satan doch, wie an Hiob, freie Hand läßt? Auch darauf hat Luther klar geantwortet. Gott und der Satan tun dem Menschen das eine und selbe an – und es ist doch in beiden Fällen denkbar verschieden gemeint und gezielt. Luther sagt es sowohl von Gott wie von dem Satan, daß sie uns anfechten zur Verzweiflung an Gott[40]. Gott zürnt, und der Satan macht dem Menschen Gottes Zorn, zum Beispiel im Sterben, so groß und furchtbar, daß der Mensch nur noch verzweifeln kann[41]. Beide fechten den Menschen an aufs äußerste. Aber Gott tut es zum Heil, um den Menschen von sich selbst und allem Vertrauen auf sich selbst ganz loszumachen und seiner Barmherzigkeit in die Arme zu treiben; der Satan tut es, um den Menschen endgültig von Gott loszureißen. So ist es auch durchaus zweierlei, ja, ein unendlicher Unterschied und äußerster Gegensatz, ob Christus den Menschen mit dem Gesetz schreckt oder ob der Teufel es tut: der eine tut es zum Heil, der andere zum Tode; der Teufel, damit die Menschen an der Vergebung der Sünden verzweifeln, Christus, damit sie an sich selbst verzweifeln und zu der Barmherzigkeit Gottes in Christus ihre Zuflucht nehmen[42]. So hat die Anfechtung immer ein doppeltes Gesicht, eine doppelte Tendenz in sich, Gottes und des Teufels – beide sind widereinander. Sache des Glaubens ist es, die satanische Tendenz in der Anfechtung im Vertrauen auf die in der Not der Anfechtung verborgene unfragliche Barmherzigkeit Gottes zu überwinden, den vom Satan gemeinten Sinn der Not zu vereiteln und den Gottes-Sinn der Not zu ergreifen und dadurch zu verwirklichen. Luther drückt damit aus, daß in den schweren äußeren und inneren Schicksalen auch die Möglichkeit eines dämonischen widergöttlichen Sinnes an den Menschen herantritt: der Gottes-Sinn ist nur so gegeben, daß er zugleich aufgegeben ist, er wartet auf des Menschen Ergreifen im Glauben, und dieses geschieht nicht anders als im Kampf wider den möglichen Gegen-Sinn.

Das alles läßt sich im Sinne Luthers auch so ausdrücken: Gott benutzt den Satan für sein »fremdes Werk«, *opus alienum*, aber er zielt dabei immer auf sein »eigentliches Werk«, *opus proprium* (Jes 28,21; vgl. S. 111). Für Gott ist das *opus alienum* nur Mittel, Durchgang, für den Satan aber das Ziel, der Selbstzweck der Lebenszerstörung. So ist zu verstehen, wie Luther den Satan sowohl als Werkzeug wie als Feind Gottes auffassen kann: Gott gebraucht ihn – und kämpft doch zugleich wider ihn und erlöst von ihm.

40. Vom Satan 40 II, 416,36; 417,1. Von Christus 39 I, 426,18.
41. 31 I, 147,5.14; 159,24.
42. 39 I, 426,14: Sed hoc modo non contristat Spiritus sanctus neque Christus in Evangelio, ut qui adigit ad desperationem causa salutis, non mortis. 426,31: Quare uterque, tam diabolus quam Christus utitur lege in terrendis hominibus, sed fines sunt dissimillimi et prorsus contrarii. 427,21.

Der Mensch unter dem Zorn Gottes

Grund und Wirklichkeit des Zornes

Auf die Sünde der Menschen kann Gott seinem heiligen Wesen nach nicht anders antworten als mit Feindschaft, mit Zorn[1]. Unter Berufung auf Paulus sagt Luther: »Gott ist der Sünde Feind, so ist die Sünde Gott feind[2].« Die Notwendigkeit in Gottes Wesen drückt Luther mit mehreren Begriffen aus, die sachlich doch das Gleiche besagen. Er kann hinweisen auf die Gerechtigkeit Gottes: jede Sünde beleidigt und verletzt Gott, denn die Sünde verletzt die Gerechtigkeit – Gott aber ist in sich selbst die Gerechtigkeit und liebt sie; so trifft und verletzt die Sünde ihn in seinem Wesen[3]. Die Gerechtigkeit Gottes wird der Sünde gegenüber notwendig Zorn. Ebensowohl kann Luther, wie für ihn alle Gebote im Ersten beschlossen sind, die Sünde in ihrem eigentlichen Wesen als einen Angriff auf Gottes Gottheit und demgemäß den Zorn in Gottes Eifer um seine Gottheit begründet sehen. Gott ist der »eifrige« Gott. Er hält mit heiliger Eifersucht – so sagt Luther mit dem Alten Testament – über der Ehre seiner alleinigen Gottheit. Er kann es nicht leiden und nicht gehenlassen, daß man einen anderen zum Herrn habe außer ihm, daß man etwas anderes statt seiner und mehr als ihn liebe – eben dieses aber ist das Wesen der Sünde[4]. Dieser Eifer wird der Sünde gegenüber notwendig Zorn. Er hat den Willen und die Kraft zu strafen[5].

Daher ist Gottes Zorn Realität, und zwar eine furchtbare, die der Mensch nicht ertragen kann[6]. Gottes Zorn hat die Maße seiner Majestät. Wie Gott selber ewig, allmächtig, unermeßlich, unendlich ist, so auch sein Zorn[7]. In seinem Zorn ist Gott wirklich – nach Deut 4,24 – »ein verzehrend Feuer«, das heißt: er »verdirbt in Grund und Boden[8]«.

Luther hat aber auch ganz anders über den Zorn Gottes reden können, und diese Aussagen scheinen in einem unausgleichbaren Widerspruch zu den bisher

---

1. Für Luthers Lehre vom Zorn Gottes ist immer noch *Th. Harnacks* Darstellung das Beste.

2. 10 I, 1, 472,4.

3. 5, 50,6: Omne peccatum primo omnium offendit deum, ipse enim est non solum justitia, sed amor quoque justitiae. – 6, 127,37: Justitia enim dei ipse deus est.

4. 10 I, 2, 361,8: Er ist ein Eiferer, er kanns nit leiden, daß man über ihn etwas lieb habe.

5. 28, 582,2: Deinde zelotes: beide, Kraft und Wille ist da, quod potest et velit strafen.

6. 22, 285,12 (in Crucigers Sommerpostille): Dieser Zorn ist nicht ein schlecht gering Ding, sondern solcher Ernst, den kein Mensch ertragen kann und müssen darunter zu Boden gehen.

7. 39 II, 366,29: infinitum quiddam. – 40 III, 513,1; 567,11.23.

8. 28, 557,8; 558,4; 559,5; 581,13.

behandelten zu stehen. Er erklärt dann: Gott ist in seinem Wesen nichts als eitel Liebe, nicht ein Gott des Zornes und Grimmes, sondern allein der Gnade[9]. Der Zorn Gottes kommt dann offenbar als eine Einbildung des Menschen zu stehen: der Mensch sieht nicht den wahren Gott, sondern einen Götzen, nicht Gott, wie er in Wirklichkeit ist, sondern gleichsam eine Decke, eine finstere Wolke vor Gottes Angesicht. Diese Wolke aber ist im Herzen des Menschen da, also nicht objektiv, sondern subjektiv, nämlich in seinem falschen Denken über Gott, zu dem der Satan ihn immer wieder anficht, verführt[10]. Luther wiederholt in diesem Zusammenhang immer wieder seine Regel: Wie du Gott denkst und glaubst, so ist er, so hast du ihn[11]. Noch mehr: auch die Schrift, wenn sie uns vom Zorne Gottes redet, gibt damit nur unseren subjektiven Eindruck von Gott wieder und will nicht etwa sagen, daß Gott in Wahrheit zürne[12].

Wie soll man diese Sätze und ihren Widerspruch zu jenen starken Aussagen über die Realität des Zornes Gottes verstehen? Man wird ausgehen müssen von Luthers Satz, daß der Zorn Gottes »fremdes Werk« ist, gegen seine Natur, ihm nur abgenötigt durch die menschliche Bosheit[13]. Darin liegt beides: Gottes eigenes Wesen ist die Liebe, der Zorn ist ihm wesenhaft fremd; und doch: angesichts der Sünde ist der Zorn Wirklichkeit, freilich nicht letzte. Der Widerspruch der Sätze Luthers wäre in der Tat unerträglich, wenn er mit der zweiten Reihe seiner Aussagen meinte, daß der Zorn Gottes, den der Mensch zu fühlen behauptet, nichts als Fiktion sei. Aber davon ist keine Rede. Der Gedanke, daß Gott zürne, ist — so will er sagen — freilich falsch, nämlich gemessen an

9. 36, 428,8: Sic deus kann in sua natura und Wesen nicht zürnen, sed ist eitel Güt und Brunst. — 40 II, 363,13: Non est deus furoris, irae, sed gratiae.

10. 32, 328,37: Denn wer ihn für zornig ansiehet, der siehet ihn nicht recht, sondern nur ein Vorhang und Decke, ja ein finster Wolke vor sein Angesicht gezogen. — 40 II, 417,11: In terrore fingo mihi alium deum, iratum ... Ibi statim idolum in conscientia. Et tamen non est verus deus, sed quaedam nubes in corde meo, quod cogito deum iratum. Zum Satan 31 I, 147 ff. 159.

11. 17 II, 66,21: Wie er denn von Gott hält, so findet er ihn auch. — 40 II, 342,16: Sicut cogitas, ita fit. Si credis deum iratum, est ... Ideo sequitur effectus maxime ad cogitationes nostras. Sicut de deo cogito, ita fit mihi. Si ista cogitatio de irato deo est falsa, et tamen fit, quanquam falsa.

12. 24, 169,24 (Bearb. durch Cruciger): Diese Regel muß man oft in der Schrift wahrnehmen, daß von Gott geredet wird, wie wirs fühlen. Denn wie wir ihn fühlen, so ist er uns. Denkst du, er sei zornig und ungnädig, so ist er ungnädig. Also wenn die Schrift sagt, Gott sei zornig, ists nicht anders, denn daß er so gefühlet wird. — 25, 320,34: Spiritus sanctus loquitur ex affectu nostro. Nos enim sentimus veram esse iram tum, cum a domino corrigimur. — Vgl. 1 Kor 11,32, Vulg., wo allerdings corripimur steht.

13. 42, 356,23: Ira vere alienum Dei opus, quod contra naturam suam suscipit cogente ita malicia hominum.

152

Gottes wahrem Wesen, insofern also trügerisch, aber als solcher zugleich doch jetzt, wo der Mensch von Gott so denkt, eine unleugbare Wirklichkeit zwischen Gott und Mensch. Indem der sündige Mensch, der in seiner Sünde gebunden nicht glauben kann, kraft dieses seines Unglaubens Gott zürnend denkt, erfährt er wirklich den Zorn Gottes. Der menschliche Wahn über Gott wird selber Erweisung des Zornes Gottes. Denn wer nicht glaubt, auf dem liegt der Zorn Gottes[14].

Die scheinbar widerspruchsvollen Sätze wollen innerhalb der Dialektik von *opus alienum* und *opus proprium*, von Gesetz und Evangelium verstanden sein. Und zwar so, daß Christus hier die Peripetie ist. Außer Christus steht der Mensch unter dem Zorn[15]. Bei Christus aber, also im Glauben an Christus, ist der Zorn nicht mehr da, ist das fremde Werk als eigenes Werk der Liebe erkannt. Denn Christus hat den Zorn versöhnt. Man muß im Auge haben, zu wem und in welcher Absicht Luther sagt, daß in Gott kein Zorn sei. Er sagt es denen, die meinen, Gottes Zorn erst durch allerlei Leistungen versöhnen zu müssen; den erschrockenen Gewissen, die er ermutigen will, es auf Gottes in Christus erschienene Liebe nun wirklich zu wagen. Umgekehrt: daß Gottes Zorn eine furchtbare Wirklichkeit und keine Einbildung sei, das sagt Luther den Sicheren, die sich um Gottes Ernst betrügen. Ihnen kann er nicht sagen, daß Gottes Zorn nichts sei. Das Evangelium von der Liebe Gottes kann nur dem gesagt werden, der aus der Furcht vor Gottes Zorn herkommt. Ihm darf und muß verkündigt werden, daß in Gott kein Zorn sei. Keiner dieser Sätze gilt »absolut«, an sich, sondern jeder nur relativ, das heißt: bezogen jeweils auf den Menschen in seiner konkreten inneren Lage, als Anrede an ihn.

Es ist also die Dialektik von Gesetz und Evangelium, die sich in den zwei Reihen von Aussagen Luthers über Gottes Zorn ausdrückt. Damit ist schon gesagt, daß die Gewißheit, daß in Gott kein Zorn sei, etwas anderes ist als das Aufgeben einer falschen Vorstellung von Gott. Die Botschaft von Gottes Liebe, ohne Zorn, ist nicht Aufklärung, sondern Verkündigung. Und der Glaube an Gottes Liebe ist nicht bessere Einsicht, sondern ein Wagen auf die Botschaft. Der Glaube ist Bewegung des Herzens, weg von der Furcht vor dem offenkundigen Zorn Gottes, hin zu der Zuversicht zu seiner Liebe. Glaube ist nicht gedanklicher Durchbruch durch den Schein, sondern wagender Durchbruch durch eine vom Gewissen erfahrene Wirklichkeit, der Mut, sie nicht als letzte Wirklichkeit in Gott zu nehmen[16]. Alle Sätze, die den Zorn Gottes leugnen, sind Worte des Glaubens. Und der Glaube hat immer Dennoch-Charakter. Glauben heißt bei Luther: »wider Gott zu Gott dringen und rufen«; »durch

14. Vgl. das *fit* in 40 II, 343,3 (Anm. 11).
15. 28, 117,30.
16. Vgl. auch *Th. Harnack:* Luthers Theologie I. S. 296 (neue Ausgabe von 1927 I, 226).

seinen Zorn, durch Strafe und Ungnade zu ihm durchbrechen[17]«. So hat das Glauben den Charakter des Kampfes: der Mensch ringt darum, daß er das Bild des Zornes Gottes in sich wegtreibe und das seiner Barmherzigkeit ergreife[18]. Die Kraft dazu hat er aber nicht aus sich selbst. Gottes Gnade und Geist müssen sie ihm geben[19].

Dem Glauben, der Gott anruft, wandelt sich der »Zorn der Strenge« in den »Zorn der Barmherzigkeit«[20]. Der Zorn wird verstanden als Gottes »fremdes Werk«, hin auf sein »eigentliches Werk«, die Liebe. Die Schläge Gottes werden, statt als endgültiges Verstoßen, vielmehr als Mittel seiner erziehenden und erneuernden Liebe, als väterliche Züchtigung erkannt. Daß Gottes Zorn im Dienst seiner Liebe steht, das ist nicht eine allgemeine, selbstverständliche Wahrheit. Das von Gottes Gesetz getroffene Gewissen weiß nicht von ihr und hat sie nicht zur Verfügung. Erst im Glauben an das Evangelium erkennt das Herz von hintennach den Liebes-Sinn des zürnenden Waltens Gottes.

Die Erfahrung des Zornes

Die größte Schwere des Zornes Gottes ist es, wenn Gott gar nichts unternimmt, schweigt und den Sünder nicht straft, sondern ihn seines bösen Weges gehen läßt. Demgegenüber ist es schon ein Zeichen seines Erbarmens, das den Menschen nicht losläßt, wenn er ihn mit harten Strafen schlägt[21]. Unsere Vernunft meint es gerade umgekehrt. Daher merkt auch der natürliche Mensch von sich aus nicht, daß Gottes Zorn über ihm ist. Solange Gott nicht mit schweren Schicksalen über den Menschen kommt, ihm in den Weg tritt, ihn schlägt, ist der Mensch verstockt und sicher auf seinem Wege. Luther hat das sehr eindringlich dargestellt in seiner Auslegung des Propheten Jona. Das Unwetter ist losgebro-

17. 19, 223,15.

18. 40 II, 342,9. David sagt in Ps 51,3 »Miserere ... «; ergo significat, se sub ira et dignum ira, et tamen sic pugnat, ut abigat spectaculum irae et misericordiae apprehendat.

19. 19, 229,29: Zuerst gibt er Gnade und Geist, das Herz aufzurichten, daß es an Gottes Barmherzigkeit gedenke und lasse die Gedanken vom Zorn fahren, wende sich von Gott dem Richter zu Gott dem Vater. Aber das ist nicht Menschen Kraft.

20. 3, 69,24: alia est ira misericordiae, alia severitatis. — 56, 197,8 unterscheidet Luther die *ira indignationis sive ira furoris* oder *ira severitatis* von der *ira benignitatis et flagellum patris.*

21. Ti 5554 a; 6690; 1179: Wenn Gott redet, zürnet, eifert, strafet, übergibt uns den Feinden, schickt über uns Pestilenz, Hunger, Schwert und andere Plagen, so ists ein gewiß Zeichen, daß er uns wohl will und günstig ist. Wenn er aber spricht: Ich will dich nicht mehr strafen, sondern schweigen und meinen Eifer von dir nehmen, dich in deinem Sinnchen lassen hingehen und machen, so ists ein Zeichen, daß er sich von uns gewandt hat. Aber die Welt und unser Vernunft kehrets stracks um und hält das Widerspiel für wahr.

chen, aber Jona schläft unten im Schiffe. Das ist ein Sinnbild des Sündenschlafes, dem der Mensch verfallen ist, während doch Gottes Gericht über ihm ist[22]. Kein Mensch fühlt von sich aus Gottes Zorn. Gott muß ihn aufwecken.

Gott kommt über den Menschen mit schweren Schicksalen. Er schlägt ihn durch die Kreaturen mit Unglück und Plagen aller Art, zuletzt durch den Tod. »Alle Kreaturen sind Gottes Ruten und Waffen, wenn er strafen will[23].« Aber auch dann fühlt der Mensch den Zorn noch nicht. Er versteht die Schläge, das Unglück noch nicht als Gericht Gottes und fürchtet sich angesichts ihrer noch nicht vor Gott[24]. Dieser muß ihm erst die Augen öffnen. Sein Mittel dazu ist das Gesetz. Mit ihm trifft er den Menschen im Gewissen und führt ihn zur Erfahrung seines Zornes[25].

Das Gesetz ist ursprünglich nicht Mittel des Zornes Gottes (vgl. Luthers Lehre vom Gesetz und Evangelium, S. 218). Im Urstande konnte der Mensch es erfüllen. Daher drückte es nicht auf ihn, sondern war ihm zur Freude[26]. Aber nach dem Fall ist das ganz anders geworden. Der Mensch vermag das Gesetz nicht mehr zu erfüllen. Dadurch wurde es, vorher für den Menschen ein Mittel der Gemeinschaft mit Gott, nunmehr Werkzeug seines Zornes.

Freilich, nicht alle Menschen erfahren es ohne weiteres als solches. Luther unterscheidet eine doppelte Haltung gegenüber dem Gesetz und dementsprechend zwei Gruppen von Menschen oder auch zwei Stadien im Verhältnis zum Gesetz[27]. Die einen nehmen das Gesetz in seinem nächsten groben Sinn. Sie meinen es halten zu können, führen ein anständiges Leben und glauben, damit ihm genuggetan zu haben, und fühlen sich in dieser ihrer Gerechtigkeit. Sie bilden sich ein, Gottes Gesetz zu lieben. Aber in Wahrheit lieben sie es nicht von Herzen, sondern hassen es im Innersten. Die äußere Erfüllung verdeckt die Unreinheit des Herzens. So ist ihre angebliche Erfüllung des Gesetzes Heuchelwerk, Selbstbetrug, Lüge[28]. Sie sündigen in doppelter Weise gegen das Gesetz: einmal

22. 19, 209,19: Weil aber Gott schweigt und still hält mit der Strafe und wehret der Sünde nicht oder schlägt nicht so bald drein, so ists der Sünden Natur und Art, daß sie den Menschen verblendet und verstockt, damit er sicher wird und sich nicht fürchtet, sondern legt sich dahin und schläft und siehet nicht, welch ein groß Wetter und Unglück über ihn vorhanden ist. Siehe weiter 28.

23. 17 II, 59,2.5.

24. 40 III, 567,3.

25. 19, 210,7; 226,12: Denn so fühlet sichs auch im Gewissen, daß alles Unglück, so uns überfällt, sei Gottes Zorn, und alle Kreaturen dünken einem eitel Gott und Gottes Zorn sein.

26. 39 I, 364,10.

27. 5,447 ff. – 10 III, 89,1; – 39 I, 50,22; – 46, 659,25; 660,15.

28. 2, 514,4: Videntur enim sibi legem implere et opera legis facere, sed simulant potius, dum sine gratia nec cor nec corpus mundare possunt. – 5,557,1; – 5, 33,14; – 17 I, 240,9: Non est mihi res cum talibus hypocritis, qui externe agunt sanctam vitam, intus est cor fide carens, timens mortem, cupidum honoris. – 39 I, 569,12.

dadurch, daß sie es nach seinem wahren Sinn und Tiefgang gar nicht erfüllen, sodann dadurch, daß sie, blind für den wahren Sinn des Gesetzes, den Schein des Gehorsams als den wirklichen Gehorsam ausgeben, mit sich zufrieden sind, ja sich ihrer vorgeblichen Gesetzeserfüllung rühmen, also ihre eigene Gerechtigkeit aufrichten[29]. So werden sie am Gesetz erst recht sündig. Sie erfahren zwar Gottes Zorn durch das Gesetz nicht im Bewußtsein, aber erleiden ihn tatsächlich. Daß sie an dem Gesetz so schuldig werden, ist eben Zorn Gottes.

Anders wird es bei denen, denen der Geist Gottes den geistlichen Sinn, die Tiefe des Gesetzes aufgeschlossen hat[30]. Dann spürt der Mensch, was es um Gottes heilige Forderung ist. Sie wächst ihm ins Riesenhafte. Er fühlt, daß er mit ihr nicht fertig wird. Er erfährt, wie das Gebot Gottes, wenn man sich mit ihm eingelassen hat, den Menschen mit unerbittlichem, immer neuem Fordern quält und völlig »aussaugt«. Je mehr er sich müht um die Erfüllung, desto größer wird ihm seine Schuldigkeit. So drückt und quält das Gesetz ihn, macht ihn müde und traurig, erzeugt Widerwillen und Überdruß an ihm[31]. Er muß das Gesetz hassen. Denn er sieht sich durch es in seinem gottwidrigen eigenwilligen Begehren überall gehemmt – und kann doch seinerseits seinen Eigenwillen nicht aufgeben. Daher verfällt er notwendig dem Haß gegen das Gesetz[32]. Zugleich verzweifelt er an Gott, an seiner Barmherzigkeit, an dem eigenen Heil. Denn er erkennt, daß Gott ihm eine unerfüllbare Forderung gestellt hat und daß er, der Mensch, Gott unentrinnbar wider sich hat[33]. Es gibt aber keine größere Sünde als an Gottes Barmherzigkeit zu verzweifeln[34]. Die Verzweiflung an Gottes Barmherzigkeit wird zugleich unentrinnbar zum Haß gegen Gott, der mit seinem Gesetz den Menschen in diese hoffnungslose Lage bringt, zur Empörung

29. 5, 557,4: Ideo statuunt suam justitiam, arbitrantes pro caecitate sua, se legem implevisse. – 6: ... cum hac impietate bis sint maculati et bis perversi, sitque eis lex bis maculata et bis avertens animas eorum, hac ipsa stulta innocentiae et conversionis simulata opinione, semel quod revera nocentes et aversi sint, secundo quod specie operum hanc nocentiam et aversionem vestiunt et jactant superbientes de ipsa vanitate et mandacio. Vgl. weiter 21.

30. 5, 557,10. – 39 I, 50,26: Ubi vero coeperit homo arguente spiritu hanc vim (legis) sentire et intelligere.

31. 5, 556,26: Litera enim occidit et molestat corda, dum nullis viribus nec operibus sentiunt satisfieri exactioni legis, atque quo magis student et operantur, eo magis debere se intelligunt. – 556,20: Neque enim operibus saturatur lex, sed operatores suos infinita exactione penitus exhaurit et varie trahit, unde et contristat, taedio afficit et difficiles, curvos, invitosque reddit. – 559,7: Ita lex eos exhaurit et fatigat, donec consumat eos in aeternum.

32. 5, 557,13: odiunt prohiberi suas concupiscentias et exigi quod non habent.

33. 39 I, 50,26: Ubi vero coeperit homo arguente spiritu hanc vim sentire et intelligere, mox desperat de Dei misericordia; – 557,15; – 559,13.

34. 39 I, 50,26.28: Desperatio autem de misericordia Dei est summum peccatum et irremissibilis, nisi gratia revocet in tempore opportuno.

und Lästerung[35], zu dem leidenschaftlichen Wunsch, es gebe Gott, sein Gesetz, die Ewigkeit gar nicht. Der Mensch möchte Gott am liebsten töten, wenn er könnte[36]. So wird er am Gesetz und durch es immer böser[37]. Darin erweist sich Gottes Zorn über die Sünde. Er zwingt den Menschen durch das Gesetz immer tiefer in die Sünde. »Nie sündigt der Mensch schauerlicher als dann, wenn er anfängt, das Gesetz zu spüren und zu verstehen[38].« Luther beruft sich auf Paulus Röm 7: durch das Gebot wird die Sünde »über die Maßen sündig« (7,13) und: die Sünde tötet den Menschen durch das Gebot (7,11)[39]. So hat Luther von der Wirkung des Gesetzes allzeit gelehrt. Am gewaltigsten hat er das alles ausgesprochen in seiner Auslegung des Psalm 19,9, innerhalb der *Operationes in Psalmos 1519–1521*. Aber er wiederholt es der Sache nach, ja oft mit den gleichen Worten auch in den Disputationen der dreißiger Jahre (wie aus den Stellen, mit denen wir unsere Darstellung belegt haben, zu ersehen ist).

Gerade hier, wo Luther Paulus anführt, tritt trotz des gemeinsamen Grundgedankens der Unterschied zwischen beiden hervor. Paulus stellt nur fest, daß die Sünde durch das Gesetz über die Maßen sündig wird. Er wird dabei im Auge haben, daß die triebhafte Eigensucht des Menschen durch das Gebot gezwungen wird, bewußte Auflehnung gegen Gott zu sein. Darauf kommt es auch bei Luther zuletzt hinaus. Aber er gibt zugleich über Paulus hinaus eine Psychologie des Menschen unter dem Gesetz und schildert im einzelnen, was das Gesetz in der Seele des sündigen Menschen anrichtet. Ferner: Paulus denkt nur daran, daß der Mensch am Gesetz mit Bewußtsein Rebell gegen Gott wird. Luther zeigt daneben auf, wie der Mensch, indem er sich von dem Gesetz Gottes überfordert erkennt, eben dadurch in Verzweiflung und Haß, die schlimmste Sünde gegen Gott, verfällt. Davon steht bei Paulus nichts. Röm 7,7 ff. gibt nicht die subjektive Verfassung des Menschen ohne Christus unter dem Gesetz wieder, sondern seine objektiv verzweifelte Lage, wie sie erst der Glaube an Christus von hinten nach versteht[40].

Das also ist der doppelte mögliche Ausgang für den Menschen unter dem Gesetz: entweder er verkennt den Ernst des Gesetzes – hält es für erfüllbar –, dann verfällt er der gottlosen Vermessenheit und Selbstgefälligkeit; oder er erkennt

35. 39 I, 558,4: (lex) praecipit ea, quae etiamsi cuperemus, tamen non possimus praestare. Ibi necesse est, ut desperem, ut incipiam odisse et blasphemare Deum, qui ita inique videatur mecum agere.
36. 5, 557,25: odiunt testimonia domini nollentque se illis adstringi ... mallent illa invisibilia non esse; 560,9: ... mallentque licere non timere, eligentes impuritatem cordis sui Deum contemnentis et non videntis. – 39 I, 560,4: Haec (d. h. was das Gesetz fordert) tu non facis, et ob id irasceris et blasphemas Deum, ut cuperes et Deum et legem sublatum. – 46, 660,31: und gewollt ich, daß gar kein Gott wäre. – 5, 210,1: blasphemat summam majestatem, quam optat summo nisu non esse, et si posset, non esse faceret. – 39 I, 382,17: Quo magis homo vim legis sentit, eo plus aversatur et odit Deum.
37. 5, 557,14.   38. 39 I, 50,34.   39. 39 I, 50,32.
40. Vgl. meine Auslegung des Römerbriefes[9]. 1959. S. 71. – *R. Bultmann:* Theologie des Neuen Testaments. S. 263.

das Gesetz in seiner Tiefe, sieht seine Unerfüllbarkeit ein – dann verfällt er der Verzweiflung und dem Haß gegen Gott. Ein Drittes gibt es nicht. In beiden Fällen treibt der Zorn Gottes den Menschen in immer größere Sünde hinein[41].

Die zweite Möglichkeit ist nichts anderes als die Hölle[42]. Denn sie bedeutet, daß Gottes Zorn durch das Gesetz den Menschen im Gewissen trifft und es zum bösen Gewissen macht. Das böse Gewissen aber ist die eigentliche Not und Strafe der Hölle. »Die Hölle wird nichts anderes sein als das böse Gewissen selbst. Wenn der Teufel nicht das schuldverhaftete Gewissen hätte, dann wäre er im Himmel. Dieses aber entzündet die Flammen der Hölle und weckt die furchtbaren Martern und die Erinnyen im Herzen ... Der Zorn Gottes ist die Hölle des Teufels und aller Verdammten[43].« Erst durch den Zorn Gottes, der den Menschen inwendig trifft in Gestalt des bösen Gewissens, wird die Hölle zur Hölle. Damit ist gesagt, daß die Hölle schon eine gegenwärtige, weil innerliche Wirklichkeit ist, eben wie das böse Gewissen, wie die Erfahrung des Zornes Gottes durch das Gesetz, das den Menschen im Gewissen trifft. »Ein jeglicher hat seine Hölle mit sich, wo er ist, solange er die letzten Nöte des Todes und Gottes Zorn fühlet[44].« Die Hölle ist also vorerst nicht ein besonderer Ort, sondern eine innere Verfassung des Menschen. Nach dem Jüngsten Tage wird sie dann ein besonderer Ort sein, dahin der Mensch mit Leib und Seele fährt[45].

Die eigentliche Qual der Hölle, wie sie schon in diesem Leben anbricht, besteht darin, daß der Mensch, der im Gewissen fühlt, wie Gott wider ihn ist, es nicht aushält in seiner Nähe. Er sucht vor ihm zu fliehen und kann ihm doch nicht entfliehen; denn Gott mit seiner Allgegenwart begegnet ihm im Gewissen überall, ist ihm mit seinem Zorn nahe, hält ihn mit seiner Allmacht in seinen Händen. Auf der Flucht sein vor Gott und ihm doch nicht entfliehen können, das ist die furchtbare Lage derer, die, im Gewissen wach geworden, Gottes Zorn erleiden müssen. Da verfallen sie dem brennenden Haß gegen den Gott, der sie in seinem Zorn so qualvoll gefangenhält[46]. Sie finden auch nicht zu dem

---

41. 39 I, 50,36: Summa: necesse est vel intellecta lege desperare ignorata gratia Dei, vel non intellecta lege de se ipso praesumere, contempta ira Dei. Vgl. das Weitere.

42. 39 I, 345,27: descendit ad inferos; – 477,1: deducere ad inferos.

43. 44, 617,30. Vgl. 546,32: Absque ea (conscientia) enim si esset, infernus non haberet ignem aut cruciatus ullos. Haec vero inflammat et roborat mortem et infernum; – 500,29.

44. 19, 225,28.

45. 19, 225,34. – 10 III, 192,15: Darum achten wir, diese Hölle sei das böse Gewissen, das ohne Glaube und Gottes Wort ist, in welchem die Seele vergraben ist und verfasset bis an den jüngsten Tag, da der Mensch mit Leib und Seele in die rechte leibliche Hölle verstoßen wird.

46. 5, 209,39: Quaerit enim effugium et non invenit, tunc mox involvitur odium Dei ardentissimum. – 5, 509,7; 603,14. – 19, 223,3: Darum flieht sie (die Natur) auch ewiglich und entfliehet doch nicht und muß also im Zorn, Sünde, Tod und Hölle bleiben ver-

einzigen Weg ins Freie: nämlich daß der Mensch unter Gottes Zorn sich im Gebet, im Schreien an eben diesen Gott wende, von ihm, dem Zürnenden, zu ihm, dem Gnädigen fliehe – dann wäre ihm geholfen; »denn das kann Gott nicht lassen, er muß helfen dem, der da schreiet und ruft«. »Denn auch die Hölle nicht Hölle wäre noch Hölle bliebe, wo man drinnen riefe und schrie zu Gott[47].« Aber das vermag der sündige Mensch nicht. Er ist nicht imstande, sich über seine Erfahrung von Gottes Zorn zu erheben[48]. In seiner schrecklichen IchVerfallenheit, die ihn zum Haß wider Gott führt, kann er Gottes Barmherzigkeit nicht sehen, nicht glauben, er bringt das Vertrauen zu ihr nicht auf[49]. So sucht er anderswo Hilfe vor Gottes Zorn und bleibt eben damit unter seinem Zorn, hoffnungslos verloren[50]. Dieses Gefängnis kann nur Gott selber öffnen, wenn er dem Menschen mit dem Evangelium begegnet und ihm durch seinen Geist das Herz zum Glauben aufschließt.

Gott in Jesus Christus

Die Rezeption des alten Dogmas

»Ich glaube an Jesus Christus« – so hat Luther es als Bekenntnis der Christenheit überkommen[1]. Dieses »Ich glaube« enthält für ihn ohne weiteres die Gott-

dammt. Und hier siehest du der Hölle ein groß Stücke, wie es den Sündern gehet nach diesem Leben, nämlich, daß sie Gottes Zorn fliehen und nimmermehr entfliehen und doch nicht zu ihm schreien und rufen. – 42, 419,5: verus terror nascitur, cum Dei irati vox auditur, hoc est cum sentitur conscientia. Tum enim Deus, qui antea nusquam erat, est ubique, et qui prius dormire videbatur, omnia audit et videt, et ira ejus sicut ignis ardet, furit et occidit. – 40 III, 512,1: Si ergo ille irascitur, nullum est effugium. Haecque erit etiam infernalis poena, quod volent effugere et non poterunt (1 Thess 5,3).

47. 19, 222,11.16.

48. 19, 223,14: Die Natur kann sich nicht über solchen Zorn schwingen oder über solch Fühlen springen und durchhin wider Gott zu Gott dringen und rufen.

49. 5, 209,37.

50. 19, 222,25: Aber es glaubt kein Mensch, wie schwer es wird, solch Anrufen und Schreien zu tun ... Der Natur allein oder einem Gottlosen ists unmöglich, wider solche Last (des bösen Gewissens, in dem man Gottes Zorn fühlt) sich aufrichten und gleich den Gott selber anrufen, der da zürnt und straft und zu keinem andern laufen. Die Natur ist viel mehr geschickt, daß sie fliehe vor Gott, wenn er zürnet oder straft, schweige denn, daß sie sich sollte zu ihm wenden und ihn anrufen, und sucht immer anderswo Hilfe und will dieses Gottes nicht und kann ihn nicht leiden.

1. Zu Luthers Christologie: *Ernst Wolf:* Die Christusverkündigung bei Luther. 1935 (abgedruckt in: Peregrinatio. 1954. S. 30 ff.). – *E. Seeberg:* Christus, Wirklichkeit und Urbild. 1937. – *P. W. Gennrich:* Die Christologie Luthers im Abendmahlsstreit 1524 bis 1529. 1929.

heit Jesu Christi. Denn Glauben ist ein Verhältnis zu Gott: »Zu wem ich sagen soll: Ich gläube und setze mein Vertrauen und des Herzens Zuversicht auf dich, der muß mein Gott sein[2].«

Luther versteht das Bekenntnis zur Gottheit Christi im Sinne des altkirchlichen Dogmas von Christus. Ausdrücklich rezipiert er die großen ökumenischen Bekenntnisse der griechischen und lateinischen Theologie. Er übt, von einzelnen Begriffen abgesehen, keine Kritik an dem überlieferten christologischen Dogma. Er steht zu Athanasius und weist Arius ab. Sein Weihnachtslied »Gelobet seist du, Jesus Christ« betet das Wunder der Inkarnation des ewigen Sohnes im Stil der griechischen Christologie an. Aufs stärkste betont er das aller Vernunft unfaßliche Paradox der Inkarnation: der Schöpfer ist Kreatur geworden[3]. Luther gebraucht, um das Mysterium Jesu Christi auszusagen, in seiner Theologie unbefangen den traditionellen Begriff der »zwei Naturen« und ihrer Vereinigung in der Person des Herrn. Er eignet sich die alte Lehre von der *communicatio idiomatum,* dem Austausch der Eigenschaften der beiden Naturen in der Person Christi, an und baut sie in seiner Abendmahlslehre aus. An dem wahren Gottsein Christi liegt ihm nicht weniger als Athanasius oder Anselm, und zwar auch in dem gleichen Sinne wie diesen. »Wird nun Christo die Gottheit entzogen, so ist keine Hilfe noch Rettung da wider Gottes Zorn und Gerichte[4].« – »Wir Christen müssen das wissen: Wo Gott nicht mit in der Waage ist und das Gewichte gibt, so sinken wir mit unserer Schüssel zu Grunde. Das mein ich also: wo es nicht sollt heißen, Gott ist für uns gestorben, sondern allein ein Mensch, so sind wir verloren. Aber wenn Gottes Tod und Gott gestorben in der Waageschüssel liegt, so sinket er unter und wir fahren empor[5].«

Auch in der Weise wie er die wahre Gottheit Christi begründet, bleibt Luther in der Linie der Tradition. Daß Jesus Christus wahrer Gott ist, das lehrt das Wort Gottes, also die Heilige Schrift, sowohl durch die Selbstzeugnisse Jesu (hier sind vor allem die des Johannes-Evangeliums entscheidend) wie etwa auch durch die berichteten Wunder[6]. Es ist also die Autorität der Schrift, welche die wahre Gottheit Christi verbürgt. Dazu tritt dann die Erwägung,

---

2. 37, 42,1.   3. 37, 43 f.   4. 46, 555,6.

5. 50, 590,11. – 49, 252,9. Auch da redet Luther von dem »Gewicht« der Gottheit; 27: Das Wort (das ist: der Sohn Gottes), das im Anfang war, muß es selbst tun, der ist das Gewicht, das Sünde und Tod niedertritt und verschlinget ewiglich.

6. Vgl. z. B. 10 I, 1,181,8 (zu Joh 1,1 ff.); ... allhie der hohe Artikel von der Gottheit Christi aufs allerklärest gegründet ist. – 37, 40,31. – Weitere Stellen bei *von Walter:* Die Theologie Luthers. S. 212 f. – *Th. Harnack,* § 41, bes. II, 164, 169 ff.: Th. Harnack sagt S. 176 mit Recht: »Luther vertritt diese Dogmen ..., speziell das von der Gottheit Christi, nicht etwa als ehrwürdige Reliquien der alten Kirche und um des Herkommens willen, sondern teils sieht er dieselben klar und fest begründet in der Heiligen Schrift, teils sind sie ihm ein Postulat des Glaubens und für diesen schlechthin notwendig.«

daß solche Werke, wie sie von Christus ausgesagt und auch jetzt erfahren werden, nicht mehr menschliche, sondern gottheitliche Werke sind, und daß Christus nicht unser Erlöser sein könnte, wenn er nicht wahrer ewiger Gott wäre. Entscheidend und primär bleibt aber der Schriftbeweis. Bei allem, was Luther in der Christologie Neues sagt, ist die Gewißheit um das Daß der Gottheit und der Inkarnation im Sinne des alten Dogmas immer schon vorausgesetzt. Der Glaube an Christus ruht insoweit also auf der Anerkennung der Autorität des Wortes Gottes, der Heiligen Schrift. Insofern kann sich Schleiermachers Satz nicht auf Luther berufen: »Das Ansehen der Heiligen Schrift kann nicht den Glauben an Christus begründen, vielmehr muß dieser schon vorausgesetzt werden, um der Heiligen Schrift ein besonderes Ansehen einzuräumen« (Christlicher Glaube, § 128). Man darf Luther hier nicht modernisieren.

Das Neue in Luthers Christologie

Durch Luthers Wort von Christus geht ein neuer Ton, auch da, wo er die alte Lehre übernimmt. Das Daß der Gottheit Christi teilt er mit allen rechtgläubigen Theologen der Kirche. Aber was es eigentlich heißt und für den Menschen bedeutet: Jesus Christus wahrer Gott, das gewinnt bei Luther einen Sinn, wie kein Theologe seit dem Neuen Testament ihn so tief und so gewaltig ausgesprochen hat. Luthers neue Weise der Christologie hängt an der Heilsfrage, mit der er zu Christus kam. Das gilt auch für die früheren Gestalten der Christologie. Das alte griechische Christentum war vor allem bewegt von der Frage nach dem unsterblichen Leben Gottes, das von der Verweslichkeit, vom Tode erlöst. Daher versteht die griechische Christologie Christus vor allem als den, der durch die Inkarnation und Auferstehung das unsterbliche Leben Gottes der Menschheit mitteilt. Der Fassung des Heils entspricht die Aussage über Christus. Die abendländische Christenheit wird bestimmt von der Frage nach der Befreiung von der Schuld und der Macht der Sünde. Daher wird Christus entscheidend gewürdigt als der, welcher die Sühne für die Sünde beschafft und durch die Sakramente die Gnadenkraft zum heiligen Leben verleiht. Luther kennt diese Heilsfragen auch, und daher leben die entsprechenden Gestalten der Christologie auch bei ihm weiter. Aber in die Mitte tritt ihm die Heilsfrage in einer neuen Gestalt: Was will Gott mit uns, den sündigen Menschen? Wie steht er zu mir? Welches ist seine Gesinnung mir gegenüber? Es ist also nicht mehr nur die Frage nach Gottes unverwelklichem, unverweslichem Leben oder nach seiner Kraft oder seinen sühnenden und heilenden Gnaden, sondern die Frage nach *Gott selbst*, nach seinem Willen und Herzen. An der Antwort auf die so gestellte Heilsfrage lag für Luther alles. Er findet sie in Jesus Christus. Daher ist es ihm das Entscheidende an Christus, daß in ihm, in seiner Person, seinem Handeln, seiner Geschichte, Gott sein Herz für uns erschließt und uns Gewißheit gibt über seine Gesinnung und Absicht mit uns.

Das ist der neue Sinn und Ernst des Gottseins Jesu Christi für Luther: Christus ist »Spiegel des väterlichen Herzens Gottes[7]«, der, in dem wir Gott selbst haben. Man kann sagen: vor Luther fragten Kirche und Theologie überwiegend nach dem Göttlichen in Christus, suchten göttliche Natur, göttliche Lebendigkeit, göttliches Gewicht der Genugtuung. Luther sucht und findet in Jesus Christus Gott selbst, den Vater in Person.

Damit aber gewinnt seine Christologie johanneischen Charakter. Die großen johanneischen Christusworte wie »Wer mich siehet, der siehet den Vater« sind der eigentliche Text seiner Christologie. Aber Luther sieht hier Paulus und Johannes ganz zusammen und kann sagen: »Dies ist die Kunst, davon S. Johannes (als ein ausbündiger Evangelist in diesem Stück) und S. Paulus vor andern lehren, daß sie so fest ineinander binden und heften Christum und den Vater, auf daß man lerne, von Gott nichts zu denken denn in Christo[8].«

Den Vater findet Luther nirgend anders als in dem Menschen Jesus Christus. In der Haltung und dem Handeln des geschichtlichen Jesus wird ihm der Wille des Vaters offenbar. Zu dem Handeln Christi gehört schon sein Kommen »in unser armes Fleisch und Blut«, also die Menschwerdung. Auch an ihr liest Luther Christi Gesinnung gegen uns und darin Gottes Sinn ab. Für ihn gehört Christi Kommen in die Welt und sein Handeln und Leben in der Welt unlöslich zusammen – es ist ein Ganzes. Aber innerhalb dieses Ganzen gewinnt die Versenkung in das irdische Leben Jesu, der Blick auf sein Handeln als Mensch neue entscheidende Bedeutung. Auch die mittelalterliche Kirche sieht auf den Menschen Jesus, versenkt sich in sein Leiden, sieht ihn als Vorbild an. Vor allem Bernhard von Clairvaux hat die Menschengestalt des Herrn in die Mitte der Frömmigkeit gerückt und die Andacht zu seinem Leidensbild gepflegt. Innige Liebe zu ihm, Mitleiden mit ihm, Nachfolge seines armen Lebens sind die wesentlichen Züge dieses Umgangs mit Christus in seinem Menschsein. Das, woran Luther lag: in dem Menschen Jesus dem Vater zu begegnen, das trat ganz zurück. Darauf lag der Ton nicht. Höchstens an Augustin hat Luther hier einen Vorgänger gehabt. Aber was bei Augustin ein Moment neben anderen war, das wird bei Luther zum Herzen seines Blickens auf Christus. »Wer da will heilsam über Gott denken oder spekulieren, der setze alles andere hintan gegen die Menschheit Christi« – so in dem berühmten Brief an seinen Freund Spalatin 1519[9].

7. 30 I, 192,5. In der lateinischen Übersetzung des Obsopöus, die in die Wittenberger Ausgabe der Werke Luthers und in das Concordienbuch aufgenommen wurde, lautet die Stelle: paterni animi erga nos speculum (Bek. Schr. II, S. 660, § 65).

8. 45, 519,22. Vgl. für Luthers Verhältnis zu Johannes W. von Loewenich: Luther und das johanneische Christentum. 1935. S. 20. 35 ff.

9. Br I, 329,50: Quicunque velit salubriter de Deo cogitare aut speculari, prorsus omnia postponat praeter humanitatem Christi. – Nicht anders 1530 in einer Predigt über Joh 6,47; 33, 154,25; 156,6: Kannst du dich nun demütigen und hängen mit dem Her-

Die Menschheit Christi – Luther hat sie sich selbst und der Gemeinde unermüdlich vor die Augen gestellt in seinen Predigten. Mehr als die Hälfte aller seiner Predigten hat er über Texte aus den drei ersten Evangelien gehalten. Mit welcher Liebe und Andacht geht er den einzelnen Zügen des Umgangs Jesu mit den Menschen und seiner Geschichte nach und gewinnt ein überaus lebendiges konkretes Bild des Menschen Jesus[10]. Dabei liegt es ihm aber nicht, wie etwa der Jesus-Frömmigkeit des ausgehenden 19. und beginnenden 20. Jahrhunderts, an dem Erfassen einer großen »religiösen Persönlichkeit«, sondern an dem Erkennen des Vaters in dem Sohne, an der Erkenntnis Gottes selbst. Jesus ist der Sohn des Vaters. Wie er sich zu den Menschen stellt, zum Beispiel zu dem kananäischen Weibe, so stellt Gott sich zu uns. Darum gilt es, von dem Anschauen Jesu »aufzusteigen« zu dem Vater, »durch Christus Herz zu Gottes Herz«. Zu solchem »Aufsteigen« von Jesus zu dem Vater ruft auch Augustin in einer seiner Predigten die Gemeinde: »Erkenne Christum und durch den Menschen steige auf zu Gott!« Man kann annehmen, daß Luther diese Wendung unmittelbar oder mittelbar von Augustin übernommen hat. Er gebraucht sie oft[11]. Sie wird bei ihm ein entscheidender Ausdruck für das, was Glauben an Jesus Christus heißt. Statt vom »Aufsteigen« kann Luther auch vom »Durchdringen« sprechen: es gilt, nicht bei Christus in seiner Menschheit stehenzubleiben, sondern durch das Anschauen Jesu als eines Menschen durchzudringen zu Gottes

zen auf dem Wort und bleiben bei der Menschheit Christi, so wird sich die Gottheit wohl finden und der Vater und Heiliger Geist und die ganze Gottheit dich ergreifen.

10. Vgl. *Walther Köhler*: Wie Luther den Deutschen das Leben Jesu erzählt hat. 1917. – *Walther von Loewenich*: Luther als Ausleger der Synoptiker. 1954. S. 132 ff.

11. 2, 140,32; Luther leitet hier, im Sermon von der Betrachtung des heiligen Leidens Christi, 1519, an, nicht bei dem Anschauen des Leidens Christi, das erschrecken und in die Buße führen soll, stehenzubleiben, sondern »hindurchzudringen« und »ansehen sein freundlich Herz, wie voller Lieb das gegen dir ist, die ihn dazu zwingt, daß er dein Gewissen und deine Schuld so schwer trägt. Darnach weiter steig durch Christus Herz zu Gottes Herz und sehe, daß Christus die Liebe dir nicht hätte mocht erzeigen, wenn es Gott nicht hätte gewollt in ewiger Liebe, dem Christus mit seiner Lieb gegen dir gehorsam ist – da wirst du finden das göttliche gute Vaterherz.« – 10 III, 154,14, nachdem von Christi liebender Stellvertretung für uns Sünder die Rede war (»daß er für uns gegeben sei und hab meine Sünde auf sich geladen«): So ich das erkenne, so muß ich ihn wiederum lieb haben, denn einem solchen Mann muß ich hold sein. Darnach steige ich weiter am Sohn aufhin zum Vater und sehe, daß Christus Gott sein und hab sich in meinen Tod, in meine Sünde, in mein Elende gesteckt und gibt mir auch sein Hulde. Item da erkenne ich den freundlichen Willen und die höchste Liebe des Vaters, die kein Herz empfinden kann; also ergreife ich den Gott, wo er am weichsten ist und denke: Ei, das ist Gott, ei, so ists Gottes Wille und Wohlgefallen, was der Christus für mich tut. Also in dem Gesichte empfinde ich die hohe unaussprechliche Barmherzigkeit und Liebe Gottes, indem daß er sein liebes Kind für mich dar in Schmach, Schande und Tod gestellt hat. Das freundliche Ansehen und lieblich Gesicht erhält mich.

Herz[12]. Beide Begriffe besagen das gleiche. Die »Logik« dieses »Aufsteigens« und »Durchdringens« lautet: Der Jesus Christus, der so, wie die Bibel zeigt, mit den Menschen umgeht, tut, weil er der Sohn ist, nichts anderes, als was der Vater will und tut – daher ist sein Tun uns der Erkenntnisgrund für des Vaters Willen.

Weil die Gewißheit um des Vaters Willen für Luthers Heilsfrage das Entscheidende ist, liegt ihm auch bei Jesus Christus zuletzt alles an dem Willen, der Gesinnung gegen uns Menschen, die in Jesu Kommen und Handeln kund wird. Natürlich sind auch die »Heilstatsachen« als solche für Luther wichtig: das Wunder der Weihnacht als solches, die Inkarnation, das Kreuz, Christi Tragen unserer Sünde und Not in seinem stellvertretenden Leiden. Aber nachdem Luther in dem Weihnachtslied das hohe Wunder der Inkarnation uns zugute und dessen Heilsbedeutung anbetend bezeugt hat, endet er mit der Strophe:

> Das hat er alles uns getan,
> Sein groß Lieb zu zeigen an.

Daß in der Menschwerdung des ewigen Sohnes seine (und damit des Vaters) Liebe sich erweist, darauf führt Luther alles hinaus. Diese personhafte Dimension in allem, was zu Weihnachten und weiter in Jesu Leben und Passion geschehen ist, macht für Luther die eigentliche Tiefe des Heils aus, das Eine, auf das es zuletzt ankommt: Gott für uns! So kann Luther das Wesen des wahren Glaubens an Christus im Unterschied von dem nur »historischen«, der die Geschichte Jesu Christi zur Kenntnis nimmt, dahin bestimmen: er erkennt hier die Liebe Gottes, des Vaters, seinen mir geltenden Heilswillen[13].

Man darf Luthers Ausgehen von dem Menschen Jesus und sein »Aufsteigen« von ihm zu Gott nicht verwechseln mit dem, was wir in der neueren Theologie als »Christologie von unten nach oben« bezeichnen, geschweige denn mit A. Ritschls Unternehmen, die Zwei-Naturen-Lehre durch den Ansatz bei dem Menschen Jesus zu überwinden, an dessen irdisch-geschichtlichem Leben die Züge der Gottheit zu erkennen seien. Erstens hat Luthers Einsatz bei dem Menschen

---

12. Zum »Durchdringen« vgl. die Stelle in dem Brief an Spalatin 1519, Br I, 329,52, wo es nach der S. 162, Anm. 9 angeführten Stelle weiter heißt: Hanc autem (humanitatem Christi) vel sugentem vel patientem sibi praefigat, donec dulcescat ejus benignitas. Tunc ibi non sistat, sed penetret ac cogitet: Ecce non sua, sed Dei patris voluntate haec et haec facit. Ibi incipiet placere suavissima voluntas patris, quam in humanitate Christi ostendit. – *E. Hirsch:* Hilfsbuch zum Studium der Dogmatik. 1937. S. 27 übersetzt das *»sugentem«* dieser Stelle: »wie sie – die Menschheit Christi – sich erhebt«. Aber es steht nicht *surgentem* da, sondern *sugentem,* und *sugere* heißt saugen; Luther rät also, auf das Kind an seiner Mutter Brust zu schauen; Krippe und Kreuz werden als zwei Bilder der Entäußerung Christi für uns nebeneinandergestellt.

13. 39 I, 45,23: (fides apprehensiva) quae intelligat caritatem Dei patris, per Christum, pro tuis peccatis traditum, te redimere et salvare volentem.

Jesus nicht den Sinn, daß er an seinen Zügen sich des Daß seiner Gottheit, der Gegenwart Gottes in ihm vergewissern wollte. Die Gottheit Christi steht für Luther fest durch das Zeugnis der Schrift und der Kirche. Nicht um daß Daß seiner Gottheit handelt es sich, wenn Luther uns anleitet, den Menschen Jesus anzuschauen, sondern um das Was, das heißt darum, des Charakters, des Herzens Gottes gewiß zu werden. Man kann also Luther nicht für die moderne Erkenntnistheorie mit Bezug auf die Gottheit Christi in Anspruch nehmen.

Zweitens greift das, was Luther als Anschauen des Menschen Jesus bezeichnet, über das, was die moderne Theologie darunter versteht, hinaus. Es schließt nämlich das Dogma schon mit ein: daß der Sohn Mensch geworden ist, daß er am Kreuze die Sünde der Menschheit trägt – das zeigen mehrere der angeführten Stellen. Luther meint also etwas anderes, jedenfalls mehr als den »geschichtlichen Jesus«, nämlich die ganze Geschichte Christi, die im Himmel, in der Präexistenz des ewigen Sohnes beginnt – gerade in seinem Kommen in unser Fleisch und Blut ist die Liebe Christi und Gottes zu erkennen. In der *humanitas Christi* ist also die »metaphysische« Christologie schon einbegriffen. Und das Kreuz offenbart die Liebe Christi und Gottes nicht als solches, als geschichtliche Tatsache, sondern nur innerhalb des »Wortes vom Kreuz«, also gedeutet im Kreuzesdogma. In diesem Sinne ist es zu verstehen, wenn Luther auffordert, auf die Menschheit Christi zu schauen. Der Abstand zwischen Luther und unserer theologischen Lage und Aufgabe ist deutlich. Wo wir das Problem und die erste christologische Aufgabe sehen, nämlich die Gottheit Christi zu begründen, da ist für Luther alles klar und entschieden kraft des Zeugnisses der Heiligen Schrift.

Auch Luther weist für die Erkenntnis Christi, und das heißt: Gottes in Christus, den Weg »von unten nach oben«, von Christus als einem Menschen zu Christus als Gott und damit zu Gott[14]. Aber der Sinn dessen ist nicht der, daß man an dem Menschen Jesus seiner Gottheit gewiß werden solle – davon ist bei Luther nie die Rede –, sondern daß man der Gottheit zum *Heile* begegne, daß man sie da treffe, wo sie für uns irdische und sündige Menschen nicht tödlich, sondern heilsam gegenwärtig ist, nämlich in Gottes Liebe, seiner Barmherzigkeit gegen uns Menschen. Dieser Ort aber ist Christi irdisch-menschliches Leben. Hier haben wir die unterste Stufe der Himmelsleiter, die Gott uns hingestellt hat, um zu ihm zu kommen. Sie steht auf der Erde; hier, auf der Erde sollen wir den Sohn Gottes finden, nicht im Himmel – aber von der untersten Stufe aus

14. 10 I, 2, 297,5: Die Schrift hebt fein sanft an und führet uns zu Christo wie zu einem Menschen und darnach zu einem Herren über alle Kreatur, darnach zu einem Gott. Also komme ich fein hinein und lerne Gott erkennen. Die Philosophie aber und die weltweisen Leut haben wollen oben anheben, da sein sie zu Narren worden. Man muß von unten anheben und darnach hinaufkommen.

steigen wir dann gewiß in den Himmel, das heißt zur Erkenntnis Gottes selbst[15].

Wie Luther in der Erschließung des Herzens Gottes, in der Offenbarung seines gnädigen Willens gegen uns den eigentlichen Sinn der Geschichte Jesu Christi sieht, sei noch an zwei besonders eindrücklichen Stellen aus seinen Predigten gezeigt. Zu den Kleinodien unter den Predigten über Texte aus dem Leben Jesu muß man die über die Taufe Jesu zählen, gehalten am Epiphaniastage 1526[16]. Luther geht aus von dem Schluß der Taufgeschichte bei Matthäus, wo die Stimme vom Himmel herab spricht: »Dies ist mein lieber Sohn, an welchem ich Wohlgefallen habe.« Dieses Wort bezeugt also, daß Jesus Gottes Sohn sei und ihm wohlgefalle. »Mit den Worten macht Gott aller Welt Herz lachend und fröhlich und durchgeußt alle Kreatur mit eitel göttlicher Süßigkeit und Trost. Wieso? Ei, wenn ich das weiß und gewiß bin, daß der Mensch Christus Gottes Sohn ist und wohlgefället – wie ich denn muß gewiß sein, weil die göttliche Majestät selbst vom Himmel solches redet, die nicht lügen kann: so bin ich auch gewiß, daß alles, was dieser Mensch redet und tut, das ist eitel liebes Sohnes-Wort und -Werk, das aufs allerbeste Gott muß gefallen. Wohlan, das merke ich und fasse es wohl ... Nun, wie könnte sich Gott mehr ausschütten und lieblicher oder süßer dargeben, denn daß er spreche, es gefalle ihm von Herzen wohl, daß sein Sohn Christus so freundlich mit mir redet, so herzlich mich meinet und so mit großer Liebe für mich leidet, stirbt und alles tut. Meinst du nicht, wo ein menschlich Herz sollte recht fühlen solches Wohlgefallen Gottes an Christo, wenn er uns so dienet, es müßte vor Freude in hunderttausend Stück zerspringen? Denn da würde es sehen in den Abgrund des väterlichen Herzens, ja in die grundlose und ewige Güte und Liebe Gottes, die er zu uns trägt und von Ewigkeit getragen hat.«

Den gleichen Gedankenweg geht die Predigt der Fastenpostille 1525 zum Palmsonntag über Phil 2,5 ff.[17]. Nachdem Luther die Worte des Apostels Paulus über die Entäußerung und Erniedrigung Christi ausgelegt hat, fragt er nach dem Motiv für solches Handeln Christi und legt den Finger auf die Worte des Textes: »Er ward gehorsam ...« Christus hat das alles getan, »daß er dem Vater gehorsam würde«. Und nun fährt Luther fort: »Hie schließt S. Paulus mit einem Wort den Himmel auf und räumt uns ein, daß wir in den Abgrund göttlicher Majestät sehen und schauen den unaussprechlichen gnädigen Willen und Liebe des väterlichen Herzens gegen uns, daß wir fühlen,

---

15. EA o. l. 23,399: Hic ordo diligenter servandus est. Non ascendendum ad majestatis divinae inquisitionem, antequam infantulum hunc bene comprehenderimus, sed ascendendum est in coelum illa scala, quae nobis proposita est, his gradibus utendum, quos deus ad eum ascensum paravit et applicavit, Noluit filius Dei videri et inveniri in coelo. Atque ideo descendit e coelis ad haec infima, venitque ad nos in carnem nostram, et posuit se in gremium matris, in praesepe et in crucem. Hanc scalam posuit in his terris, qua ad Deum ascenderemus.

16. 20, 228,25. Vgl. 229,28: So führen dich die Wort (das ist mein lieber Sohn ...) dahin, daß du Gottes Wohlgefallen und sein ganz Herz in Christo siehst in allen seinen Worten und Werken, und wiederum Christum siehst im Herzen und Wohlgefallen Gottes, und sind die beide ineinander aufs allertiefste und -höchste.

17. 17 II, 244,25.

wie Gott von Ewigkeit das gefallen habe, was Christus, die herrliche Person, für uns sollte und nun getan hat. Welchem sollte hie sein Herz nicht vor Freude zerschmelzen? Wer sollte hie nicht lieben, loben und danken und wiederum auch nicht allein Knecht werden aller Welt, sondern gerne weniger und nichtiger denn nichts werden, so er siehet, daß ihn Gott selbst also teur gemeinet hat und seinen väterlichen Willen an seins Sohns Gehorsam so reichlich ausschüttet und beweiset.«

Alle diese Stellen drücken jenes »Aufsteigen« von Christus zu dem Vater in je anderer, durch den besonderen Text bestimmter Weise aus. Die Stufe, auf die das Denken bei diesem Aufstieg treten muß, ist immer die für Luther durch die Heilige Schrift bezeugte Tatsache: Dieser Mensch Jesus mit allem, was er uns zuliebe tut und wie er sich uns zeigt, ist der Sohn, also Gott, also eins mit dem Willen des Vaters. Das Sohn- oder Gottsein Christi wird hier für Luther dadurch entscheidend wichtig, daß er nun weiß: Christi Wille ist Gottes Wille, Christi Tun geschieht nach Gottes Willen, mit seinem Wohlgefallen. Da das, worum es Luther zuletzt geht, das ganz Personale ist, nämlich der gnädige Wille Gottes gegen uns, so kommt auch Christi Gottsein, sein Einssein mit Gott, eben nach seiner personhaften Seite in Betracht: als Einheit des Willens, im Gehorsam des Sohnes. Die Worte, mit denen »S. Paulus den Himmel aufschließt«, sind eben: Er ward gehorsam; nicht das Wort von der ewigen Gottheit, die Christus auch bei seiner Erniedrigung nach Luther nicht aufgibt, sondern festhält – sondern erst das Wort vom Gehorsam.

Mit alledem wird die Erkenntnis Christi bei Luther objektiv und subjektiv neu bestimmt. Was das erstere angeht, so gehört für ihn zur Erkenntnis Christi, wie schon gesagt, selbstverständlich alles hinzu, wovon das alte Dogma redet: die beiden Naturen Christi und ihre Einigung in ihm. Luther leugnet nichts davon; es hat bei ihm auch sein Gewicht. Aber die allein so, mit den alten christologischen Formeln verstandene Gottmenschheit Christi ist für ihn noch gar nicht das Entscheidende an Christi Gottheit, und jene Erkenntnis noch gar nicht die wahre Erkenntnis Christi, sondern erst und nur ihre Voraussetzung. Das hat Luther sehr klar ausgedrückt in seiner Erklärung des zweiten Glaubensartikels: »Ich glaube, daß Jesus Christus, wahrhaftiger Gott vom Vater in Ewigkeit geboren, und auch wahrhaftiger Mensch von der Jungfrau Maria geboren, sei mein Herr.« Die großen christologischen Aussagen des Dogmas stehen da, aber nicht als der einheitliche Inhalt oder Gegenstand des »Ich glaube«, vielmehr: sie sind Apposition zu »Jesus Christus« geworden, und den Inhalt des Glaubens an Jesus Christus bildet das »sei mein Herr«, also nicht das »Ansich« Christi, sondern sein »für mich«. Oder, mit anderen Worten: die wahre Erkenntnis Christi besteht darin, daß ich in seinem Willen Gottes Willen mit mir, in seinem Handeln Gottes Handeln mit mir zum Heil erkenne und ergreife. So heißt es in einer der Predigten über Johannes 14 und 15 aus dem Jahre 1537, die Cruciger nachgeschrieben und 1538 herausgegeben hat: »Das ist der erste Hauptpunkt und vornehmste Artikel, wie Christus im Vater ist: daß man keinen Zweifel habe, was der Mann redet und tut, daß das geredet und getan heißt und heißen muß im Himmel vor allen Engeln, in der Welt vor allen Tyrannen, in der Hölle vor allen Teufeln, im Herzen vor allen bösen Gewissen und eigenen Gedanken. Denn so man des gewiß ist, daß was er denket, redet und will, der Vater auch will, so kann ich alledem Trotz bieten, was da will zürnen und böse sein. Denn da habe ich des Vaters Herz und Wille in Christo[18].« So Luther zu Joh 14,20. Und wiederum eine Johannes-Stelle, 14,24, aus dem Pfingstevangelium, ist es, die er folgendermaßen ausgelegt hat (überliefert in Crucigers Sommerpostille von 1544): »Das kann der Teufel noch leiden, so man allein an dem Menschen Jesus hanget und nicht weiter fähret; ja er läßt auch die Worte reden und hören, daß Christus wahrhaftig Gott sei. Aber da wehret er, daß das Herz nicht könne Christus und den Vater so nahe und unzertrennet zusammenfassen, daß es gewißlich schließe: sein und des Vaters Wort sei ganz und gar einerlei Wort, Herz und Wille; wie denn die unverständigen Herzen denken: Ja, ich höre wohl, wie Christus den betrübten Gewissen freundlich und tröstlich zuspricht; wer weiß aber, wie ich mit Gott im Himmel dran bin? Das heißt denn: nicht einen einigen Gott und Christum, sondern einen anderen Christus und einen anderen Gott sich selbst gemachet und damit den rechten Gott verfehlet, der nirgends erfunden und ergriffen werden will, denn in diesem Christus[19].« Zweierlei also läßt der Teufel, der die Menschen dem wahren Gott entreißen will, sich bei uns noch gefallen: 1. daß man den Menschen Jesus ehrt und liebt, in der Frömmigkeit mit ihm umgeht, etwa in der Jesus-Mystik, ohne in ihm den Vater zu suchen und zu finden; 2. daß man von seiner ewigen Gottheit orthodox überzeugt ist. Vom Standpunkt des Satans sind diese beiden Haltungen noch neutral, harmlos, für ihn unbedenklich. Denn solange jemand mit Jesus nichts anderes anzufangen weiß, ist er noch nicht – was der Satan eben verhindern will – bei dem wahren einen Gott. Christologische Orthodoxie ist noch nicht rechter Glaube an Christus. Die wahre Erkenntnis Christi geschieht erst dann, wenn das Herz Christus und den Vater ganz in eins sieht, ganz zusammennimmt, Jesus Christus also als die Gegenwart des Vaters mit seinem Wort, Herz, Willen in Jesu Wort, Herz, Willen erkennt und ergreift; an Jesus, um Jesu willen des Herzens Gottes ganz gewiß wird. Das kann der Teufel nicht mehr leiden. Denn da ist der Mensch wirklich bei Gott und der Macht des Satans völlig entzogen – was er bei bloßer christologischer Orthodoxie noch nicht war. Dem alten Dogma ging es um die Einheit der beiden Naturen in Christus. Luther lehrt sie mit der Tradition. Aber das in Sachen des Heils zuletzt Entscheidende ist nicht die »metaphysische« Einheit der beiden Naturen, sondern erst die personhafte Einheit des Sohnes mit dem Vater, des Menschen Jesus mit dem ewigen Gott. Wie Gott über uns denkt, wie er sich zu uns stellt, das können wir, die wir irdische Menschen sind, nur an einer

18. 45, 589,25.   19. 21, 467,10.

irdischen Wirklichkeit erkennen, an einem, der unseresgleichen ist, an dem menschlichen Wollen und Handeln Jesu. Darum ist das erst und allein die seligmachende Wahrheit, daß Gott selbst für uns in der Menschheit Jesu Christi da ist; nicht nur »göttliche Natur«, sondern Gott der Vater selbst. In diesem Sinne gilt: die Wirklichkeit Gottes ist für uns Jesus Christus – »und ist kein andrer Gott«. »Ich weiß von keinem Gott ohne allein von dem einigen, der da heißt Jesus Christus[20].« Dessen gewiß geworden sein, das heißt: an Jesus Christus glauben. Diese Einheit Jesu mit Gott, Gottes mit Jesus, diese Präsenz des Herzens und Willens Gottes in Jesus ist erst im vollen Verstande die »Gottheit Christi«.

So hat Luther mit einer in der Theologie vorher nicht erhörten Kühnheit – unbeschadet dessen, daß an sich, abgesehen von Christus, Gott und Mensch »weiter denn Himmel und Erde voneinander sein« – die Gottheit in die Menschheit hineingezogen; besser: nicht die Gottheit, nicht eine göttliche Natur, sondern eben Gott in Person selbst. Gott ist dieser Mensch, dieser Mensch ist die Gegenwart Gottes bei uns. Im Grunde hat Luther damit die Lehre von den zwei Naturen als unzulänglich überboten. Sie sagt viel zuwenig und nicht das Entscheidende. Nicht auf das Verhältnis göttlicher und menschlicher Natur kommt es ihm zuletzt an, er fragt nach dem Verhältnis der Person Jesu zu der Person des Vaters. Luther hat mit der Gottheit Christi, mit der Inkarnation in einer Weise ernst gemacht wie niemand seit dem Neuen Testament.

Darin liegt zugleich, daß nach Luther für den Menschen, der nach seinem Heil fragt, nicht die metaphysischen Eigenschaften Gottes (so wesentlich sie zu seinem Gottsein hinzugehören) das zuletzt Entscheidende sind, sondern Gottes persönliches Wesen und Handeln. »Das heißt denn Gott recht erkennet, wenn man ihn nicht bei der Gewalt oder Weisheit, die erschrecklich sind, sondern bei der Güte und Liebe ergreift[21].« Gottes Gottheit hat – wie wir schon früher sahen – ihre Mitte darin, daß es Gottes Art ist, zu geben, zu schenken, sich hinzugeben, sich zu erbarmen. Und eben diese gottheitlichen Züge kann der Glaube an dem Bilde Jesu ablesen und es auf sie wagen. Gott in seinem Personsein erschließt sich uns nur in der menschlichen Person.

Für die subjektive Seite der Erkenntnis Christi besagt das: sie ist nicht von intellektueller, theoretischer Art, sondern selber, wie ihr Gehalt, ganz personhaft, praktisch, existentiell, lebendiges Ergreifen mit dem »Herzen«, mit der ganzen Person. Die Anerkennung der ewigen Gottheit Christi, auf Grund der Autorität der Schrift und der Kirche, tut's noch nicht. Das für wahr halten und nachsprechen, was in dem Text des zweiten Artikels des Apostolikums steht,

---

20. 31 I, 63,21: Es ist kein ander Gott ohne diesen Christum, der uns ein Licht und Sonne worden ist. 27: Er und kein anderer ist der wahre Gott. Er, spreche ich, der uns durch sein Evangelium erleuchtet.

21. 2, 141,3.

das ist noch nicht der Glaube an Christus; sondern eben erst das »Ich glaube, daß er sei mein Herr«. »Man findet ihrer viele, die da sagen: Christus ist ein solcher Mann, der Sohn Gottes, geboren von einer keuschen Jungfrau, ist Mensch worden, gestorben und vom Tode wieder auferstanden und so fortan – das ist alles nichts. Daß er aber Christus sei, das ist: daß er für uns gegeben sei, ohne alle unsere Werke, ohne alle unsere Verdienste uns den Geist Gottes erworben hat und gemacht zu Kindern Gottes, auf daß wir einen gnädigen Gott hätten, mit ihm Herren würden über alles, was da ist im Himmel und auf Erden, und dazu das ewige Leben hätten durch den Christum – das ist der Glaube und heißt Christum recht erkennen[22].« Ich glaube also an Christus erst dann im Ernst und erkenne ihn erst dann wirklich, wenn ich ihn mir zum Heile gegeben weiß und mit herzlichem Vertrauen ihn das für mich sein lasse, was er mir sein will und nach Gottes Willen sein soll. Das heißt: der rechte Glaube an Jesus Christus ist dadurch gekennzeichnet, daß er Christus und sein Werk auf die eigene Existenz bezieht mit dem »pro me«, »für mich«, »für uns«. Dadurch unterscheidet er sich von einem nur theoretischen, historischen und metaphysischen Glauben, der die historischen Fakta der Geschichte und seine Gottheit für wahr hält, ohne sie auf die eigene Existenz zu beziehen[23]. Rechter Glaube an Christus ist also nur der Heilsglaube. Die Christologie ist entscheidend Soteriologie. Christus wird erst und nur in seinem Werke recht erkannt, und sein Werk erkenne ich nur so, daß ich es für mich geschehen weiß. Also läßt sich nach Luther die Lehre von der Person Christi und die von seinem Werk gar nicht voneinander trennen – sie sind eins, und zwar so, daß ich auch das Werk Christi nur als mir geltendes wirklich erfasse. Der Glaube an Christus ist also eins und dasselbe mit dem Rechtfertigungs-, dem rechtfertigenden Glauben[24]. So ist die heilsame Erkenntnis Christi nicht nur ihrem Gehalt nach eine durch und durch personale, nämlich Gottes personhafte Haltung mir gegenüber, sondern auch ihrer Weise nach: ich erkenne nur in der persönlichen Haltung des Ergreifens, des Annehmens Christi als meines Herrn; nur indem ich es ganz auf ihn wage. Die Erkenntnis Christi, auf die es zuletzt ankommt, geht dem Überwundensein von ihm zum völligen Vertrauen nicht voraus, sondern geschieht erst in und mit ihm.

22. 17 I, 365,13. Dieser durch den Druck gebotene Text entspricht im Hauptgedanken Rörers Nachschrift (365,2; vgl. das *nihil est*).

23. 39 I, 45,21 ff.; 46,5 ff. – 40 I, 448,20: Nondum enim habes Christum, etiamsi noris eum Deum et hominem esse; sed tunc vere habes eum, cum credis hanc purissimam et innocentissimam personam tibi donatam a Patre, ut esset Pontifex et Redemptor, imo Servus tuus.

24. Daher haben die Papisten den Sohn Gottes nicht mit wahrem Glauben angerufen, nämlich nicht als den, durch den allein wir die Vergebung der Sünden und das ewige Leben haben. Da sie zugleich auf ihre Werke vertrauen, rufen sie nicht den wahren Gott an. 39 II, 278,30.

Diese Erkenntnis Jesu Christi setzt voraus und ist daran gebunden, daß er für uns gegenwärtig ist. Das geschieht durch das Wort von ihm. Auf andere Weise haben wir ihn nicht. Denn er ist jetzt im Himmel bei dem Vater. Er kommt nicht in Person zu uns herab, sondern nur im Evangelium. Dieses bringt ihn nicht allein zu uns, sondern lehrt uns auch erst, ihn als den, der er ist, erkennen. Christi Menschheit ist als solche auch Verhüllung der Gottheit. Käme er heute in seiner geschichtlichen Wirklichkeit zu uns, so würden wir ihn nicht als den Sohn, in seiner Gottheit erkennen. Diese muß uns erst enthüllt werden. Das geschieht durch das Evangelium. Wir bedürfen des apostolischen Wortes von ihm, das bezeugt, wer er ist. Allein im Glauben an seine Gegenwart im Evangelium haben wir ihn. Nicht also der »historische Jesus« für sich (Christi »Fleisch«) ist Grund des Glaubens, sondern der von dem apostolischen Zeugnis verkündigte Christus. Luther kennt Christus nicht abzüglich des Glaubenszeugnisses der Schrift und der Christenheit von ihm[25]. Dieses ist so unentbehrlich für das Erkennen Christi, daß Luther sagen kann: Gott will das mündliche Wort mehr geehrt sehen als Christi Menschheit[26].

Die Zweinaturen-Christologie bei Luther

Luther übernimmt, wie wir schon feststellten, die Zweinaturen-Lehre der dogmatischen Tradition. Er lehrt mit ihr die volle Einheit der Gottheit und Menschheit in der Person Jesu Christi, die völlige Teilhabe der Menschheit an der Gottheit, der Gottheit an der Menschheit. »Gott hat gelitten, ein Mensch hat Himmel und Erde geschaffen, ein Mensch ist gestorben, Gott, der da war von Ewigkeit, ist gestorben, der Knabe, der an der Brust der Jungfrau Maria saugt, ist der Schöpfer aller Dinge[27]. Er vertritt die Unpersönlichkeit der menschlichen Natur Christi (An- oder Enhypostasie)[28].

25. 10 III, 349,17: Wie haben wir denn nun Christum? Denn er sitzt im Himmel zur Rechten des Vaters. Er wird nicht zu uns herabsteigen in unser Haus. Nein, das tut er auch nicht. Wie erlang und hab ich aber den? Ei, den magst du nicht anders haben denn im Evangelio, darinnen er dir verheißen wird ... Und also kommt Christus durch das Evangelium in unser Herz, der muß auch mit dem Herzen angenommen werden. So ich nun glaub, daß er im Evangelio sei, so empfahe und hab ich ihn schön. – 10 III, 210,11: Christus wird nicht erkannt, allein durch sein Wort. Sonst hülfe mir Christus Fleisch nichts, und wenn es gleich heute käme. – 10 III, 92,11: So kommt er zu uns durch das Evangelium. Ja, es ist viel besser, daß er kommt durchs Evangelium, denn wenn er jetzt zur Tür rein ginge. Du kenntest ihn doch nicht, ob er schon rein ginge. Glaubst du, so hast du, glaubst du nicht, so hast du nicht.

26. 17 I, 5,13.

27. 39 II, 280,16: Unio humanitatis et divinitatis in Christo est una persona, non duae, et quod uni tribuitur, alteri quoque recte assignatur. Es folgt das oben übersetzt Wiedergegebene. – Zur *communicatio idiomatum* siehe 39 II, 93, die Thesen 2 f.

28. 39 II, 93 f., These 11 f.; 116 ff. – Luther lehnt die auch von Augustin gebrauchte

Aber wird er dabei die echte Menschlichkeit Jesu festhalten können? Er lehrt, daß Jesus Christus die göttlichen Majestäts-Eigenschaften auch nach seiner menschlichen Natur zu eigen gehabt habe, also allwissend, allmächtig, allgegenwärtig gewesen sei, auch schon das Kind Jesus. Luther kennt also keine Entäußerung Christi bei der Menschwerdung dergestalt, daß er seine Gottheit oder wesentliche Züge von ihr im Himmel gelassen hätte. Luther versteht Phil 2,6 f. (»er entäußerte sich selbst«), im Unterschied gegenüber der altkirchlichen Exegese, nicht von einem Akt des Präexistenten bei der Menschwerdung, sondern von dem Verhalten des menschgewordenen, des irdischen Christus[29]. Die Entäußerung ist nicht ein einmaliges, sondern ein durch Christi ganzes irdisches Leben hindurch immer neues Geschehen. Nicht mit einem Male, in der Inkarnation, gab er die »Gestalt Gottes« hin und nahm »Knechtsgestalt« an; sondern die *forma Dei* eignet dem Menschen Jesus jederzeit, er hätte sie in seinem Leben brauchen und geltend machen können, aber jederzeit läßt er sie fahren und macht sich statt zum Herrn zu aller Knecht. »Göttliche Gestalt ist Weisheit, Kraft, Gerechtigkeit, Güte, dazu Freiheit, also daß der Mensch Christus frei, mächtig, weise, niemand untertan, auch nicht, wie sonst alle Menschen, dem Laster oder der Sünde, gewesen ist.« Christus »gab jene Gestalt an Gott den Vater zurück, entäußerte sich selbst, wollte jener Titel nicht gegen uns brauchen, wollte nicht uns ungleich sein. Denn er ist vielmehr für uns geworden wie einer von uns und hat die Knechtsgestalt angenommen, das ist, hat sich allen Übeln untertan gemacht, und wiewohl er frei war ... hat er sich zu aller Knecht gemacht und hat nicht anders gehandelt, denn als wären die Übel alle sein, die unser waren[30].« Das Gegenbild Christi ist der Pharisäer: er übt »Raub«, das heißt, er behält sich vor, was er hat, gibt es Gott nicht zurück, dient den Brüdern nicht damit. Dieses Verständnis der Philipper-Stelle, also der Entäußerung Christi, offenbart die ganze Tiefe von Luthers Christologie. Der Wille, mit dem der ewige Sohn Mensch wurde, geht durch sein ganzes Leben weiter in immer neuem Vollzuge. Man kann sagen: die Inkarnation ist ein fortgehendes Geschehen, ein immer neuer Akt Christi. Es handelt sich dabei, um den Verzicht auf das Geltendmachen nicht allein der sogenannten metaphysischen Eigenschaften, welche die göttliche Natur der menschlichen mitgeteilt hat, sondern ebenso auf das Geltendmachen der ethischen Hoheit Jesu, seiner Gerechtigkeit und Gutheit. Luther scheidet gar nicht, wie etwa später der Kenotiker G. Thomasius, zwischen der einen und der anderen Art von Eigenschaften, sie gehören alle zu-

Formel: Persona divina suscepit hominem ab (sonst käme man auf zwei Personen in Christus) und fordert vielmehr: Persona divina suscepit naturam humanam.

29. Wie Luther auch Calvin, die ältere lutherische Exegese bis J. A. Bengel, in der neueren Exegese z. B. A. Schlatter, unter den Dogmatikern A. Ritschl, auch W. Elert.

30. 2, 148,2 (lateinisch). Übersetzung von *E. Hirsch:* Hilfsbuch zum Studium der Dogmatik. 1937. S. 29.

sammen als *forma Dei*. Die Entäußerung vollzieht sich ständig neu in der aktuellen Hingabe an die sündigen Menschen, darin, daß Christus den Menschen gleich sein wollte, unter die auf der Menschheit liegende Not trat, sie auf sich nahm, er, der doch in der *forma Dei* von dem allem frei war. Die Inkarnation vollendet sich im Kreuz Christi. Sie ist nicht mehr nur die metaphysische Voraussetzung des Heilandswirkens Christi, sondern dessen Vollzug selbst. Das Heilswerk ist nicht ein Zweites nach der geschehenen Entäußerung, sondern vollzieht sich in der fortgehend geschehenden. Die Entäußerung Christi setzt sich fort in den Christen. Christi Haltung und Handeln ist Vorbild für sie[31]. So bestimmt und umschließt Luthers Verständnis der Inkarnation und Entäußerung auch die Ethik.

Besonders schön führt Luther sein Verständnis der Entäußerung aus in der Predigt der Fastenpostille von 1525 über Phil 2,5 ff. (17 II, 237). Man muß unterscheiden zwischen der Gottheit und der »Gestalt göttlicher Majestät«. Daß Christus sich dieser entäußert, heißt nicht, daß er sie ablegt, preisgibt, sondern: er behält sie, aber »nahm sich derselben nicht an und pranget nicht damit wider uns, sondern diente vielmehr uns damit«. Er »bleibt also Gott und in Gottes Gestalt. Das ist: er war Gott und alle göttliche Werk und Wort, die er führt, tat er uns zu gut und dienet uns damit als ein Knecht« (243,1.19). Christus entäußert sich also damit, daß er mit seiner »göttlichen Gestalt« uns dient, sie für uns, nicht für sich verwendet. Vgl. 11, 76,5; 12,469 ff. – Daher kann Luther die Entäußerung Christi als Vorbild z. B. auch für einen Fürsten hinstellen. Der Fürst soll seine Macht nicht äußerlich preisgeben, aber »in seinem Herzen«, d. h., er soll sie nicht für sich ausbeuten, sondern in den Dienst seines Volkes stellen. »Daß also ein Fürst in seinem Herzen sich seiner Gewalt und Oberkeit äußere und nehme sich an der Notdurft seiner Untertanen und handle darinnen, als wäre es sein eigen Notdurft. Denn also hat uns Christus tan, und das sind eigentlich christlicher Liebe Werk« 11, 273,21.

Aber alle Würdigung dieses Verständnisses der Entäußerung Christi kann doch die Frage nicht zum Schweigen bringen: Läßt sich seine Voraussetzung, daß der Mensch Jesus die göttlichen Majestätseigenschaften zur Verfügung gehabt habe, mit dem biblischen Bild des geschichtlichen Christus, ja, auch mit Luthers eigenem anderweitigem starkem Betonen des wahren Menschseins des Herrn vereinigen? Luther hat in einigen Aussagen trotz allem die echte Menschlichkeit der Geschichte Jesu auch dogmatisch zu wahren versucht. So in der Auslegung von Lk 2,60: »Jesus nahm zu an Weisheit« (so übersetzt Luther seit 1530). Wie verträgt sich diese Stelle mit der dogmatischen These, daß Jesus von Anfang an wahrer Gott, also auch im Besitz des Geistes Gottes war? Luther erklärt: Gewiß war der Geist in Christus von seiner Empfängnis an; aber entsprechend dem Wachsen seines Leibes und dem Zunehmen seiner Vernunft »senkte sich auch immer mehr und mehr der Geist in ihn und bewegte ihn je länger je mehr«. Es ist ernst gemeint, wenn Lukas sagt, Christus sei stark

31. 2, 147,19; 148,32.

geworden im Geist. Überhaupt hat der Geist Gottes Christus weiterhin nicht jederzeit gleichmäßig und stetig bewegt, sondern von Fall zu Fall »jetzt hierzu erweckt, jetzt dazu[32]«. Mit diesen Gedanken steht Luther fraglos in der Linie der antiochenischen Christologie[33]. Aber sie vertragen sich schlecht mit dem Ja zur Lehre von der Anhypostasie der menschlichen Natur. Denn sie setzen ein selbständiges Personleben des Menschen Jesus voraus, das mehr und mehr vom Geist Gottes bewegt wird. Auf der andern Seite sind sie, dogmatisch genommen, nur eine geringe Konzession. Der Widerspruch zwischen Luthers Fassung des *genus majestaticum* als Voraussetzung der innergeschichtlichen Entäußerung Christi und dem echten Menschenbild Jesu bleibt im ganzen ungemindert bestehen.

Und doch ist das *genus majestaticum* nicht Luthers letztes christologisches Wort[34]. Er führt über es hinaus, indem er Aussagen macht, die ein *genus tapeinoticon* bedeuten. Er vertritt den Gedanken, daß die Gottheit in Christus kraft der Menschwerdung und personalen Einheit mit der Menschheit in sein Leiden miteingeht bis in die tiefsten Tiefen. In Christus leidet Gott mit. Luther lehrt also zwar nicht, wie die Modalisten, »patripassianisch«, aber »deipassianisch[35]«. Er hat das Leiden Gottes immer als ein unbegreifliches Mysterium empfunden, für die Vernunft ist es ein ständiger Anstoß und selbst für die Engel nicht voll erfaßbar. Denn es bedeutet nichts anderes als dieses: Gott ist zugleich ganz oben und ganz unten; er ist der Schöpfer und Herr und doch zugleich unterste Kreatur, dienstbarer Knecht aller Menschen, ja, sogar dem Teufel unterworfen – der Mensch Jesus, der Gottes Zorn trägt, die Sünde der Welt, alle irdische Not, ja, die Hölle, eben dieser ist zugleich höchster Gott[36]. Das Mysterium Christi läßt sich nicht anders ausdrücken als in diesen paradoxen Sätzen. Das gilt gerade

32. 10 I, 1,446,7.

33. Vgl. zu den wiedergegebenen Sätzen Luthers *Theodor von Mopsueste,* vor allem die bei *Fr. Loofs:* Dogmengeschichte[4]. 1906. S. 282 abgedruckten Stellen. Auch Theodor lehrt, daß das Einwohnen des Logos im Laufe der sittlichen Entwicklung Jesu vollkommener wurde. Wenn Luther (10 I, 1, 447,12) von der Menschheit Christi als vom »Handgezeug und Haus der Gottheit« spricht, so hat auch das seinen Vorgang bei Theodor; vgl. *Loofs,* a.a.O. 280.282. – *R. Seeberg:* Lehrbuch der Dogmengeschichte II[3]. S. 187 ff.

34. Zur Würdigung und Kritik von Luthers Christologie siehe meine »Christliche Wahrheit«, S. 450, 459.

35. In einer Disputation von 1540, 39 II, 121,1 beruft Luther sich gegenüber der Meinung, daß die Gottheit in Christus nicht litt, auf die *communicatio idiomatum:* Illa, quae Christus passus est, tribuuntur etiam Deo, quia sunt unum.

36. 39 II, 279,26: Est incomprehensibile, quod Deus passus est, id quod etiam angeli non satis comprehendunt et admirantur. – 43, 579,34: quae summa persona est, tremenda supra omnes creaturas in majestate, ea fit infima et contemptissima. 580,2: Haec est communio idiomatum. Deus, qui creavit omnia, et est super omnia, est summus et infimus, ut oporteat nos dicere: Ille homo, qui flagris caesus, qui sub morte, sub ira Dei, sub

auch für das Kreuzesleiden Christi. Im Leiden selber ist die Gottheit mit ihrer Macht gegenwärtig. Eben mit seiner Erniedrigung, also zuhöchst mit seinem Kreuzesleiden hat Christus den Teufel und die Hölle überwunden – das ist aber ein gottheitliches Werk[37].

Indessen Luther mußte zugleich der Gottverlassenheit des sterbenden Christus, von der das Kreuzeswort spricht, gerecht werden. In einer Predigt von 1537 versteht er sie so: Die Gottheit ist zwar nicht von der Menschheit geschieden (Gottheit und Menschheit sind in Christus unscheidbar vereinigt), aber die Gottheit »hat sich eingezogen und verborgen«; »die Menschheit ist allein gelassen, und der Teufel hat einen freien Zugang zu Christo gehabt und die Menschheit allein kämpfen lassen[38]«. Anderswo heißt es, daß Christus am Kreuz die Gottheit nicht gefühlt, sondern rein als Mensch gelitten habe[39]. Wohl dieser letztere Satz ist mit Luthers Gedanken, daß die Gottheit in Christus leidet, verträglich, aber nicht der erstere, jedenfalls nicht in der Gestalt, daß die Gottheit »sich eingezogen« habe. Sie verletzt das nur paradox auszudrückende Mysterium des Leidens der Gottheit im Leiden des Menschen Christus. Die Gottheit Christi hat sich im Leiden des Menschen Jesus gerade nicht zurückgezogen, sondern ist in ihm gegenwärtig, leidend und überwindend.

Luthers christologisches Grundbekenntnis (des Vaters Herz und Wille in Christo) ist von unvergänglicher Bedeutung. Aber seine dogmatische Theorie des gottmenschlichen Seins Christi ist in sich nicht einheitlich, sondern zeigt Widersprüche. Die Theologie hat bei ihr nicht stehenbleiben können.

Die Trinität

Luther bejaht die orthodoxe Lehre von der Trinität, weil er sie in der Schrift bezeugt weiß, schon im Alten Testament[1]. Er betont die Einheit und die Drei-

peccato et omni genere malorum, denique sub inferno est infimus, est summus Deus ... Utrunque igitur verum est, summa divinitas est infima creatura, serva facta omnium hominum, imo ipsi Diabolo subjecta. Et econtra infima creatura, humanitas vel homo sedet ad dexteram patris, summa facta ... Hic est igitur articulus ille, quo offenditur totus mundus, ratio et Sathan, sunt enim in eadem persona maxime contraria. – 39 II, 340,16.

37. 43, 579,42: ... talis humanitas morti, inferno obnoxia facta et subjecta, et tamen in ea humiliatione devoraverit Diabolum, infernum et omnia in semetipso.

38. 45, 239,32. – Der Text ist zwar von Aurifaber bearbeitet, aber die entscheidenden Worte werden durch Rörers Nachschrift gedeckt, siehe vor allem 240,3.

39. 17 I, 72,32: Christus in cruce pendens non sentit divinitatem, sed ut purus homo patitur.

1. 39 II, 305,9: Ita tres personae et unus Deus in scriptura clarissime probantur. Neque enim crederem vel Augustini vel Magistri scriptis, nisi hunc de trinitate articulum vetus et novum testamentum liquidissime ostenderent.

heit mit gleichem Nachdruck[2]. Gott ist *unus et trinus*. Er ist mehr eins als die Einheit irgendeiner Kreatur, mehr eins als eine mathematische Größe. Daher liebt Luther auch den Begriff »Dreifaltigkeit« nicht, denn »in der Gottheit ist höchste Einigkeit[3]«. Aber diese Einheit ist zugleich die Dreiheit unterschiedener »Personen«. Ein Gott in drei Personen – jede Person ist die ganze Gottheit, und doch ist wieder keine Person für sich, ohne die beiden anderen, die Gottheit[4]. Das alles ist in der Schrift begründet. Für die Vernunft freilich ist die Rede von der Einheit und der Dreiheit in Gott ein Anstoß. Aber weil sie ihren Grund »in heller Schrift« hat, muß die Vernunft hier stille schweigen und muß geglaubt werden[5].

Die Begriffe, dieses Mysterium auszudrücken, mögen vielfach unangemessen sein. So spricht die Schrift nicht von »Trinität« – aber man muß um der Schwachen und um der Unterweisung willen so lehren. Wer statt von drei Personen zu reden, lieber einen anderen Ausdruck gebrauchen will, mag es tun – aber er muß darauf sehen, daß er die Sache, um die es geht, wahrt und ausdrücke[6]. Das aber sind die beiden miteinander unwidersprechlich in der Schrift begründeten Momente: die Einheit und die Dreiheit in dieser Einheit[7].

Weil Luther die Trinität Gottes in der Schrift bezeugt fand, hat er auch ihr wie den anderen christlichen Grundwahrheiten strenges theologisches Nachdenken gewidmet. Mehrere seiner Thesenreihen und Disputationen gelten ihr[8], und auch in seinen Predigten hat er sie dargelegt, wo die weihnachtlichen christologischen Texte wie Joh 1 und Hebr 1 es forderten[9]. Er war über die mittelalterliche Diskussion der Lehre im Bilde[10]. Aber die »Subtilitäten« der Scholastiker, welche die Trinität aus dem Wesen Gottes herleiten und dadurch der Vernunft begreiflich machen wollten, lehnt er ab und will sich allein an die Worte der Schrift halten und bei ihnen bleiben[11]. In ihrer Auslegung über-

2. 39 II, 287,13, These 5 ff.

3. 46, 436,7.

4. 39 II, 287,19.

5. 10 I, 1, 152,9; 157,15: Hie ist Glaube not und nit viel scharfs Spekulieren. – 186,5; 10 I, 1, 191,13: ob das natürlich Vernunft nit begreift, das ist recht, der Glaub solls allein begreifen, natürlich Vernunft macht Ketzerei und Irrtum, Glaub lehret und hält die Wahrheit, denn er haftet an der Schrift, die treugt noch leugt nit. – 37, 44,31.

6. 39 II, 305,14; 287,15.

7. *Trinus* gibt Luther im Deutschen wieder mit: Gott ist ein »Gedritts« in einem Wesen. 49, 239,2.18.

8. 39 II, 287 f.; 293; 305; 339 f.

9. 10 I, 1, 152 f.; 180 ff. (Kirchenpostille); 37,38; 49, 238 ff.

10. 39 II, 287 f.

11. 10 I, 1, 181,11; 185,3; 193,6.9: Unsere Schullehrer habens mit großen Subtilitäten hin und her trieben, daß sie es ja begriffig machten. – Statt dessen bleibe man (in dem einfältigen, gewaltigen, klaren Worte der Schrift). – 37, 41,21.25.

nimmt er die von der Tradition ausgebildeten Begriffe wie die ewige Geburt des Sohnes oder daß die *opera ad extra sunt indivisa*[12]. Hier wie überhaupt in dem Grundzuge seiner Trinitätslehre geht Luther in den Bahnen Augustins; zum Beispiel auch mit dem Satz, daß die drei »Personen« durch nichts anderes voneinander unterschieden und theologisch zu unterscheiden seien als durch ihre gegenseitigen Beziehungen als Vater und Sohn und so weiter[13].

Jesus Christus als Versöhner und Erlöser

An Christus wird Gottes Gesinnung gegen uns Sünder erkannt. In ihm geschieht die Offenbarung des Herzens Gottes. Darauf liegt bei Luther, wie das christologische Kapitel zeigte, entscheidender Ton. Gottes Sinn macht sich in Jesu Christi Geschichte kund. Diese aber hat auch ihr Eigengewicht als Geschehen zwischen Gott und der Menschheit, Gott und den Mächten, denen sein Zorn die Menschheit preisgegeben hat. Luther versteht mit der christlichen Tradition seit Paulus Jesu Geschichte als das Geschehen der Versöhnung und der Erlösung. Auf der sündigen Menschheit liegt der Zorn Gottes. Durch Jesus Christus, den Gekreuzigten und Auferstandenen, wird eine neue Lage geschaffen. Statt der Zornesmächte wird Christus unser Herr, er der »ein Herr des Lebens, Gerechtigkeit, alles Gutes und Seligkeit« ist. Wir werden durch sein Werk sein eigen und von ihm regiert, indem er uns an seinem Leben in »Gerechtigkeit, Unschuld und Seligkeit« teilgibt – darin besteht seine »Herrschaft«[1].

Das alles ist das Werk Gottes in Christus und durch ihn. Er ist es, der Christus sendet zu seinem Werke[2]. Aber Christus handelt in Gottes Namen und Kraft nun doch so, daß er es nicht nur mit der Menschheit und den Mächten, denen sie verfallen ist, zu tun hat, sondern auch mit Gott selbst. Er handelt auch in Richtung auf Gott. Er »versöhnt« Gott beziehungsweise die Menschheit mit Gott[3]. Gott handelt in Christus auch mit sich selbst, in sich selbst, im innertrinitarischen Gegenüber.

12. 10 I, 1, 154,1: Christus wird ohn Unterlaß ewiglich geboren vom Vater. – 39 II, 293,18. – 49,239,3.

13. 37, 41,16.

1. Vgl. die Erklärung des Zweiten Artikels im Kleinen und Großen Katechismus.

2. 17 II, 293,8.

3. 8, 519,4. – 10 III, 136,2.11.18. Wie diese Stellen und andere zeigen, wechselt Luther mit den Ausdrücken: Gott wird versöhnt; wir werden Gott dem Vater versöhnt; wir werden vor Gott versöhnt.

Gott kann seinen Zorn nicht fahrenlassen und seine Barmherzigkeit an den Sündern nicht erweisen, wenn nicht seiner Gerechtigkeit Genüge geschieht[4]. Christi Werk tritt auch bei Luther, wie bei Anselm, unter den Gesichtspunkt der Genugtuung. Christus muß für unsere Sünde Gott genugtun[5]. Die Gnade Gottes wird den Sündern freilich umsonst gegeben, das heißt ohne ihr Zutun und Verdienst. Aber in anderer Hinsicht geschieht sie nicht umsonst. Uns kostet sie nichts; aber »sie hat dennoch einen anderen für uns viel gekostet[6]«. Die Genugtuung kann nämlich nur auf dem Wege der Stellvertretung geschehen. Jesus Christus tritt an unsere Stelle[7]. Er übernimmt in »wunderbarer Übertragung« aller Menschen Schuldigkeit und Schuld gegen Gott[8]. Er leistet das, was die Menschen nicht aufzubringen vermögen, eben die Genugtuung. Es ist seine Liebe, die ihn dazu treibt, in ihr die Liebe Gottes, seine Barmherzigkeit gegen die Sünder[9].

4. 10 I, 1, 121,16: ... daß solches alles nit umsonst oder ohn Genugtun seiner Gerechtigkeit geschehe; denn der Barmherzigkeit und Gnade ist kein Raum über uns und in uns zu wirken oder uns zu helfen in ewigen Gütern und Seligkeit, der Gerechtigkeit muß zuvor genug geschehen sein aufs allervollkommlichste ... Darum mag niemand zu der reichen Gnade Gottes kommen, er habe denn Gottes Geboten aufs alleräußerste genuggetan. – 470,18: Ob nun wohl uns wird lauter aus Gnaden unsere Sünd nicht zugerechnet von Gott, so hat er das dennoch nit wollen tun, seinem Gesetz und seiner Gerechtigkeit geschehe denn zuvor allerding und überflüssig genug. Es muß seiner Gerechtigkeit solches gnädiges Zurechnen zuvor abkauft und erlanget werden für uns.

5. Die Begriffe »genugtun« und »Genugtuung« kommen bei Luther häufig vor. Vgl. unter anderem 10 I, 1, 720,18: Sollt er aber Priester sein und uns nach priesterlichem Amt mit Gott versöhnen, mußt er Gottes Gerechtigkeit für uns genugtun. – 10 III, 49,10 f. – 17 II, 291,7. – 29, 578,4; 579,5. – 30 I, 187,2. – 40 II, 405,28.30. – 31 II, 339,14. – 39 I, 46,11. Luther fand aber auf der anderen Seite das Wort »Genugtuung« nicht ausreichend, um die Bedeutung des Werkes Christi zu fassen, seine Heilsmacht, von Tod und Teufel zu erlösen und »ein ewig Reich der Gnaden« aufzurichten; 21, 264,27. »Genugtuung« »ist doch zu schwach und zu wenig von der Gnade Christi geredt und das Leiden Christi nicht genug geehret«.

6. 10 I, 1, 471,3.

7. 10 III, 49,10: ... Daß Gottes Sohn für uns steht und alle unsere Sünde auf seinen Hals genommen hat und ist die ewige Genugtuung für unsere Sünde und versöhnet uns vor Gott dem Vater. – 29, 578,3: Christus ist an unser Statt getreten. – 39 I, 53,2: ut loco nostrorum omnium seu pro nobis omnibus Dei filius obediens fieret. – Vgl. im Lied »Christ lag in Todesbanden« den Anfang der dritten Strophe: Jesus Christus Gottes Sohn / an unser Statt ist kommen. 35, 443,21.

8. 31 II, 339,13 (zu Jes 43,24): Ille labor a nobis transfertur ad Christum. Haec est mirabilis translatio.

9. Vgl. in dem Lied »Nun freut euch, lieben Christen gmein« die Verse »Da jammert Gott in Ewigkeit ... « und »Er sprach zu seinem lieben Sohn ... « – Auch 39 I, 45,25.

Auf zwiefache Weise tut Christus für die Sünder genug: er erfüllt Gottes im Gesetz ausgedrückten Willen, und er erleidet die Strafe der Sünde, den Zorn Gottes, beides an unserer Statt und uns zugute.

Christus hat das Gesetz Gottes ganz erfüllt. »Denn er hat Gott geliebet, von ganzem Herzen, von ganzer Seele, von allen Kräften, von ganzem Gemüte, und den Nächsten als sich selbst.« Er hat Gott darin geliebt, daß er ihm gehorsam war (Phil 2,8), Mensch wurde und alles ausrichtete, was der Vater ihm zu tun aufgetragen hatte. Den Nächsten hat er geliebt, denn alles, was er auf Erden tat, wollte nichts als den Menschen dienen, bis zur Hingabe des Lebens[10].

Er hat nicht nur das Gesetz erfüllt, er hat auch die Strafe, die das Gesetz über die Übertreter verhängt, erlitten. Erst so geschieht die volle Genugtuung an Gottes Gerechtigkeit. Bei Anselm heißt es: entweder Strafe oder Genugtuung. Bei Luther kommt die Genugtuung gerade auch durch die Strafe zustande, freilich nicht die der Sünder, sondern Christi[11]. Die Strafe der Sünde besteht in Gottes Zorn mit allem, was er über die Menschen bringt. So hat Christus es mit dem Zorn Gottes zu tun. Er erleidet ihn in seiner Passion. Er stirbt den Tod des Sünders. Aber im Unterschied von uns Sündern erleidet und stirbt er einen »unschuldigen reinen Tod«. Damit hat er »Gott bezahlt« und erwirkt, daß Gott seinen Zorn und seine ewige Strafe von uns nimmt[12].

Luthers Verständnis des Kreuzesleidens Christi[13] wird bestimmt einmal durch die biblischen Texte, vor allem das vierte Kreuzeswort und Gal 3,13, zugleich aber durch die Erfahrung der Anfechtungen, die ein Christ erlebt[14]. Von ihnen

10. 17 II, 291,19.

11. Über das Verhältnis von Luthers und Anselms Versöhnungslehre siehe weiter: Grundriß der Dogmatik II. § 32, 3.4.

12. 37, 59,24. – 8, 519,9.

13. Die Hauptquellen: Sermon von der Betrachtung des heiligen Leidens Christi (1519), 2, 136 ff.; Sermon von der Bereitung zum Sterben (1519), 2, 685 ff.; die Auslegung von Psalm 22 in den Operationes in Psalmos (1521), 5, 598 ff.; die Auslegung von Gal 3,13 im Großen Galaterkommentar (1535), 40 I, 432 ff.; die Predigt über das vierte Kreuzeswort (1525), 17, I, 67 ff.

14. *Erich Vogelsang:* Der angefochtene Christus bei Luther. 1932. – Man kann aber die Schrift und die Anfechtungen nicht einfach als zwei Pole in Luthers Denken einander gegenüberstellen. Denn auch in der Erfahrung der Anfechtungen ist die Schrift insofern mit drin, als Luther die Anfechtungen im Licht der Erfahrung der Frommen in der Schrift, vor allem in den Psalmen versteht; siehe zum Beispiel 5, 603,17. – Vollends gilt für Luther, daß wir die Kreuzesnot Christi von der Not der eigenen Anfechtungen aus nur zu einem Teil verstehen können, dagegen die Tiefe unserer Not, die uns in unserer Gottlosigkeit verborgen ist, erst von Christi Erleiden des Zornes Gottes her wahrnehmen. So ist das Doppelte zu sagen: wir verstehen Christi Leiden zu einem Teil von der eigenen Erfahrung aus, aber wir kommen andererseits zu einer vollen Erkenntnis der Not unter Gott erst durch den Blick auf Christi Leiden, wie die Schrift es bezeugt. Vgl. 17 I, 71,3: Nos non sentimus und wissen nit, wie es so schändlich um

her erschließt sich für Luther der eigentliche Sinn der biblischen Aussagen. Christi Leiden und die Anfechtungen der Christen gehören zusammen, und zwar in zwiefacher Weise: die eigene Erfahrung der Anfechtungen kann einen Begriff von Christi Seelenleiden geben; und: Christi Leiden muß als ein Hineingehen auch in die tiefste innere Not der Menschen verstanden werden – sonst könnte Christus nicht ihr Heiland in eben dieser Not sein.

Christi Leiden ist ein ganz und gar menschliches. Er leidet als »purer lauterer Mensch«. Ist auch die Tiefe seines Seelenleidens am Kreuz nicht auszumessen, so besteht doch eine Analogie zwischen den Anfechtungen, welche die Frommen unter Gottes Zorn im Gewissen erleben, und der Passion Christi, eben weil er ganz als Mensch, gleich einem anderen, leidet[15]. Er ist der zur Verzweiflung an Gott angefochtene Mensch. Er erleidet Gott in der Gestalt des Schuldbewußtseins im Gewissen. Daher kann er auch uns Menschen in der ganzen Tiefe und Schwere unserer Not unter Gott verstehen und uns darin helfen[16]. Man muß das vierte Kreuzeswort und Paulus Gal 3,13 (»Christus ... ward ein Fluch für uns ... Verflucht ist jedermann, der am Holze hängt«) ganz ernst nehmen und nicht verharmlosen[17]. Christus war wirklich von Gott verlassen, nämlich von der Erfahrung seiner väterlichen Nähe, und statt dessen der Erfahrung des Zornes und der Hölle preisgegeben. Gott schlägt ihn nach Jes 53 um unserer Sünde willen, straft ihn mit unserer Strafe. Diese aber besteht nicht nur in dem leiblichen Tode, sondern »auch in der Angst und dem Entsetzen eines erschrockenen Gewissens, das den ewigen Zorn fühlt und so daran ist, als sollte es in Ewigkeit verlassen und verworfen werden von Gottes Angesicht« – dann kann es aber nicht anders sein, als daß auch Christus »die Angst und das Entsetzen eines erschrockenen Gewissens, das den ewigen Zorn schmeckt, erlitten hat[18]«. So ist Christus, auch in seinen eigenen Augen, gleich einem Verfluchten. Man darf an dem »Verflucht!« von Gal 3,13 nichts abmarkten, sondern muß es mit Paulus in vollem Ernst von Christus gelten lassen. Ebenso Jes 53,6. »Gott

uns steht ... Ergo omnia referenda in animam nostram, quae Christus tulit et ergo quam clariorem facere possumus Christi passionem, eo melius videmus nostram damnationem.

15. 17 I, 68,8.12; 69,9.14 in Rörers Nachschrift und die entsprechenden Stellen auf den gleichen Seiten aus Roths Aufzeichnungen. »Man muß Christum lassen purum hominem ... hic fuit ein Mensch ut alius ... Ita fit piis ... Omnia sensit ut homo.«

16. 45, 370,36: Denn es ist kein Unglück und Leiden so groß, wir könnens ertragen, wo nur der Trost ist: Wir haben noch einen gnädigen Gott, es sei um unser Leiden, wie es wolle. Hier aber ist Gott wider ihn gewest. 371,8: Da hat er durch die Rollen müssen laufen, daß er uns gleich wurde und zu helfen wußte. Das ist unser Trost: stecken wir in einer Not, daß wir denken: du bist auch in dem Spital gewest. Das sind gute Beichtväter, die etwas versucht haben. Darum verstehet uns Christus bald und weiß uns bald zu helfen. Denn er ist auch in der Not gewesen. Das ist ein gewisser Trost.

17. 40 I, 432,20.   18. 5, 602 f.; besonders 603,11.

spielt nicht mit den Worten des Propheten[19].« Wer sie nicht ganz ernst nimmt, weil er es unerträglich findet, das von Christus auszusagen, daß er unsere Strafe und unseren Fluch getragen hat, der beraubt uns des süßesten Trostes[20].

Christus hat also die Schauer der Todesangst, der Gottverlassenheit, des Zornes voll durchlitten – Luther malt die ganze furchtbare Heillosigkeit dieses Zustandes aus[21]. Von unserer Erfahrung des Zornes und der Gottverlassenheit ist Christi Passion aber dadurch unterschieden, daß er das alles nicht in seiner eigenen Sache, sondern in unserer Sache erleidet: er geht liebend in die ganze Not der Sünder unter Gott ein. »Er wollte aus eigenem Antrieb und nach des Vaters Willen der Sünder Geselle sein[22].« So erleidet er die Gottverlassenheit und den Zorn an unserer Stelle. Unsere Sünden nimmt er auf sich, als wären es seine eigenen[23]. Insofern steht er mit den Sündern als Sünder vor Gott und wird von Gott als solcher behandelt. An dieser Übernahme unserer Sünden durch Christus hängt unser Heil[24].

Aber obgleich als Sünder an unserer Statt leidend, ist er doch nicht selber Sünder, auch in seinem Leiden nicht – und eben das unterscheidet sein reines Leiden von dem unseren, in welchem wir unentrinnbar sündigen durch Murren, Trotz, Verzweiflung, Lästerung[25]. Das vierte Kreuzeswort klingt zwar so, als empörte Christus sich gegen Gott; aber in Wahrheit ist es nur das natürliche Sich-Aufbäumen der Kreatur gegen das Grauen des Todes – wie ein überlasteter Balken knarrt[26]. In Wahrheit bleibt Christus auch in der Tiefe seiner Anfechtung doch in der Liebe zu Gott mit allen Kräften[27]. Er ist mitten in der furchtbaren Erfahrung der Gottverlassenheit und des Fluches nicht mit Gott entzweit, sondern ihm in Liebe und Gehorsam hingegeben. So wohnt in ihm paradox zugleich höchste Freude und höchste Traurigkeit, größte Ohnmacht und größte Macht, schwerste Erschütterung und tiefster Friede; völliger Tod und völliges Leben; denn Christus ist von Gott verlassen und wiederum doch nicht verlassen. Luther findet beides in dem vierten Kreuzeswort: Christus ruft denselben Gott,

19. 40 I, 434 f.; besonders 435,21. – Vgl. auch 8,33.39.

20. 40 I, 434,21: Hac cognitione Christi et consolatione suavissima, quod Christus pro nobis factus sit maledictum, ut nos a maledicto legis redimeret, privant nos Sophistae.

21. 5, 602,14.

22. 40 I, 434,17: Christus autem non solus inventus est inter peccatores, sed etiam ipse sua sponte et Patris voluntate voluit esse socius peccatorum. – Zur Liebe Christi, in der er alles um unsertwillen auf sich nimmt, vgl. auch 17 I, 70,11; 71,9: quam charitatem exhibuerit ...; 71,32: Vide et perpende, quae sit ista dilectio in Christo, quae urgeat Christum ad hoc.

23. 5, 603,8. – 40, 435,16: Quaecunque peccata ego, tu et nos omnes fecimus et in futurum facimus, tam propria sunt Christi, quam si ea ipse fecisset.

24. 40 I, 435,18.   25. 5, 604,12.

26. 5, 604,28; 605,3.26.   27. 5, 605,25.

von dem er sich verlassen fühlt, mit »mein Gott« an – so ruft keiner, der sich gänzlich verlassen weiß[28].

Dadurch aber, daß Christus so mitten in der Gottverlassenheit, unter dem Zorn, in der Hölle der Gottesferne doch nicht aufhört, Gott über alles zu lieben, dadurch überwindet er den Zorn, die Hölle, dadurch entmächtigt er das Gericht. Wir anderen stehen unter Gottes Zorn so, daß wir von ihm aufs neue wider Gott gereizt und sündig werden, weil wir uns selber suchen. Ganz anders Christus. Wohl fühlt auch er, wie Verdammte fühlen: er erschauert vor Gott und möchte ihn fliehen, aber er vermag ihn doch zugleich zu lieben[29]. So hat Luther es in dem »Sermon von der Bereitung zum Sterben« ausgedrückt: »Er ist das himmlisch Bild, der verlassen von Gott, als ein Verdammter, und durch seine allermächtigste Liebe die Hölle überwunden, bezeugt, daß er der liebste Sohn sei, und uns allen dasselbe zu eigen geben, so wir also glauben[30].«

Es bedarf keines Wortes, daß dieses Verständnis des leidenden Christus jenseits aller Psychologie liegt. Daß Christus inmitten der Gottverlassenheit Gott doch weiter liebt und daher mitten in der Angst doch im Frieden Gottes steht, das läßt sich psychologisch kaum ausdenken. Es folgt bei Luther aber theologisch aus dem Doppelgehalt des vierten Kreuzeswortes und zugleich aus dem Satz von der Sündlosigkeit Christi[31].

Christus erleidet die Hölle, den Zorn Gottes, und überwindet sie in Kraft seiner Gottesliebe, dieses war für Luther auch der Sinn des Artikels von dem *descensus Christi ad inferna,* der Höllenfahrt. Sie fällt mit der Sterbensnot Christi zusammen. In dieser erringt Christus den Sieg über die Hölle. Diesen Gedanken vertritt Luther von Anfang an bis in seine spätesten Schriften. Vgl. die Belege in meinem Aufsatz: Niedergefahren zur Hölle. ZSTh 19. 1942. S. 371 ff. Daneben geht freilich eine andere Auffassung her: Unter Berufung auf Schriftstellen wie Ps 16,10 und Apg 2,24.27 und im Blick auf die Reihenfolge der Artikel im Apostolikum, wo der *descensus* dem Tode erst folgt, lehrt Luther auch eine Höllenfahrt Christi nach seinem Tode. Über die Schwierigkeit, in welche diese Doppelheit ihn bringt, vgl. den genannten Aufsatz. Trotz allem kann man nicht bezweifeln, daß Luthers eigenster Gedanke über die Höllenfahrt jener erste ist, die Beziehung auf die Passion, auf Gethsemane und Golgatha. Dieses Verständnis übernahm Calvin, und es ging in einige Symbole der reformierten Kirche über. Melanchthon dagegen versteht im Unterschied von Luther die Höllenfahrt als einen Sieges- und Triumphzug Christi in die Hölle: Christus zeigt den Teufeln und Verdammten erschreckend seine Macht. Die lutherische Orthodoxie blieb in dieser Linie: die Höllenfahrt ist der erste Akt der Erhöhung Christi. So wurde Luthers tiefes Verständnis preisgegeben. Wenn man gegen die Reformierten, welche die Höllenfahrt zum Stande der Erniedrigung rechneten, polemisierte, so kämpfte man, meist ohne es zu wissen, auch gegen Luther.

28. 5, 602,21.   29. 5, 605,34.   30. 2, 691,18.
31. 5, 604,36: Neque enim potuit peccare aut malum facere Christus, etsi ea, quae fecit ipse, si nos faceremus, vere peccata fierent.

Luthers Kreuzes-Lehre überbietet alle frühere Theologie durch den Ernst, mit dem er Christus die totale Gottverlassenheit und die Hölle erleiden läßt. Wie er im Verständnis der Inkarnation Christus nicht tief genug in unsere Menschlichkeit hineinziehen kann, so auch im Verständnis des Kreuzes. Der Grund dafür liegt darin, daß Luther Christi Passion, wie wir schon betonten, durchweg auf die Anfechtung des Menschen unter Gottes Zorn bezieht, von hier aus versteht und als vollmächtige Hilfe in der eigenen Not muß erkennen können. Der unser Heiland sein will, muß unsere eigene Hölle erlitten haben. Die Hölle ist dabei nicht als ein zukünftiger Zustand oder Ort, sondern als gegenwärtige Wirklichkeit gedacht, die ein erschrockenes Gewissen unter Gottes Zorn jetzt erfährt. Christus, der die Gottverlassenheit und die Hölle erlitten hat, ist unmittelbar zu der Not aller Menschen unter Gottes Zorn, und diese ist unmittelbar zu seiner Passion.

Christi Werk als Kampf mit den Mächten

Was Luther so als Genugtuung an Gott, als das Erleiden und Überwinden des Zornes, der Gottverlassenheit, des Fluches, der Hölle darstellt, eben dasselbe schildert er auch – wie schon an seiner Auffassung der Höllenfahrt zu ersehen ist – als Kampf Christi mit den Mächten, deren Gottes Zorn sich bedient, an die er preisgibt[32]. Er personifiziert sie. Die Sünde, der Inbegriff aller Menschheitssünde tritt auf und will Christus verdammen wie alle anderen Menschen; aber sie stößt hier in der Gestalt eines Menschen, der für uns stellvertretend »höchster, größter und einziger Sünder ist«, auf eine Person von ewiger, unwandelbarer Gerechtigkeit[33], auf Christi »unüberwindlichen Gehorsam«[34]. Dieser Zweikampf kann nicht anders ausgehen als so, daß »die gesamte Sünde besiegt, getötet und begraben wird«. Seine Gerechtigkeit verschlingt die Sünde[35]. So hat auch das Gesetz, das ihn verklagen und verurteilen möchte wie uns andere, kein Recht und keine Macht wider ihn, denn er hat es ganz und gar erfüllt[36]. Der Tod, der allmächtige Tyrann der ganzen Welt, versucht es mit ihm, aber er trifft in ihm auf das unsterbliche Leben[37]: »Es war ein wunderlich Krieg,/ da Tod und Leben rungen,/ das Leben behielt den Sieg,/ es hat den

32. Hauptquelle die große Galatervorlesung 40 I, 432 ff., dazu die Predigten.

33. 40 I, 438,32.

34. 2, 691,17: Er ist das Bild der Gnaden Gottes wider die Sünd, die er auf sich genommen und durch seinen unüberwindlichen Gehorsam überwunden. – Vgl. im Lied »Nun freut euch ... «: »Mein Unschuld trägt die Sünde dein.«

35. 17 II, 291,35: Die Sünde »leget sich wohl an ihn, aber er war ihr zu mächtig, er verschlang sie, in ihm mußte sie verlöschen wie ein Fünklein Feuers im ganzen Meere, denn da war eitel Gerechtigkeit«.

36. 17 II, 291,19.

37. 40 I, 439,28.

Tod verschlungen./ Die Schrift hat verkündet das,/ wie ein Tod den andern fraß[38].« – »Christus ist nichts denn eitel Leben« – so erwürgt er den Tod in seinem Leben[39]. Der Satan, die Hölle wollen ihn verschlingen, aber sie haben kein Recht auf ihn und werden vielmehr von ihm selber verschlungen, denn er lebt in der völligen Gottesliebe[40]. Luther kann statt vom Satan und der Hölle auch von dem Fluch, nämlich Gottes Zorn, als von einer Macht reden, die in Christi Passion mit der Macht des Segens über Christus kämpft: die *maledictio* will die *benedictio* zunichte machen, aber sie vermag es nicht, denn die *benedictio* ist göttlich und ewig[41]. Es ist bezeichnend, daß Luther hier den Fluch, den göttlichen Zorn neben die Mächte Sünde und Tod stellen und auch zu »jenen Scheusalen« *(monstra)* rechnen kann, mit denen Christus kämpft[42]. Ein Zeichen dafür, daß die Mächte, mit denen Christus zu kämpfen hat, zuletzt doch theozentrisch zu verstehen sind: Gottes Zorn gehört zu ihnen, und er ist die eigentlich bedrohende und tötende Macht in ihnen allen[43].

Der Kampf ist von allumfassender Bedeutung und hat sich doch – nach Kol 2,15 – »in ihm selbst«, der einen einzigen Christus-Person begeben[44]. Es ist der Mensch Jesus, der das alles durchstanden hat. Aber ohne seine Gottheit hätte er in dem furchtbaren Ringen wider jene mächtigen Feinde nicht siegen können[45]. Luther hat stark betont, daß hierfür die Gottheit Christi schlechterdings unentbehrlich sei. Wer, wie Arius, den Artikel von der Gottheit Christi leugnet, kann folgerichtig nicht anders als auch die Erlösung durch ihn leugnen. »Denn die Sünde der Welt, den Tod, den Fluch und den Zorn Gottes in sich selbst überwinden, das ist nicht das Werk einer Kreatur, sondern der göttlichen Macht. Daher muß der, der in sich selbst das besiegt hat, wahrhaft und wesenhaft Gott sein ... Die Sünde abtun, den Tod abtun, den Fluch wegnehmen in sich selber und Gerechtigkeit schenken, das Leben ans Licht bringen, den

38. 35, 444,6.
39. 2, 689,11. – 17 II, 292,1.
40. 17 II, 292,7; – 2, 691,20.
41. 40 I, 440,2.15.
42. 40 I, 440,2.

43. Das zeigt sich auch darin, daß Luther, wo er von der Auseinandersetzung Christi mit den Mächten spricht, sie ohne weiteres als »Genugtuung« bezeichnet, also den gleichen Ausdruck anwendet, wie Gott gegenüber (Gottes Gerechtigkeit genugtun) – so jedenfalls im Blick auf das Gesetz; 17 II, 291,8.19. – 40 I, 503,3 f.

44. 40 I, 440,24.

45. 10 III, 74,21: Christus ist im Seelenkampf in Gethsemane durch göttliche Macht erhalten, »sonst hätte ers nicht überwinden können«. – 17 II, 236,21: Denn wo die Person nicht bei Gott wäre, die für uns sich opferte, so hülfe und gälte vor Gott nichts, daß er von einer Jungfrau geboren und gleich tausend Tode erlitte. Aber das bringt den Segen und den Sieg über alle Sünde und Tod, daß der Same Abrahams auch wahrer Gott ist, der sich für uns gibt.

Segen herbringen, das heißt also: jenes zunichte machen und dieses schaffen, das sind Werke der göttlichen Macht alleine[46].« Ebenso: hat Christus in seiner Person das Gesetz besiegt und getötet, so muß er wesenhaft Gott sein – denn er muß über dem Gesetz sein, das ist aber Gott allein[47].

Luther hat in allem, was er von dem Kampf und Sieg Christi über die Mächte sagt, aber auch wo er das Werk Christi theozentrisch aussagt, Jesu Sterben und Auferweckung eng zusammengenommen, ebenso wie der Apostel Paulus. Karfreitag und Ostern gehören unlösbar zusammen[48]. Bezeichnend dafür ist, daß er kein einziges Passionslied wie später seine Kirche gedichtet hat. Sein Lied vom Heilswerk Christi ist ein Osterlied: »Christ lag in Todesbanden«. Das ausgesprochene Passionslied der lutherischen Dichter des 17. Jahrhunderts knüpft an mittelalterliche katholische Vorbilder an. Durch Luther ist es nicht vorbereitet. In Tod und Auferweckung Christi miteinander ist die Versöhnung geschehen. Unsere Gewißheit um die geschehene Versöhnung hängt an Christi Auferstehung. Die Auferstehung Christi glauben heißt: der Versöhnung durch Christus gewiß sein[49].

Das Werk Christi ist einmal in der Geschichte geschehen. Aber vor Gott steht es schon von Ewigkeit her als wirklich da. In diesem Sinne ist Christus nach Offb 13,8 schon vom Anbeginn der Welt für die Sünde der ganzen Menschheit gekreuzigt worden. Denn von Anfang an ist das Evangelium, die Verheißung da, und diese schließt Christus und sein Werk ein. Insofern leben alle Menschen aller Zeiten, die an die Verheißung glauben und dadurch selig werden, von dem Werk Christi, obgleich dieses real doch erst auf Golgatha geschehen ist. Es ist aber in Gottes ewigem Heilswillen begründet[50] und daher von überzeitlicher Bedeutung[51].

46. 40 I, 441,1.13.

47. 40 I, 569,25.

48. Luther unterscheidet die Heilsbedeutung des Leidens Christi und seiner Auferstehung im Anschluß an Paulus Röm 4,25 so: In seinem Leiden macht er (Christus) unsere Sünd bekannt und erwürget sie also, aber durch sein Auferstehn macht er uns gerecht und los von allen Sünden. 2, 140,21. Vgl. 19: ... er überwindet sie durch sein Auferstund.

49. 10 III, 136,2: Glauben die Auferstehung Jesu Christi ist nichts anders denn glauben, daß wir einen Versöhner vor Gott haben, welcher Christus ist, der uns Gott dem Vater angenehm und fromm macht. 137,2: Das heißt Glauben in die Auferständnis Christi, wenn wir glauben ..., daß Christus unsere Sünd und der ganzen Welt auf seinen Hals genommen hat, daneben den Zorn des Vaters und also sie beide in sich selbst ertränket, dadurch wir vor Gott versühnet und ganz fromm worden seind.

50. Vgl. 1 Petr 1,20.

51. 39 I, 49,14: Christus etiam ab initio mundi occisus est pro peccatis totius mundi. – 39 II, 197,2: Christus non re ipsa a principio mundi occisus est, sed in promissione tantum. – 18, 203,34.

Das Werk Christi ist »außer uns« geschehen, also auch ohne uns, uns immer schon vorgegeben, insofern »objektiv«. Aber zugleich betont Luther aufs stärkste: Christi Werk hilft uns gar nichts ohne den Glauben, sondern nur, soweit wir Christus durch den Glauben in uns aufnehmen[52]. Dazu muß es uns aber verkündigt sein. Hier gilt das gleiche wie von Jesu Christi Person und Geschichte überhaupt: Erst die Verkündigung bringt sie an uns heran und läßt uns ihren Sinn, ihre Bedeutung für uns verstehen (S. 171)[53]. Der Satz, daß uns keines anderen Werk oder Glaube vor Gott helfen kann, gilt ohne Abzug auch im Blick auf Christus. Obgleich er der Heiland aller Welt ist, hilft mir seine Hilfe gar nichts, solange ich nicht glaube[54]. Christus hat in seiner Person den Sieg über die Mächte gewonnen. Aber mir kommt dieser Sieg zugute nur so, daß Christus in mir wohnt und herrscht, und das geschieht durch den Glauben. So gehört mit dem Satz, daß Christus der Sieg über die Mächte ist, untrennbar der andere zusammen, daß unser Glaube der Sieg ist, der die Welt überwunden hat (1 Joh 5,4)[55]. Christi Sieg ist also nicht ein metaphysisches Geschehnis der Art, daß man sagen könnte: seit seinem Sieg sind die Mächte nicht mehr da. Sondern es gilt: der Sieg hängt an ihm, bei ihm sind die Feinde überwunden und nicht mehr da. »Bei ihm«, nur so, im räumlichen Bilde, darf man von der Wirklichkeit seines Sieges für uns sprechen, nicht mit dem zeitlichen »seit«, als ob seit Golgatha und Ostern die Welt metaphysisch verändert wäre. Die Mächte, auch der Zorn Gottes, auch das Gesetz sind alle noch da, aber in Christus sind sie überwunden, daher auch für die, in denen Christus ist durch den Glauben. So ist Christi Werk der Versöhnung und Befreiung nicht eine dingliche Leistung, die gültig wäre und sich auswirkte gleichsam hinter unserem Rücken, ohne persönliche Gemeinschaft mit Christus. In solchem Sinne ist es gerade nicht »objektiv«. Es ruft nach der »Subjektivität« der Aneignung im Glauben, es ist für

52. 40 I, 440,10.31. Quatenus Christus per gratiam suam in cordibus fidelium regnat, nullum peccatum, mors, maledictio est. Ubi vero Christus non cognoscitur, manent ista. Ideo carent isto beneficio et victoria omnes, qui non credunt. Est enim victoria nostra, ut Johannes ait, fides. – Dieses »sofern wir glauben« oder »so wir anders dasselb glauben« kehrt bei Luther immer wieder, wenn er von dem Werk Christi spricht.

53. 26, 40,10: Si hunderttausend Christus crucifixi et nemo de eo dixisset, quid profuisset factum: traditum in crucem. 10 I, 2, 7,7.

54. 10 III, 306,11: daß ihm niemand fürnehme, durch eines anderen Glauben oder Werk selig zu werden, ja, es kann nicht durch Mariä oder Christi Werk und Glauben geschehen ohne deinen eigenen Glauben, denn Gott wird nicht gestatten, daß Maria, ja Christus selbst also für dich trete, daß du fromm und gerecht seiest, es sei denn, daß du selbst gläubig und fromm seiest. – 27: sonst hilft kein fremder Glaub noch Werk, auch nicht Christus, der da ein Heiland ist aller Welt, sein Gut, sein Hilf hilft dich garnichts, es sei denn, daß du glaubst und erleuchtet werdest. – Ebenso 308,4.

den Glauben und nur in ihm heilvoll-wirklich. Gott handelt mit dem Menschen, wenn es um das Heil geht, immer nur auf personhafte Weise, das heißt: durch den Glauben. So gehört der Glaube in Christi Werk mit hinein.

Im Glauben wird Christi Werk uns zu eigen. Man muß im Sinne Luthers sagen: Christus hat sich in seiner Liebe mit dem Menschen in eins gesetzt. Nun setzt der Mensch sich selbst im Glauben mit Christus in eins. Christus nimmt alles, was unser ist, unere Sünde, unsere Todesnot unter dem Zorn Gottes und in der Gewalt des Teufels auf sich und gibt sich selbst und was sein ist, seine Unschuld, Gerechtigkeit, Seligkeit, uns zu eigen. Das ist der »wunderbarliche Wechsel«, das *admirabile commercium*[56]. Der Glaube aber ist die Weise, wie der Mensch diesen »wunderbarlich Wechsel« an sich geschehen läßt, sich zu ihm bekennt, sein Leben auf ihn wagt. Christus spricht zu dem Menschen: deine Sünde ist mein, meine Unschuld ist dein. Der Glaube spricht zu Christus: meine Sünde liegt auf dir, deine Unschuld und Gerechtigkeit ist mir zu eigen. So kommt erst durch den Glauben dieser selige Tausch wirklich zustande. Der Glaube ist der Brautring, durch den die Ehe Christi mit der Seele und damit der »wunderbarlich Wechsel« sich vollzieht. Durch ihn werden Christus und die Seele »ein Leib«, und damit tritt die Güter- und Leidensgemeinschaft in Kraft. Der Glaube ist also ein Teil der Versöhnung selbst[57].

Der Glaube kann sich aber Christi Eintreten für uns durch sein Kreuz nur so aneignen, daß er sich in Christi Leiden und Sterben selbst hineinziehen läßt. Auch Luther spricht wie Paulus von dem Sterben mit Christus, das nicht nur einmal grundsätzlich geschehen ist (Gal 2,19: Ich bin mit Christus gekreuzigt), sondern den immer neuen Akt der Kreuzigung des Fleisches bedeutet (Luther gibt Paulus Gal 5,24 präsentisch wieder: »kreuzigen ihr Fleisch«[58]). Er knüpft

55. Vgl. Anm. 52. – 39 I, 45,16 vom rechten Glauben: quae faciat Christum in nobis efficacem contra mortem, peccatum et legem.

56. 7, 25,28; 54,31. Aber auch schon 1, 593,4. Ferner 5, 608,6: Hoc est mysterium illud opulentum gratiae divinae in peccatores, quod admirabili commercio peccata nostra jam non nostra, sed Christi sunt, et justitia Christi non Christi, sed nostra est ... – 10 III, 356,21: Daher kommt dann der wunderbarliche Wechsel, daß Christus sich und seine Güter dem Glauben gibt und nimmt an sich das Herz und was es auf sich hat ihm zu eigen; 358,10. – 31 II, 435,11 (zu Jes 53,5: Die Strafe liegt auf ihm, auf daß wir Frieden hätten ...): Vide mirabilem mutationem. Alius peccat, alius satisfacit. Alteri debetur pax, et alius habet eam.

57. Vgl. *R. Prenter:* Schöpfung und Erlösung II. 1960. S. 365: »›Die subjektive Aneignung‹ der Versöhnung ist nicht etwas, das einem ›objektiven‹ Gotteswerk folgt, sondern ist selbst ein Glied dieses ›objektiven‹ Gotteswerkes, ohne das dies gar nicht durchgeführt worden wäre, ohne das die ›Satisfaktion‹ nicht geschehen wäre.«

58. Von 1522 bis 1527 hat Luther, entsprechend dem Paulus-Text, richtig übersetzt: »haben gekreuzigt«, seit 1530 aber setzt er das Präsens ein. Das ist für sein theologisches Verhältnis zu Paulus ähnlich bezeichnend wie die Verwendung von Röm 6 in der vierten Tauffrage. Vgl. dazu meine »Christliche Wahrheit«, S. 561.

an die Unterscheidung Augustins an: Christi Passion ist sowohl »Sakrament« wie »Exempel«. Luther versteht das so: Christi Passion ist Sakrament, sofern durch sie die Sünde grundsätzlich getötet ist; Exempel, sofern wir Christus darin nachfolgen sollen, daß auch wir leiden und leiblich sterben. Als »Sakrament« ist Christi Passion »mir zugute geschehen«, als Exempel bedeutet sie, »daß auch ich leide nach dem alten Adam«[59]. »Christi Leiden muß nicht mit Worten und Schein, sondern mit dem Leben und wahrhaftig gehandelt werden[60]«. Davon – sagt Luther – sind die Briefe des Paulus und Petrus voll. Er hat diesen Gedanken vor allem in seiner Lehre von der Taufe betont. Er gehört zu seinem Verständnis des stellvertretenden Handelns Christi untrennbar hinzu. Die Stellvertretung ist nicht einfach exklusiv, sondern zugleich inklusiv zu verstehen: Christus hat nicht nur für uns gelitten, sondern will uns eben damit in sein Leiden hineinziehen[61].

Christi Leiden war zugleich Kampf und Sieg über die Mächte. Auch nach dieser Seite wird es vom Glauben so angeeignet, daß der Kampf und Sieg Christi sich in dem Christen aktualisiert. Der Glaube ist der Sieg, so sagt Luther mit Johannes. Das heißt: Christi Kampf und Sieg, sein Kreuz und seine Auferstehung werden gegenwärtig und aktuell in dem Kämpfen und Siegen des Christenmenschen. Wohl hat Christus die Mächte, Gesetz, Satan, Tod in seiner Person überwunden, grundsätzlich, ein für alle Male[62]. Aber empirisch sind sie in der Welt noch da und haben da, wo Christus nicht herrscht, noch ihre Tyrannei[63]. Erst am Ende werden sie ganz abgetan[64]. Bis dahin aber kämpfen sie weiter gegen Christus, den sie hassen, und zwar nun in Gestalt seiner Christenheit, der Kirche[65]. Insofern ist der Kampf für Christus, unbeschadet seines Sieges,

59. 2, 141,10.12; 501,34; – 17 I, 74,15.

60. 2, 141,37.

61. In der existentialistischen Theologie *Bultmanns* werden diese beiden Seiten auseinandergerissen, die zweite gegen die erste gestellt: »An das Kreuz glauben heißt das Kreuz Christi als das eigene übernehmen, heißt sich mit Christus kreuzigen lassen« (Offenbarung und Heilsgeschehen. 1941. S. 61). Bei Luther ist dies das Zweite, nach dem »für uns«; bei Bultmann ist es das Ganze.

62. 17 I, 71,18: scio Christum ante me vicisse.

63. 19, 140,25: ... der Tod, so noch herrschet und bei Kräften ist außer Christus Reich.

64. 19, 141,13: Das heißt meisterlich den Tod und Sünde überwunden: nicht daß man sie mit Gewalt im Augenblick wegtu und nimmer fühle, sondern daß man ihnen zuerst das Recht und Macht nimmt und verdammt sie mit Urteil und Recht, daß sie sollen zunichte werden. Ob sie nun indes noch toben und sich fühlen lassen, ehe sie zerbrochen werden, da liegt nicht an, das Urteil ist doch über sie gangen, daß sie des kein Recht noch Macht haben, sollen aber und müssen bald aufhören und ihr Ende haben. – 8, 92,3 ff.

65. 34 II, 68,2. Christi Reich herrscht nach Psalm 110 »inmitten seiner Feinde«. Christi Reich ist ein solches, das »ohn Unterlaß zu Felde liegt«.

noch nicht zu Ende[66]. Denn die Christen, weil sie noch alter Mensch und Sünder sind, bleiben für die Mächte anfällig. Sie werden von ihnen bedroht und angefochten im Gewissen – das hört nicht auf. Daher muß Christus nun in den Herzen der Seinen durch Wort und Sakrament den Kampf führen, den er am Kreuz und zu Ostern gewonnen hat. Der Christus für uns muß zum Christus in uns werden, durch den Glauben, und zwar aufs neue zum Kämpfer[67]. Er kämpft den Kampf mit den Mächten in den Herzen der Seinen auf Grund seines Sieges. Aber sein Sieg wird für die Seinen auch nur im immer neuen Kampf wirklich und gegenwärtig. Christi Begegnung mit den Mächten erneuert sich in jedem Christen immer wieder[68]. Der Christ siegt in diesem Kampf, indem er sich an den Sieg Christi, der ihm im Evangelium verkündigt wird, hält[69]. Er kämpft und siegt in Kraft des Sieges Christi, im Blick des Glaubens auf ihn. So wird die immer neue Anfechtung durch die Mächte immer wieder überwunden. Die Mächte verlieren sowohl ihre Vollmacht, den Menschen zu verklagen (die sie an sich haben), wie die Macht, ihn zu verführen und zu verderben.

Den Kampf wider die verklagende Macht führt das Gewissen beziehungsweise Christus im Gewissen. Denn Gottes Zorn trifft den Menschen im Gewissen, so muß er auch im Gewissen überwunden werden, nämlich dadurch, daß es Christus im Glauben ergreift[70].

Im Glauben an Christus wird der Mensch frei von den Mächten, »ein freier Herr aller Dinge«. Denn die Mächte haben durch Christus für den, der an ihn

66. 49, 24,2: Hos Tyrannos (die Unheilsmächte) in cruce per sanguinem uno die geschlagen, und schlägt sie noch ohn Unterlaß, quia praedicat, quod omnes, qui credunt in eum, sollten frei sein a lege, peccato, morte. Die Schlacht gehet noch heute per verbum, sacramenta.

67. 30 II, 621,17: Christus heißt der Herr Zebaoth, das ist: ein Gott der Heerfahrt oder Heerscharen, der immer krieget und in uns zu Felde liegt. – Kurz vorher sagt Luther das gleiche von dem Glauben (621,13): so ist der Glaube und Geist schäftig und unruhig, muß immer zu tun haben und zu Felde liegen. – 8, 13,25: Christum nennet die Schrift ... einen Herrn der Heerscharen, darum daß sein Christenvolk durch das Evangelium ohn Unterlaß streitet und wider den Teufel, Welt und Fleisch immer zu Feld liegt. – 8, 123,5. – 37, 50,35.

68. 17 II, 291 f. – Vgl. hier die Stelle 291,35, an der Luther die Begegnung Christi mit den Mächten beschreibt, mit 292,16 und 29, wo er die Begegnung des Christen mit den Mächten, den Angriff der Mächte auf den Christenmenschen schildert.

69. 10 III, 356,25: Christus hat überwunden die Sünd, den Tod, die Höll und den Teufel. Also geschicht, daß alles in dem, der solches begreift, fest glaubt und vertraut, daß er wird in Christo Jesu ein Überwinder der Sünd, des Tods, der Höll und des Teufels. – 36, 694,25: Siehe, aiso müssen sich die Christen rüsten mit diesem Sieg Christi und den Teufel damit zurückschlagen (Bearb. Crucigers). – 17 I, 71,39: Si terra clamaret contra me, non timerem, quia Christum scio ante me vicisse omnia.

70. 39 II, 170,8: Conscientia vincit, ubi Christus juvat, cum est gratia et victoria in nobis. Vgl. 14.

glaubt, ihre von Gott und seinem Heil trennende Gewalt verloren, sie müssen nun vielmehr, wie bei Christus selbst, dem Menschen Mittel und Hilfe sein für das wahrhaftige Leben. »Es kann ihm kein Ding nit schaden zur Seligkeit, ja, es muß ihm alles untertan sein und helfen zur Seligkeit« (nach Röm 8,28). Das ist die »Freiheit eines Christenmenschen«, die »köstlich Freiheit und Gewalt der Christen«[71]. Von Christus her, durch sein Kreuz und Ostern, ist diese Freiheit dem Christen zu eigen, aber doch nicht anders als so, daß er sie aus der Gegenwart Christi im Glauben jeweils neu empfängt und leben kann.

So zieht Luther, wie er das Kreuz Christi von den Anfechtungen des Christen her zu verstehen sucht, Kreuz und Auferstehung ganz in die Anfechtungen, die Not der von den Zornesmächten angefochtenen Christen hinein. Christi Kampf und Sieg ist völlig in die Gegenwart gerückt und der Mensch ganz in die Gleichzeitigkeit mit dem einmaligen alle betreffenden Kreuzes- und Ostergeschehen. Der Christus, der gekämpft hat, kämpft heute. Der einmal auferstanden ist, aufersteht fortdauernd und immer mehr in seinen Christen[72]. Luthers Christus ist der geschichtliche und der auferstandene, lebendige zugleich; eine Person für sich, vor uns und für uns, und zugleich doch mit seiner lebendigen Geistesmacht alle umfassend und in allen gegenwärtig, der in seiner Gemeinde lebende ganze Christus. Sein Werk übergreift den Unterschied von Geschehensein und jetzigem Geschehen, von Geschichte vor und außer uns und Geschichte in uns, also von geschehener Geschichte und heute wirkendem Geist, der Glauben schafft. Das alles gehört zur Theologie des Werkes Christi. Es ist Wirklichkeit vor uns, für uns, in uns. Mit dieser Zusammenschau hat Luther alle vorangehenden Deutungen des Werkes Christi weit überboten. Er hat über sie auf das Neue Testament zurückgegriffen und die Grundgedanken des Apostels Paulus über Christi Tat vollmächtig erneuert.

Luther hat für das Werk und die Wirkung Christi, alles zusammenfassend, noch einen wunderbar einfachen Ausdruck gefunden. Jesus Christus ist als wahrer Mensch durch unser ganzes Leben, Handeln und Erleiden hindurchgegangen. Er hat alles gelebt und erlebt wie wir – und doch ganz anders als wir, nämlich ohne Sünde. Unser Gang durch das Leben und Sterben ist immer sündig, alles wird uns zur Sünde und schadet uns. Aber Christi Gang ist ein ganz reiner gewesen. Dadurch hat er alles, was das Leben uns bringt, was wir zu erleiden und zu tun haben, geheiligt. Und zwar in einem doppelten Sinne: unser an sich unreines Leben wird durch Christi reinen Durchgang in Gottes Augen und Urteil rein, heilig; und: Christi reiner Durchgang nimmt den Fluch aus allen Lebensbeziehungen und aus dem Tod heraus und macht uns alles zum Segen, zu einem Mittel der Gnade Gottes. In diesem doppelten Sinne heiligt

71. 7, 27,21; 28,5.
72. 39 I, 356,9: Christus nondum est in suis fidelibus perfecte suscitatus, imo coepit in eis, ut primitiae, suscitari a morte.

Christi reines Leben und Sterben unser ganzes Leben und Sterben, ja die ganze Welt, so daß wir an ihr nicht mehr sündig werden müssen. Sofern wir getauft sind und im Glauben an Christus stehen, kann uns nun nichts mehr unrein machen, weil er durch alles hindurchgegangen ist. Hier ist das ganze Werk Christi, sein Leben und sein Sterben, in eins zusammengefaßt und denkbar einfach und lebensnah ausgesagt[73].

Das Verständnis des Werkes Christi bei Gustaf Aulén

Mit unserer Wiedergabe der Lehre Luthers vom Werk Christi haben wir der Sache nach schon eine moderne Interpretation abgelehnt, die den Akzent bei Luther ganz anders setzt. Das Entscheidende an Christi Werk soll nicht die Beziehung auf Gottes Gerechtigkeit und Zorn, sondern die auf die den Menschen bedrohenden Mächte sein. So hatte schon Albrecht Ritschl behauptet: »Luther versteht die Genugtuung, welche Christus geleistet, nicht als etwas, was für Gott nötig wäre, sondern als Leistung an jene Mächte[74].« Obgleich Theodosius Harnack diese These auf Grund der Quellen als Verzeichnung Luthers erwies[75], hat in neuerer Zeit der schwedische Dogmatiker Gustaf Aulén sie wieder

73. 37, 53 ff. (zum Beispiel 53,19): Christus hat durch seinen heiligen reinen Gang unsern schändlichen, sündlichen Gang geheiligt. – 57,15: Er hat es alles rein gemacht an seinem Leibe, daß uns durch ihn nicht schadet, was der alten Geburt und dieses Lebens ist, sondern ja so rein geschätzt wird als seine, weil ich in seine Geburt und Leben bekleidet bin durch die Taufe und den Glauben, daß auch alles Gott gefällig ist, was ich tue und heißet ein heilig Gehen, Stehen, Essen, Trinken, Schlafen und Wachen usw. Daß es alles muß eitel Heiligtum werden an einem jeglichen Christen, ob er gleich noch im Fleisch lebt und an ihm selbst wohl unrein ist, aber durch den Glauben ist er aller Dinge rein. Also ist es eine fremde und doch unser Heiligkeit, daß Gott alles, was wir tun in diesem Leben, als an ihm selbst unrein nicht will ansehen, sondern alles heilig, köstlich und angenehm sein soll durch dies Kind, welches durch sein Leben die ganze Welt heilig machet. – 59, 1-25; 60,37; 62,1. Das ist nu der Gang des Herrn Christi von der Geburt an durch unser ganzes Leben, daß er aller Dinge eben gelebt und gewirkt hat wie wir, und damit, weil ers selbst angerühret, alles geweihet und geheiliget ... Also ist nu alles, beide, Christus Leben und Sterben, unser Schatz, dadurch wir durch und durch heilig werden und darin alles haben, ob wir schon auf Erden nichts mehr haben noch sind, sondern durch den Tod abgeschnitten von diesem Leben. Dennoch sind wir in demselben heilig, daß wir auch im Tode vor ihm nicht tot sind, sondern aus dem Tod wieder ein Leben muß werden. – Christus mit seiner Reinheit rührt an »mein Leben und Sterben, mein Gehen, Stehen, mein Leiden, Unglück und Anfechtung, welchs er alles erfahren, getragen und hindurch gangen ist ... « – Von der Wandlung unseres Sterbens durch Christi reines gehorsames Sterben siehe die Predigt am Karfreitag 1532, 10 III, 75 ff.

74. Rechtfertigung und Versöhnung I[3]. S. 224.

75. Luthers Theologie II. S. 70 f. 342.

aufgenommen[76]. Er unterscheidet in der Dogmengeschichte – neben dem ethizistischen Typus, der uns hier nicht angeht – den »klassischen« und den »lateinischen« Typus der Versöhnungslehre. Für den klassischen Typus ist bezeichnend, daß die Versöhnung als Kampf- und Siegestat aufgefaßt wird: Gott selber kämpft in Christus gegen die Verderbensmächte, die »Tyrannen«, unter denen die Menschheit gefesselt ist, und versöhnt sich dadurch mit der Welt. Die Versöhnung – so sagt Aulén – wird hier ungebrochen als Gottes Tat aufgefaßt, und zwar als Tat der Liebe: die Liebe Gottes durchbricht das Rechtsverhältnis zwischen Gott und Mensch. Aulén findet diesen Typus im Neuen Testament, in der alten griechischen Theologie – und bei Luther[77]. Ihm gegenüber steht der lateinische Typus: er faßt die Versöhnung »legalistisch« im Rahmen eines ungebrochenen Rechtsverhältnisses auf. Daher ist sie nur teilweise Gottes Tat, daneben nämlich muß sie die Forderungen der Gerechtigkeit Gottes erfüllen. Die Versöhnung wird nicht, wie bei dem klassischen Typus, positiv bestimmt als Sieg, sondern wesentlich negativ, als Erlaß der Strafe auf Grund der Tat Christi. So vor allem Anselm. Luthers Kreuzes-Lehre stehe also in scharfem Gegensatz zu der Anselms. Aulén fordert die Revision der traditionellen, durch Anselm und die altprotestantische Dogmatik bestimmten Versöhnungslehre vom Neuen Testament und von Luther her.

Indessen, seine Auffassung Luthers hält vor den Quellen nicht stand. Die Berufung auf ihn für den eigenen dogmatischen Anschluß an den »klassischen« Typus hat kein Recht. Der Akzent liegt bei Luther ganz anders. Gewiß hat er Christi Werk oft und gern als Ringen mit den Mächten beschrieben, in drastisch-mythologischen Bildern, und zwar nicht nur, um Christi Werk für die schlichte Gemeinde anschaulich zu machen, sondern unbeschadet der Bildhaftigkeit waren diese Aussagen von ihm theologisch ganz ernst gemeint – wir finden sie ja nicht nur in den Predigten, sondern auch in den Vorlesungen. In dem Lied »Nun freut euch, lieben Christen gmein« tritt Christi Heilswerk ganz unter den Gesichtspunkt des Kampfes mit dem Teufel (»den Teufel wollt er fangen« usw.). Indessen – und hier kann man nur wiederholen und bestätigen, was schon Theodosius Harnack[78] und neuerdings O. Tiililae[79] aus Luther dargelegt und betont haben – die Mächte, mit denen Christus gerungen hat, haben Recht und Macht nur durch Gottes Zorn. Sie sind dessen Werkzeuge wider den Sünder. Vom Teufel sagt Luther: *Habet iram dei, quam timemus, pro se*[80]. Man beachte, daß Luther nicht allein von der »Macht«, sondern auch ebensooft

---

76. Den Kristna Försoningstanken. 1930. – Die drei Haupttypen des christlichen Versöhnungsgedankens. ZSTh VIII. 1930/31. S. 501 ff. – Zur Auseinandersetzung mit *Aulén* vgl. meinen Aufsatz: Das Kreuz und der Böse. ZSTh XV. 1938. S. 165 ff., vor allem aber O. *Tiililae*: Das Strafleiden Christi. 1941.

77. Ebenso andere Theologen der »Lunder Schule« wie *Ragnar Bring*: Dualism hos Luther. 1929, auch *Ph. S. Watson*: Um Gottes Gottheit. 1952. S. 140 ff.

78. A.a.O. II. S. 66 ff.   79. A.a.O., S. 215 f.   80. 20, 609,19.

von dem »Rechte« der Mächte spricht[81] – das Recht haben sie aber, obgleich sie andererseits Feinde Gottes sind und bleiben, nur durch Gottes Zorn und nur so lange, als dieser nicht gestillt ist. Ferner ist darauf hinzuweisen, daß unter den Mächten das Gesetz eine besondere Stelle einnimmt. Obgleich Luther in der tiefen Dialektik seiner Lehre vom Gesetz auch dieses als Feind nicht nur der Menschen, sondern auch Gottes bezeichnen kann[82], ist es andererseits unter allen den Mächten am offenkundigsten Gottes Werk und Wille, am unmittelbarsten Träger und Mittel seines Zornes und Gerichts. Daß Luther es in eine Reihe mit den anderen Mächten und Tyrannen stellt, zeigt durch sich selbst, wie diese alle durch Gottes Zorn ermächtigt sind. Daher hat für Luther denn auch bei Christi Werk die Beziehung auf den Zorn Gottes, also auf unsere Schuld, die entscheidende Stelle, vor und über der Beziehung auf die Mächte[83]. Die von Gottes Gerechtigkeit erforderte Genugtuung ist der primäre und entscheidende Sinn des Werkes Christi, insonderheit seines Sterbens. Daran hängt alles andere, die Entrechtung und Entmächtigung der Mächte. Es geht keinesfalls an, zu erklären, der Gedanke des Kampfes und Sieges Christi über die bösen Gewalten sei für Luther das Entscheidende und die Begriffe der Genugtuung, der Stillung des Zornes Gottes drückten nicht seine eigentliche Meinung aus, sondern gingen zum Teil nur auf die Fragestellung der Gegner ein[84]. Luther hat selber ausdrücklich die beiden Momente, die Stillung des Zornes und die Befreiung von den Mächten, ins Verhältnis gesetzt. »Unaussprechlich ist die Freiheit, daß wir frei sind vom Zorne Gottes in Ewigkeit, sie ist größer als Himmel und Erde und alle Kreaturen. Aus dieser folgt die andere Freiheit, durch die wir sicher und

---

81. *Th. Harnack*, a.a.O. S. 75.

82. 40 I, 565,18; 40 II, 417,5.

83. *Th.Harnack*, a.a.O. II. S. 70 f.

84. *Watson*, a.a.O. S. 144 f., 256, Anm. 130. Die von ihm angeführte Stelle 21, 251,6.19 (= 34 I, 301,13; 303,1; vor allem: »wir wollen das Wort satisfactio in unseren Schulen und Predigten nicht dulden«) hat es allein mit dem moralistischen Gebrauch des Wortes für die menschlichen Bußleistungen zu tun. Für Christus hat Luther es nicht nur aus polemischem Grund gebraucht. Dagegen sprechen die von uns S. 178 angeführten Stellen durch sich selbst. Daß die Idee der Genugtuung für Luthers eigenes Denken schlechthin unwesentlich ist (S. 145), ist ein Vorurteil, das durch die Texte nicht bestätigt wird. Luther gebraucht auch Synonyma wie »Christus hat für uns bezahlt« (30 I, 187,2; 37, 59,24; im Abendmahlslied »Gott sei gelobet und gebenedeiet«: »und bezahlt unser Schuld, / daß uns Gott ist worden hold«). Soll auch das nicht theologischernst von Luther gemeint sein? – Leider hat *Watson* das Buch von *Tiililae* nicht beachtet. – Wenn *Watson* S. 144 meint, »die Straftheorie enthält eine im Grunde legalistische Auffassung von Gottes Wesen und seinem Verkehr mit den Menschen«, daher könne Luther, »der sonst ein so unversöhnlicher Gegner des Legalismus ist«, sie nicht im Ernst vertreten haben, so muß man ihm wie *Aulén* mit *Tiililae* entgegenhalten, daß er nicht unterscheidet zwischen »legalistisch« und »rechtlich«, zwischen falschem Legalismus und dem Geltendmachen des Rechtsgedankens überhaupt bei der Versöhnung.

frei durch Christum werden vom Gesetz, Sünde, Tod, der Macht des Teufels, der Hölle[85].« Daß die andere Freiheit »folgt«, ist bei Luther selbstverständlich nicht zeitlich zu verstehen. Die Freiheit von den Mächten ist in und mit der Freiheit vom Zorn gegeben, als die andere Seite der Sache. Aber der Ausdruck »folgt« besagt, daß die Bereinigung des Verhältnisses zu Gott das Entscheidende, daß die theozentrische Beziehung des Werkes Christi der anderen über- und vorgeordnet ist.

Luther hat den einheitlichen Doppelsinn und -ertrag des Werkes Christi unterschieden als sein Priestertum und sein Königtum. Kraft seines Königtums ist Christus »des Todes, der Hölle, der Teufel und aller Kreaturen ein Herr«. Kraft seines Priestertums »mittelt« Christus zwischen Gott und uns, »welches ist uns aufs Allernötigste; denn durch sein Königreich und Herrschaft beschirmet er uns vor allem Übel in allen Dingen, aber durch seine Priesterschaft beschirmet er uns vor allen Sünden und Gottes Zorn, tritt für uns und opfert sich selbst, Gotte uns zu versöhnen«. Ausdrücklich fügt Luther hinzu: »Nun ist das viel größer, daß er uns gegen Gott sicher und unser Gewissen zufrieden macht, daß nicht Gott und wir selber wider uns seien, denn daß er die Kreaturen uns unschädlich macht; denn es viel größer ist: Schuld denn Pein, Sünde denn Tod[86].« Wir beachten: die Mächte alle, die uns bedrängen und schaden, sind nur »Kreaturen«, auch der Satan, auch das Gesetz[87]. Als solche sind sie nicht im letzten ernst zu nehmen. Ernst werden sie allein durch Gottes Zorn. Daß er versöhnt werde, daran liegt alles[88].

Es bedeutet also eine beträchtliche Verzeichnung Luthers, wenn man ihn einseitig dem »klassischen« Typus, wie die Lunder ihn verstehen, einordnet. Vielmehr verbindet Luther – in den Begriffen Auléns zu reden – die »klassischen« und die »lateinischen« Gedanken, aber so, daß er entscheidend in der lateinischen Linie geht[89]. Mit der griechisch-altkirchlichen Lehre versteht Luther Christus, den Gekreuzigten und Auferstandenen, als den Überwinder der gegenwärtig die Menschheit zerstörenden Verderbensmächte, mit Anselm bezieht er Christi Werk entscheidend auf Gott. Beides eint sich bei ihm darin, daß Luther mit Paulus zu den Verderbensmächten vor allem auch das Gesetz rechnet und als

---

85. 40 II, 4,11 (lateinisch).

86. 10 I, 1, 717 f.

87. Für das Gesetz als »Kreatur« siehe 40 I, 565,18: mirabile duellum est, ubi Lex creatura cum creatore sic congreditur.

88. Vgl. dafür eine Stelle wie 10 III, 136,2, wo Luther Christi Menschwerden und Kreuz ganz auf die Überwindung der Feindschaft zwischen Gott und Mensch, auf das »Ertränken« der Sünde und des Zornes auf die Versöhnung bezieht.

89. *Fr. Loofs:* Dogmengeschichte. 4. Aufl. 1906. S. 778: »Luthers Denken über das objektive Werk Christi hat sich im wesentlichen ... in den Bahnen der mittelalterlichen Satisfaktionslehre bewegt.« – *Tülilae,* a.a.O. S. 266: Luther »kann als Erneuerer und Vertiefer der ›lateinischen‹ Linie gelten«.

das eigentlich Bedrohende in und hinter den Mächten den uns im Gewissen treffenden Zorn Gottes sieht. Und zwar handelt es sich nicht, wie bei Anselm, um das Abwenden des kommenden Zornes, sondern um das Durchleiden und Überwinden des gegenwärtigen – darin steht Luther wieder den Griechen nahe. So sind streng theozentrische Beziehung und Gegenwärtigkeit beieinander.

Die Gerechtigkeit im Glauben

Der Artikel von der Rechtfertigung[1] ist nicht einfach einer unter anderen, sondern – so erklärt Luther – der Grund- und Hauptartikel, mit dem die Kirche steht und fällt, an dem ihre ganze Lehre hängt, die »Summe der christlichen Lehre«, »die Sonne, die Gottes heilige Kirche erleuchtet«. Er allein ist das Besondere und Eigene des Christentums, das »unsere Religion von allen anderen Religionen unterscheidet«. Er für sich allein ist es, der die Kirche bewahrt. Verliert man ihn, so verliert man auch Christus und die Kirche, dann bleibt nichts übrig an christlicher Erkenntnis. Denn in ihm geht es um das schlechthin Entscheidende: nämlich um die Frage, wie der Mensch vor Gott bestehen kann – dieser Artikel »richtet unser Gewissen vor Gott auf«. So hat Luther es immer wieder mit beschwörendem Ernst, in stärksten Worten ausgesprochen[2]. »Von diesem Artikel kann man nichts weichen oder nachgeben, es falle Himmel und Erde oder was nicht bleiben will ... Auf diesem Artikel stehet alles, was wir wider den Papst, Teufel, Welt lehren und leben. Darum müssen wir des gar gewiß sein und nicht zweifeln. Sonst ist alles verloren und behält Papst und Teufel und alles wider uns den Sieg und Recht.« So in den Schmalkaldischen Artikeln[3]. Im gleichen Jahr 1537 mahnt Luther in der Vorrede zu einer Disputation seine Schüler: Man kann diesen Artikel nicht oft genug und nicht nachdrücklich genug bedenken und einschärfen, man muß den größten theologischen Fleiß und Ernst an ihn setzen. Keinem nämlich ist die Vernunft und der Satan

---

1. *R. Hermann:* Luthers These Gerecht und Sünder zugleich. 1930. – *H. Iwand:* Glaubensgerechtigkeit nach Luthers Lehre. 1941. 2. Aufl. 1951.
2. 40 III, 335,6: ... illum principalem locum doctrinae nostrae, nempe justificationem ... Ille unicus locus conservat Ecclesiam Christi; hoc amisso amittitur Christus et Ecclesia nec relinquitur ulla cognitio doctrinarum et spiritus. Ipse sol, dies, lux Ecclesiae et omnis fiduciae ille articulus. – 352,1 (zu Ps 130,4, der für Luther Inbegriff der Rechtfertigung ist): iste versus sit Summa doctrinae Christianae et ille sol, qui illuminat Sanctam ecclesiam Dei, quia isto articulos stante stat Ecclesia, ruente ruit Ecclesia. – 39 I, 205,2: Articulus justificationis est magister et princeps, dominus, rector et judex super omnia genera doctrinarum, qui conservat et gubernat omnem doctrinam ecclesiasticam et erigit conscientiam nostram coram Deo. Sine hoc articulo mundus est plane mors et tenebrae. – 25, 330,8.
3. 50, 199,22.31.

so feind wie diesem. Kein anderer ist so von der Gefahr der Irrlehre bedroht[4].
So hat Luther denn auch an keinen anderen, mit alleiniger Ausnahme der
Lehre vom Abendmahl, durch sein ganzes Leben hindurch so viel theologische
Arbeit, Kraft, Leidenschaft gewandt wie an diesen.

Das gleiche wie von dem Artikel der Rechtfertigung sagt Luther über den
Artikel von Jesus Christus. Er ist der Inbegriff aller christlichen Erkenntnis.
Er ist das Entscheidende des Christentums, durch das es sich von allen anderen
Religionen unterscheidet. In ihm »steht all unsere Weisheit, Heil und Seligkeit«.
An ihm hängt alle christliche Gewißheit. Er ist das Kriterium über alle andere
Lehre und Leben. Mit ihm steht und fällt der ganze christliche Glaube[5]. Daß
Luther so von beiden Artikeln das gleiche sagen kann, zeigt, daß beide für ihn
aufs engste zusammengehören und aneinander hängen. Die Rechtfertigung al-
lein durch den Glauben ist nicht ein Zweites, Neues gegenüber dem Glauben an
Christus, sondern sie ist eben dieser Glaube selbst, in seinem ganzen Ernst verstanden und auf die Heilsfrage des Menschen bezogen. Jener Satz aus den
Schmalkaldischen Artikeln bezieht sich auf Christi Werk und die Rechtfertigung in eins. Der Artikel von der Rechtfertigung ist nichts anderes als der recht
verstandene Glaube an Christus. Dieser hat totalen und exklusiven Sinn: er
schließt jedes Selbstvertrauen in Sachen des Heils aus[6]. Eben das aber ist der
Inhalt der Rechtfertigungslehre. So kann Luther sagen, daß die Evangelischen
wegen des Artikels von dem Herrn Jesus Christus von den Gegnern verketzert
werden, nämlich weil sie diesen Artikel »so klar und gewaltig treiben und rühmen, daß ers allein alles sei und gelte, was wir haben und davon wir Christen
heißen und keinen andern Herrn, Gerechtigkeit noch Heiligkeit wollen wissen[7]«. Umgekehrt wirft Luther den römischen Gegnern vor, daß sie den Glauben an Christus zwar mit dem Munde bekennen, aber seinen Gehalt in ihrer
Lehre verleugnen[8]. Im Kleinen Katechismus redet er nirgends ausdrücklich von
der Rechtfertigung, wie denn auch der Begriff völlig fehlt. Aber die Erklärung
des zweiten Artikels enthält in seinem Sinne die ganze Rechtfertigung durch
den Glauben an Christus allein. – Umgekehrt besagt dieses Verhältnis von Christusglaube und Rechtfertigungslehre, daß man die Rechtfertigung im Sinne
Luthers unter keinen Umständen von dem Christusglauben loslösen, sie also

4. 39 I, 205,8.

5. 37, 71,20; 72,4. – 30 II, 186,8.15.

6. 39 I, 46,11; – 37, 46,21: Mit dem zusätzlichen Vertrauen auf die eigenen Werke
»gehet der Glaube und der ganze Christus zu Boden. Denn soll Christus allein gelten
und ich solchs bekennen, so muß ich ... sprechen: So es Christus tut, so muß ichs nicht
tun. Denn die zwei leiden sich nicht miteinander im Herzen, daß ich auf beide mein
Vertrauen setze, sondern eins muß heraus: entweder Christus oder mein eigen Tun.« –
37, 48,1.7.

7. 37, 71,33.

8. 37, 36,41; 46,6.18.

a-christologisch konstruieren kann. Sie hängt am Christusglauben, trägt ihn in sich, ist Gestalt (nicht die einzige!) desselben[9].

Luther gebraucht das Wort *justificare* und *justificatio* nicht einheitlich. Meist bezeichnet *justificare* bei ihm von Anfang an das Urteil Gottes, mit dem er den Menschen für gerecht erklärt, also das *justum reputare* oder *computare*[10]. Aber an anderen Stellen ist mit dem Wort das ganze Geschehen, durch das der Mensch wesenhaft gerecht wird, gemeint (wie er das auch bei Paulus Röm 5 findet[11]), also sowohl die Zurechnung der Gerechtigkeit wie das tatsächliche Gerechtwerden[12]. Die *justificatio* in diesem Sinne bleibt auf Erden unvollendet und kommt erst am Jüngsten Tag zum Ziel. Die volle Gerechtigkeit ist eschatologische Wirklichkeit. – Der zwiefache Sprachgebrauch läßt sich nicht auf die Früh- und Spätzeit von Luthers Theologie verteilen; er findet sich gleichzeitig, sogar in den gleichen Texten kurz nacheinander[13]. Bei *justificare* im Sinne eines Urteils ergeben sich dann theoretisch die beiden Möglichkeiten, daß ein Mensch auf Grund seiner Erfüllung des Gesetzes von Gott gerechtgesprochen wird[14], oder daß Gott den Sünder, der das Gesetz nicht erfüllt hat, trotzdem gerechtspricht. Beide Möglichkeiten sind »forensisch«.

Justitia aliena

Mit seiner Lehre von der Rechtfertigung knüpft Luther unmittelbar an Paulus an. Mit ihm (Röm 4, 1 ff.) versteht er die Rechtfertigung allermeist als Akt des Anrechnens oder Zurechnens, des Zuerkennens *(imputare, reputare)*, also als den Akt, mit dem Gott dem Menschen seine Geltung bei ihm verleiht; im Fall des Evangeliums den Akt, mit dem Gott den Sünder, der vor ihm ungerecht

9. Vgl. *H. J. Iwand:* Rechtfertigungslehre und Christusglaube. 1930.

10. So zum Beispiel in der Römerbriefvorlesung 56, 39,9 (justum apud Deum reputari) und sonst vielfach. Ebenso in der ersten Galatervorlesung 2, 490,27. Nicht anders in der späteren Zeit, zum Beispiel 1536; zum Beispiel 39 I, 46,18; 98,13: verbum justificari significat hominem justum computari; 443,14, wo *justificatio* und *impletio legis* unterschieden werden.

11. 39 II, 202,28.

12. 2, 495,2: Caeptus est enim justificari et sanari ... Interim autem, dum justificatur et sanatur, non imputatur ei etc. – Hier wird *justificare* und *non-imputare* unterschieden. – 39 I, 83,16; 98,10: et tunc demum perfecte justificabimur; 252,8: justificatio nostra nondum est completa.

13. Vgl. in der gleichen Disputation von 1536 39 I, 98,8: quotidie justificamur immerita remissione peccatorum et justificatione misericordiae Dei, mit 83,16: Justificari enim hominem sentimus, hominem nondum esse justum, sed esse in ipso motu seu cursu ad justitiam.

14. Vgl. etwa 56, 22,24 zu Röm 2,13.

197

ist, als gerecht achtet und annimmt. Das bedeutet zunächst: die Rechtfertigung besteht darin, daß Gott (vgl. Ps 32,1) die Sünden nicht anrechnet, sondern vergibt. Gott behandelt die Sünde des Menschen, als wäre sie nicht vorhanden; »er kennt sie nicht mehr«[15]. Positiv heißt das: die Vergebung der Sünde, das Nicht-Anrechnen der Sünde ist Anrechnen von Gerechtigkeit. Und zwar wird dem Sünder die Gerechtigkeit Christi zuerkannt. Gott sieht den Sünder in eins mit Christus. Er vergibt die Sünde und achtet den Sünder als gerecht um Christi willen, *propter Christum*[16]. So ist die dem Sünder zuerkannte Gerechtigkeit nicht eine ihm von sich aus eigene, sondern eine »fremde«, eben die Jesu Christi; also nicht, wie die Philosophie und die von ihr bestimmte scholastische Theologie wollte, eine Qualität des Menschen, sondern ein Gerechtsein nur durch Gottes gnädiges Zurechnen von Christi Gerechtigkeit, also ohne Gerechtigkeit »außerhalb« des Menschen[17]. Er kann sie sich nicht erwirken, sondern sich nur zuerkennen, schenken lassen durch Gottes freie Gnade um Christi willen[18]. Es ist mit unserer Gerechtigkeit nicht anders als mit unserem Eingehen in den Himmel am Jüngsten Tage: Christus wird uns von der Erde in den Himmel versetzen (1 Thess 4,16), nicht wir selbst. Wir sind dabei völlig passiv, können nichts dazu tun. So auch hier. Es geschieht etwas an uns, das wir nur geschehen lassen können, ohne dabei irgend aktiv zu sein. Die Gerechtigkeit des Sünders ist demnach nicht »aktive« Gerechtigkeit, sondern »passive«, die er nur »erleiden«, nur empfangen kann[19]. Das alles ist befaßt in dem Satz: Christus in Person ist des Sünders Gerechtigkeit, nämlich der gekreuzigte, auferstandene und erhöhte Christus (nach Röm 8,34)[20]. Da Christus sich mit dem Menschen in eins setzt, ist auf

15. 39 I, 83,37: Nec peccatum ullum ... imputari, sed velut nullum sit, remissione interim tolli. – 97,17: ... et ut ita absolvatur homo, quasi nullum habeat peccatum, propter Christum. – 40 III, 350,4: ... quia justitia nostra divina est ignorantia, remissio gratuita peccatorum nostrorum.

16. 39 I, 83,35: propter Christum reputari nos justos. 97,18. – 40 I, 229,29.

17. 2, 145,9; 146,19; 2, 491,18: aliena justitia omnes fiant justi. – 39 I, 83,24: (Christus seu justitia Christi) cum sit extra nos et aliena nobis; 99,29: Haec est theologia spiritualis, quam philosophi non intelligunt, cum vocent justitiam qualitatem. – 46, 43 ff., besonders dort 44,23. – 40 II, 353,3: Misericordia et miseratione es justus. Das ist nicht meus habitus vel qualitas cordis mei, sed extrinsecum quoddam, scilicet misericordia divina. 356,10; 407,10.30.

18. 39 I, 109,1: Extra nos esse est ex nostris viribus non esse. Est quidem justitia possessio nostra, quia nobis donata est ex misericordia, tamen est aliena a nobis, quia non meruimus eam.

19. 39 I, 447,10.14: Sic ego justificor tanquam materia et patior, non ago aliquid. – 40 I, 41,2: Justitia quae ex nobis fit, non est Christiana justitia. Christiana justitia est mere contraria, passiva, quam tantum recipimus, ubi nihil operamur, sed patimur alium operari in nobis scilicet deum. – 40 II, 410,2.14: Tota enim ratio justificandi quoad nos passiva est. – 54, 186,7.

20. 17 I, 245,15 (nach Joh 16,10) – 40 I, 47,3.11; 229,9.12.29. – 46, 44,27. – In der

198

diese Weise die »fremde« Gerechtigkeit dem Menschen, eben durch Christi Liebe, doch eigen und macht ihn gerecht vor Gott[21]. Von dieser »fremden«, »passiven« Gerechtigkeit lebt der Mensch vor Gott sein ganzes Leben lang, also nicht etwa nur am Anfang seines Christenstandes, in der Taufe; nicht so, daß die passive Gerechtigkeit mehr und mehr durch aktive ersetzt und begrenzt würde, die fremde mehr und mehr durch eigene. Der Mensch, auch der Christ, bleibt Sünder sein Leben lang und hat keine andere Möglichkeit, vor Gott zu leben und zu gelten, als die fremde Gerechtigkeit, die Zurechnung der Gerechtigkeit Christi. Sie geschieht in der täglichen Vergebung[22].

Luther kann beides sagen: unsere Gerechtigkeit ist Christus bzw. Christi Gerechtigkeit, und: unsere Gerechtigkeit besteht in Gottes Barmherzigkeit[23] – das eine wie das andere besagt: sie kommt dem Menschen von außen zu, ist nicht eine Qualität seines Herzens. Das eine wie das andere hat als Gegensatz die Rechtfertigung durch *opera propria*, eigene Leistungen. Es ist wichtig, festzuhalten, daß die Gründung der *justitia* in Gottes *misericordia* bei Luther das *propter Christum* nicht – wie vielfach in der modernen Theologie – ausschließt, sondern gerade einschließt; Gottes Barmherzigkeit geht den Weg des *propter Christum*.

Daß Gott so mit dem Menschen handelt, daß er den, der nicht gerecht ist, als gerecht annimmt, darin offenbart sich die »unglaubliche Größe seiner Macht und Barmherzigkeit«. »Dieses Zurechnen Gottes ist keine Nichtigkeit, sondern es ist größer als der ganze Erdkreis und alle heiligen Engel[24].« Es geht damit, daß es den Ungerechten gerecht spricht, über alle menschlichen Begriffe, über

zweiten Galatervorlesung 40 I, 64,6 kann Luther geradezu sagen: die Gerechtigkeit Gottes, »quae heißt Resurrectio mortuorum« (wobei es sich zunächst um Christi Auferweckung handelt; Luther bezieht sich auf Paulus Röm 4,25).

21. 2, 495,3. – 37, 57,20: Also ist es eine fremde und doch unser Heiligkeit, daß Gott alles, was wir tun in diesem Leben, als an ihm selbst unrein nicht will ansehen, sondern alles heilig, köstlich und angenehme sein soll durch dies Kind, welchs durch sein Leben die ganze Welt heilig machet. 46, 44,34: Das ist je eine wunderliche Gerechtigkeit, daß wir sollen gerecht heißen oder Gerechtigkeit haben, welche doch kein Werk, kein Gedanke und kurz gar nichts in uns, sondern gar außer uns in Christo ist und doch wahrhaftig unser wird durch seine Gnade und Geschenk und so gar unser eigen, als wäre sie durch uns selbst erlangt und erworben.

22. 39 I, 95,1: Incipit enim remissio peccatorum in baptismo, et durat nobiscum usque ad mortem, donec resurgamus a mortuis et inducat nos in vitam aeternam. Ita perpetuo vivimus sub remissione peccatorum. Vgl. 16. – 98,8: ... quotidie justificamur immerita remissione peccatorum et justificatione misericordiae Dei. – 40 III, 348,1: Vita mea est quotidie sub tolerantia. Vgl. auch den Sermon von der Taufe 2, 731,3.

23. Zu letzterem siehe zum Beispiel 40 II, 340,9; 39 I, 48,13: Sola misericordia Dei est justitia nostra, non opera propria. – 8, 92,39: Justitia non est sita in formis illis qualitatum, sed in misericordia dei.

24. 39 I, 97,10.24.

alle Vernunft. Dieses Urteilen Gottes tritt in Widerspruch zum Urteil der Menschen und zur Selbstbeurteilung jedes Menschen: Er spricht den gerecht, der nach dem Urteil der Menschen und seiner selbst in Schanden steht[25]. So wunderlich handelt Gott mit den Menschen – Luther hat gerne auf das Psalmwort 4,4 hingewiesen: »Erkennet doch, daß der Herr seine Heiligen wunderbar führt[26].« Diese Paradoxie des Urteils Gottes, diese Verborgenheit der Gerechtigkeit, die er zuerkennt, ist für die Vernunft schlechterdings unbegreiflich, aber auch für den Glaubenden eine immer neue Anfechtung – auch die Frommen können die Rechtfertigung des Sünders nicht leicht glauben[27].

Die Rechtfertigung kann der Mensch auf keine andere Weise empfangen als im Glauben, nämlich indem er an Jesus Christus glaubt, das heißt: in ihm, in seiner Geschichte die Liebe Gottes des Vaters erkennt und ergreift[28]. Glauben heißt: der Mensch nimmt Gottes gnädiges Urteil über ihn an; er wagt es, vor Gott von nichts anderem zu leben als von der durch seine Barmherzigkeit ihm zugesprochenen Gerechtigkeit Christi. Dieser rechtfertigende Glaube ist also mehr als die bloße Überzeugung von der Realität der Heilstatsachen, ohne Bezogenheit auf mich selbst – er ist auch diese, aber zugleich die Aneignung des Geschehenen als »für mich«, »um meinetwillen« geschehen. Dieses *pro me* ist das entscheidende Wesensmoment des rechtfertigenden Glaubens, das ihn von allem, was man sonst Glauben nennt, bestimmt unterscheidet, vor allem von dem nur »historischen Glauben«[29]. Luther sieht das Wesen des rechtfertigenden Glaubens darin, daß er Christus ergreift, er ist »ergreifendes«, aneignendes Glauben (*fides apprehensiva*)[30]. Er ist also über den nur intellektuellen Akt hinaus ein affektiver, nämlich des Vertrauens auf die in Christus angebotene Barmherzigkeit Gottes[31].

Es genügt aber nicht, zu sagen, daß der Glaube die Rechtfertigung empfängt,

25. 39 I, 82,8 ff.

26. 39 I, 82,12; 515,2. – Vgl. die Auslegung der Stelle 5, 107 ff.; besonders 108,24. - Ebenso führt Luther Ps 67,36 (Vulgata) an: Mirabilis Deus in sanctis suis. 56, 269,21. – 57, 164,7. – 8, 124,31.

27. 39 I, 82,12. – 40 I, 41,5. – 40 II, 420,13. – 46, 44,23.

28. 39 I, 45,25.

29. 39 I, 45,23; 46,7: Igitur illud »pro me« seu »pro nobis«, si creditur, facit istam veram fidem et secernit ab omni alia fide quae res tantum gestas audit. Haec est fides, quae sola nos justificat ... Zum historischen Glauben siehe auch 37, 45,27. –

39 II, 243,30 beschreibt Luther die Momente des Glaubens: er entsteht durch die Erneuerung der *mens* zum *assensus* sowie durch die Bekehrung der *voluntas*, daß sie die *promissio* mit dem *assensus* des Vertrauens auf sie annimmt. Es handelt sich also um einen zweifachen *assensus*.

30. 39 I, 45,21: fides apprehensiva Christi; vgl. weiter dort die Thesen 18–25. – comprehendere Christum 39 I, 83,24 ff. – apprehendere zum Beispiel 40 I, 228,11.15; 229,1.10. – 39 II, 319,11: Fides nostra est virtus apprehensiva.

oder: daß der Mensch die Rechtfertigung *im* Glauben empfängt. Man muß im Sinne Luthers noch bestimmter sagen: die Rechtfertigung wird *mit* dem Glauben empfangen, das heißt in Gestalt des Glaubens. Der Glaube ist ja Werk und Geschenk Gottes. Gott rechtfertigt den Menschen, indem er ihm das Glauben schenkt. Christus ist die Gerechtigkeit des Menschen, und diese ist insofern *extra nos.* Aber Christus ist meine Gerechtigkeit nur als mir zugeeigneter, von mir angeeigneter. Der Glaube ist die einzige Weise, in der Christus sich mir zueignen kann. Nur der im Glauben angeeignete Christus ist meine Gerechtigkeit, der Christus, der mir durch den Glauben im Herzen wohnt[32]. Christus ist ja nicht nur »Gegenstand« des Glaubens, sondern im Glauben selbst ist Christus gegenwärtig. Der Glaube ist die Weise, in der Christus bei und in dem Menschen gegenwärtig ist[33]. Das glaubende Herz ist gleichsam der Ring, der den Edelstein, Christus, einfaßt: in ihm hat man ihn[34]. Im Glauben allein werden Christus und der Mensch so verbunden, so eins, daß der Mensch vor Gott an Christi Gerechtigkeit teilhat. So lassen sich in Sachen der Rechtfertigung Christus und der Glaube überhaupt nicht als zweierlei behandeln, einander gegenüberstellen. Christus ist das, was er für mich vor Gott bedeutet, allein in dem Glauben, in dem ich ihn »ergreife«, und der Glaube ist vor Gott nichts, außer dadurch, daß Christus in ihm seine Gegenwart bei dem Menschen hat. Es bedeutet daher das gleiche, wenn Luther sagt: *propter Christum,* Christi wegen werden wir gerecht; oder: wegen des Glaubens an Christus[35]. Oder: es meint das eine und selbe, wenn Luther in der Rechtfertigung einerseits die Größe der Macht und Barmherzigkeit Gottes, andererseits die Größe und Wirkensmacht des Glaubens sieht[36]. Der Glaube hat diese seine Mächtigkeit allein dadurch, daß er jene Macht der Barmherzigkeit Gottes in Christus ergreift, daß er sich auf Christi eigene Gerechtigkeit stützt[37].

31. 40 I, 228,14.33: Fides Christiana ... est quaedam fiducia cordis et firmitas assensus, quo apprehendo Christum.

32. 40 I, 229,9: ... sic apprehensus (Christus) est justitia Christiana; propter hanc reputat nos justos et donat fidem. Ebenso 28.

33. 2, 502,12: per fidem Christus inhabitat. – 40 I, 229,3: fiducia cordis mei ... habet Christum praesentem. Im Druck (Rörer) 228,33: Si est vera fides, est quaedam certa fiducia cordis et firmus assensus, quo Christus apprehenditur, sic ut Christus sit objectum fidei, imo non objectum, sed, ut ita dicam, in ipsa fide Christus adest. 229,5: Christus adest, quomodo, non est cogitabile.

34. 40 I, 165,3.19; 233,3.17; 235,4.22: Christianus habet in corde suo tanquam gemmam in annulo Christum.

35. 40 III, 351,2: Propter fidem in Christum habet nos pro justis. – Es ist das gleiche, ob Luther sagt: Christus ist unsere Gerechtigkeit, oder: der Glaube ist unsere Gerechtigkeit, wie 39 II, 214,4.

36. 39 I, 97,10.

37. 8, 114,20: Nullius enim fides subsisteret, nisi in Christi propria justitia niteretur et illius protectione servaretur.

In Luthers erster Galatervorlesung (1516/17) wird der Glaube auch auf den »Namen Gottes« bezogen, den er im Gebet anruft[38]. Das bedeutet sachlich keinen Unterschied gegenüber der Beziehung auf Christus. Denn der Name Gottes als Inbegriff seiner Barmherzigkeit und Wahrheit offenbart sich nirgends klarer als in Christus[39]. Ganz entsprechend dem, was Luther von dem Wohnen Christi im Herzen durch den Glauben, dem Einswerden Christi und des Glaubenden sagt, heißt es hier von dem Namen des Herrn und dem Herzen, daß sie durch den Glauben eins sind und aneinander hängen. Das Herz bekommt teil an der Reinheit, Heiligkeit, Gerechtigkeit, die dem Namen des Herrn eigen ist[40]. Es ist das gleiche, wenn es kurz darauf heißt, daß Christi und des Christen Gerechtigkeit eine und dieselbe ist, auf unaussprechliche Weise aneinander gebunden[41]. – Wiederum ist es nur ein anderer Ausdruck für die gleiche Sache, wenn Luther in der »Freiheit eines Christenmenschen« das Geheimnis der Rechtfertigung durch die Verbindung des Menschen mit dem Wort, dem er im Glauben anhängt, ausdrückt. »Wie das Wort ist, so wird auch die Seele von ihm, gleich als das Eisen wird glutrot wie das Feuer aus der Vereinigung mit dem Feuer[42].« Vgl. dazu die Predigt vom 15. August 1522[43]. So kann Luther das eine und selbe mit verschiedenen Begriffen ausdrücken. Übrigens wirkt gerade nach den zuletzt genannten Stellen das Wort nicht allein die Gerechtsprechung, sondern zugleich auch das neue Sein.

Der Glaube, so sahen wir bisher, macht gerecht, weil er Christus ergreift. »Deswegen rechtfertigt der Glaube, weil er den Schatz hat, weil Christus gegenwärtig ist[44].« Er rechtfertigt also nicht durch sich selbst, sondern allein dadurch, daß Christus sich durch ihn in dem Menschen gegenwärtig macht. Der Glaube kommt, wie die spätere Dogmatik sagte, nur als Mittel oder Werkzeug des Empfangens in Betracht, gleich der offenen Hand, mit der allein man etwas empfangen kann[45].

38. 2, 490,17.

39. 2, 490,35; 491,1: Nomen domini nusquam clarius videbis quam in Christo.

40. 2, 490,18: quod cor et nomen domini sint unum simul et sibi cohaerentia. 20: Cohaerent autem cor et nomen domini per fidem. – 491,23.

41. 2, 491,14: fit, ut Christi et Christiani justitia sit una eademque ineffabiliter sibi conjuncta.

42. 7, 24,22.33: Durch den Glauben wird die Seele von dem Gotteswort heilig, gerecht, wahrhaftig, friedsam, frei und aller Güte voll, ein wahrhaftig Kind Gottes.

43. 10 III, 271,22: Also auch der Glaube machet die Seel, daß sie ganz vereinigt wird mit dem Wort und durchfeuert sei und durchgütet, daß sie ganz der Natur wird, der das Wort ist, und wie man nicht tadeln kann das Wort, also kann man auch das Gewissen nicht tadeln, wenn es ist ein Kuchen geworden aus dem Wort und Glauben. – 273,17: Wer da mit dem (Wort) ein Kuch oder ein Ding wird, der ist fromm und untadelig.

44. 40 I, 229,4.22: Ideo justificat fides ... quia habet illum thesaurum, quia Christus adest.

45. Die Dogmatiker sprechen vom organon receptivum oder leptikon. Vgl. schon FC, Epit. III § 5 (... solam fidem esse illud medium et instrumentum, quo Christum sal-

Aber Luther würdigt den Glauben auch als vom Heiligen Geist gewirkte menschliche Haltung. Glauben schließt ein, daß der Mensch an sich selbst ganz irre geworden ist, sich selbst nicht mehr gefällt[46], von sich selbst nichts vor Gott erwartet, nichts aus eigenem vor ihn bringt, sondern sich gänzlich und ohne Vorbehalt und Einschränkung seiner Barmherzigkeit hingibt und anvertraut, daß er reinweg zu empfangen bereit ist. Damit ist der Glaube die eigentliche Erfüllung des Ersten Gebotes, die einzige Weise, in der der Mensch Gottes Gottheit anerkennt und ihm die ganze Ehre als des alleinigen Schöpfers von Leben und Heil gibt. Der Glaube macht das Herz rein. Er ist selber die Reinheit des Herzens[47]. Im Glauben allein ist der Mensch ganz so, wie es ihm vor Gott zu sein gebührt[48]. So ist der Glaube »das Werk des Ersten Gebotes[49]«. In dem »Sermon von den guten Werken«, wo Luther die rechte Erfüllung aller Zehn Gebote darlegt, gebraucht er diese Formel. Aber er hat sie doch später in der Theologie nicht gern gehört. Den Glauben als ein Werk zu bezeichnen, war ihm bedenklich[50]. Das könne wohl in bestimmtem Zusammenhang durchgehen, aber streng genommen sollte man diese Wendung als nicht schriftgemäß vermeiden. Schon weil nach der Schrift der Glaube nicht unser, sondern Gottes Werk ist; vor allem aber, weil der Begriff »Werk« mit dem Gesetz zusammengehört, der Glaube aber hat es nicht mit dem Gesetz, sondern mit Gottes Verheißung zu tun[51]. Unter keinen Umständen darf man innerhalb der Lehre von der Rechtfertigung den Glauben als Werk bezeichnen. Redet man vom Glauben als von einem »Werk«, dann gilt auch von ihm, wie von jedem Werk, daß er nicht rechtfertigt, sofern er eben Werk des Menschen ist. »Wir müssen einen jeden Begriff in seiner Dimension belassen, damit die Sache nicht gänzlich verwirrt wird[52].« Die Wendung »der Glaube Werk des Ersten Gebotes« mag ihren Platz haben innerhalb einer ethischen Darlegung über die Erfüllung der Gebote, aber sie gehört nicht in die Theologie der Rechtfertigung.

Initium creaturae novae

Kommt der Glaube also auch nicht als »Werk« für die Rechtfertigung in Betracht, so ist er nun doch der Ursprung und Quellgrund »guter Werke« und als solcher der Anfang einer neuen seinshaften Gerechtigkeit. Das ist mit eben dem gegeben, durch das der Glaube rechtfertigt, nämlich damit, daß er Christus

---

vatorem et ita in Christo justitiam illam ... apprehendimus.) Das Bild von der Hand und dem Schatz siehe zum Beispiel bei Hollaz.

46. 56, 157 f., 199,17.   47. 2, 514,22; 563,24.
48. 5, 104,4.   49. 6, 209,24.33.
50. 39 I, 98,24: Non libenter audio fidem appellari opus.
51. 39 I, 90,11; 207,11.
52. 39 I, 91,3: Debemus relinquere unumquodque vocabulum in sua classe, ne res perturbaretur.

ins Herz bringt oder, was das gleiche ist, daß er, vom Heiligen Geist gewirkt, diesen Geist »mit sich bringt[53]«. Das bedeutet nämlich – wie Luther in der ersten Galatervorlesung sagt –: Gottes Name, das heißt sein heiliges reines göttliches Wesen, wie es sich in Christus uns offenbart, verbindet sich im Glauben mit unserem Herzen und rührt es so an, daß er es ihm gleichmacht. Dadurch wird es selber gerecht, und zwar nicht nur geltungshaft, durch Anrechnung der Gerechtigkeit Christi, also Gottes selbst, sondern seinshaft, dadurch daß Gottes Heiliger Geist ins Herz gegossen wird, der die Liebe und den neuen Gehorsam mit sich bringt[54]. Christus, den der Glaube ins Herz bringt, ist nicht allein kraft seiner eigenen Gerechtigkeit des Menschen »fremde« Gerechtigkeit vor Gott, sondern er ist zugleich wirkende Macht in dem Glaubenden, die Macht Gottes selbst, des Menschen Herz in sein eigenes Leben und Wesen zu ziehen[55]. Luther kann es auch so ausdrücken: Christus erfüllt mit Bezug auf uns das Gesetz in doppelter Weise: einmal durch sich selbst außerhalb unser für uns, sodann durch seinen Heiligen Geist in uns, kraft dessen wir ihm nachfolgen[56]. So ist der Glaube an Christus der einzige Weg, auf dem Gott den sündigen Menschen umwandelt in sein eigenes Wesen hinein.

Der Glaube blickt ganz und gar auf den Christus für uns, auf seine Gerechtigkeit »außer uns« und ist doch eben damit die Gegenwart und Mächtigkeit Christi in uns. Der eine und selbe Glaube an Christus verleiht die Vergebung der Sünde und den Sieg über die Sünde[57]. Im Glauben ist der Mensch neu. Der rechtfertigende Glaube bedeutet Wiedergeburt aus Gott. Die Gewißheit um Gottes vergebende Huld macht mich Gottes froh, setzt dem knechtischen Dienst unter dem Gesetz ein Ende, wirkt den neuen, freien, freudigen Gehorsam gegen Gottes Willen, stellt in den Kampf wider die Sünde des alten Menschen, schafft die Bereitschaft zum Dienst der Liebe an anderen, zum Leiden »Gott zu Liebe und Lob«. Diese ethische Fruchtbarkeit des Glaubens hat Luther immer wieder mit überströmender Freude verkündigt[58]. Was das heißt, daß Christus in dem

53. DB 7, 10,6.

54. 2, 490,17.23: Sicut ergo nomen domini est purum, sanctum, justum, verax, bonum etc., ita si tangat tangaturque corde (quod fit per fidem) omnino facit cor simile sibi. 27. – 39 I, 482,17.24.

55. 2, 502,12: Tum vivit justus non ipse, sed Christus in eo, quia per fidem Christus inhabitat et influit gratiam, per quam fit, ut homo non suo sed Christi spiritu regatur. 564,30: Qui credit in Christum, evacuatur a se ipso, fit otiosus ab operibus suis, ut vivat et operetur in eo Christus. – 8, 6,32.

56. 39 I, 435,18: Nostra lex vacua cessat per Christum, qui replet vacuitatem illam, primum per esse extra nos, quia ipsemet implet legem pro nobis, deinde replet etiam per Spiritum sanctum in nobis, quia, quando credimus in eum, dat nobis Spiritum sanctum, qui inchoat hic in nobis novam et aeternam obedientiam. 483,2; 383,8; 388,4.

57. 39 I, 83,39: Hanc fidem comitatur initium novae creaturae, et pugna contra carnis peccatum, quod eadem fide Christi et ignoscitur et vincitur.

Menschen mächtig ist, daß der Heilige Geist in ihm wohnt und ihn lebendig macht, das wird in seinem ganzen konkreten Reichtum beschrieben.

Die beiden Wirkungen des Glaubens an Christus, daß er die Vergebung und damit die Zurechnung der Gerechtigkeit empfängt, und: daß er ein neues Sein begründet, seinshafte Gerechtigkeit, gehören bei Luther untrennbar zusammen. Wenn er von der Gerechtigkeit spricht, die der Glaube ist und gibt, so kann er da beides zusammen sehen: die zugerechnete Gerechtigkeit um Christi willen und die Wandlung des Menschen zu neuem Gehorsam[59]. Beides zusammen erst ist die »Rechtfertigung« im Vollsinne. Dabei ist das Erste, die Vergebung und neue Geltung vor Gott, durchaus das Grundlegende und Entscheidende – zu dem Zweiten, der neuen Seinsgerechtigkeit, kommt es nur in Kraft des Ersten[60]. Aber nicht minder gilt: Gott zielt mit der Vergebung über diese hinaus auf das neue Sein des Menschen, auf den neuen Gehorsam. Käme es zu diesem, zu dem Töten des alten Menschen nicht, so wäre »Evangelium, Glaube und alles umsonst[61]«. Gott würde den Menschen keinesfalls gerechtsprechen, wenn er ihn nicht auch neu machen wollte und damit eben in dem Geschenk des rechtfertigenden Glaubens schon begonnen hätte. Insofern hat Gottes Vergeben, sein rechtfertigendes Urteil über den sündigen Menschen eschatologischen Bezug. Wie Gott hinauszielt über die Vergebung und neue Geltung des Menschen auf sein wirkliches Neuwerden, so bewegt er dazu auch den Glaubenden: dieser ruht nicht auf der Vergebung der Sünden aus in Sicherheit, als hätte es jetzt mit der Sünde nichts mehr auf sich, sondern er ist selber ganz darauf aus, durch Christus täglich den Sieg über die Sünde zu erringen[62].

58. Vor allem in der Vorrede zum Römerbrief DB 7, 10,6: Glaube ist ein göttlich Werk in uns, das uns wandelt und neu gebiert aus Gott, Joh 1, und tötet den alten Adam, macht uns ganz andere Menschen von Herzen, Mut, Sinn und allen Kräften und bringet den Heiligen Geist mit sich. O, es ist ein lebendig, schäftig, tätig, mächtig Ding um den Glauben, daß unmöglich ist, daß er nicht ohn Unterlaß sollte Gutes wirken. – 16: Glaube ist eine lebendige erwegene Zuversicht auf Gottes Gnade, so gewiß, daß er tausendmal darüber stürbe. Und solche Zuversicht und Erkenntnis göttlicher Gnade macht fröhlich, trotzig und lustig gegen Gott und alle Kreaturen, welches der Heilige Geist tut im Glauben. Daher der Mensch ohne Zwang willig und lustig wird, jedermann Gutes zu tun, jedermann zu dienen, allerlei zu leiden Gott zu Liebe und Lob, der ihm solche Gnade erzeigt hat. Vgl. weiter 28.

59. DB 7, 11,28: Gerechtigkeit ist nun solcher Glaube und heißet Gottes Gerechtigkeit oder die vor Gott gilt, darum daß Gott sie gibt und rechnet für Gerechtigkeit, um Christus willen, unsers Mittlers, und macht den Menschen, daß er jedermann gibt, was er ihm schuldig ist. Denn durch den Glauben wird der Mensch ohne Sünde und gewinnet Lust zu Gottes Geboten.

60. 8, 114,29: Prius illud principale et robustissimum est, licet et alterum sit aliquid, sed in virtute prioris.

61. 8, 26,12.

62. 39 I, 353,33: Non facit gratia et remissio peccatorum securos de peccato, morte

So ist die Gerechtigkeit des Christen eine gegenwärtige und zugleich doch erst zukünftige: gegenwärtig als Gerechtigkeit durch Gottes Zurechnen, als Geltung vor Gott um Christi willen, gegenwärtig auch als Anbruch der Seins-Gerechtigkeit durch Christi wirkende Gegenwart im Glauben; zukünftig als Gerechtigkeit des vollen Neuseins. Die gegenwärtige ist hin auf die zukünftige, verheißt sie, wartet auf sie. Als gegenwärtige ist die Gerechtigkeit sowohl total wie partiell, je in verschiedener Hinsicht: total als Annahme durch Gott, als Anteil an Christi Gerechtigkeit[63] – diese ist ein Ganzes und die Teilhabe an ihr auch; partiell als neues Sein, neuer Gehorsam des Menschen[64]. Die Annahme durch Gott ist ein Perfectum praesens: wir *sind* gerecht gemacht, wir *sind* gerecht; die Seinsgerechtigkeit ist als beginnende ein Praesens, als vollendete ein Futurum: wir *werden* erst gerecht[65]. In diesem Sinne wartet der Christ erst auf die Gerechtigkeit. Luther ist auch hier im Einklang mit dem Apostel Paulus Röm 8,24 und Gal 5,5[66]; die letztere Stelle übersetzt er seit 1530: »Wir warten aber im Geist, durch den Glauben, der Gerechtigkeit, der man hoffen muß.« Und er legt sie aus: »Wir sind noch nicht gerecht gemacht – und sind dennoch gerecht gemacht, aber unsere Gerechtigkeit steht noch auf Hoffnung[67]«. In beiden Galaterkommentaren steht das Wort: Die Gerechtigkeit des Christen hat ihre Wirklichkeit noch nicht *in re*, sondern *in spe*[68].

Von hier aus ist nun das Verhältnis von Rechtfertigung als Sündenvergebung und als neuem Sein im Christenleben zu verstehen. Auch der Christ ist und bleibt Sünder, der täglich auf die Vergebung Gottes, auf die Zurechnung der Gerechtigkeit Christi angewiesen ist. Aber durch den gleichen Glauben, mit dem er die Vergebung empfängt, hat Gott schon mit seiner Neuschöpfung des Menschen begonnen[69]. Er hat in ihm schon den »Anfang der neuen Kreatur« ge-

ac lege, quasi amplius sint nihil, sed multo magis diligentes et sollicitos, ut per Christum salvatorem ea quotidie vincamus.

63. 39 I, 563,13: Hoc verum est, quod reputatione divina sumus revera et totaliter justi. – 8, 106,37; 107,21.

64. 39 I, 241,16: Imputative est perfecta justitia, non re ipsa ... Duplex est justitia perfecta imputatione et imperfecta, quae per naturam talis in nobis. – 2, 498,1: Ex parte ergo impleta est lex ... ex parte destructa sunt peccata.

65. 39 I, 83,16: Justificari enim hominem sentimus, hominem nondum esse justum, sed esse in ipso motu seu cursu ad justitiam. – 252,8: justificatio nostra nondum est completa, est in agendo et fieri. Es ist noch im Bau. Sed complebitur tandem in resurrectione mortuorum. – Luther kann es auch so ausdrücken: Christus wird in den Seinen auferweckt vom Tode; aber damit ist erst der Anfang gemacht, er ist noch nicht völlig in uns auferweckt. 39 I, 356,9.

66. Auf beide bezieht er sich 40 II, 24.

67. 40 II, 24,2.

68. 2, 495,1; 40 II, 24,6.

69. 39 I, 98,12: ... mirabiliter incepit illa novatio vitae.

setzt. Luther gebraucht diese Wendung aus Jak 1,18 (Vulgata: *initium aliquod creaturae ejus*) gern[70].

Dieser Anfang der neuen Schöpfung ist für Gottes rechtfertigendes Urteil nicht gleichgültig. Luther hat mehr als einmal betont, sowohl in seiner Frühzeit wie in den späteren Jahren, daß Gott die Seinen wegen des Anfangs der neuen Schöpfung in ihnen, im Blick auf diesen Anfang trägt und rechtfertigt[71]. Neben das *propter Christum* tritt ein *propter initium creaturae suae in nobis*. Hier wird vollends deutlich, was wir schon erkannten: Gottes rechtfertigendes Urteil und sein Wirken an dem Menschen gehören unlöslich zusammen – nicht nur in der Weise, daß Gott mit dem Annehmen des Menschen in seine Gemeinschaft ihn neu zu machen anhebt, sondern auch so, daß er den sündigen Menschen als gerecht annimmt, weil er zugleich anfängt, ihn zu erneuern, ihn in seinem Sein gerecht zu machen. Gottes rechtfertigendes Urteil über den Sünder schließt ein göttliches »als ob« in sich: Gott nimmt den Sünder, als ob er gerecht wäre, als ob er das Gesetz erfüllt hätte[72]. Aber dieses »als ob« ist gesetzt, um aufgehoben zu werden – und die Aufhebung beginnt schon in dem Augenblick, in dem Gottes Barmherzigkeit sich des Sünders vergebend annimmt, das heißt ihn in seine Gemeinschaft aufnimmt. So hat also Gottes Annehmen

70. 39 I, 83,14,39; 235,6: Sumus tantum primitiae creationis, tantum primitias Spiritus accipimus et habemus in hac vita. 204,6: tanquam initium creaturae novae. 252,13; 356,10. – Luther versteht Jak 1,18 nicht, wie in seiner deutschen Bibel, als »Erstlinge seiner Kreaturen«, in dem Sinne, daß die Glaubenden, die Gemeinde der Anbruch der neuen Schöpfung Gottes sind, die weit über sie hinausgreifen wird, sondern so, daß die neue Schöpfung, die Gott mit uns vorhat, bei uns erst angebrochen, noch nicht vollendet ist. Vgl. die Predigten über diesen Vers: 45, 80,34: Primitia, i. e. der Anfang, Anbruch, i. e. hat uns angefangen zu schaffen, sed faciet etiam perfectos usw. Ebenso 41, 587,7. – In seiner Vulgata-Revision von 1529 hat Luther *initium* durch *primitiae* ersetzt; dem entspricht seine Übersetzung »Erstlinge«. Er hat die Stelle also nicht einheitlich verstanden.

71. 7, 343,37: Was aber noch vor uns ist von Sünden, die auszutreiben sein, hält er uns zugut um der angefangenen Frommkeit und stetigs Üben, Streit und Austreiben der Sünde ... – 39 I, 83,14: Ut quos et tolerat et fovet propter initium creaturae suae in nobis, deinde et justos esse et filios regni decernit. – 204,6: Interim fovemur in sinu Dei, tanquam initium creaturae novae, donec perficiamur in resurrectione a mortuis. 98,5: ... et accipit Deus realiter sic, ut non maneat peccatum, quia materialiter incipit purgari et totaliter remitti. – Das *quia* siehe auch 2, 497,15. Vgl. auch 51, 520,25: Doch weil er (der Christ) ist im Werk der Reinigung oder Heiligung und immerfort sich heilen läßt durch den Samaritan und sich nicht weiter mehr und mehr in Unreinigkeit verderbet, wirds ihm gnädiglich um des Worts willen, dadurch er sich heilen und reinigen läßt, zugut gehalten, geschenkt und vergeben und muß rein heißen. (Folgt Hinweis auf Joh 15,3: »Ihr seid schon rein um des Wortes willen, das ich zu euch geredet habe.«) – 56, 272,3. – 57, 165,10. – 8, 107,34.

72. 39 I, 242,21: quod non fit, imputat quasi factum sit per misericordiam.

des Sünders, die Rechtfertigung allein durch den Glauben eschatologischen Bezug. Gott weiß, daß er mit seinem in der Annahme beginnenden Neuschaffen des Menschen, mit seiner »Heilung« (wie Luther in Erinnerung an den barmherzigen Samariter, mit dem er Christus vergleicht, gern sagt[73]) ans Ziel kommt – im Blick darauf, weil der Mensch in Gottes neuschaffender Hand dazu unterwegs ist, spricht Gott ihn schon jetzt gerecht. Diesen eschatologischen Bezug der Vergebung der Sünden, der Rechtfertigung, drückt Luther immer wieder dadurch aus, daß er von einem »Interim« spricht: »inzwischen«, »unterdessen«, »einstweilen« vergibt Gott dem Menschen, der immer noch Sünder ist; das heißt: obgleich er noch Sünder, noch nicht voll erneuert ist, noch zwischen neuer Geltung bei Gott und ganzem Neusein, erst noch unterwegs zur Gerechtigkeit des Seins; »einstweilen«, das heißt: bis er ihn ganz gerecht gemacht hat[74].

Der Blick auf die angefangene Erneuerung, auf den Beginn des Kampfes, den der Glaube wider die Sünde führt, tritt nicht etwa an die Stelle des Blickes auf Christus. Das *propter initium novae creaturae* bedeutet keine Konkurrenz, geschweige denn einen Ersatz für das *propter Christum*. Luther betont beides in dem einen und selben Zusammenhang, in den gleichen Sätzen[75]. Daß er das *propter Christum* nicht durch das *propter initium* verdrängen oder auch nur beschatten läßt, darf man nicht etwa als bloße Bindung an die Tradition hinstellen. Es hat vielmehr theologische Notwendigkeit. Daß die neue Schöpfung, der Kampf wider die Sünde, in dem Menschen begonnen hat, ändert nichts dar-

73. 2, 495,2 f. Hier sind *justificari* und *sanari* synonym. – 51, 520,25. – Vor allem in der Römerbriefvorlesung bezieht Luther sich auf das Gleichnis vom Samariter: Christus ist *Samaritanus noster*. 56, 272,11; 513,11; – 57, 165,10.

74. 2, 495,2: Interim aute, dum justificatur et sanatur, non imputatur ei ... – 39 I, 204,6, siehe Anm. 71; – 98,5: remittens interim. – 7, 345,5: indes. – Der eschatologische Bezug des Rechtfertigungsurteils Gottes kommt vor allem in der Vorlesung über den Römerbrief auch darin zum Ausdruck, daß Gottes Urteil zugleich als *promissio* zu stehen kommt, das heißt: als Verheißung der völligen Heilung, des vollkommenen Heils in dem zukünftigen Leben (promissa perfectissima salute in futura vita, 57, 165,11; 56, 272,17: ... justus ex reputatione et promissione Dei certa, quod liberet ab illo, donec perfecte sanet. – 57, 165,12: justus ex fide promissionis et spe impletionis.

75. 2, 497,15: Quia ergo per fidem incepta est justitia et impletio legis, ideo propter Christum, in quo credunt, non imputatur, quod reliquum est peccati et implendae legis. (Das *quia* und das *propter Christum* stehen nebeneinander.) – 7, 345,12. Da stellt Luther ausdrücklich als zwei »Ursachen« dafür, daß Gott den Christen die Sünde nicht anrechnet, zusammen: »die erste, daß wir Christum glauben, welcher durch den Glauben für uns tritt und sie verdeckt mit seiner Unschuld; die ander, daß wir dawider ohn Unterlaß streiten, sie zu vertilgen; denn wo die zwei nit sein, da wird sie gerechnet und ist nit vergeben und verdammt ewiglich.« Luther kann also das *propter Christum* und *propter initium* einfach nebeneinanderstellen als die zwei unentbehrlichen Gründe bzw. Bedingungen für Gottes Vergeben.

an, daß er jetzt noch Sünder ist. Und dieses bedeutet mehr als ein Noch-nicht der Gerechtigkeit, nämlich daß er vor Gott schuldig ist. Das bloße Noch-nicht könnte Gott tragen im Blick auf die kommende volle Erneuerung; aber die Schuld bleibt Schuld; gegen sie kommt die zukünftige Gerechtigkeit nicht auf. So kann auch Gottes Vergeben hier nicht den Sinn haben, daß er in einem proleptischen Urteil schon die kommende Gerechtigkeit ansähe und anerkennte. Vielmehr ist hier der Ort für das *propter Christum*[76].

Der Christ bedarf täglich der Vergebung der Sünde. Denn die neue Gerechtigkeit ist ja erst nur ein Anfang und Bruchstück. Der Christ ist noch nicht eindeutig Mensch des Glaubens, in dem Christus wohnt, sondern immer noch aus »Fleisch«, alter Mensch. Daher kann er auch mit seinem neuen Sein nicht vor Gott bestehen. Denn es hat ja immer noch den alten Menschen neben sich, und so bleibt der Mensch als ganzer Sünder vor Gott und auch mit seinem neuen Gehorsam verdammlich. Also auch als in der Heiligung Begriffener kann er vor Gott nur bestehen durch die gnädige Vergebung und Zurechnung Gottes[77], diese aber geschieht immer um Christi willen: Christus muß auch für die Christen fortdauernd so eintreten, daß er mit seiner vollkommenen Gerechtigkeit ihre unvollkommene, bruchstückhafte deckt und aufwertet[78]. Die »Werke« des Christen sind, sofern er noch alter Mensch ist, immer noch »Gesetzeswerke[79]«, das heißt: nicht Kindesgehorsam als selbstverständliche Frucht des Glaubens, sondern Knechtsgehorsam, als solcher nicht gut vor Gott, sondern Sünde und ver-

76. Vgl. zur Sache meinen Aufsatz: Zum Verständnis der Rechtfertigung. ZSTh VII. 1930; Theologische Aufsätze II. 1935. S. 31 ff.

77. 39 I, 228,7: (Abgesehen von Gottes Erbarmen, seiner *imputatio* und *acceptatio*) nostra novitas seu obedientia nova non consistit coram Deo, non placet Deo, imo est mors et damnatio. Ebenso 230,19; 235,6; 204,27: reliquum in carne peccatum et mors reputatione Dei non habentur pro peccatis et morte, etiamsi sint natura talia. – Gut im strengen Sinne sind die Werke des Christen demnach nur durch Gottes gnädiges Anrechnen. 39 I, 211,23. – 39 II, 225,8.

78. 2, 495,3: non imputatur ei, quod reliquum est in carne peccatum, propter Christum, qui, cum sine omni peccato sit, jam, unum cum Christiano suo factus, interpellat pro eo patrem. – 39 I, 83,20: Ignoscit autem et miseretur nostri Deus, intercedente et sanctificante nostrum initium justitiae Christo advocato et sacerdote nostro. Cujus justitia, cum sit sine vitio et nobis umbraculum contra aestum irae Dei factum, non sinit nostram inceptam justitiam damnari. – 7, 343,35; 345,3: Darum hat er uns einen Bischof geben, Christum, der ohne Sünd ist und dieweil für uns stehen soll, so lange bis wir auch ihm gleich ganz rein werden. Indes muß Christus Frommkeit vor Gottes Augen unsere Schanddeckel sein, und seine volle Frommkeit lassen ein Schutz und Schirm sein, daß um seinetwillen nit werde gerechnet die übrige Sünd derer, die in ihn glauben. – 8, 111,27; 112,1. – 50, 250,28. – 39 II, 214,5.16; 289, These 39 ff.

79. 39 I, 202,9.20. Den *opera legis* (quae extra fidem fiunt voluntate humana, unter dem Zwingen oder Locken des Gesetzes) stehen gegenüber die *opera gratiae* (quae ex fide fiunt, spiritu sancto movente et regenerante voluntatem hominis). Vgl. 2, 492,34.

dammlich. Aber Gottes vergebende Barmherzigkeit wertet die Gesetzeswerke auf[80]. Wie er den Menschen, die Person, obgleich sie sündig ist, als gerecht annimmt, so auch die »Werke«, in denen die Person jeweils wirklich ist. Wie Gott um Christi willen dem Sünder sein Wohlgefalllen gibt, so läßt er sich auch den gebrochenen und halben und befleckten Gehorsam wohlgefallen; er nimmt ihn als ganzen[81].

Mit dem Vorigen haben wir der Sache nach schon zu Karl Holls Auffassung der Rechtfertigungslehre Luthers Stellung genommen[82]. Die Wahrheit bei Holl liegt darin, daß er Luthers *propter initium novae creaturae* stark betont, also den Satz, daß Gott dem Menschen vergibt und ihn gerechtspricht, weil er ihn erneuern will und damit schon begonnen hat. Dieser Zusammenhang ist in der Tat bei Luther eine wesentliche Bedingung für Gottes Vergeben. Aber aus einer unerläßlichen Bedingung macht Holl den zureichenden Grund für Gottes Rechtfertigungsurteil: Gott spricht den Sünder jetzt gerecht, weil er für ihn, den Ewigen, schon jetzt das ist, was er durch Gottes erneuernde Macht beim Jüngsten Gericht erst wirklich sein wird. Gottes Urteil soll ein proleptisch-analytisches sein: Gott spricht jetzt den zukünftig Gerechten gerecht. Dabei wird das *propter Christum* im Sinne der Anrechnung der »fremden« Gerechtigkeit Christi preisgegeben. Es kann nach Holl nur in dem Sinne gelten, daß Gott den Sünder gerechtspricht, weil er die erneuernde Macht Christi in ihm wirksam weiß. Gewiß ist nach Luther auch dieses letztere für die Rechtfertigung bedeutsam. Aber es darf den zuerst genannten Sinn des *propter Christum* nicht verdrängen und ersetzen. Bei Luther gründet die Rechtfertigung in der Versöhnung durch Christi *satisfactio;* bei Holl fehlt dieser Grund. Das *propter Christum* geht in dem *propter initium novae creaturae* auf[83]. Aber das steht im Widerspruch zu Luther. Holls Konstruktion bedeutet eine ethische Rationalisierung der Rechtfertigung. Sie übersieht, daß Gottes Urteil über den Menschen es nicht nur mit seinem sittlichen Sein, sondern zunächst mit seiner Schuld zu tun hat, an der sein zukünftiges Gerecht-Sein nichts ändert. Daß Gott dem Sünder heute vergibt, seine Schuld löscht, wie kann das proleptisch-analytisch sein? Das ist jenseits aller ethischen Einsichtigkeit.

80. 8, 69,4; 77,9; 78,31. – 39 I, 204,18.25: quatenus in carne sunt ... facere opera legis, id est, non esse justos nec facere bona opera ... Sed ea legis opera, reputatione Dei, non habentur pro operibus legis, etiamsi natura sint talia. Vgl. 37.

81. 39 II, 238,17: Imputata autem primo justitia et persona acceptata, mox et omnia per eandem grata sunt, virtute imputationis.

82. Die Rechtfertigungslehre in Luthers Vorlesung über den Römerbrief ... (Gesammelte Aufsätze zur Kirchengeschichte I. 2. Aufl. 1923. S. 111-154); Die Rechtfertigungslehre im Licht der Geschichte des Protestantismus. 2. Aufl. 1922 (in: Gesammelte Aufsätze der Kirchengeschichte III. 1928. S. 525 ff.); Zur Verständigung über Luthers Rechtfertigungslehre. Neue kirchliche Zeitschrift 34 (1923). 165 ff. – Vgl. zu der ganzen Frage meinen Aufsatz: Zum Verständnis der Rechtfertigung. ZSTh VII. 1930. S. 727 bis 741 (in: Theologische Aufsätze II. 1935. S. 31 ff.).

83. Das gilt auch von *E. Hirsch:* Luthers Gottesanschauung. 1918. S. 19.

Damit ergibt sich der Sinn von Luthers berühmter Formel, daß der Christ gerecht und Sünder zugleich ist, *simul justus et peccator*[84]. Er ist gerecht durch die Vergebung der Sünden, durch Gottes Urteil, das ihn als gerecht nimmt um Christi willen, und er ist Sünder in sich selbst, in seinem menschlichen So-Sein. »Gerecht und Sünder«, das gilt also jeweils in verschiedener Hinsicht[85]: das eine im Blick auf Gottes strenges Gericht, das andere im Blick auf seine große Barmherzigkeit; oder – es ist für Luther das gleiche – das eine im Blick auf mich selber, ohne Christus, das andere im Blick auf Christus, der für mich eintritt[86]. »Ein Sünder bin ich in mir selbst außer Christo, kein Sünder bin ich in Christo außer mir selbst[87].« Bei dieser Doppelheit bleibt es durch das ganze Leben hindurch. Es gilt immer beides zugleich von mir. Das ist das hohe Paradoxon des Christenstandes, der Widerspruch, den keine Vernunft, kein Gesetzesdenken begreifen kann: daß von dem einen und selben Menschen gleichzeitig beides gilt: gerecht, Sünder[88], und zwar beides total: er ist nicht teils gerecht, teils Sünder, sondern ganz Sünder und ganz gerecht[89]. So wunderlich handelt Gott mit den Seinen[90].

84. Die Formel siehe in der Römerbriefvorlesung zum Beispiel 56, 70,9; 272,17: simul justus et peccator re vera, sed justus ex reputatione et promissione; – 57, 165,12: simul justus et simul peccator, peccator scilicit re vera, sed justus ex fide promissionis et spe impletionis. – In der 1. Galatervorlesung 2, 496,39: in Christo justificati non sunt peccatores et tamen sunt peccatores; 497,13: simul ergo justus simul peccator. – Ferner 38, 205,27: Bin ich ja ein Sünder, so bin ich doch kein Sünder. – 40 II, 352,8: Nullus Christianus habet peccatum et omnis habet peccatum. Vgl. 8, 67,32 zum ganzen Kapitel außer *R. Hermann* (s. S. 195, Anm. 1) *W. Joest:* Gesetz und Freiheit. 1951. S. 55 ff.

85. 39 I, 492,20: diverso respectu; ebenso 521,4; 564,6: diverso respectu dicimur justi et peccatores simul et semel.

86. 8, 96,2: Aliud ergo de te judicabis secundum rigorem judicii dei, aliud secundum benignitatem misericordiae ejus. Et hos duos conspectus non separabis in hac vita. – 39 I, 492,29: Vos scitis nos esse quidem justos, puros, sanctos, esse etiam peccatores injustos et damnatos. Sed diverso respectu sumus enim justi, quod ad reputationem seu misericordiam Dei in Christo promissam, hoc est propter Christum, in quem credimus ... sed secundum formam aut substantiam seu secundum nos sumus peccatores injusti et damnati ... Vgl. 521,5: Homo credens in Christum est reputatione divina justus et sanctus ... 552,13: Quoad Christum dominum nostrum et remissionem peccatorem in Christo sumus vere sancti, mundi et justi ... Verum quod ad me et carnem meam, sum peccator. 87. 38, 205,28.

88. 39 I, 507,18: Reim, wer reimen kann. Duo contraria in uno subjecto et in eodem puncto temporis.

89. 39 I, 563,13; 564,4: reputatione divina sumus revera et totaliter justi ... Sic etiam revera sumus et totaliter peccatores, sed quod ad nos respiciendo.

90. 39 I, 515,2 ... quod Deus, cum sit mirificator sanctorum suorum, haec perpetuo

Dieses widerspruchsvolle »Zugleich« von Gerechtsein und Sündersein, obgleich es in diesem Leben nicht aufhört, sondern bis zum Tode währt, ist doch kein statisches Verhältnis, sondern voller Bewegung des Widereinander. Denn, wie wir schon sahen, mit dem Glauben, der die Vergebung empfängt, ist Christus in das Herz eingezogen und nimmt nun den Kampf auf gegen den alten Menschen[91]. Hier gewinnt das *simul justus et peccator* noch einen weiteren Sinn über jenen ersten hinaus. Sofern Christus im Glauben in dem Menschen mächtig ist und der Mensch in Kraft des Heiligen Geistes wider sich selbst als den alten Menschen kämpft, ist der Mensch gerecht[92]; sofern er aber zugleich Fleisch bleibt, das zu bekämpfen und in den Tod zu geben ist, bleibt er Sünder[93]. So verstanden bedeutet das *simul justus et peccator* also nicht eine doppelte gleichzeitige Totalbestimmung, sondern die spannungsvolle kämpferische Koexistenz von gerecht und Sünder innerhalb des Menschen selbst. Die Scheide- und Kampfeslinie zwischen beidem geht durch ihn selbst hindurch. Luther hat sich für dieses Bild des Christen als Mensch im Widerspruch auf Römer 7 berufen: Röm 7,14 ff. handelt für sein wie auch der anderen Reformatoren Urteil nicht von dem Menschen ohne Christus, sondern von dem Christenmenschen[94]. So bezeichnet das *simul justus et peccator* nicht nur das paradoxe Zugleich göttlichen Urteils und menschlichen Tatbestandes, des Menschen, theologisch und empirisch gesehen, sondern auch den anthropologischen Widerstreit im Christenmenschen. »Gerecht« und »Sünder« sind hier nicht Total-, sondern Partialaspekte des Menschen.

Diesem zwiefachen Sinn des »gerecht und Sünder zugleich« entspricht es nun, daß von der Bewegung im Christenleben ein Doppeltes gilt. Sie ist einerseits ein

miscet in Ecclesia, ut Ecclesia sit sancta, et tamen non sancta, aliquis sit justus, et tamen non sit justus, beatus alius et non beatus. – 57, 164,7: »Mirabilis Deus in sanctis suis«, cui simul sunt justi et injusti.

91. 39 I, 376,8: Sic utrumque est in nobis, peccatum est justitia ... Fides pugnat contra peccatum ... Peccatum contra fidem pugnat. – 2, 497,18: Fides enim ipsa, ubi nata fuerit, hoc sibi negotii habet, ut reliquum peccati e carne expugnet ..., ut sic lex dei non modo in spiritu et corde placeat et impleatur, sed et in carne, quae adhuc resistit fidei et spiritui amanti et impleti legem. – 40 II, 352,35.

92. Luther hat immer wieder betont, daß die Vergebung der Sünde und die Rechtfertigung um Christi willen denen gilt, die gegen die Sünde kämpfen, und eben hieran gebunden ist. 8, 95,33; 114,30. Biblisch ist das für ihn speziell begründet in seinem Text von Röm 8,1: er liest hinter den Worten »die in Christo Jesu sind« noch die weiteren (eine Interpolation der Koine aus 8,4): »die nicht nach dem Fleisch wandeln, sondern nach dem Geist«.

93. 2, 497,22. – 39 I, 494,1.

94. Vgl. außer der Auslegung von Röm 7 in der Vorlesung etwa 2, 497,22; die Schrift gegen Latomus 8, 112,37; 118 ff. – 39 II, 221,9. – Zu Röm 7,15 ff. siehe 56, 70,9: Ideo simul sum peccator et justus, quia facio malum et odio malum, quod facio.

täglich neues sich im Glauben Hingeben an Gottes totales gnädiges Todes- und Lebensurteil, das täglich neue Empfangen des Gerichtes und der Gnade der Rechtfertigung[95]; andererseits führt diese immer neu vollzogene Hingabe an Gottes Handeln mit mir zu einem *Fortschreiten* im Sterben des alten, im Auferstehen des neuen Menschen[96]. Jenem eignet Totalität, diesem Partikularität. Jenes geschieht sozusagen in der Vertikale, dieses in der Horizontale des Lebensganges[97]. Daß Christus in uns Gestalt gewinnt, vollzieht sich in einem lebenslangen kontinuierlichen Geschehen. Im Empfangen der rechtfertigenden Gnade bin ich hier und jetzt selig, denn Christus ist bei mir und für mich und in mir – aber eben dadurch bin ich unterwegs, im Werden, noch nicht im Wordensein[98]. Das Werden aber schreitet fort, hin zur Vollkommenheit – die Luther aber nicht als eine sittliche Höhe versteht, sondern als die Tiefe, in der alles Vertrauen des Menschen auf sich selbst gestorben ist, als das gereifte starke Verlangen, ganz von der Sünde frei zu werden, ganz eins mit Gottes Willen – daher die Bereitschaft und das Begehren zu sterben[99].

Fides und fructus

Die Rechtfertigung und damit das ganze Heil wird dem Menschen allein durch den Glauben zuteil, *sola fide*. Denn Rechtfertigung und Heil hängen allein an Gottes Barmherzigkeit, und diese wird allein im Akt des Glaubens empfangen.

95. Vgl. 39 I, 95,1; 98,8; 40 III, 348,1 und den Sermon von der Taufe 2, 731,3. – Fortschreiten gibt es nur durch immer neues Anfangen, 56, 489,7.

96. 30 I, 225,14. – 39 I, 251,6: forma perfecta existenti in illa vita justi erimus; hic actus in progressu est. – 30 I, 190,37: weil die Heiligkeit angefangen ist und täglich zunimmt. – Für das »(tägliche) Zunehmen« vgl. unter anderem Stellen wie 2, 147,32; 8, 7,1; 12,18; 20,12 (»Die Christen nehmen täglich zu und fahren fort«); 111,33. – 40 II, 355,5 (Gottes Wille, daß wir »in dies magis« geheiligt werden); 356,7 (der Heilige Geist wolle Herz und Gemüt üben, »ut fiat sanctior et sanctior«); 357,10 (»immer mehr und mehr – so bittet der Psalmist 51,4 – wolle Gott ihn waschen«); 357,15; 358,2. – 39 I, 432,8; 439,5.

97. 39 I, 204,12: Formatur enim Christus in nobis continue, et nos formamur ad imaginem ipsius, dum hic vivimus.

98. 39 I, 252,8: Justificatio nostra nondum est completa. Est in agendo et fieri, non in actu aut facto, nec in esse. Es ist noch im Bau. – 7, 337,30: Dies Leben ist nit ein Frommkeit, sondern ein Fromm-werden, nit ein Gesundheit, sondern ein Gesund-werden, nit ein Wesen, sondern ein Werden, nit ein Ruhe, sondern ein Übunge. Wir seins noch nit, wir werdens aber. Es ist noch nit getan und geschehen, es ist aber im Gang und Schwange. Es ist nit das End, es ist aber der Weg. Es glühet und glitzt noch nicht alles, es fegt sich aber alles.

99. 17 II, 13,23. – 31 I, 169,34: ... daß wir mürb und gar werden nach dem alten sündlichen Adam, bis unser Stolz, Trost und Zuversicht auf unser Tun und Wissen ganz tot sei, welches am Ende des Lebens vollendet wird.

Die ethische Aktivität des Menschen, »die Werke« haben hier keinen Platz. Sie können das Heil weder wirken noch es uns bewahren. Allein durch den Glauben werden wir bewahrt zum ewigen Leben[100].

Aber die erfahrene Rechtfertigung, die Gewißheit des Heils führt dann, wie wir sahen, mit innerer Notwendigkeit zum »Werke«, zu neuem Gehorsam, zum frohen Dienst Gottes an den Menschen. Das Werk wird aus dem Glauben geboren. Indessen darin erschöpft sich ihr Zusammenhang nicht. Der neue Gehorsam hängt vom Glauben ab. Aber umgekehrt hat der neue Gehorsam eben darum auch Bedeutung für den Glauben, nämlich als Kennzeichen dafür, daß er wirklich Glaube ist[101]. Ist der Glaube der Realgrund für das Werk, so das Werk Erkenntnisgrund für den Glauben. Eines solchen bedarf es, weil nicht aller angebliche Glaube echtes Glauben ist[102]. Es gibt einen eingebildeten, unechten Glauben. Mit ihm ist der Mensch der Liebe Gottes in Christus nicht wirklich begegnet, hat er Christus nicht im Ernst ergriffen, und Christus ist daher durch ihn auch nicht ins Herz gekommen. Das Kennzeichen, das den echten vom unechten Glauben unterscheidet, den lebendigen vom toten, ist aber das »Werk«, der neue Gehorsam, der Kampf gegen die Sünde[103]. Hier bringt Luther mit dem gleichen Ernst, mit dem er das paulinische *sola fide* einschärft, die Gedanken des Jakobusbriefes und des 1. Johannesbriefes zur Geltung. Ebenso schließt er sich immer wieder an die Stelle 2 Petr 1,10 an: »Tut Fleiß, euren Beruf und Erwählung fest zu machen[104].« Mit Jakobus sagt auch er: Folgen keine Werke, so ist gewiß, daß der wahre Glaube an Christus nicht im Herzen wohnt, sondern der tote, erdichtete, selbstgemachte[105]. Ja, Luther erklärt, daß Gottes rechtfertigendes Vergeben mit daran hängt, daß der Mensch den Kampf des Geistes wider das Fleisch aufgenommen hat[106]. Wo es an diesem Kampf fehlt, wo ein

100. 39 I, 255,18: ad salutem adipiscendam et retinendam sola misericordia requiritur, quam fides apprehendit et retinet. – 256,5: Neque Concedendum est, quicquam amplius necessarium esse ad salutem, justificationem et vitam aeternam, quam fidem. Hac sola servamur. Et hoc est solius miserentis Dei.

101. 12, 289,29: Dafür soll mans gewißlich halten, wo der Glaub nicht ist, daß da auch kein gut Werk könnte sein; und wiederum, daß da kein Glaub sei, wo nicht gute Werke sind. Darum schleuß den Glauben und die guten Werk zusammen, daß also in beiden die Summa des ganzen christlichen Lebens stehe.

102. 47, 789,27: De hac (fide) semper praedicamus, quod fides justificet. Sed postea disco et cognosco, an sit vera vel gefärbet fides. (Zu 1 Joh 3,16.)

103. 39 I, 114,28: Vera fides non est otiosa. Ergo ex effectu aut posteriori possumus concludere et cognoscere eos, qui veram fidem habent.

104. Z. B. 6,217,27. – 10 III, 95,8; 226,15. – 14, 22,13. – 32, 423,17. – 39 I, 204,8.

105. 39 I, 46,20: Quod si opera non sequuntur, certum est, fidem hanc Christi in corde nostro non habitare, sed mortuam illam. – 92,17. – 12, 289,30. – 39 II, 248,14: wenn kein Werk da sein, so ist fides gar verloren. – 39 I, 106,24: illa (fides) quae caret fructu, non est efficax, sed ficta fides. 114,24.

106. 7, 343,38.

Mensch weiter in groben Sünden verharrt, da ist er nicht im Christenstand, da steht er nicht unter Gottes Vergeben[107]. Dementsprechend gilt positiv: Der neue Gehorsam, der Kampf wider die Sünde, die guten Werke, die Liebe machen uns und andere gewiß, daß unser Glaube recht sei, damit aber: daß wir im Stand des Heils sind[108].

Den klarsten biblischen Grund für alles dieses hatte Luther an der fünften Bitte des Vaterunsers und dem Zusatz zu ihr Mt 6,14 f. So hat er seine Gedanken gerade in der Auslegung dieser Worte besonders stark ausgesprochen. Er redet geradezu von einer zwiefachen Vergebung: der innerlichen, die das Herz empfängt im Glauben an Gottes Wort, und der äußerlichen, die im »Werk« empfangen wird, in der Tat der Vergebung meinem Nächsten gegenüber. Diese zweite kann er als »Zeichen und Siegel« geradezu neben die Sakramente rücken, durch die Gott unseren Glauben stärken will[109]. Der Heilige Geist gibt uns auf zwiefache Weise das Zeugnis, daß wir im Heile sind, inwendig und äußerlich, durch die Werke, die er in uns wirkt[110]. Die Heilsgewißheit hängt gewiß nicht allein, aber auch an dem neuen Gehorsam des Christen, das heißt: an der Erfahrung der Macht Christi, den Menschen zu erneuern.

107. 39 I, 92,17.

108. 10 III, 225,35: Die Werk sind ein gewisses Zeichen und wie ein Siegel an einem Brief gedruckt, damit ich sicher sei, daß der Glaub recht sei. Ursach: find ich in meinem Herzen, daß das Werk daherfleußt aus Lieb, so bin ich gewiß, daß mein Glaub rechtgeschaffen sei. So ich vergebe, so macht mich das Vergeben gewiß, daß mein Glaub rechtgeschaffen sei, und versichert mich und beweist meinen Glauben. – 39 I, 292,10; 293,8, Opera certificant nos et testantur coram hominibus et fratribus et etiam coram nobis ipsis, quod vere credimus et sumus filii Dei in spe et haeredes vitae aeternae. – 39 I, 204,8: Hoc initium autem per bona opera, si vere inest, sese ostendit et certam facit vocationem nostram. – 39 II, 248,11: Charitas est testimonium fidei et facit, nos fiduciam habere et certo statuere de misericordia Dei, et nos jubemur nostram vocationem firmam facere bonis operibus (2 Petr 1,10). Es tunc apparet, nos habere fidem, cum opera sequuntur ...

109. 32, 423,15: Die Vergebung der Sünde geschieht zweierlei: einmal durchs Evangelium und Wort Gottes, welches empfangen wird inwendig im Herzen vor Gott durch den Glauben; zum andern äußerlich durch die Werk, davon 2 Petr 1 sagt, da er von guten Werken lehret: Lieben Brüder, tut Fleiß, euren Beruf und Erwählung fest zu machen. Da will er, daß wir solchs sollen gewiß machen, daß wir den Glauben und Vergebung der Sünde haben ... Also ist auch hie die äußerliche Vergebung, so ich mit der Tat erzeige, ein gewiß Zeichen, daß ich Vergebung der Sünde bei Gott habe; wiederum wo sich solchs nicht erzeigt gegen den Nächsten, so habe ich ein gewiß Zeichen, daß auch ich nicht Vergebung der Sünde bei Gott habe, sondern stecke noch im Unglauben. Vgl. auch das Folgende. – 424,8: er nimmt solch Werk und stellet eine Verheißung drauf, daß mans mit guten Ehren möcht ein Sakrament nennen, den Glauben dadurch zu stärken. Siehe weiter 26 ff. – Vgl. auch 14, 627,9.

110. 40 I, 577,7.20.

Wie von einer zwiefachen Vergebung kann Luther auch von einer zwiefachen Gerechtigkeit des Christenmenschen sprechen, im Blick auf Jesu Wort an die große Sünderin (Luk 7,47). Er unterscheidet die »innere«, vor Gott, die wir durch die Sündenvergebung im Glauben an Christus bekommen, und die »äußere«, vor den Menschen, die sich in der aus der Rechtfertigung geborenen Liebe erweist. Jene ist »verborgen im Geiste«, diese ist offenbar für die anderen und macht ihnen kund, daß wir Vergebung der Sünden haben, also vor Gott gerecht sind oder – was das gleiche ist – daß wir Glauben haben[111].

Dieses alles gehört zu Luthers Theologie der Rechtfertigung mit hinzu, als ihr zweiter Pol. Bringt es den ersten, den entscheidenden Pol, das *sola fide* in Gefahr? Steht es zu ihm in Widerspruch[112]? Die Spannung erscheint groß. Das *sola fide* bedeutet: der Christ soll in der Frage seines Heils überhaupt nicht auf seine Werke, Sünden, Unterlassungen reflektieren, sondern allein auf Gottes gnädiges Wort im Evangelium hören, mit dem er uns annimmt ohne all unser Verdienst und Würdigkeit, aber auch trotz aller unserer Sünden. Nimmt Luther das hier nicht zurück? Hier wird dem Christen doch aufgegeben, auf sein Tun oder Nichttun zu reflektieren; sein Handeln oder Nichthandeln stärkt oder gefährdet die Heilsgewißheit. Und doch waltet hier kein Widerspruch. Denn die Reflexion auf das Tun und Nichttun, die »Werke« und die Sünden, hat jeweils einen ganz verschiedenen Sinn. Nicht auf sie reflektieren, das heißt für die »Werke«: sich nicht auf sie verlassen als auf den Grund unseres Heils, sie nicht als Leistungen vor Gott bringen. Auf sie reflektieren heißt: sie als ein »gewisses Zeichen« rechten Glaubens nehmen. Sie können das Heil nicht erwerben oder sichern, aber sie vermögen a posteriori seiner gewiß zu machen, als »Früchte«. Das hat nichts mehr mit einem »Verdienen« des Heils zu tun. Hierzu müßten sie ohne Flecken und Mängel, müßten sie vollkommen sein. Aber ein Zeichen des geschenkten Heils vermögen sie auch in aller Unvollkommenheit zu sein: der Christ spürt, wenn ihn Gottes Geist zur Liebe drängt, und wird daran seiner Gemeinschaft mit Christus gewiß – obgleich das, was dabei herauskommt, nie ein ganz reines Werk ist, sondern auch die Spuren des alten Menschen trägt. – Ebenso bedeutet auch das Reflektieren bzw. Nichtreflektieren auf die eigenen Sünden und Unterlassungen jeweils etwas anderes. Es ist kein Widerspruch, wenn dem Menschen, der, von Gottes Gesetz zur Buße erschüttert, nach dem Heil gefragt, gesagt wird: Nicht auf die Sünden und Unterlassungen vor Gott reflektieren, sondern trotz ihrer dem Wort der Rechtfertigung glauben! – und wenn auf der anderen Seite, angesichts der Möglichkeit eingebildeten, unechten Glaubens, der Christ angewiesen wird, sich in seinem »Glau-

111. 39 I, 92,36; 93,5; 96,10.
112. So habe ich in meinem Erstlingsbuch (Die Prinzipien der deutschen reformierten Dogmatik. 1914. S. 198) geurteilt. (»... damit war im Grunde die reformatorische Position zerstört«.)

ben« nicht sicher zu fühlen, sondern sich durch die Sünden und Unterlassungen beunruhigen und erschrecken zu lassen zu der Frage, ob er auch wirklich im Glauben und damit im Heil stehe. Beides hat seinen notwendigen Platz im Leben des Christen. Und das Zweite bricht dem *sola fide* nicht ab.

Luther hat das, was hier zu sagen ist, prägnant zum Ausdruck gebracht, indem er einerseits erklärt: Die guten Werke, die »Werke der Gnade« sind nötig; andererseits aber sich dagegen wehrt, sie als nötig zum Heil oder zur Rechtfertigung zu bezeichnen. Nötig sind sie eben zur Bezeugung des Glaubens (und damit zum Preis des himmlischen Vaters, zum Dienst am Nächsten)[113]. Aber eben nicht »zum Heile«. Diese teleologische Abzielung würde das *sola misericordia* und das *sola fide* der Rechtfertigung und des Heiles aufheben[114]. Die Formel, die Werke oder der neue Gehorsam sei nötig zum Heil, legt – so meint Luther – sofort den Gedanken an Verdienst und Schuldigkeit nahe, der aber ist bei der Frage nach dem Heil unerträglich[115]. Die Formel »nötig zum Heil« ist also zweideutig und daher in der Theologie als unpassend zu meiden[116]. »Wir müssen diesen Artikel (der Rechtfertigung) rein behalten[117].« Höchstens mit einem pädagogischen Gebrauch der Formel kann Luther sich einverstanden erklären »um der Heuchler willen«, um ihnen einzuschärfen, daß der Glaube tätig sein muß. Dann muß man aber den bestimmten Unterschied machen: »Die Werke sind nötig zum Heil, aber sie wirken nicht das Heil, denn der Glaube allein gibt das Leben[118].« Oder: der neue Gehorsam, notwendige Frucht und Betätigung des Glaubens, »geschieht hin auf das Heil, aber er verdient nicht das Heil[119].« Er geschieht »hin auf das Heil« – dabei ist unter dem »Heil« dessen endgültige Offenbarung zu verstehen. Dann hat die Wendung, daß der neue Gehorsam zum Heil hin, hin auf das Heil geschieht, den Sinn: der Christ hat das Heil schon in Glauben und Hoffnung, aber in eben dieser Hoffnung streckt er sich aus nach der Offenbarung des Heils. Die Heiligung und der neue Gehorsam des Christen ist in dieser Hinsicht die praktische Gestalt der Hoffnung, gemäß seinem Wartestand zwischen Haben und Noch-nicht-Haben des Heils. Der neue Gehorsam fließt aus der Gewißheit des gegenwärti-

113. 39 I, 224,1: Opera gratiae sunt necessaria, ut testentur de fide, ut glorificent Deum patrem, qui in coelis est, ut serviant proximo. Ebenso 254,9. – 39 II, 241,15.

114. 39 I, 225,3: Novitas nostra est quidem necessaria, sed non ad salutem, non ad justificationem nostram. Ad salutem seu justificationem nostram necessaria est sola misericordia Dei, quae apprehenditur fide. – 39 II, 241,12.

115. 39 I, 214,1; 215; 254,24; 257,1: Facere, operari et necessarium esse ad salutem statim includunt meritum et debitum, quod non est ferendum. Proinde moneo, ut ab ejusmodi vocibus abstineatis.

116. 39 I, 224,22; 225,18.

117. 39 I, 215,21.

118. 39 I, 96,6. Vgl. 104,4.

119. 39 I, 254,27.

gen Heils und ist auf seine zukünftige Enthüllung ausgerichtet. Er wird geboren aus dem Haben und ist zugleich Harren[120].

Gesetz und Evangelium

In allem bisher Dargestellten war immer wieder vom Gesetz und vom Evangelium die Rede. Vor allem Luthers Lehre von der Rechtfertigung ist ganz und gar Ausdruck seines Verständnisses von Gesetz und Evangelium und ihrem Verhältnis zueinander. Diese beiden Themen seiner Theologie gehören aufs engste zusammen. So mag an dieser Stelle, unmittelbar nach der Rechtfertigung, Luthers Lehre von *lex* und *evangelium* im Zusammenhang wiedergegeben werden. Manches, was im Vorigen schon erwähnt oder auch nur angeklungen war, wird dabei noch einmal wiederkehren[1].

Das Wort Gottes kommt zu den Menschen in der Doppelgestalt von Gesetz und Evangelium. Zur Bewahrung der reinen Lehre hängt nach Luther nicht weniger als alles daran, daß die Theologie beide, Gesetz und Evangelium, in ihrem Wesen und Sinn genau bestimme, sie streng unterscheide und ihre rechte Beziehung aufeinander richtig erkenne[2].

Gegensatz und Einheit

Das Gesetz Gottes ist den Menschen seit dem Urstand bekannt. Jedem Menschen ist es durch die Schöpfung, also »von Natur«, von Gottes Finger ins Herz geschrieben. So lehrt Luther im Einklang mit Paulus Röm 2,14 und unter Berufung auf ihn. Auch wenn Gott niemals das geschriebene Gesetz durch Mose gegeben hätte – der menschliche Geist weiß doch von Natur, daß man Gott verehren und den Nächsten lieben soll[3]. Die Kundgebung und Kenntnis des Willens Gottes ist also älter als der Dekalog des Mose und ist im Unterschied von ihm »lebendiges« Gesetz in den Herzen[4]. Es hat den gleichen Inhalt wie das Mosegesetz und wie die sittliche Weisung des Evangeliums, nämlich die

120. 39 I, 254,28: Estque necessario effectus in Christiano, qui jam salvus est in fide et spe et tamen tendit in ista spe ad salutem revelandam. Est igitur diligenter observandum, quod salus in hoc loco accipitur pro salute revelanda. Hic habemus salutem in spe et tendimus ad revelationem ejus per confessionem. (*Confessio* steht hier bei Luther für das ganze Handeln des Christen.)

1. *Gerhard Heintze:* Luthers Predigt von Gesetz und Evangelium. 1958.

2. 7, 502,34: Pene universa scriptura totiusque Theologiae cognitio pendet in recta cognitione legis et Evangelii. – 18, 680,28. – 39 I, 361,1 (Luthers Einleitungsrede zur 1. Disputation gegen die Antinomer); 362,1.

3. 39 I, 374,2; 454,4; 478,15; 539,7; 540,8. – 17 II, 102,8.

4. 39 I, 352,5: illam viventem insculptam in cordibus. 402,14; – 46, 607,10.

Regel von Mt 7,12, das Gebot, den Nächsten zu lieben wie sich selbst. »Es ist also ein einziges Gesetz, das durch alle Zeiten geht, allen Menschen bekannt, in aller Herzen geschrieben und läßt keinen über, der sich entschuldigen könnte, vom Anfang bis zum Ende.« – »Der Geist diktiert es in die Herzen aller ohne Unterlaß[5].«

Aber dieses »Licht«, das »in aller Menschen Vernunft lebet und leuchtet«, wird seit dem Fall verfinstert durch das sündige Begehren der Menschen. Daher war Gott gezwungen, durch Mose dem Volk Israel ein geschriebenes Gesetz zu geben, das die Menschen an das natürliche Gesetz in ihren Herzen erinnern soll[6]. Mose ist also nicht eigentlich der Autor des Dekalogs. Er hat einen bescheideneren Rang: er legt, recht verstanden, die natürlichen Gesetze im Herzen nur aus und setzt sie ins Licht[7]. Das »natürliche Recht ist klar und fein gefaßt auf dem Berge Sinai und feiner als von den Philosophen[8]«. So legt auch Christus das Gesetz nur aus. Auch er ist nicht Gesetzgeber, sondern will uns nur klarmachen, was das in die Herzen geschriebene Gesetz beziehungsweise der Dekalog eigentlich fordert[9].

Von diesem Gesetz ist nun in zweifacher Weise zu sprechen. Ein anderes ist das Gesetz als Inbegriff des ewigen Willens Gottes, ein anderes das Gesetz, wie es für den Sünder zu stehen kommt. Oder: es ist zu unterscheiden zwischen dem Gehalt des Gesetzes Gottes und der Gestalt, in der dieser Gehalt dem Sünder begegnet[10].

Seinem Gehalt nach ist das Gesetz der ewige Wille Gottes, den zu erfüllen das Heil des Menschen ist. Er besagt ja nichts anderes, als daß der Mensch Gott seinen Herrn eben das sein lasse, wozu Gott sich dem Menschen erbietet, seinen, des Menschen, gnädigen Gott. Das Gesetz ist insofern Ausdruck der Liebe Gottes, die dem Menschen Anteil an ihrem Leben gewährt. Gottes Gottheit kann für den Menschen nur so zum Heil sein, daß er sich zu ihr bekennt, ihr Angebot »Ich bin der Herr dein Gott« im Handeln ergreift. Das Gesetz ist

5. 2, 580,7-23; 17: Quid aliud totum evangelium quoque docet? Vgl. schon in der Römerbriefvorlesung 56, 197,15.24.

6. 17 II, 102,29: Aber die böse Lust und Liebe verfinstern solches Licht und blenden den Menschen, daß er solch Buch in seinem Herzen nicht ansiehet und solchem hellen Gebot der Vernunft nicht folget. Darum muß man ihm mit äußerlichen Geboten, Büchern, Schwert und Gewalt wehren und zurücktreiben und ihn solches seines natürlichen Lichtes erinnern und sein eigen Herz ihm vor die Augen stellen. – 39 I, 539,11; 540,1: Itaque renovata lex est; 549,15.

7. 39 I, 454,4.10: Neque tamen Moses autor fuit decalogi ... Ita Moses fuit tantum quasi interpres et illustrator legum scriptarum in mentibus omnium hominum. – 478,16.

8. 49, 1,24.

9. 39 I, 387,5: (Christus) interpretatur legem, non ut legislator aut Moses aliquis, sed ut intelligamus, cujusmodi opus aut impletio sit, quam lex a nobis requirit.

10. 39 I, 455,13.

also, wie Luther unter Berufung auf Paulus Röm 7,10 sagt, »zum Guten«, »zum Leben« gegeben, »eine Lehre und Wort des Lebens[11]«. Das Gesetz in diesem Sinne begegnet dem Menschen schon im Urstand und wird auch in der künftigen Welt gelten und dort ganz erfüllt werden, wie es schon im Urstand erfüllt war[12]. So zeigt das Gesetz seinem Inhalt nach unseren Urstand und unseren künftigen Stand, es hat protologischen und eschatologischen Sinn – eben mit seinem Gehalt, nicht mit der Gestalt, die es dem Sünder gegenüber hat[13]. Im Urstand konnte der Mensch es erfüllen, ja, er erfüllte es mit höchster Willenshingabe und Freudigkeit vollkommen – das Gesetz war ihm eine frohe Sache[14]. Dieses innere Verhältnis zum Gesetz wird erst von Christus bei uns Menschen durch seinen Heiligen Geist wiederhergestellt, völlig erst im künftigen Leben[15]. Das ist dann die Seligkeit. Denn »das heißt selig sein, wenn Gott in uns regiert und wir sein Reich sein[16]«.

Aber aus dem Urstand sind wir Menschen durch Adam herausgefallen, und der zukünftige Stand ist noch nicht da. Der Sündenfall verändert das Verhältnis zwischen dem Gesetz, das Gottes ewiger Wille ist, und dem Menschen von Grund auf. Nunmehr wird Gottes ewiger Wille für den Menschen als Sünder erst »Gesetz« in dem prägnanten Sinne. Was das bedeutet, legt Luther in seiner Lehre von dem Amt (officium) oder Brauch (usus) oder Sinn (sensus) des Gesetzes dar.

Er ist ein doppelter[17]. Das Gesetz hat einen »bürgerlichen« und einen »theologischen«, »geistlichen« oder »heiligen« Sinn und Brauch[18]. Der erste besteht darin, daß es in dieser vom Teufel besessenen Welt der Sünde den groben Übertretungen und Verbrechen wehrt und dadurch den öffentlichen Frieden wahrt, die Erziehung der Jugend und vor allem die Predigt des Evangeliums möglich macht. Das wirkt das Gesetz in Gestalt der von Gott eingesetzten Ämter der Obrigkeit, der Eltern und Lehrer sowie der bürgerlichen Gesetze[19]. Diese und

11. 46, 658,38; 661,11.

12. 39 I, 413,14: Decalogus manebit etiam in futura vita ... Decalogus est aeternus, ut res scilicet, non ut lex, quia in futura vita erit id ipsum, quod hic exigebat.

13. 39 I, 204,3: Quin et hoc officium habet (lex), ut ... ostendat, qualis creatura ante peccatum fuimus et post peccatum futuri simus; – 454,13.

14. 39 I, 364,10: Cum Adam primum conditus esset, non solum ei lex possibilis, sed etiam jucunda erat. Hanc obedientiam, quam requirebat lex, summa voluntate et laetitia animi praestabat, et quidem perfecte.

15. 39 I, 365,2: Christus ... emeruit credentibus in se Spiritum, quo impellente incipiunt etiam in hac vita legem implere, et in futura vita jucundissima et perfectissima obedientia legis erit in eis, ut corpore et animo eam faciant, ut nun angeli; – 374,14.

16. 2, 98,37.

17. Duplex usus: 39 I, 441,2; – 40 I, 429,29.

18. 26, 15,30; – 40 I, 429,28; 479,4; 480,13.

19. 40 I, 479,11.30.

also auch das Gesetz Gottes in seinem bürgerlichen Sinne kann der Mensch grundsätzlich erfüllen *(justitia civilis, coram mundo)*.

Davon ist der zweite Sinn und Brauch des Gesetzes Gottes zu unterscheiden. Das Gesetz hat noch eine andere Dimension als die bürgerliche und demgemäß auch ein anderes Amt[20]. Der zweite Brauch eignet dem Gesetz, sofern es nicht mehr nur bürgerlich, in seinem »politischen« Sinne, sondern in seinem geistlichen verstanden wird – dieser ist der eigentliche, der wahre[21]. Ihn zeigt Jesus in der Bergpredigt auf. Seine Auslegung des Gesetzes bedeutet äußerste Verschärfung[22]: das Gesetz Gottes fordert das reine Herz, vollkommenen Gehorsam, völlige Furcht und Liebe Gottes. Man tut ihm nicht genug mit nur äußerer Erfüllung[23]. Im gleichen Sinne wie Jesus zeigt auch Paulus die Tragweite, den Tiefgang des Gesetzes auf[24]. Damit aber wird zugleich offenbar: Das so verstandene Gesetz, einst im Urstand erfüllbar und erfüllt, ist für den sündigen Menschen schlechterdings unerfüllbar geworden[25]. Es hilft dem Menschen nicht zur Gerechtigkeit; im Gegenteil: es offenbart seine Sündigkeit und mehrt sie[26], es klagt ihn ständig an[27] und liefert ihn dem Zorn Gottes, dem Gericht, dem ewigen Tod aus[28]. Das ist die Macht *(vis)* des Gesetzes. Alle Menschen wissen etwas von Gottes Gesetz, aber sie haben keine Ahnung von seiner Macht und haben sie noch nicht gespürt[29]. Dazu bedarf es der Verkündigung des Gesetzes. Sie zielt darauf hin und dient dazu, daß die Menschen aus ihrer Ahnungslosigkeit aufwachen und die Macht des Gesetzes fühlen, ihre Sünde erkennen, Gottes Zorn erfahren und in die Buße geführt werden[30]. Hier überall nimmt Luther die Lehre des Apostels Paulus auf.

Ursprünglich Erweis der Liebe Gottes, ist das Gesetz nun Werkzeug seines Zornes geworden. Einst fröhlich für den Menschen, ist es ihm nun schrecklich geworden[31]. Was das Gesetz in den Händen des Zornes Gottes aus dem Men-

---

20. 39 I, 460,21: Quare duplex est lex et dupliciter intelligitur.

21. 39 I, 460,2: (lex) spiritualiter intellecta.

22. 39 I, 533,1: Matth. 5 exponit legem et acuit eam, quantum potest; – 570,9.

23. 39 I, 387,5; 404,24; 461,2.

24. 39 I, 388,6.13; 393,5.   25. 39 I, 364,13; 374,14.

26. 39 I, 557,19; 558,6.12; 559,11. – Die Mehrung der Sünde geschieht schon rein moralisch gegenüber den Geboten der zweiten Tafel nach der Regel »nitimur in vetitum« (39 I, 556,4; 559,6), vollends aber gegenüber der ersten Tafel; denn aus der Erkenntnis, das Gesetz nicht erfüllen zu können, entsteht Haß gegen Gott und Verzweiflung.

27. 39 I, 412,2: Virtus peccati est lex, semper accusans et mortificans. Melanchthons »lex semper accusat« (Apologie 4 § 285) steht also auch bei Luther.

28. 39 I, 383,17.

29. 39 I, 345,20; 366,19; 404,16; 405,7; 406,1.

30. 8, 103,37; – 39 I, 401,13.

31. 39 I, 365,1; 374,14: legis exactio est illis, qui extra Christum sunt, tristis, odiosa, impossibilis.

schen macht, in welche Not es ihn führt, wurde in dem Kapitel vom Zorne Gottes (S. 172 ff.) des näheren ausgeführt.

Das also ist der theologische, der geistliche Sinn und Brauch des Gesetzes: es zeigt dem Menschen, der ohne das ahnungslos und blind ist, seine Sünde und offenbart ihm damit zugleich den Zorn Gottes, den Tod und die Hölle[32]. Es wird daher völlig mißverstanden und mißbraucht, wenn der Mensch es als Mittel zur Rechtfertigung vor Gott verstehen und gebrauchen will. Das ist nicht seines Amtes und nicht sein Ziel. Dazu ist es gänzlich außerstande[33]. Es wirkt vielmehr das Gegenteil der Rechtfertigung. Das ist sein Amt von Gottes wegen.

Kein Zweifel also, daß das Gesetz Gottes eigenes Wort ist. Es ist ja »geistlich«, das heißt, es stammt von Gott, ist »mit seinem Finger geschrieben«. Es ist Wahrheit. Alle Wahrheit aber ist vom Heiligen Geist. Wer das Gesetz nicht verkündigt wissen will, will die Wahrheit Gottes nicht hören[34]. Es ist bedeutsam, wie Luther hier gegen die Antinomer den geistlichen Charakter des Gesetzes betont, seine Herkunft von Gott – wobei er zugleich dieses Wirken des Geistes im Gesetz von dem Geist unterscheidet, den Christus vom Vater sendet[35]. Seine Lehre vom Geist Gottes ist zweischichtig. Entsprechend der Doppelheit des Wortes Gottes als Gesetz und Evangelium ist der Heilige Geist, sofern er Autor des Gesetzes ist, von der Gabe Gottes durch Jesus Christus zu unterscheiden. Jener ist »Gott in seiner Natur«, dieser kommt von dem in Jesus Christus offenbaren[36]. Dementsprechend wirkt der Geist Gottes auch je ganz anderes, Gegensätzliches in den Herzen, je nachdem, ob er durch das Gesetz oder durch das Evangelium spricht. Dort schreckt und tötet er, ist er verzehrendes Feuer für das Gewissen; hier dagegen ist er der Tröster, heiligt er und macht lebendig. Damit sind wir zum Evangelium hinübergeführt.

Das Gesetz ist nicht Gottes ganzes Wort. Neben ihm steht das Evangelium. Gesetz und Evangelium haben ein ganz verschiedenes, ja gegensätzliches Amt. Das Gesetz fordert, was zu tun und zu lassen ist, klagt an und verurteilt wegen dessen, was wider seine Forderung getan oder unterlassen ist. Das Evan-

32. 18, 677,7; 766,25. – 39 I, 477,1: Legis officium est ostendere peccata, afferre dolorem et deducere ad inferos. – 347,35; 348,19-30.

33. 39 I, 213,7: alius est finis legis quam justificatio. – 347,27: Lex non solum est non necessaria ad justificationem, sed plane inutilis et prorsus impossibilis ... Neque enim data est lex, ut justificet aut vivificet aut quidquam juvet ad justitiam, sed ut peccatum ostendat et iram operetur, hoc est conscientiam ream faciat. 348,5: Quantum coelum a terra distat, tantum debet lex a justificatione separari. – 348,27.

34. 39 I, 349,24: Omnis veritas, ubicunque est, a Spiritu sancto est, et prohiberi legem est veritatem Dei prohiberi.

35. 39 I, 370,12; 389,5.30; 391,17: Cum spiritus sanctus est Deus in sua natura, est autor legis, sine quo lex non arguit peccatum; cum autem est donum per Christum, est vivificator et sanctificator noster. 484,12.

36. 39 I, 370,22.25.

gelium hat zum Inhalt die *promissio,* Gottes Verheißung in Christus: es verkündigt, daß alles, was das Gesetz fordert, in Christus schon getan ist; das heißt: es predigt die Vergebung der Sünden. »Die Predigt von der Vergebung der Sünden durch den Namen Christi, das ist das Evangelium[37].« Mit Paulus, von dem Luther auch die Bezeichnung des Evangeliums als Verheißung übernimmt, stellt er (nach 2 Kor 3,6 ff.) Gesetz und Evangelium einander gegenüber als Amt des Todes und Amt des Geistes[38]. Das Gesetz führt in den Tod, das Evangelium verkündet das ewige Leben kraft der Befreiung durch Christus. Das Gesetz stellt unter Gottes Zorn, das Evangelium bringt die Gnade[39].

So stehen Gesetz und Evangelium im Gegensatz zueinander. Das Gesetz fordert das reine Herz und den vollkommenen Gehorsam. Das Evangelium verkündet die Annahme des Sünders, des Unreinen um Christi willen. Das Evangelium setzt also das Gesetz außer Kraft. Die Rechtfertigung des Sünders geschieht wider das Gesetz, *contra legem,* und das Evangelium muß *contra legem* geglaubt werden; das heißt zugleich, weil das Gesetz den Menschen im Gewissen trifft und bestimmt: der Mensch muß wider das vom verklagenden Gesetz bestimmte Gewissen glauben, wider die Anfechtung des Gewissens durch das Gesetz. Paulus lehrt, daß die Rechtfertigung »ohne das Gesetz« geschieht (Röm 3,21). Luther, sachlich mit dem Apostel eins, schärft den Ausdruck noch zu einem »gegen das Gesetz[40]«.

Indessen sind Gesetz und Evangelium nicht nur widereinander, sondern in eben dieser ihrer Gegensätzlichkeit aufeinander bezogen. Sie sind zwar scharf zu unterscheiden, aber nicht voneinander zu scheiden[41]. Sie dürfen zwar nicht ineinander gemengt werden (zum Beispiel dadurch, daß man aus der im Evangelium verkündigten bedingungslosen Gnade Gottes eine durch menschliche Leistungen bedingte macht[42]), aber auch nicht voneinander gelöst werden. Denn

---

37. 2, 466,3.11. – 39 I, 387,2: Evangelium propria definitione est promissio de Christo, quae liberat a terroribus legis, a peccato et morte, adfert gratiam, remissionem peccatorum, justitiam et vitam aeternam. – 46, 665,3.

38. ministerium mortis (2 Kor 3,7), ministerium spiritus (2 Kor 3,8), 39 I, 447,5.

39. 39 I, 382,22; 363,19: Sic verum et proprium officium legis est accusare et occidere, Evangelii vivificare. 8, 108,13.

40. 39 I, 219,21: Itaque ego sum revera supra legem et non curo eam. Nam Deus me credentem etiam contra legem salvat, quae vult, ut non nisi justi salventur. At Deus etiam injustos salvat. Abrogavit itaque legem, scilicet condemnantem et justificantem. – 17 II, 177,7.13. Von dem Blinden am Wege nach Jericho: er kämpft nicht alleine mit seinem Gewissen, welchs ihn ohne Zweifel hat gerühret, daß er solchs nicht wert sei ... Er dringet durch und gewinnet, läßt sich alle Welt nicht von seiner Zuversicht reißen, auch sein eigen Gewissen nicht.

41. 39 I, 416,8: lex et Evangelium non possunt nec debent separari, sicut nec poenitentia et remissio peccatorum. Ita enim sunt inter se colligata et implicita.

42. 18, 680,28; – 46, 663,27; 665,16.

sie sind unlöslich miteinander verbunden und verknüpft. So gilt beides: die Rechtfertigung geschieht »wider das Gesetz« – und doch zugleich: »Das sei ferne, daß Gesetz und Evangelium widereinander streiten[43]!« Beide müssen daher verkündigt werden[44]. Also Verschiedenheit, Gegensatz und doch unlöslicher Zusammenhang, Antithese und doch auch Concordanz. Wie ist das zu verstehen?

Das Evangelium setzt das Gesetz und seine Verkündigung voraus. Denn das Evangelium bringt die Vergebung der Sünden. Diese aber setzt die Sünde selbst voraus[45], Sünde ist aber nur dort und wird nur dort erkannt, wo das Gesetz ist. So kann Luther im Kampf mit den Antinomern sagen: »Wird das Gesetz abgetan, so auch die Sünde, ist die Sünde abgetan, so auch Christus, für den dann kein Bedarf wäre[46].« Man kann das Evangelium von Christi Heilswerk, der Erlösung von der Sünde, weder verstehen noch begehren, wenn man nicht von dem Gesetz herkommt. Die Größe dessen, was Christus für uns und an uns tut, erkennt man nicht ohne das Gesetz[47]. Das Evangelium ist somit streng auf das Gesetz bezogen. Die Verkündigung des Gesetzes ist die unerläßliche, notwendige Voraussetzung für die Predigt des Evangeliums[48]. Ohne das Gesetz erkennt der Mensch seine Krankheit nicht, sondern ist selbstsicher und vermessen im Einschätzen seines sittlichen Vermögens[49]. Allein das Gesetz lehrt ihn seinen wahren Zustand, seine Sünde erkennen, stellt ihn unter die Anklage, unter Gottes Zorn und Gericht und macht ihn dadurch bereit für das Evangelium[50]. Es lehrt ihn verlangen nach dem Heiland. Es führt ihn in die Buße und macht ihn dadurch offen für den Trost des Evangeliums. So zielt die Predigt des Gesetzes hin auf das Evangelium und will ihm entgegenführen. Das war auch die Absicht Christi, wenn er das Gesetz auslegte[51]. Mit dem Gesetz wirkt Gott sein *opus alienum*, um zu seinem *opus proprium* zu kommen.

43. 39 I, 566,1.

44. 39 I, 382,22.

45. 39 I, 416,10.

46. 39 I, 546,14: Sublata lege sublatum est et peccatum, sublato peccato sublatus est Christus, ut cujus nullus esset usus. 348,40: Cum nullum sit (sublata lege) peccatum, nullum quoque esse Christum redemptorem a peccato. Ebenso 349,15; 371,9; 535,12; 546,7: Si lex non esset, quae peccatum facit peccatum ... quid opus esset Christo?

47. 39 I, 424,5; 465,2; 534,7.

48. 39 I, 466,1: Semper in tractatione redemptionis debet manere doctrina legis. 348,23.

49. 39 I, 348,13.19.

50. 8, 105,36: Evangelium ... pulcherrime legem sequitur. Lex enim introduxit et nos obruit peccato per cognitionem ejus, quo fecit, ut ab illo liberati peteremus et gratiam suspiraremus. 39 I, 456,7: wenn die *doctrina legis* wirklich das Herz rührt, »so wird einem die weite Welt zu enge, neque hic erit auxilium ullum reliquum praeterquam Christus«.

51. 39 I, 533,6: ut sic pararet sibi populum capacem illius novae doctrinae.

Das Gesetz muß also verkündigt werden. Aber die Verkündigung des Gesetzes für sich allein vermag es nicht, zur rechten Buße und zum Glauben an das Evangelium zu führen. Viele hören sie ohne Eindruck. Sie fühlen die »Macht« des Gesetzes noch nicht. Sein Drohen und Schrecken bewegt sie nicht. Der Geist Gottes muß mit dem verkündigten Wort zusammenwirken, hier so gut wie bei dem Evangelium[52].

Aber auch dann, wenn Gott zu der Verkündigung des Gesetzes seinen Geist gibt, kommt es nicht notwendig zu der rechten Buße. Sondern hier kann ein Doppeltes geschehen. Wenn das Gesetz den Menschen von seiner Sünde überführt und den Zorn Gottes über sie offenbart, dann führt ihn das zur Verzweiflung. Ist der Mensch nun mit dem Gesetz allein, so bleibt seine Verzweiflung heillos. Sie führt den Menschen in die neue Sünde des Hasses gegen Gott[53]. Anders kann es nur dann werden, wenn der Mensch nicht mit dem Gesetz allein bleibt, sondern dazu das Wort des Evangeliums hört. Dann erkennt er, daß das Gesetz nicht Gottes letztes Wort ist, daß sein Drohen und Richten und Verurteilen nicht Ziel, sondern Mittel in der Hand Gottes ist[54]. Dann wird die Verzweiflung des Menschen eine heilsame, nämlich ein Verzweifeln nicht an Gottes Barmherzigkeit, sondern des Menschen an sich selbst, an seinem Vermögen, daß er alles von Christus erwartet. Das Gesetz ist durch das Evangelium auszulegen, seine Intention vom Evangelium her zu verstehen. Auch dann freilich wird das Gesetz den Menschen in die Schrecken des Gewissens und in Verzweiflung führen und soll das auch. Aber es gibt zweierlei Erschrecken des Gewissens: teuflisches und »evangelisches« – jenes führt in die gottlose Verzweiflung, die, bleibt sie allein, böse und der Tod selber ist; dieses, das »evangelische« Erschrecken, führt in die rechte, die »evangelische Verzweiflung« und zu Christus[55].

Der Mensch steht, wenn das Gesetz ihn trifft, zwischen Gott und dem Teufel. Diese haben mit dem Schrecken durch das Gesetz die genau entgegengesetzte Absicht: der Teufel, den Menschen in den Untergang und Tod zu

52. 39 I, 368,13: Multi audiunt legem, et tamen neque minis neque terroribus ejus moventur, quia non sentiunt vim legis. Ideo neminem virtute meae praedicationis converto, nisi Deus adsit et suo Spiritu cooperetur. 371,1: Lex non arguit peccatum sine Spiritu sancto. Ebenso 389,3; 390,18. Luther kann daher als Subjekt des *terrere* und *occidere* ebensogut den Geist wie das Gesetz selbst bezeichnen. Der Geist wirkt durch das Gesetz 39 I, 484,14.20.

53. 39 I, 445,20: Lex enim per sese tantum potest terrores incutere et deducere ad inferos.

54. 39 I, 445,21: Sed deinde venit Evangelium et aufert cuspidem legi et facit ex ea paedagogum.

55. 39 I, 441,10: ... de lege terrente conscientias non diabolice, sed evangelice; 430,7: Desperatio, si sola fuerit, mala est et ipsa mors. Sin autem accedat Evangelium, ibi fit evangelica desperatio, quae bona est.

führen, Gott dagegen, daß der Mensch selig werde und lebe[56]. Im ersten Fall wird das Gesetz für das Gewissen selber zum Teufel, einem Straßenräuber gleich, der nichts anderes vorhat und vermag, als den Menschen zu erschlagen. Im anderen Fall, unter dem Zuspruch des Evangeliums, wird das Gesetz für den Menschen der »Zuchtmeister auf Christus« – das aber »ist ein tröstliches Wort und die recht eigentliche und über die Maßen fröhliche Bestimmung des Gesetzes«; »es bringt mir« – bekennt Luther – »großen Trost und Zuversicht, daß ich höre, das Gesetz sei ein Zuchtmeister und zwar auf Christum, und nicht ein Teufel oder Räuber, der nicht Zucht übt, sondern Verzweiflung[57]«. Für sich allein, ohne das Evangelium, muß das Gesetz heillos wirken, mit dem Evangelium zusammen wirkt es zum Heile. Für sich allein führt es in die Hölle, mit dem Evangelium und von ihm her verstanden führt es zu Christus. Das alles bedeutet: man kommt zum rechten Verstehen und Ergreifen des Evangeliums nur vom Gesetz her, aber wiederum auch erst vom Evangelium her zum heilsamen Verstehen und Gebrauchen des Gesetzes[58]. So gehören Gesetz und Evangelium zusammen als »die zwei Testamente Gottes, verordnet zu unserer Seligkeit, daß wir von der Sünde frei gemacht würden[59]«. Dazu gehört nämlich beides: daß unsere Krankheit, die Sünde, uns zum Bewußtsein gebracht wird durch das Gesetz – das ist »eine große Wohltat« – und daß wir die Heilung im Evangelium suchen und finden[60]. Daher muß das Amt am Wort beides verkündigen, Gesetz und Evangelium. So ist es Gottes Wille und Auftrag[61]. Auch Christus hat beides verkündigt[62]. Es geht nicht an, das Gesetz ohne das Evangelium oder das Evangelium ohne das Gesetz zu verkündigen – das eine wie das andere ist gefährlich[63]. Gott stellt uns unter beide und will, daß wir beiden glauben: dem Gesetz, daß wir Sünder sind und rechtens die Strafe ewiger Verdammnis verdient haben; dem Evangelium, daß wir nicht an Gottes Barmherzigkeit zweifeln, sondern mit Reue und Schrecken über unsere Sünde und sein gerechtes Gericht zu seiner Barmherzigkeit in Christus fliehen sollen[64]. Beides gehört zusammen, beides muß gewahrt bleiben in der Kirche: die Angst und der Schmerz unter dem Gesetz, der Trost und die Freude unter dem Evangelium[65].

56. 39 I, 440,11.

57. 39 I, 441,11; 445,13; 446,1: Atque ita debet lex per Evangelium interpretari et reduci per impossibile et ad salutarem usum, ad Christum, et Evangelium sua virtute facit a latrone paedagogum et rapit illum occisum per legem et reducit ad Christum, id quod non fecit lex.

58. 39 I, 445,11; 547,20: Man kann Mose und Christus schwerlich einen ohne den anderen ganz verstehen; »cum tamen alterum sine altero vix totum nosci potest«.

59. 8, 103,36.

60. 39 I, 517,3.

61. 39 I, 428,1; 430,1; 383,26.

62. 39 I, 533,9; 534,9.12; 538,13.

63. 39 I, 430,2.   64. 39 I, 428,2.   65. 39 I, 430,7.

Dieses beides zusammen ist rechte evangelische Buße. Sie wird also durch Gesetz und Evangelium miteinander gewirkt[66]. Dabei geht das Gesetz dem Evangelium voran.

Gesetz und Evangelium als Funktionen des einen und selben Wortes

Mit alledem ist Luthers Lehre von Gesetz und Evangelium noch nicht erschöpft. Was Gesetz und was Evangelium heißt und wirkt, ihr Widerstreit und ihre Zusammengehörigkeit ist gezeigt. Aber wo findet sich das Gesetz und wo das Evangelium? Luthers Antwort auf diese Frage – er ist durch die Auseinandersetzung mit den Antinomern zu ihr geführt worden – schließt erst die volle Tiefe seiner Lehre von Gesetz und Evangelium auf.

Zunächst versteht sich von selbst – wir hörten es schon –, daß Luther das Gesetz nicht allein im Alten Testament, also bei Mose im engeren und weiteren Sinne findet, sondern auch in der Verkündigung Jesu, im »Evangelium« (Luther nimmt dabei das Wort Evangelium vielfach im weiteren Sinne: es bezeichnet Jesu und der Apostel Verkündigung im ganzen[67]). Christus predigt auch das Gesetz: er bestätigt das Mose-Gesetz und legt es aus. »Gesetz« ist alles, was uns unsere Sünde erkennen läßt, die Gewissen verklagt und erschreckt, gleichviel, wo man es findet, bei Christus oder bei Mose[68]. »Gesetz« sind ferner nicht etwa nur die ausdrücklichen Imperative oder Anklage- und Gerichtsworte, sondern zum Beispiel auch das Vaterunser: es ist »voll von Lehre des Gesetzes«; wer es ernsthaft betet, bekennt damit, daß er gegen das Gesetz sündige und Buße zu tun habe. Was wir in den drei ersten Bitten erflehen, daß Gottes Name geheiligt werde, sein Reich komme, sein Wille geschehe, das ist ja alles Fordern des Gesetzes Gottes an uns, und wenn wir um das alles bitten, so bezeugen wir damit, daß wir es noch nicht erfüllt haben. Damit übt das Vaterunser an uns also das Werk des Gesetzes[69]. Es tut an uns das gleiche, was das Gesetz immer tut: es zeigt uns, was wir nicht haben und doch unbedingt haben sollten[70].

Luther geht noch einen Schritt weiter, und zwar im Ringen mit den Antinomern um die Frage: Soll man die Buße aus dem Gesetz des Mose predigen oder im Blick auf das Evangelium, wegen der Sünde des Unglaubens an den Sohn? Die Antinomer vertreten das letztere. Luther lehnt dieses Entweder-

---

66. 39 I, 345,16 ff., 414,11; 452,1; 471,1.

67. 39 I, 535,4; 351,35; 542,15.

68. 39 I, 348,25; 535,2: Cum tamen revera lex sit, quod legis officio fungitur, quod terret, quod accusat conscientias, quod ingratitudines, libidines et peccata ostendit, sive sit in Evangelio, sive in Mose. 351,31.35: Passim per Evangelion arguit, increpat, minatur, terret et similia legis officia exercet.

69. 39 I, 351,1.

70. 39 I, 351,25: Lex autem est, quae nobis prius ostendit, quid non habeamus, et quod tamen sit necessario habendum.

Oder ab. Er erklärt, daß der Mensch auch durch Christi Kreuz und Tod zur Buße geführt werden könne[71]. Wie könnte er das leugnen, wo er doch bei Paulus Röm 2,4 liest: »Weißt du nicht, daß dich Gottes Güte zur Buße leitet[72]?« Es liegt ihm im Streit mit den Antinomern nur daran, daß man nicht, weil Buße auch aus dem Evangelium werden und erwachsen könne, das Gesetz für unnütz erkläre[73]. Er läßt für beides Raum: für die Buße aus der Erkenntnis des Gesetzes wie für die aus der Erkenntnis des Kreuzes Christi und des Heils, und demgemäß auch für die eine wie die andere Verkündigung[74]. Die Weise, wie Gesetz und Evangelium uns zur Buße führen, ist freilich je eine verschiedene – Luther spricht von der »Rhetorik« des Evangeliums. Dort die harte Stimme der Anklage, der Überführung und Verurteilung, die uns in die Hölle hinabstößt, hier die lockende und überredende Stimme des freien Angebots der Vergebung der Sünden, des ewigen Lebens, das Wort vom guten Hirten[75]. Aber ob man auf die eine oder die andere Weise zur Buße geführt werde, es kommt zuletzt auf das eine und selbe hinaus. »Es sei, wodurch es wolle, so liegt nichts dran.« Es gibt also mehrere Wege, zu Christus gerufen zu werden. Gott führt nicht alle auf die gleiche Weise zu ihm[76].

Indessen, Luther geht auch über dieses Entweder-Oder: Buße entweder aus dem Gesetz oder aus dem Evangelium, noch hinaus. Er zeigt, daß es sich hier zuletzt gar nicht um ein echtes Entweder-Oder von Gesetz und Evangelium

71. 39 I, 405,10: Non reprehendo, quod ex cruce seu morte Christi homo ducatur ad poenitentiam.

72. 39 I, 400,17; 536,4.

73. 39 I, 407,1: Est quidem ex cruce seu passione Christi homo ducendus ad poenitentiam, sed inde non sequitur, quod lex ideo prorsus inutilis, inefficax et nulla sit et in totum tollenda. Ebenso 407,14. – Luther bekennt sich dazu, daß er in der ersten reformatorischen Zeit so gepredigt habe, wie es jetzt die Antinomer wollten, und in der Frage der Buße die gleichen Worte wie sie jetzt gebrauchte. Er hat einfach kräftig das Evangelium gepredigt. Das war damals notwendig und daher berechtigt, denn die Menschen waren unter dem Papsttum mehr als genug erschreckt. Jetzt aber ist die Lage eine ganz andere, die Menschen sind sicher, frech, epikureisch geworden, scheuen weder Gott noch Menschen. Der andere Zeitgeist erfordert eine andere Predigt. Daher geht es nicht an, daß die Antinomer mit ihrer Losung sich auf Luthers frühere Weise wider ihn berufen und sich als seine echten Schüler ausgeben. 39 I, 571–574, eine für Luthers Nein zu Agricola überaus wichtige Stelle innerhalb der 3. Disputation gegen die Antinomer.

74. 39 I, 407,3: Imo potius et ex agnitione legis et ex cognitione crucis Christi seu salutis venimus ad poenitentiam.

75. 39 I, 407,4.

76. 39 I, 407,12: Sive jam lege sive Evangelii rhetorica veneris ad poenitentiam, unum et idem eris ... 425,2: Haec ostensio peccati sive fiat per legem sive per Evangelium, cujus proprium est, filium Dei docere et remissionem peccatorum propter Christum, idem erit. Nam non omnes eodem modo vocamur ad Christum.

handelt. Vielmehr: das Evangelium trägt das Gesetz in sich, die Verkündigung des Evangeliums ist durch sich selbst zugleich Verkündigung des Gesetzes. Das gilt auf doppelte Weise. Zuerst: es ist klar, daß die Verkündigung Christi als unseres Vorbildes den Charakter der Gesetzespredigt hat; denn sie zeigt, was der Wille Gottes ist, den wir zu erfüllen haben[77]. Aber auch die Verkündigung Christi als Erlöser ist durch sich selbst Predigt des Gesetzes, denn die Erlösung setzt den Tatbestand der Sünde voraus: ich werde also durch das Wort von Christus als dem Heiland zur Erkenntnis der Sünde geführt – alles aber, was mir meine Sünde zeigt, ist eben Gesetz[78]. Die Verkündigung des Evangeliums wird mir zugleich Predigt des Gesetzes[79]. Zweitens: das Evangelium bezeugt die Güte Gottes, die Wohltaten Christi – dadurch wird der Mensch mit Scham seiner Undankbarkeit, seiner Verachtung der Güte Gottes inne, dessen, was er Gott schuldig geblieben ist an Liebe und Gehorsam. Im ersten Fall läßt das Evangelium die Sünde, die ihm vorausgeht und von ihm vorausgesetzt wird, erkennen, im zweiten Fall die Sünde gegenüber dem gnädigen Gott des Evangeliums.

Die Erkenntnis der Sünde kann also entweder aus dem Gesetz im engeren Sinne kommen oder aus dem Evangelium von der Güte Gottes, von der Erlösung durch Christus. In diesem Falle ist das Evangelium Gesetz[80]. Was mir mein Sollen zeigt und daß ich es schuldig geblieben bin, das ist immer Gesetz. Ja, Luther urteilt, daß kein Gesetz uns im Herzen so tief treffen und so furchtbar peinigen kann wie der Blick auf Gottes Güte im Evangelium, daß keine Erkenntnis einer Sünde wider die erste oder zweite Tafel so zu quälen vermag, wie wenn uns die Augen darüber aufgehen, daß wir den gnädigen Gott des Evangeliums in Undank verachtet haben – wer dessen inne wird, kann leicht in

77. 39 I, 464,19.
78. Das gilt auch von dem in der Zusage des Ersten Gebotes verkündeten Evangelium. 40 II, 370,22.
79. 39 I, 464,12: Hoc ipsum, quod dicimus, Christum esse nobis propositum ut exemplum, ut redemptorem, est docere legem. Et est vera praedicatio legis. Nam si venit tibi redemptor et salvator, necesse est, te habere peccatum et ipsa redemptio includit peccatum. Siehe auch das Weitere. – Es ist aber zu beachten, daß Luther auch hier das Amt des Gesetzes und das des Evangeliums streng unterschieden wissen will. Obgleich der Mensch auch durch das Evangelium seine Sünde erkennt, ist das Anklagen doch nicht eigentlich Sache des Evangeliums, sondern des Gesetzes. So sagt Luther: das Evangelium klagt nicht selber die Sünde an, sondern zeigt dem Menschen das Gesetz, das die Sünden anklagt. 39 I, 388,14: Evangelium non arguit proprie peccatum, sed ostendit legem peccata arguentem.
80. 39 I, 535,15: Peccatum autem ostendit praedicatio legis … Et hoc posset etiam fieri ostensis beneficiis Christi, qui tanta pro te et delictis tuis passus sit. Idem est, sive hoc fiat praedicatione beneficiorum Christi sive legis, nihil refert, tamen est lex. Vgl. das Weitere 536,4.13: Num quid hoc est? Praedicare legem ex benignitate divina. 580,12: ut est revera haec cognitio legis.

Verzweiflung fallen[81]. Wie kann ihm überhaupt noch geholfen werden? Durch das Gesetz schon gar nicht, aber auch offenbar nicht durch den Hinweis auf Gottes Güte – er ist ja eben an ihr schuldig geworden, so kann die Erinnerung an sie ihn nur desto verzweifelter machen[82]. Man kann das alles im Sinne Luthers ausdrücken mit dem Satz: Die Botschaft des Evangeliums kann dem Menschen furchtbareres Gesetz werden als das eigentliche Gesetz; das Evangelium ist nach dieser Seite hin Gesetz in Potenz. Offenkundig gebraucht Luther in dieser ganzen Darlegung den Begriff »Gesetz« in doppeltem Sinne: einmal bezeichnet er das vom Evangelium streng zu unterscheidende ausdrückliche Gesetz, und dann wieder den Gesetzescharakter, den auch das Evangelium durch sich selbst für den Sünder hat.

So läßt sich bei Luther das Wort Gottes überhaupt zuletzt nicht auf Gesetz und Evangelium verteilen. Das eine und selbe Wort trifft den sündigen Menschen sowohl als Gesetz wie auch als Evangelium. Auch die Mitte des Evangeliums, das Wort vom Kreuz, tut an ihm das Amt des Gesetzes: es deckt ihm seine Sünde und Verlorenheit so tief und schmerzhaft auf wie kein »Gesetz« im engeren Sinne. Und doch gibt es für den Menschen in dieser Lage, also in der Erkenntnis seiner Sünde angesichts der Liebestat Gottes und Christi, keinen anderen Rat, keine andere Hilfe, als daß man ihn nun doch auf eben dieses Wort hinweist, auf den gekreuzigten Christus, auf das Lamm Gottes, das der Welt Sünde trägt, auf den Jesus Christus, der den Armen das Evangelium verkündigt[83]. Der gleiche Jesus Christus, an dem wir immer wieder schuldig werden im Undank, wird uns nun doch verkündigt als der Heiland, der Mitt-

81. 39 I, 536,13: Nescio, utrum verberare animum et arctius premere cor ulla lex possit, quam hic conspectus Dei benignitatis. Non enim corda nostra afficiuntur agnito aliquo delicto contra Deum et proximum, primam et secundam tabulam, quam illo, si viderint se contempsisse tam faventem et benignum et promittentem seu offerentem gratiam Deum. Hunc despectum Dei vincere est longe gravissimum. Haec ingratitudo, si quando agnoscitur, saepe parit mortem et desperationem. 580,10: Quando quis considerat, se tanta beneficia a Deo patre sine ullo merito accepisse et neglexisse, hinc quid aliud sequitur, quam major quaedam desperatio, quam si ex lege (ut est revera haec cognitio legis) sibi peccata assensa fuissent. Quod enim peccatum ingratitudine praesertim erga Deum majus?

82. 39 I, 537,5: Quomodo sanandus is, qui pauper factus est? Non quidem ex lege, sed ex benignitate Dei, quae illi jam gravior quidem facta est, quam ipsa lex. (Das sed in diesem Satz kann nur ein Fehler der Überlieferung sein; der ganze Zusammenhang und vor allem auch das Folgende fordern ein non; vgl. 7: Quomodo sanemus quaeso hunc, cum non lex, non benignitas Dei salvare eum potest, sed perterrent magis ac magis? Quo enim magis inculcas benignitatem Dei, eo magis iste desperat, quod tantam benignitatem neglexerit aut contempserit.

83. 39 I, 537,11: Quid faciendum? Hic tempus est, ut sequatur digitum Joannis Baptistae monstrantis agnum Dei tollentem peccata mundi. Hic enim Christus venit cum proprio suo officio, evangelizator pauperum.

ler, der Tröster der Betrübten und Elenden, der gekommen ist, die Verlorenen zu retten[84]. Das eine und selbe Evangelium führt in die Buße und zum Glauben, in die Verzweiflung und zum Frieden. Daß es, obgleich es an mir auch das Amt des Gesetzes vollzieht, dennoch von der Verzweiflung fortführen soll und kann zum Glauben, das läßt sich nur so begründen: Der gekreuzigte Christus trägt auch eben diese meine Sünde, in der ich an seinem Kreuz schuldig werde. Oder auch: daß ich an seiner Liebe schuldig werde und bleibe, ändert nichts daran, daß er eben für Schuldige als Heiland gekommen ist. So darf der Schmerz der Buße aufgehoben werden, im Doppelsinne, in der Freudigkeit des Glaubens. Aber das geschieht nicht ein für allemal, sondern ist ein immer neu zu wagender Übergang. Denn wir hören nicht auf, an Christi sich opfernder Liebe in Lauheit und Undank schuldig zu werden.

Gesetz und Evangelium haben also ein je ganz verschiedenes und gegensätzliches Amt. Aber die beiden Ämter sind Funktionen des einen und selben Wortes an uns. Sie geschehen jeweils gleichzeitig. Aber der Glaube ist in der Bewegung vom Gesetz zum Evangelium. Diese Bewegung ist unumkehrbar. Das Evangelium tut an dem Menschen zwar immer auch das Werk des Gesetzes, ihn schuldig zu machen. Aber weil das Evangelium das Wort des Trostes eben an die Schuldigen ist, kommt die Bewegung im Evangelium zur Ruhe. Das Gesetz wird im Evangelium aufgehoben, aber nie umgekehrt. Das Evangelium überhöht das Gesetz, aber nie umgekehrt. Denn eben der Gott und der Herr, an dem, an dessen Erbarmen ich schuldig bin und bleibe, hört darum nicht auf, der Erbarmer zu sein. So im Hören auf das Evangelium dieses dem Gesetz überordnen, ja, entgegensetzen, das heißt: glauben.

Damit aber, mit dem Glauben an das Evangelium trotz dem Gesetz, wird nun gerade das Gesetz in seinem tiefsten Sinn erfüllt. Denn das Entscheidende im Gesetz ist das Erste Gebot. Dieses gründet völlig im Evangelium, nämlich in der Zusage, dem Angebot: Ich bin der Herr, dein Gott, »der alle, die zu ihm schreien, retten will und kann«. Daher soll der Mensch nicht andere Götter haben, daher darf er nicht verzweifeln, sondern soll Gott fürchten, auf ihn trauen und hoffen[85]. Das Gesetz mit seinem Ersten Gebot will also nichts anderes, als daß wir dem Evangelium glauben, gerade als die, welche an Gottes

---

84. 39 I, 538,10 ff. – Auf S. 537 könnte es so scheinen, als unterscheide Luther die »Güte Gottes« (*benignitas* nach Röm 2,4), an der wir schuldig werden, einerseits und das Wort vom gekreuzigten Christus andererseits als das, was uns in der Verzweiflung der Schuldigen rettet. Aber Stellen wie 536,1.7 zeigen, daß Luther die Güte Gottes und die *beneficia Christi* in eins sieht, daß also auch vom Kreuz Christi bei ihm beides gilt: daß es uns schuldig macht und daß es uns rettet.

85. 39 I, 531,2: Et certe lex clamat: Non habebis deos alienos, quia ego sum dominus Deus tuus, qui vult et potest salvare omnes ad se clamantes. Siehe auch das Weitere. 12: Lex datur ... ut timeas Deum et speres in eum. 581,9: Lex non vult, ut desperes de Deo, sed magis agnito peccato de te ipso et discas quaerere auxilium ab eo, in quo pro-

Gesetz schuldig geworden sind. Das Erste Gebot, im Glauben an Christus erfüllt, ist die Einheit von Gesetz und Evangelium. Der Gegensatz von Gesetz und Evangelium im Leben des sündigen Menschen ist nur Durchgang zwischen der urständlichen Einheit beider und der paradoxen christlichen, wo der Christ eben in der Lage, daß er Gottes Gesetz nicht erfüllt hat und unter seiner Anklage und Verdammnis steht, dem zum Trotz dem Evangelium glaubt und damit mitten in seinem Sündersein Gottes Erstes Gebot erfüllt.

Das Gesetz im Leben des Christen

Durch die Rechtfertigung wird das Verhältnis des Menschen zum Gesetz völlig gewandelt. Christus ist des Gesetzes Ende. Das heißt: für den Gerechtfertigten ist das Gesetz abgetan, sofern es fordert, den Menschen zwingt, anklagt, verurteilt[86]. Denn Jesus Christus hat das Gesetz durch seinen Gehorsam ganz erfüllt und hat, vom Gesetz angeklagt und verdammt, selber den Fluch des Gesetzes getragen, und zwar für uns. Gott rechnet uns diese Gesetzeserfüllung Christi an, Christus hat uns seine Unschuld und Gerechtigkeit geschenkt[87]. Dadurch sind die Gerechtfertigten von der Forderung, vom Zwang, von der Anklage und Verurteilung durch das Gesetz frei. Sie sind aus dem »Reich des Gesetzes« in das Reich Christi versetzt.

Das bedeutet aber nicht, daß die Gültigkeit des Gesetzes als Wille Gottes an den Menschen abgetan wäre. Christus hat uns von der Gewalt *(vis)* des Gesetzes befreit, der Gewalt, zu zwingen, anzuklagen, zu verdammen, dem Zorn und Tod auszuliefern[88]. Dagegen der Gehalt des Gesetzes, Gottes guter Wille an den Menschen, bleibt bestehen. Ja – gemäß Paulus Röm 8,4[89] – soll die Rechtfertigung gerade aus der Ohnmacht, Gottes Willen zu tun, befreien zu seiner Erfüllung. Das Gesetz ist in einer Hinsicht erfüllt durch Christus und

positum est a Deo. Nam haec summa primi praecepti est, non desperare, confidere et timere Deum atque diligere supra omnia.

86. 39 I, 219,3: Lex est abrogata, non ut nihil sit aut nihil secundum eam facere oporteat ... sed ne sit lex condemnatrix aut justificatrix. (Das letztere bedeutet, daß der Wahn des Menschen, er könne durch Gesetzeserfüllung vor Gott gerecht werden, endgültig als Trug erwiesen ist.) 250,11: omnis justus est supra legem justificantem, accusantem, obligantem. 374,5; 380,1; 392,2; 579,10; – 2, 477,35. – 39 II, 274,19: Lex nullo modo debet pios obligare aut condemnare, quod ad justitiam attinet. Non debet eos accusare neque coercere, quia jam sunt exemti ex regno legis et transpositi in regnum Christi. – Vgl. zum ganzen Kapitel *W. Joest:* Gesetz und Freiheit. 1951.

87. 39 I, 219,12; 219,7; 250,2; 366,16; 375,6; 380,2; 435,8; 436,1; 478,20: Nam justificatis non debet imponi aut praedicari lex implenda, sed impleta, quia justificati jam habent id, quod lex requirit, in Christo. 479,4: Ita apud pios cessat exactio legis et accusatio, quia quid exigeret, cum adsit Christus ...

88. 7, 760,20.   89. 39 I, 367,11.

geht insofern den Christen nichts mehr an. Aber zugleich ist es als Gottes heiliger Wille zu erfüllen[90]. Doch an die Gerechtfertigten tritt dieser Wille Gottes nun gar nicht mehr als Gesetzesforderung, also in Gestalt des Gesetzes heran. Denn Christus und sein Geist wohnen in ihnen durch den Glauben. Daher tun sie von selbst das, was das Gesetz will. Christus tut es in ihnen[91]. Der Geist hat in ihnen neue Regungen *(motus)* erzeugt, die Liebe zu Gott und seinem Gesetz, den Haß gegen das Böse[92]. Sie haben jetzt Lust am Gesetz Gottes (Ps 1 und Röm 7,22 – die Stelle spricht nach Luther vom Christenmenschen). Erleuchtet durch den Heiligen Geist, »gefällt mir das Erste Gebot von Herzen wohl durch die Gnade, so Christus mir bracht hat, dieweil ich an ihn gläube«. Ich stehe nicht mehr ohnmächtig und daher verzweifelt vor diesem Gebot Gottes, sondern im Glauben an Christus weiß ich, daß ich es erfüllen kann; ja, ich habe im Glauben damit schon angefangen[93]. Das Gesetz »fängt an, fröhlich zu werden«, der Christ von Herzen willig es zu erfüllen und vermag es auch wenigstens anfangsweise zu erfüllen[94]. Er steht nicht mehr unter einer Forderung, sondern in einer durch den Heiligen Geist gewirkten Bewegung der Lust zum Gesetz Gottes. Christus führt aus dem Stand unter dem Gesetz zurück zum fröhlichen urständlichen Gehorsam gegen das Gesetz[95]. Der Christ tut das, was das Gesetz will, aus freien Stücken, nicht weil das Gesetz es fordert, vielmehr aus der Liebe zu Gott und zur Gerechtigkeit[96]. Er tut es nicht mehr unter der Nachhilfe oder gar dem Zwang des Gesetzes, sondern im Geist der Freiheit. Sein Handeln hat Spontaneität[97]. So sind seine Werke nicht mehr »Gesetzeswerke«, ihm vom Gesetz abgezwungen, sondern freie »Werke der Gnade[98]«. Das Gesetz hat also mit dem Glaubenden nichts mehr zu tun, weder zu fordern (denn er tut das Gebotene von selber) noch ihn anzuklagen. Das Gesetz ist insofern nicht mehr in Kraft *(efficax)* bei ihm, sondern außer Kraft *(vacua)*[99].

Und doch hat das Gesetz auch für den Gerechtfertigten, den Christen noch

90. 39 I, 203,39; 204,1; 220,5.
91. 39 I, 46,18: Justificati ... facimus opera, imo Christus ipse in nobis facit omnia.
92. 39 I, 395,22.
93. 46, 662,16. – 14: und fühle mich, daß ichs tun kann und ich hab angefangen und weiß das ABC. 18: Zuvor hab ich in mir nicht funden, aber hie ist nun das Gesetz köstlich und gut und mir gegeben zum Leben und gefället mir. Zuvor weisete es mir, was ich tun sollte, jetzt hebe ich an und tue danach. – 39 I, 373,2. – 2, 492,32.
94. 39 I, 373,4.9.; 374,15.
95. 39 I, 375,4.8: Hoc modo fit nobis lex, obedientia aliquo modo jucunda.
96. 7, 760,8: ... ut populus Christi sit, qui voluntate eum audit et sequitur, nullo timore legis, sed gratuita libertate et benevolentia ductus, non ideo faciens quia praeceptum, sed quia placitum, etiam si praeceptum non esset. – 39 I, 434,18.
97. 7, 759,37. – 39 I, 250,4; 354,3.5.
98. 2, 492,34.
99. 39 I, 433,1; 435,2.7.

Bedeutung (daß es mit seinem *usus politicus* in der Welt unentbehrlich ist und wirksam bleiben muß, bedarf keines Wortes). Denn der Christ ist noch nicht im ganzen Mensch »in Christus«, Glaubender, vielmehr ein »Doppelwesen«, teils schon heilig (durch den Glauben an Christus), teils noch Sünder, teils schon im Geiste, teils noch im Fleisch[100]. Teils heilig, teils Sünder – damit ist hier also nicht das Miteinander von Gottes gnädigem Urteil, das den Menschen als gerecht und heilig ansieht, und seinem empirischen Sünder-Sein gemeint, sondern das seinshafte Nebeneinander von Geist und Fleisch, des neuen und des alten Menschen in dem Gerechtfertigten (S. 211): der alte Mensch, das Fleisch, widerstreitet dem neuen Menschen und seiner Freude an Gottes Gesetz[101]. Soweit der Christ noch »Fleisch«, alter Mensch ist, gilt für ihn nicht, was für den neuen Menschen (nach 1 Tim 1,9) gilt: daß das Gesetz für ihn aufgehoben ist[102]; vielmehr steht er noch unter dem Gesetz[103]. »Wer das gut zu unterscheiden weiß, der ist ein guter Theologe[104].« Weil der Christ hier auf Erden beides ist, neuer und alter Mensch, gerecht und Sünder, lebt er sowohl ohne das Gesetz wie unter dem Gesetz, ist das Gesetz für ihn sowohl außer Kraft wie in Kraft[105]. Freilich, im Entscheidenden ist es für den ganzen Menschen abgetan. Er ist als ganzer gerechtfertigt: das Gesetz kann ihn nicht mehr verdammen und in Verzweiflung führen[106]. Aber es hat dennoch »wegen des Fleisches« noch eine Aufgabe an ihm[107]. Worin besteht sie?

Auch dem Christenmenschen gegenüber, soweit er noch alter Mensch ist, muß das Gesetz sein geistliches oder theologisches Amt noch weiter ausüben, ihm seine Sünde anzuzeigen. Das Gesetz überführt den Gerechtfertigten davon, daß er auch noch alter Mensch ist und Sünde hat[108]. Damit ruft es ihn zu dem Kampf auf, den der Geist mit dem Fleisch, der neue Mensch mit dem alten lebenslang führen muß, daß der alte Mensch völlig in den Tod gegeben werde (S. 187, 212)[109]. In diesem Kampf hat das Gesetz noch eine Aufgabe. Der Heilige Geist, der neue Mensch des Glaubens hämmert dem Fleisch, dem alten Menschen das Gesetz ein[110]. Der Christ ist sonst in Gefahr, sicher und träge zu werden, zu

---

100. 39 I, 542,18.

101. 39 I, 373,6; 375,11; 432,15.

102. 39 I, 249,20: Ergo lex nulla in re ligat justum, in quantum est et manet justus.

103. 39 I, 204,18; 552,10; 575,6.12. – Eine andere Wendung für den Gegensatz von Geist und Fleisch im Christen 39 I, 356,15: quatenus Christus in nobis est resuscitatus, eatenus sumus sine lege, peccato et morte. Quatenus vero nondum est in nobis resuscitatus, eatenus sumus sub lege, peccato et morte. Ebenso 511,13.

104. 39 I, 552,12.

105. 39 I, 433,1: Ita sancti sunt sub lege et sine lege.

106. 39 I, 373,10; 374,7.   107. 39 I, 374,17.   108. 39 I, 497,16; 514,21.

109. Daß der Kampf, also die Buße, lebenslang sein muß, betont Luther unzählige Male. Vgl. 39 I, 350,16; 394,13; 395,17; 398,14; 396,1.10; 474,19 usw.

110. 39 I, 412,6.

schlafen, statt zum Kampf anzutreten. Das Gesetz mahnt und drängt ihn zum Kämpfen[111]. Das kann auch dem Christen gegenüber nicht anders geschehen als so, daß das Gesetz ihn in Schrecken setzt und in den Tod gibt, wie es das schon vor dem Evangelium tat. Und doch ist das jetzige Schrecken und Töten ein anderes als das vor dem Evangelium[112]. Es geschieht ja auf dem Boden der Rechtfertigung, unter der Vergebung, nicht mehr, wie ohne Christus, unter dem zerstörenden Fluch des Gesetzes. Die lebenslange Buße des Christen, in der das Gesetz ihn erhält[113], ist von der Wirkung des Gesetzes ohne Christus klar unterschieden. Das Töten des Gesetzes ist jetzt »erträglich« geworden, und es führt nicht mehr zur Verzweiflung und Verdammnis, sondern zur Gerechtigkeit. Das Gesetz und sein Schrecken ist auf dem Boden der Rechtfertigung sehr »gemildert«[114]. So ist die Buße der Christen nicht mehr, wie vorher, eine widrige und schwere Sache, sondern leicht und fröhlich, denn die Christen haben ja schon den Geist[115]. Statt des schweren Joches des Gesetzes wird ihnen das sanfte und leichte Joch Christi auferlegt[116].

Auf Erden, in diesem Leben kommt das Ringen, obgleich die Heiligung, die Reinigung von der Sünde fortschreitet, nicht völlig zum Ziel. Das Gesetz ist erst auf dem Weg dazu, erfüllt zu werden, ist aber noch nicht erfüllt[117]. Erfüllt ist es freilich für uns durch Gottes Zurechnen der Erfüllung Christi (*imputative*), aber es muß in und von uns auch tatsächlich (*formaliter*) erfüllt werden[118]. Das geschieht voll erst mit der Auferstehung[119]. Erst dann hat es sein Werk ganz getan und hat es sein Ende[120].

Hat das Gesetz für den Christen, sofern er neuer Mensch ist, keine Bedeutung mehr? Luther erklärt ausdrücklich: das Gesetz werde verkündigt nicht für den neuen Menschen, den Menschen des Glaubens, denn dieser hat den Geist Gottes, der dem Gesetz frei untertan ist (nach Röm 8,1)[121]. Er bedarf als

111. 39 I, 356,23; 432,14; 474,22; 500,11; 510,16; 513,5.

112. 39 I, 367,12: (lex) pios quidem etiam accusat et terret, sed non potest in desperationem adigere et damnare.

113. 39 I, 399,5.

114. 39 I, 412,3: Mortificatio autem in justificatis non est contritio, siquidem sum liberatus a lege ... Sed tamen lex manet etiam mortificatio, quia caro nostra semper est rebellis ... Sed haec mortificatio est tolerabilis et justificatoris (?). 474,8: Lex est jam valde mitigata per justificationem, quam habemus propter Christum, nec deberet ita terrere justificatos.

115. 39 I, 398,15.   116. 39 I, 381,3.9.

117. 39 I, 374,11: Sub Christo lex est in fieri esse, non in facto esse. 380,2.

118. 39 I, 431,10.18; 434,6; 435,11; 456,9.

119. 39 I, 375,2: Cum resuscitabimur, aboletur (lex) simpliciter.

120. Luther hat die Buße unter dem Evangelium schön klargemacht auch an dem Verhältnis von Furcht und Liebe im Leben des Christen, im Anschluß an 1 Joh 4,18; – 39 I, 437 ff., 565,4.

121. 39 I, 374,17.

solcher des Gesetzes nicht mehr. Er bedarf nicht mehr sein Mahnen und Fordern als Motiv für sein Tun und Lassen; denn, vom Geist Gottes bewegt, tut er von selber das, was das Gesetz will. Aber gilt, was von der *Motivierung* des christlichen Handelns zu sagen ist, auch von der *Erkenntnis* dessen, was zu tun ist? Bedarf der Christ nicht der Information durch das Gesetz als Ausdruck des Willens Gottes? Luther hat dazu zweierlei gesagt. Zuerst: Der vom Heiligen Geist bewegte Christ ist nicht auf den Dekalog angewiesen. Er kann selber in Kraft des Heiligen Geistes »neue Dekaloge« aufstellen, wie Jesus und die Apostel es selber schon getan haben. Er bedarf also nicht einer Vor-Schrift, sondern der Geist lehrt ihn, was jeweils zu tun ist[122]. Zweitens: Luther schränkt diesen Satz aber gleich dahin ein, daß doch nicht jeder Christ den Geist in solchem Maß hat, daß er zu jenem imstande ist. Auch in ihm streitet ja noch das Fleisch wider den Geist und hemmt ihn daher in dem klaren Urteil darüber, was zu tun ist. Auch warnt der Blick auf die Schwarmgeister, die Privat-Offenbarungen durch den Geist, auch ohne das biblische Wort, behaupten und in Anspruch nehmen. Angesichts alles dessen tut es not, daß der Christ sich doch an die apostolischen Imperative im Neuen Testament halte – nur so wird auch die Einheit der Christenheit in ihrem ethischen Urteil gewahrt[123].

Luther spricht hier nicht von dem »Gesetz«, sondern von den apostolischen »Geboten« *(mandata)*, nach dem Sprachgebrauch des Neuen Testaments. Aber gemäß seinem weiten Begriff des Gesetzes sind auch die neutestamentlichen Gebote »Gesetz«. Dann ist also auch der Christ als neuer Mensch noch auf das Gesetz angewiesen. Ist das noch der *usus theologicus* des Gesetzes, wie wir ihn kennenlernten? Schwerlich, obgleich Luther das Hören-Müssen auf die apostolischen Weisungen auch damit begründet, daß im Christen das Fleisch noch dem Geist widerstreitet. Bei dem *usus theologicus* für den Christen handelt es sich um den Kampf wider die in seinem Fleisch noch lebendige Sünde. Aber das Christenleben geht nicht auf in der Negation der Sünde, sondern vollzieht sich nach Luther durchaus auch positiv im Tun der »guten Werke«, die Gott geboten hat, in den »Früchten der geschenkten Gerechtigkeit und des Geistes«. Und hierfür haben die neutestamentlichen Weisungen (also nach Luthers Fassung des Begriffes: das Gesetz) eine Bedeutung, die über den *usus theologicus* zur Erkenntnis und Bekämpfung der Sünde hinausgeht und sich nicht mehr als jener verstehen läßt. Die Gebote leisten auch dem Christen, der den Geist empfangen hat, den Dienst, ihm zur rechten Erkenntnis der »guten Werke« zu helfen und ihn zum Tun aufzurufen[124]. Das gilt auch von dem Dekalog. In diesem

122. 39 I, 47,25–36. – 2,478, 37; 479,1; 7,760,20: omnibus donata libertate nostro periculo faciendi sive bonum sive malum.

123. 39 1, 47,37.

124. 18, 693,1 (in *De servo arbitrio*). Luther hat vorher erklärt: das Neue Testament besteht aus *promissiones* und *exhortationes*. Er sagt dann, was das Evangelium ist, und fährt fort: Deinde exhortationes sequuntur, quae jam justificatos et misericordiam

Sinne hat Luther ihn in seinen Katechismen ausgelegt, gewiß in freier schöpferischer Anwendung und Ergänzung aus dem Ganzen der biblischen Paränese. Die Gebote sind ihm nicht nur ein Spiegel zur Erkenntnis der Sünde, so gewiß sie auch das sind und bleiben, auch für den Christen – sie sind darüber hinaus eine für den Christenmenschen nötige und heilsame Unterweisung über die »guten Werke«, wie Gott sie haben will[125], freilich – um das noch einmal zu sagen – nur in ihrer Füllung aus dem Ganzen der biblischen Weisungen im Licht des Evangeliums. Demgemäß hat Luther auch seinen »Sermon von den guten Werken«, der das christliche Leben beschreiben will, als Erklärung des Dekalogs gestaltet. Die Zehn Gebote haben ihren Platz nicht nur »vor« der Rechtfertigung, sondern auch »nach« ihr, und da eben nicht allein zum *usus theologicus*, sondern auch, um den Christen zur rechten Erkenntnis dessen, was er nach Gottes Willen Gutes tun soll, anzuleiten[126].

consecutos excitent, ut strenui sint in fructibus donatae justitiae et spiritus charitatemque exerceant bonis operibus fortiterque ferant crucem et omnes alias tribulationes mundi. Luther spricht hier freilich nicht von einem *usus des Gesetzes*, sondern von *exhortationes*, die aus dem Evangelium kommen. Das Motiv dafür wird das nämliche sein, das einige von uns heute veranlaßt hat, »Gesetz« und »Gebot« zu unterscheiden, um die aus dem Evangelium fließenden Imperative von denen des Gesetzes, wie der Sünder es erfährt, terminologisch abzuheben. Vgl. *W. Joest*, a.a.O., und meine Schrift: Gebot und Gesetz. 1952. – 39 I, 542,17. Hier wird zu dem Amt des Gesetzes neben dem *insectari et arguere vitia*, also dem *usus theologicus*, hinzugefügt: instituere vitam, quomodo jam novi homines sancti novam vitam ingredi debeant ... – 7, 760,14: In novo testamento ostenduntur omnia, scilicet quae facienda omittendaque sunt. – 39 II, 274,20: (von den pii) quia jam sunt exempti ex regno legis et transpositi in regnum Christi. Ideo autem retinenda est (lex) piis, ut habeant formam excerendi bona opera. Daß das Gesetz auch für die Gerechtfertigten beibehalten werden muß, wird hier also begründet damit, daß sie in das Reich Christi versetzt sind. Sie empfangen durch die *lex* Anleitung zu guten Werken. – Durch diese Stelle wird die andere 39 I, 485,22 (Lex est retinenda, ut sciant sancti, quaenam opera requirat Deus, in quibus obdientiam exercere erga Deum possint) sachlich völlig gedeckt: weil sie in den meisten Handschriften fehlt, hat *W. Elert* sie als »Fälschung«, als Luther aus Melanchthons mittleren Loci (CR 21,406) untergeschoben bezeichnet. Aber wie die obige Stelle zeigt, ist der Text 39 I, 485 sachlich Luther nicht fremd. (*W. Elert* in der Zeitschrift für Religions- und Geistesgeschichte. 1948. Nr. 2; Zwischen Gnade und Ungnade. 1948. S. 162.)

125. In Luthers Lied über die Zehn Gebote heißt es: »Die Gebot all uns geben sind, / daß du dein Sünd, o Menschenkind / erkennen sollst und lernen wohl, / wie man vor Gott leben soll.« Hier wird also das »Lernen« des rechten Wandelns vor Gott ausdrücklich als ein zweites von dem Erkennen der Sünde aus den Geboten unterschieden. – 30 I, 178,22: an den Zehn Geboten haben wir »ein Ausbund göttlicher Lehre, was wir tun sollen, daß unser ganzes Leben Gott gefalle, und den rechten Born und Rohre, aus und in welchen quellen und gehen müssen alles, was gute Werke sein sollen«.

126. Keinesfalls also darf man die Stellung des Dekalogs in den Katechismen Luthers vor dem Credo so deuten, als hätte er seinen Platz nur vor der Rechtfertigung. Eben-

Luther gebraucht die Formel Melanchthons nicht, die dann von der Konkordienformel, von der lutherischen Orthodoxie und der Theologie des 19. Jahrhunderts übernommen wurde: vom *tertius usus legis*. Aber der Sache nach findet dieser sich auch bei ihm. Die Gestalt, die Gottes Gesetz gegenüber dem Sünder annimmt, ist für Luther, wie wir sahen, nicht die erste und daher auch nicht die einzig mögliche Gestalt und Bedeutung des Gesetzes. Weiß er doch von Gottes Gesetz schon im Urstand – wie sollte er es nicht auch im Christenstand kennen, und zwar nicht nur im Sinne des *usus theologicus*, also nicht nur um des alten Menschen willen, zur Erkenntnis der Sünde und zur Reinigung von ihr, sondern als *forma exercendi bona opera*.

Die Freiheit der Gnade Gottes

Deus revelatus und Deus absconditus

Gottes Gottsein schließt für Luther seine All- und Alleinwirksamkeit (und das damit gegebene Vorherwissen)[1] ein (vgl. S. 99). Sie bestimmt nicht nur das äußere Schicksal des Menschen, sondern auch sein inneres, seine Stellung zu Gott in Glauben oder Unglauben, Gehorsam oder Ungehorsam. Auch hier ist der Mensch ganz in Gottes Hand. Luther findet den biblischen Grund hierfür vor allem 1 Kor 12,6: Gott wirkt alles in allen (Vulgata: *operatur omnia in omnibus*) – wobei er die Stelle über ihren paulinischen Sinn an jenem Ort hinaus umfassend versteht. Sie kehrt vielfach bei ihm wieder[2].

Nun bezeugt die Bibel weiter, und die Erfahrung bestätigt es, daß tatsächlich die Menschen sich dem Wort Gottes gegenüber gegensätzlich verhalten: die einen sind aufgeschlossen zum Glauben, die anderen bleiben verschlossen. Dementsprechend erwartet die Bibel den zwiefachen Ausgang der Menschengeschichte: nicht alle werden selig, viele gehen verloren. Das kann Luther gemäß seinem Gedanken von Gottes Allwirken nur auf ihn selbst zurückführen, auf seinen Vorsatz und sein Wirken. Nicht ein angeblich freier Wille des Menschen entscheidet hier, sondern allein Gottes Wollen und Wirken. Er erwählt scheinbar grundlos die einen zum Heil und verwirft ebenso grundlos die anderen. Den einen schenkt er durch seine Geisteswirkung den Glauben, den anderen versagt er ihn und hält sie im Unglauben gefangen. Heil und Unheil gehen

sowenig ist die Stellung des Dekalogs im Heidelberger Katechismus hinter dem Credo und den Sakramenten, also hinter der »Erlösung«, im Lehrstück »Von der Dankbarkeit« spezifisch reformiert, im Unterschied vom Luthertum. Bekanntlich hat der Heidelberger Katechismus ein Vorbild seiner Einteilung schon in einem lutherischen Katechismus von 1547.
1. 18, 719,24.
2. Vgl. nur in De servo arbitrio 18, 614,12; 685,22; 709,10; 732,19.

also auf Gottes Vorherbestimmen und das ihm entsprechende Doppelwirken zurück. Gottes Wahl ist nicht in der Verfassung der einen und der anderen Menschen begründet, sondern setzt diese selber erst. Das bedeutet unbedingte ewige Prädestination nach beiden Seiten, zum Heil und zum Unheil[3].

Das alles ist bei Luther nicht Sache einer philosophischen Gottesspekulation, sondern er findet es in der Schrift. Es ist ihm auch in Gottes Geschichte mit ihm selber zur Erfahrung geworden, aber es ist eben der in der Schrift redende und verkündigte Gott, den er auch persönlich als solchen erfährt. Für Gottes zwiefaches Bestimmen, für sein verstockendes Wirken in denen, die verlorengehen, zeugt ihm vor allem Paulus Röm 9 mit dem Satz (9,18): »Gott erbarmt sich, wessen er will, und verstockt, welchen er will«; weiter mit dem Bild des Töpfers, der aus dem einen und selben Ton Gefäße zu Ehren wie zu Unehren machen kann (9,20 f.); ferner mit der Maleachi-Stelle (9,13): »Jakob habe ich geliebt, aber Esau habe ich gehaßt«; mit dem Hinweis auf Gottes Handeln an Pharao (9,17)[4].

Was ihm so die Schrift bietet, das ist bei Luther freilich zugleich unentrinnbare Folgerung aus dem Gedanken Gottes überhaupt. Er kann dafür zusätzlich auch die menschliche Vernunft aufbieten, den allen Menschen mitgegebenen Gottesgedanken[5]. Zu denken, daß Gott die Entscheidung des Menschen zum Glauben oder Unglauben nicht selber wirke, daß er also durch sie überrascht werde, daß demnach Menschen selig werden und verlorengehen könnten, ohne daß Gott es weiß – das zu denken ist gotteslästerlich, es verleugnet Gottes Gottheit und macht ihn zum Spott, zu einem lächerlichen Götzen[6]. Wer im Ernst von Gott spricht, muß notwendig sein Vorherwissen und sein unbedingtes Bestimmen lehren.

Luther findet also in der Schrift einen doppelten Willen Gottes. Sie bietet neben den Worten allumfassender Gnade solche, die ein anderes Wollen und Wirken Gottes aussprechen, das neben seinem Heilswillen und Heilswirken steht; neben der Gnade den Zorn, und zwar einen Zorn der Verwerfung, der der Liebe nicht mehr eingeordnet ist – nicht nur im Alten, sondern auch im Neuen Testament. Luther hat nicht von sich aus ein zwiespältiges Bild Gottes gezeichnet, er sah es schon in der Schrift. Der Gott der Bibel ist nicht eindeutig der Gott des Evangeliums, der Gott aller Gnade, sondern auch der, der, wo er will, verstockt und verwirft. Auch daß Gott an dem einen und selben Menschen zwiespältig handelt, indem er ihm im Wort die Gnade anbietet und

---

3. Was er bei Paulus Röm 9–11 liest, ist sein eigenes Bekenntnis: zu der »ewigen Versehung Gottes, daher es ursprünglich fleusset, wer gläuben oder nicht gläuben soll, von Sünden los oder nicht los werden kann. Damit es je gar aus unsern Händen genommen und allein in Gottes Hand gestellt sei, daß wir fromm werden«. DB 7, 23,26.

4. 18, 631,10; – 716,19.33; – 690,16; – 720,1; – 700,1; – 724,27.

5. 18, 709,10; 718,15; 719,20.

6. 18, 706,16; 718,15; 719,24; 712,22: desinat esse Deum.

doch seinen Geist zur Bekehrung versagt, ja den Menschen verstockt, auch das führt sachlich nicht über die harten Verstockungsstellen der Schrift hinaus. Aber Luther hat das, was er in der Schrift der Sache nach ausgesagt fand, auf einen unüberbietbar scharfen Ausdruck gebracht. Er lehrt in *De servo arbitrio* einen doppelten Willen in Gott, ja eine doppelte Wirklichkeit Gottes: Von dem im Evangelium offenbaren und gepredigten Gott ist zu unterscheiden der verborgene, nicht gepredigte Gott der Allwirksamkeit; Gottes Wort ist nicht das gleiche wie »Gott selbst«[7]. In Gottes Wort tritt seine Barmherzigkeit an den Menschen heran, nach der er, wie es Ezechiel 33 heißt, nicht den Tod des Sünders will, sondern daß er sich bekehre und lebe. Aber der verborgene Wille Gottes, den wir fürchten müssen, »verordnet nach seinem Rat, welche und welcherart Menschen er der gepredigten und angebotenen Barmherzigkeit fähig und teilhaftig sein lassen will«. Gott »will nicht den Tod des Sünders, nämlich nach seinem Wort, er will ihn aber nach jenem unerforschlichen Willen«. Der in seinem Wort offenbare Gott klagt über den Tod der Sünder und will sie davon erlösen. »Der in seiner Majestät verborgene Gott dagegen beklagt den Tod der Sünder nicht und hebt ihn nicht auf, sondern wirkt das Leben und den Tod und alles in allen. Denn Gott hat sich nicht in sein Wort begrenzt, sondern sich seine Freiheit vorbehalten über alles ... Gott tut vieles, was er uns durch sein Wort nicht zeigt. Er will auch viel, wovon er uns durch sein Wort nicht zeigt, daß er es will.«

Von dem verborgenen Gott, *Deus absconditus* (der Ausdruck stammt aus Jes 45,15) hat Luther schon in seiner Frühzeit gesprochen, zum Beispiel in der Heidelberger Disputation von 1518, bei der Entfaltung der *Theologia crucis*[8]. Aber dort hat der Begriff einen ganz anderen Sinn als jetzt in *De servo arbitrio,* nämlich: Gott ist in seiner Offenbarung der Verborgene, uns nicht direkt, sondern paradox im Kreuz und Leiden offenbar[9]. Nur als der so Verborgene kann er uns sündigen Menschen offenbar sein. In *De servo arbitrio* aber handelt es sich nicht um das Ineinander von Offenbarung und Verborgensein, sondern hinter, jenseits der Offenbarung ist Gott verborgen, in dem hintergründlichen Geheimnis seines allmächtigen Doppelwollens und Doppelwirkens zum Heil und Unheil. Hinter dem Wort, nicht in ihm, jenseits seiner ist »Gott selbst«, *Deus ipse.* Auch für diese seine Unterscheidung des *Deus absconditus* und *revelatus* hat Luther sich auf die Schrift berufen, nämlich auf Paulus, 2 Thess 2,4[10]. Da heißt es vom Antichrist: Er erhebt sich über jeden, »der als Gott

7. Für diesen ganzen Abschnitt siehe 18, 684,34; – 686,13; 689. – Die lateinischen Ausdrücke: einerseits Deus praedicatus, incarnatus, voluntas Dei nobis praedicata, revelata, oblata, culta; andererseits: Deus absconditus, non praedicatus, non revelatus, non oblatus, non cultus, voluntas majestatis occulta, secreta. Einerseits verbum Dei, andererseits Deus ipse.

8. Vgl. *W. von Loewenich:* Luthers Theologie crucis. S. 21 ff.

9. Vgl. S. 34.   10. 18, 685,8.

gepredigt und verehrt wird« (so gibt Luther die Stelle wieder, wohl nach der Vulgata: *supra omne, quod dicitur Deus et quod colitur*, »alles, was Gott heißt oder was verehrt wird«). Da findet Luther also den *Deus praedicatus et cultus*. Von ihm heißt es, daß einer sich über ihn erheben kann. Also – folgert Luther, aber der Text sagt nichts davon – unterscheidet Paulus von diesem gepredigten und im Gottesdienst verehrten Gott einen anderen, von dem diese beiden Bestimmungen nicht gelten: über den kann niemand sich erheben, weil alles unter dieses Gottes gewaltiger Hand ist.

Die Paulus-Stelle gibt das nicht her, was Luther in ihr findet. Die Unterscheidung des verborgenen und des gepredigten Gottes hat hier keinen Grund. Es ist darüber hinaus zu fragen, ob sie sachlich schriftgemäß ist. Die Bibel weiß gewiß von dem dunklen Geheimnis der Verstockung. Aber es kommt in ihr nur wie der dunkle Rand um das helle Licht des Heilswillens Gottes zu stehen. Bei Luther dagegen liegt jedenfalls in *De servo arbitrio* das Wissen um den verborgenen Gott wie ein breiter Schatten auf dem Bild des offenbaren Willens Gottes. Im Verhältnis zur Bibel ist eine Gewichtsverlagerung eingetreten. Es ist ein Unterschied, ob man, wie die Bibel, den bedrückenden Tatbestand, daß Gott auch verstockt, nicht verschweigt, sondern in Furcht Gottes stehenläßt, oder ob man, wie Luther, aus diesem in der Geschichte Gottes mit den Menschen und Völkern begegnenden Geheimnis, das sich gewiß mit seinem erkennbaren Heilswillen stößt, in aller Form die Lehre von einem doppelten Willen Gottes, von der Zweiheit und weitgehenden Gegensätzlichkeit des verborgenen und des offenbaren Gottes macht. Es ist zweierlei, wenn Paulus von Gottes Verstocken redet, ohne es sogleich als endgültige Verwerfung zu verstehen, und wenn Luther das Verstocken nicht mehr als Durchgang zum Erbarmen (wie Paulus Röm 11), sondern als endgültiges Verwerfen deutet. Luther geht mit seiner Lehre vom verborgenen Gott, obgleich er an die Schrift anknüpft, doch über sie hinaus, sowohl formell wie sachlich.

Wir werden weiter fragen müssen[11]: Hebt Luther mit der Lehre vom verborgenen Gott, wie er sie in *De servo arbitrio* vorträgt, nicht seine ganze sonstige Theologie auf? Gegenüber der Gottesspekulation, die Gott in seinem An-sich-Sein erforschen will, ruft er zu dem Gott, der sich selbst begrenzt hat in sein Wort[12], und hier, in *De servo arbitrio*, lehrt er, daß Gott sich nicht begrenzt hat in sein Wort, und fordert, von dem in seinem Wort offenbaren Gott, also von dem Wort, zu unterscheiden »Gott selbst«. Ist das nicht für das Vertrauen des Menschen auf das Wort der Verheißung über die Maßen gefährlich, ja tödlich? Es besagt doch: Gott ist in seinem Wort, in dem Angebot der Gnade an alle Menschen weithin nicht mit seinem geheimen Willen dabei. Der Wille hinter

---

11. Vgl. hierzu *Martin Doerne* im Luther-Jahrbuch 1938. S. 73 ff., und meine »Christliche Wahrheit« § 63,2.

12. 40 II, 386,35: qui certo loco, verbo et signis certis se ipsum circumscripsit.

dem Wort ist vielen gegenüber ein anderer als der in dem Wort. Gott handelt bei einem Teil der Menschheit dem in seinem Wort offenbaren Heilswillen entgegen. Gott ist offenbar frei auch gegenüber dem Evangelium. Wie soll der Mensch, wenn er das hört, dem Wort, das ihm Gottes Barmherzigkeit anbietet, noch rückhaltlos glauben?

Luther hat allezeit vertreten, daß Gottes Heilshandeln sich unter dem Gegenteil verbirgt und daß Gott auf diese Weise Raum schafft für den Glauben, der es immer mit Unsichtbarem zu tun hat (S. 58). Es ist das Wesen des Glaubens, daß er durch Gottes »fremdes Werk« hindurchbricht zu seinem eigentlichen Werk. Luther hat mit diesem Hinweis auf das Wesen des Glaubens auch der Verkündigung des verborgenen Gottes Sinn geben wollen und den verborgenen Gott damit einfach neben das Verborgensein des eigensten Werkes Gottes unter den fremden gestellt. In dem gleichen Atem, in dem er von diesem spricht, redet er auch von jenem. Nachdem er von der Paradoxie des Handelns Gottes gesprochen hat (er macht lebendig, indem er tötet, er rechtfertigt, indem er uns schuldig macht usw.), fährt er fort: »So verbirgt Gott seine ewige Güte und Barmherzigkeit unter ewigem Zorn, seine Gerechtigkeit unter Ungerechtigkeit ... Das ist der höchste Grad des Glaubens, zu glauben, daß der gütig ist, der so wenige selig macht, so viele verdammt; zu glauben, daß der gerecht ist, der durch seinen Willen uns notwendig verdammlich macht[13].« Dieser letzte Satz führt von dem Anfang weit fort und redet von etwas anderem. Hier handelt es sich nicht mehr um die Spannung zwischen Gottes fremdem und eigenem Werk. Denn bei dieser steht ja außer Frage, daß beiderlei Handeln Gottes an dem einen und selben Menschen geschieht und zwar hin auf das eindeutige Ziel des Heiles – nur daß das Heilshandeln unter scheinbarem Unheilshandeln verborgen ist. Aber in der Lehre vom *Deus absconditus*, wie Luther sie in *De servo arbitrio* bietet, ist die Rede von einem Handeln Gottes, das nicht hinzielt auf das Heil, das also gänzlich außer und neben dem Heilshandeln steht, reines Unheilshandeln, das sich auch nicht an denen vollzieht, die Gott selig machen will, sondern an anderen, die er nicht selig machen will. Wie kann dieses Nebeneinander von Heils- und Unheilshandeln noch den Sinn haben, Raum zu geben für die Bewegung des Glaubens, die Spannung, in der sein Dennoch steht? Hier ist nicht Heilshandeln verborgen unter scheinbarem Unheilshandeln, hier hat das Heilshandeln seine Grenze am Unheilshandeln. Man muß fragen, ob dieser Widerspruch in Gottes Handeln ebenso wie jene Paradoxie seines Gnadenhandelns zu der Anfechtung des Glaubens gehört, in der er wahrhaft Glaube wird, die er also zu überwinden vermag – oder ob er an diesem Widerspruch in Gott nicht vielmehr zerbrechen muß[14]. – Daß Gott Menschen ewig verdammt,

13. 18, 633,9.14 (übersetzt, wie alle in diesem Kapitel wiedergegebenen Stellen aus *De servo arbitrio*).

14. Vgl. *M. Doerne*, a.a.O. S. 79,89 f. »Luther hat das echte Paradox des Glaubens

die er selber schuldig und verdammenswert gemacht hat, woher weiß Luther das? Aus der Schrift? Ist es ein notwendiger Satz des Glaubens? Oder bedeutet er nicht vielmehr eine dem Glauben fremde theoretische Folgerung aus Luthers Lehre von der Allwirksamkeit Gottes – eine Folgerung, die aber in dem legitimen theologischen Sinn jener Lehre keinen Grund und mit ihm nichts mehr zu tun hat?

Der Sinn der Lehre vom verborgenen Willen Gottes

Die kritischen Fragen waren unumgänglich. Aber wir können es nicht bei ihnen bewenden lassen. In der Gestalt dieser Lehre Luthers vom doppelten Willen Gottes, die sich theologisch nicht begründen und halten läßt, drückt sich möglicherweise eine Intention aus, die zur Verkündigung des Evangeliums notwendig hinzugehört. Nach ihr ist jetzt zu fragen. Luther hat sich klar darüber ausgesprochen, warum die Theologie auch von dem verborgenen Willen Gottes zu reden hat und wie der Christ sich zu diesem dunklen Hintergrund des Evangeliums stellen soll. Wir setzen mit letzterem ein.

Zuerst sagt Luther den Christen dieses: Mit Gott, sofern er sich verborgen hat, sollen wir uns gar nicht befassen. Gott will von uns so gar nicht gekannt sein. »Es ist also Gott in seiner Majestät und in seinem Wesen zu belassen; so nämlich haben wir mit ihm nichts zu handeln, und er hat nicht gewollt, daß von uns mit ihm so gehandelt wird; sondern sofern er, in sein Wort eingekleidet, bekannt gemacht ist, durch das er sich uns erboten hat, handeln wir mit ihm ... Wir haben auf sein Wort zu schauen und jenen unerforschlichen Willen zu lassen. Denn durch das Wort sollen wir geleitet werden, nicht durch jenen unerforschlichen Willen[15].« Wir sollen nicht in die Geheimnisse der Majestät einzudringen suchen, sondern uns »mit dem Fleisch gewordenen Gotte beschäftigen«, mit »Jesus, dem Gekreuzigten, in welchem alle Schätze der Weisheit und Erkenntnis sind, freilich verborgen[16]«. Es gilt von Gott wirklich: »Er heißt Jesus Christ, und ist kein andrer Gott« – Luther erinnert inmitten seiner Genesis-Vorlesung ausdrücklich an diese Stelle seines Liedes[17]. Das besagt: der Christ soll nicht in den Abgrund der Prädestination des verborgenen Gottes starren mit der quälenden Frage, ob er erwählt sei, sondern sich an die Präde-

hier umgebogen in die Fehlgestalt des logischen Widerspruchs. Gewiß erfährt der Glaubende, wie Gott seine Güte hinter seinem Zorn verbirgt. Aber daß Gott Unschuldige verdamme, das ist nicht die Aussage des Glaubens, sondern die rationale Versteifung des Glaubenszeugnisses zum ›Widerspruch‹ ... In keinem Falle führt die ›Theologie der Anfechtung‹ zu einer Lehre von der *gemina praedestinatio* ... Was hier geschieht, ist ... eine Fehlauslegung des Geheimnisses Gottes.« – *Doernes* hervorragende Analyse und Kritik erörtert die Gesamtproblematik von *De servo arbitrio* umfassender und eingehender, als es in der obigen Darlegung geschieht.

15. 18, 685,5.29. – 43, 463,3.   16. 18, 689,19.   17. 43, 463,7.

stination halten, die in Christus offenbar ist und in der Berufung, also in der Taufe und durch das Amt der Wortverkündigung an ihn herantritt. Im Blick auf Christus, im Hören des Wortes darf er seines Heils gewiß sein. Er soll auch nicht mit der Warum-Frage an das Geheimnis der Prädestination herantreten: warum Gott überhaupt Menschen verwirft, warum er den Menschen, die er doch selber in der Sünde festhält, diese als Schuld zurechnet; oder: warum er nicht bei allen seine Macht über das Herz benutzt, ihren widerspenstigen Willen zu bekehren[18]. So zu fragen ist uns verwehrt durch die Scheu des Geheimnisses Gottes, das er sich selbst vorbehalten hat. Er will niemanden hineinschauen lassen. »Du mußt doch Gott lassen Gott sein, daß er wisse mehr von dir als du selbst[19].« Es ist daher auch sinnlos, jene Fragen zu stellen, denn diese Geheimnisse sind uns unzugänglich. Außerdem ist es lebensgefährlich: es führt zur Verzweiflung oder zum Zynismus[20]. Diesen Rat und diese Warnung hat Luther immer schon gegeben; er wiederholt sie in *De servo arbitrio* und später mit allem Nachdruck.

Bedeutet das eine »Einschränkung« seiner härtesten Sätze aus pädagogischen Gründen[21]? Im Sinne Luthers schwerlich. Denn sein Rat, sich an den in Christus, im Wort offenbaren Willen Gottes zu halten, und seine Warnung, über das Geheimnis des heimlichen Willens und Wirkens Gottes nicht zu grübeln, besagt nicht etwa, daß man den dunklen Hintergrund des verborgenen Gottes vergessen sollte. Nein, der Christ soll wissen, daß dieser Hintergrund da ist. Er soll den verborgenen Gott in seinem Geheimnis fürchten und anbeten. Dazu muß er sich seiner aber bewußt bleiben. Gott hat gewollt, daß von seinem geheimen Wollen und Wirken öffentlich gehandelt werde. So hat auch Paulus es Römer 9 gehalten[22].

Gott in seinem geheimen Willen und Wirken mit Ehrfurcht anbeten[23] – das schließt aus, daß wir Menschen mit Gott darüber hadern und ihn der Ungerechtigkeit anklagen dürften. Luther nimmt wie vor ihm Augustin die Worte aus Röm 9 auf, mit denen Paulus das Murren des Menschen wider Gott zurückweist (9,20). Für unsere menschlichen Begriffe scheint Gottes Handeln, daß er die einen erwählt, die anderen verwirft – wo er doch selber alles in ihnen wirkt –, lauter Ungerechtigkeit und Willkür zu sein. Aber Luther erinnert, daß wir Gottes Wirken nicht nach dem uns Menschen geltenden Gesetz, mit menschlichen Maßstäben für das, was gerecht ist, messen dürfen. Wir haben den Abstand zwischen Gott und Mensch zu bedenken. Seine Gerechtigkeit ist als Gottes

18. 18, 690,1.19. – 43, 463,10. – DB 7, 23,36. – 18, 696,8; 712,24.
19. 18, 684,39: sibi reservatum ac nobis prohibitum. – 2, 690,16.
20. DB 7, 25,38.
21. So *Fr. Loofs*: Dogmengeschichte. S. 760; Grundriß. 1907. S. 140.
22. 18, 631,7; 632,21; 684,37; 686,1: Satis est, nosse tantum, quod sit quaedam in Deo voluntas imperscrutabilis: 716,29.
23. 18, 690,1.

Gerechtigkeit notwendig übermenschlich, daher unserem Nachrechnen und Durchschauenwollen entzogen, für unser Verstehen unbegreiflich. Könnten wir sie verstehen, dann wäre sie nicht göttliche Gerechtigkeit. »Wie unbegreiflich sind seine Gerichte«, heißt es bei dem Apostel Paulus[24]. Gott hat nicht wie wir Menschen ein Gesetz über sich. Sonst wäre er nicht Gott, sondern hätte eine Autorität über sich. Aber er ist selber höchste Autorität und Instanz, »die Regel für alles«. Er ist sich selbst sein eigenes Gesetz[25]. Er will und handelt nicht nach Willkür, sondern nach der Norm seines heiligen Wesens. Weil dieses der Inbegriff alles Gutseins ist, kann auch das, was er will, nur gut sein, denn er will es aus seinem Wesen heraus. Sein Wille ist das höchste Gute, *summum bonum*. So ist an seiner Gerechtigkeit kein Zweifel. Vorerst müssen wir sie freilich einfach glauben. Aber am Ende, bei der Offenbarung seiner Herrlichkeit, wird Gott uns auch sehen lassen, daß er in allem seinem Handeln gerecht war und ist. Das »Licht der Gnade«, das Evangelium löst uns das Rätsel und den Anstoß, den die scheinbar ungerechte Verteilung der irdischen Schicksale bietet; es enthüllt uns die Gerechtigkeit, den Sinn in ihnen. So wird das »Licht der Herrlichkeit« uns dereinst über die Not der scheinbaren Ungerechtigkeit Gottes in seinem Erwählen und Verwerfen hinausführen und seine Gerechtigkeit, den hohen Sinn auch darin enthüllen. Bis dahin sollen wir sie glauben, ermutigt durch das, was das Licht der Gnade, das Evangelium von Gottes ewiger Güte schon enthüllt hat[26].

Wer diese Sätze Luthers bedenkt, wird trotz Albrecht Ritschl nicht mehr den nominalistischen Gott der ungebundenen Willkür bei ihm finden. Aber er wird doch fragen, ob der Ausblick auf das *lumen gloriae*, auf das endliche Sich-Lichten der Rätsel des göttlichen Waltens auch die These, daß Gott Unschuldige verdammt, decken und für den Glauben erträglich machen kann[27].

Daß die Theologie auch von dem verborgenen Gott zu reden habe, begründet Luther nicht allein damit, daß Gott das so wolle. Er sucht auch zu zeigen, wieso es uns Christen not und gut ist. Auch hier wiederholt er, wie wir schon sahen, den Gedanken, an dem ihm allezeit soviel lag, daß die Verborgenheit der Gnade Gottes unter der furchtbaren Wirklichkeit des Verwerfens Raum schafft für den Glauben, für dessen Charakter als wagendes Dennoch. Erst angesichts der Anfechtung durch das Wissen um den verborgenen Gott kommt der Glaube zu seinem ganzen Wesen[28]. Noch mehr. Daß Gott des Menschen Heil und Unheil ganz in seiner Hand hat, daß er in der Freiheit seines Willens erwählt und verwirft, das zu hören macht den Menschen vollends los von dem

---

24. 18, 784,9.29.

25. 56, 396,14.; – 16, 140,7; 148,3: Qui non intelligit Deum sine lege esse, taceat, mit Gott ist eitel Will, Will, Will. – 18, 712,32.

26. 18, 632,24; 731,9; 784,30; 785.

27. *Doerne*, S. 90.

28. 18, 633,7.

Wahn, er könne selber zu seinem Heil etwas beitragen. Das Wort von dem verborgenen Willen und Walten Gottes dient zu der »Demütigung unseres Hochmutes und zu der Erkenntnis der Gnade Gottes«. Das allein zerbricht des Menschen letztes Selbstvertrauen vor Gott. Nun wird er an sich selbst ganz irre, wird zunichte und ist damit an dem Punkt, an dem er reif geworden ist für das Glauben, nämlich sich ohne Vorbehalt in die Arme Gottes zu werfen. Die Verkündigung des verborgenen Gottes führt also in die Verzweiflung, und Luther bezeugt, wie furchtbar dieser Zustand ist, aber zugleich: wie heilsam, »am nächsten der Gnade«. Denn Gott hat seine Gnade eben den Verzweifelten zugesagt. »Darum wird um der Auserwählten willen dies kundgemacht, daß sie die Verheißung der Gnade als die Gedemütigten erkennen, anrufen und annehmen[29].«

Noch auf andere Weise bedarf der Glaube der Hilfe zur Demut. Luther legt den Finger auf die seltsame Tatsache, daß man von Ungerechtigkeit Gottes spricht, wenn er Menschen, die es nicht verdient haben, verwirft, aber nicht ebenso, wenn er Unwürdige zu Gnaden annimmt und selig macht. Wegen des letzteren lobt und preist man Gott, wegen des ersteren aber hadert man mit ihm. Als ob Gottes Handeln nicht in beiden Fällen gleich »ungerecht« (nach menschlichem Maßstab) oder gleich gerecht wäre! Wie verrät sich hier die ganze Schalkheit des Menschenherzens, nämlich, daß der Mensch auch in seinem Verhältnis zu Gott völlig ichgebunden ist, nur an sein eigenes Interesse denkt – dieses dient ihm als Maßstab für seine Beurteilung Gottes. Er ist mit Gott einverstanden, soweit Gott seinem, des Menschen, Vorteil dient. Er sucht also bei Gott das Seine, nicht was Gottes ist[30]. Daß der Mensch nichts dagegen einwendet, daß er es vielmehr ganz in der Ordnung findet, wenn Gott Unwürdige erwählt und selig macht, das verrät, daß der Mensch Gottes erwählende Gnade offenbar für selbstverständlich hält. Heimlich liegt darin der Anspruch, daß Gott an allen so handeln müsse. Dabei vergißt man, daß Gottes Erbarmen über den Sünder ein gar nicht zu erwartender Akt seiner Freiheit ist, ein unerhörtes Wunder. Daher zeigt Gott uns, daß seine Gnade nicht selbstverständlich ist – daran, daß er sie nicht allen gibt. An seiner Freiheit, sich nicht zu erbarmen, sondern zu verwerfen, zeigt Gott die Freiheit seines uns gewährten Erbarmens. Er ist ja wirklich frei in seiner Gnade. Wir können sie nicht beanspruchen. Wir haben ihm gegenüber kein Recht, dagegen er das volle Recht, zu tun, was er will. Er ist uns Menschen nichts schuldig. »Er hat nichts von uns empfangen (vgl. Röm 11,35), nichts verheißen als soweit er will und soweit es ihm gefällt[31].« Er hat in allem die Majestäts-Freiheit der Initiative. Wir sollen bedenken: Gott könnte auch über mich hinweggehen, und sollen die freie Gnade preisen. Wir Menschen brauchen offenbar den dunklen Hintergrund, das strenge Gegenbild zu der Erwählung, um im Empfangen der Gnade ganz demütig zu werden

29. 18, 632,27.   30. 18, 730,16.   31. 18, 717,37.

246

und zu bleiben, ganz bewußt der königlichen Freiheit und Größe des uns gewährten Erbarmens. Wäre die Gnade ganz allgemein, so würden wir Menschen die Allgemeinheit als Selbstverständlichkeit auslegen. Der Glaube würde den Kontrapunkt der Furcht Gottes verlieren und hochfahrend werden. Der Dank und die Anbetung der Gnade kommen zu ihrer vollen Tiefe und Totalität erst angesichts des Gegenbildes[32].

Das alles heißt: der verborgene Gott, sein geheimes Wollen und allmächtiges Wirken in den Menschen muß verkündigt werden, damit der Glaube der Christen wirklich Glaube bleibe, in Demut und Furcht Gottes. Hätten wir nur das Bild des »gepredigten Gottes«, des allumfassenden Heilswillens, so könnte der Mensch in Gedanken über ihn verfügen. Aber das vergeht ihm vor dem Wort von dem verborgenen Gott. Hier kann nicht mehr der Mensch in Gedanken über Gott verfügen, sondern er weiß umgekehrt sich selbst in der Hand des in freier Gnade über ihn verfügenden Gottes. Hier hat alle Überheblichkeit und Sicherheit ein Ende. Die Gewißheit um das Heil behält die Demut, die Gottes Erbarmen als das reine Wunder empfängt.

Dennoch hat Luther das Bedenken des verborgenen Gottes nicht allen zugemutet. Er unterscheidet Stufen im Christenleben. Wie bei Paulus im Römerbrief die Kapitel 1–8 den von der »Vorsehung«, der Prädestination handelnden 9–11 vorausgehen, so soll der Christ sich auch erst ganz an den offenbaren Gott halten, sich in Gesetz und Evangelium vertiefen, in Kreuz und Leiden mit Christus geübt sein. Erst dann kann er die Prädestination ohne Schaden bedenken, vielmehr zum Trost, zur Stärkung in der Heilsgewißheit[33]. Luther weiß aber, daß ein Christenmensch trotzdem angefochten werden kann von der angstvollen Sorge, nicht erwählt zu sein, und dadurch in tiefe innere Not, in Verzweiflung fallen kann. Hier gibt er seelsorgerliche Hilfe. Die Geängsteten sollen sich ihrer Angst freuen, denn Gott hat versprochen, sich gerade der Geängsteten, der Verzweifelten anzunehmen. Gott aber lügt nicht. Darauf soll der Mensch sich kühnlich verlassen – »und er wird selig und erwählt sein[34]«.

Aber Luther kennt darüber noch eine höhere Stufe der Erwählungsgewißheit. Er spricht in der Vorlesung über den Römerbrief von Menschen, deren Liebe zu Gott so frei von allem selbstsüchtigen Begehren, so rein ist, daß sie bereit sind, auch in die Hölle und den ewigen Tod zu gehen, wenn Gott es so will, damit sein Wille völlig geschehe. Aber mit eben dieser Bereitschaft, verworfen zu sein, wenn Gott es will, sind sie in Wahrheit selig. Denn wer sich ganz dem

32. Diesen Gedanken Luthers hat in ihrer Weise auch die Konkordienformel festgehalten: SD XI, § 60.

33. DB 7, 23,35; 24,7: Drum muß Adam zuvor wohl tot sein, ehe er dies Ding leide und den starken Wein trinke. Drum sieh dich für, daß du nicht Wein trinkest, wenn du noch ein Säugling bist. Eine jegliche Lehre hat ihre Maße, Zeit und Alter. – Vgl. 16, 143,9.

34. 56, 387,20.

Willen Gottes hingibt, wer das will, was Gott will, der steht in Gottes Wohlgefallen und Liebe und ist damit selig. Ihm ist die Hölle Himmel[35]. Luther
nimmt damit den Gedanken der *resignatio ad infernum* auf, den schon die Mystik vertreten hatte, auch Staupitz[36]. Luther hat den Gedanken später nicht
wiederholt. Aber er bleibt doch für seine Theologie, auch die spätere bezeichnend, nämlich durch die theozentrische Fassung der Seligkeit, die er immer vertreten hat: Seligkeit gründet und besteht in dem Einssein des Willens mit dem
Willen Gottes.

Zum Schluß erinnern wir uns noch einmal daran, daß Luther erklärt: *Um
der Erwählten willen* muß von dem verborgenen Gott und seinem geheimen
Wirken gehandelt werden[37]! Er stellt zuletzt eben doch nicht, wie Calvin, eine
theoretische Lehre von der doppelten Prädestination auf. Seine Theologie ist
auch an dieser Stelle trotz gegenteiligen Scheins untheoretisch, seelsorgerlich. Er
will mit seinen Gedanken vom verborgenen Gott zuletzt nichts anderes als das
Glauben der Christen reinigen von allem geheimen Anspruch und aller Selbstsicherheit, indem er die Freiheit Gottes in seiner Gnade verkündet. Darin
steht er bei Paulus Röm 9–11. Er hat sowenig wie der Apostel ein selbständiges Interesse an der ewigen Verwerfung.

Das Volk Gottes

Luthers Reformation geschah im Kampf mit der Kirche seiner Zeit. Er stand
nicht nur gegen ihre empirische Wirklichkeit, sondern auch wider den römischen Kirchengedanken. Aber er führte den Streit nicht namens eines kirchen-
losen Individualismus der Frömmigkeit, sondern namens eines eigenen klaren,
aus dem Verständnis des Evangeliums folgenden Gedankens der Kirche[1]. Luther
wußte sich dankbar und demütig in der Kirche. Er hat nicht nur gesungen: »Ein
feste Burg ist unser Gott«, er hat auch in starkem Worte bekennen können:
»Ecclesia soll meine Burg, mein Schloß, mein Kammer sein« – so mit deutschen
Worten inmitten der lateinischen Vorlesungen über die Genesis[2]. Er singt das

---

35. 56, 388,10; 391,7; 397,2.

36. Vgl. *K. Holl*: Luther. S. 149 ff. – *Ernst Wolf*: Staupitz und Luther. 1927. S. 107 ff.,
189 ff. – Über den Unterschied zwischen der Mystik und Luther an diesem Punkt vgl.
Holl, a.a.O.

37. 18, 633,1.

1. Vgl. dazu vor allem *K. Holl*: Die Entstehung vom Luthers Kirchenbegriff. 1915.
In: Luther, S. 288 ff. – Zu Luthers Lehre von der Kirche überhaupt *W. Walther*: Das
Erbe der Reformation, 4. Heft: Luthers Kirche. 1917. – *E. Kohlmeyer*: Die Bedeutung
der Kirche für Luther. ZKG 47, NF 10 (1928). S. 94 ff. – *M. Doerne*: Gottes Volk und
Gottes Wort. Luther-Jahrbuch 1932. S. 61 ff.

2. 44, 713,1.

Lied zum Preise der Kirche im Anschluß an Offb 12: »Sie ist mir lieb, die werte Magd / und kann ihr nicht vergessen[3]«. Er weist den Menschen, der Christus finden will, auf die Kirche: »Wer Christum finden soll, der muß die Kirche am ersten finden. Nun ist die Kirche nicht Holz und Stein, sondern der Haufe christgläubiger Leute; zu der muß man sich halten und sehen, wie die glauben, beten und lehren; die haben Christum gewißlich bei sich[4].« Die Wirklichkeit der Kirche gehört also in das Verhältnis des Menschen zu Christus wesenhaft hinein. Ja, die Beziehung zur Kirche geht offenbar der zu Christus voraus (»am ersten«), folgt ihr nicht erst nach, wie bei dem Schleiermacher der »Reden«. Es ist klar: nicht von einer »unsichtbaren« Kirche redet Luther, sondern von einem erkennbaren »Haufen«, zu dem man »sich halten« kann. Es steht demnach nicht so, daß die Kirche für Luther weniger wirklich und wichtig, weniger geschichtliche Gestalt wäre als für den Katholizismus. Aber das Verständnis ihres Wesens und demgemäß ihrer Sichtbarkeit, nämlich dessen, was zu ihr gehört, ist hier und dort verschieden.

Was die Kirche ist, findet Luther ausgesagt durch das nächste Glied im Glaubensbekenntnis: »Gemeine der Heiligen«. Das ist für ihn nicht ein weiterer Artikel, sondern er faßt es als die Auslegung von »eine heilige christliche Kirche«[5]. Das Wort »Kirche« liebt er nicht: es ist »undeutsch und gibt den Sinn oder Gedanken nicht, den man aus dem Artikel nehmen muß[6]«. Die Kirche ist also ihrem Wesen nach die Gemeinde. Luther sagt am liebsten »christliche Gemeinde oder Sammlung« oder »heilige Christenheit« oder »das heilige christliche Volk Gottes«. Das heißt aber: das Ganze, der Inbegriff aller derer auf Erden, »die ihres Hirten Stimme hören«, also der Glaubenden[7]. In Luthers Beschreibungen der »Kirche« fehlt also zunächst jedes institutionelle Moment[8]. Aber es ist nicht ausgeschlossen, sondern eingeschlossen. Die Gemeinde ist »durch den Heiligen Geist zusammen berufen[9]«, dieser aber »hat mich durch das Evangelium berufen« (Kleiner Katechismus). Die Kirche ist also die durch das Evangelium und

3. 35, 462.   4. 10 I, 1,140,8.14.
5. 7, 712,39: Ecclesia Christi est communio sanctorum.
6. 50, 624,15. – 30 I, 189,6. – Das Wort »Kirche« kommt in Luthers Bibel nur an einigen Stellen des Alten Testaments vor; mit Ausnahme von Gen 49,6 bezeichnet es das gottesdienstliche Haus, das Heiligtum. Im Neuen Testament übersetzt Luther das griechische und lateinische *ecclesia* ständig mit »Gemeine«. In der Erklärung des 3. Artikels im Kleinen Katechismus kommt das Wort »Kirche« nicht vor; statt dessen heißt es »die ganze Christenheit auf Erden«. Ebenso in dem Glaubenslied.
7. Die Hauptstellen für die Beschreibung der Kirche 7, 219,1 (Kurze Form ... 1520); 26, 506,30 (Vom Abendmahl Christi; Bekenntnis, 1528); – 30 I, 190,4 (Großer Katechismus); – 50, 250,1 (Schmalkaldische Artikel).
8. Anders 30 II, 421,19: Ecclesia est numerus seu collectio baptizatorum et credentium sub uno pastore, sive sit unius civitatis sive totius provinciae sive totius orbis.
9. 30 I, 190,6.

daher auch um das Evangelium gesammelte Schar[10]. Wird die Gemeinde durch das Wort gesammelt und daher auch erhalten, so ist dieses Wort notwendig das entscheidende Merkmal, daran man diese Sammlung von Menschen als Gemeinde, als »das heilige christliche Volk Gottes« erkennt. Luther fügt zu dem Wort immer sogleich auch die Sakramente, Taufe und Abendmahl hinzu; ja, in der Schrift. »Von den Konziliis und Kirchen« nennt er darüber hinaus noch die Schlüssel, das Vorhandensein von Dienern und Ämtern der Kirche, das Gebet, das öffentliche Lob Gottes und schließlich das »Heiltum des heiligen Kreuzes«, das heißt das innere Angefochtensein und das äußere Verfolgtwerden als Merkmale[11]. Aber entscheidend als Kennzeichen ist doch, mit den Sakramenten zusammen, das Wort Gottes. »Das ganze Leben und Wesen der Kirche ist im Worte Gottes[12].« Es ist »das hohe Hauptheiligtum, davon das christliche Volk heilig heißt«. Dabei ist das »äußerliche«, mündlich durch Menschen gepredigte Wort gemeint, also die Predigt des Evangeliums[13]. Luther prägt hier den Doppelsatz: »Gottes Wort kann nicht ohne Gottes Volk sein; wiederum: Gottes Volk kann nicht ohne Gottes Wort sein.« Den ersten begründet er mit der »gewissen Verheißung« Jesaja 55,11: »Mein Wort soll nicht wieder leer zu mir kommen[14].« Auf Grund dieser Verheißung darf der Glaube der Mächtigkeit des gepredigten Wortes Gottes gewiß sein: »Wo du nun solches Wort hörst oder siehst predigen, glauben, bekennen und darnach tun, da habe keinen Zweifel, daß gewißlich daselbst sein muß ein rechte Ecclesia sancta Catholica, ein christlich heilig Volk, wenn ihrer gleich sehr wenig sind, denn Gottes Wort

10. 12, 191,16: cum Ecclesia verbo Dei nascatur, alatur, servetur et roboretur.
11. 50, 628 ff.
12. 6, 301,3: Die Zeichen, dabei man äußerlich merken kann, wo dieselb Kirch in der Welt ist, sein die Tauf, Sakrament und das Evangelium. – 7, 720,32: Quo ergo signo agnoscam Ecclesiam? oportet enim aliquod visibile signum dari, quo congregamur in unum ad audiendum verbum dei. Respondeo: signum necessarium est, quod et habemus, Baptisma scilicet, panem et omnium potissimum Evangelium: tria haec sunt Christianorum symbola, tesserae et caracteres. Ubi enim Baptisma et panem et Euangelium esse videris, quocunque loco, quibuscunque personis, ibi Ecclesiam esse non dubites. – Daß das Wort dabei vor den Sakramenten noch den Vorrang hat als Kennzeichen der Kirche, siehe 721,9: Euangelium enim prae pane et Baptismo unicum, certissimum et nobilissimum Ecclesiae symbolum est, cum per solum Euangelium concipiatur, formetur, alatur, generetur, educetur, pascatur, vestiatur, ornetur, roboretur, armetur, servetur, breviter: tota vita et substantia Ecclesiae est in verbo dei. – 31 I, 456,13: Darum siehe zu und merke, daß Gottes Volk dabei am allergewissesten zu erkennen und der höchst Trost ist, Gottes Wort haben. – 11, 408,8.
13. 7, 721,15. – 50, 629,3.16: Wir reden aber von dem äußerlichen Wort, durch Menschen als durch dich und mich mündlich gepredigt. Denn solchs hat Christus hinter sich gelassen als ein äußerlich Zeichen, dabei man sollt erkennen seine Kirchen oder sein christlich heilig Volk in der Welt.
14. 11, 408,13. – 50, 629,31.

gehet nicht ledig ab.« So weist die Predigt des Wortes immer vorwärts und rückwärts auf Gottes Volk; vorwärts: das Wort schafft Gottes Volk; rückwärts:
Predigen und Predigt hören setzt voraus, daß schon Volk Gottes da ist[15].

Gottes Wort und Gottes Volk: die Kirche lebt von dem verkündigten Wort
von Christus – das ist ihre wesenhafte Bindung; aber es bedarf auch nicht mehr
denn der Verkündigung des Wortes, auf daß Kirche sei – das ist ihre Freiheit.
Sie ist nicht an ein einzelnes Kirchentum als solches, also zum Beispiel »nicht an
Rom gebunden«, sondern allein an die Verkündigung des Wortes[16]. Die Kirche
ist nichts anderes als das immer neu Gestalt werdende Wunder der Mächtigkeit
des Wortes.

Von dieser Kirche gelten alle die großen Prädikate der altkirchlichen Bekenntnisse. Sie ist *eine* und als solche »katholisch«, universal, in aller Welt zu
finden[17]. Sie ist eins in dem einen und selben Glauben an das eine Evangelium[18].
Sie ist allumfassend auch im zeitlichen Sinne: sie war von Anfang, von Adam
her da und wird bis an das Ende der Welt dauern[19]. Daß Gottes Volk bleiben
wird bis an das Ende der Tage, ist dem Glauben gewiß durch Christi Verheißung Mt 28,20[20]. – Diese Kirche ist *heilig*, weil sie an Christus glaubt und den
Heiligen Geist hat. Nicht als ob sie ohne Sünde wäre, in ihren einzelnen Gliedern und als ganze, aber das heilige Wort Gottes, aus dem sie immer wieder
durch den Heiligen Geist geboren wird, heiligt sie[21]. Sie ist *apostolische* Kirche, denn sie lebt von dem apostolischen Evangelium und steht damit in der
wahren apostolischen Sukzession[22]. Von ihr gilt auch: *extra ecclesiam nulla salus:* »Ich glaub, daß niemand kann selig werden, der nit in dieser Gemeine erfunden wird, einträchtig mit ihr haltend, in einem Glauben, Wort, Sakrament,

15. 50, 629,28.34.

16. 6, 300,35.

17. 7, 219,1: Ich glaub, daß da sei auf Erden, soweit die Welt ist, nit mehr denn
eine heilige gemeine Christliche Kirche, welche nichts anders ist denn die Gemeine
oder Sammlung der Heiligen, der frummen, gläubigen Menschen auf Erden. – 6, 300,35:
die heilige Kirch nit an Rom gebunden, sondern soweit die Welt ist, in einen Glauben
versammlet. – 26, 506,35.

18. 7, 721,1.

19. 40 III, 505,1: Ecclesia, populus Dei a prima hora usque ad novissimam. – 14:
Semper fuit Ecclesia, semper fuit aliquis Dei populus, a primo homine Adam usque ad
novissimum.

50, 625,21: Ecclesia soll heißen das heilig Christlich Volk, nicht allein zur Apostel
Zeit, sondern bis an der Welt Ende, daß also immerdar auf Erden im Leben sei ein
Christlich heilig Volk.

20. 50. 628,16

21. 50, 624,29: ein christlich heilig Volk, das da glaubt an Christum, darum es ein
christlich Volk heißt, und hat den heiligen Geist, der sie täglich heiligt. 629,3: das heilige
Gotteswort ist »das hohe Hauptheiligtum, davon das christliche Volk heilig heißet«.

22. 39 I, 191,28; 39 II, 176,5.

Hoffnung und Lieb[23].« – »Denn außer der christlichen Kirche ist kein Wahrheit, kein Christus, kein Seligkeit[24].«

Daß die Kirche an Merkmalen erkennbar ist, macht ihre Sichtbarkeit aus. Aber wahrnehmbar ist sie nur für den Glauben. »Es ist ein hoch, tief, verborgen Ding die Kirche, daß sie niemand kennen noch sehen mag, sondern allein an der Taufe, Sakrament und Wort fassen und gläuben muß[25].« Vor den Augen der Welt ist sie als Kirche Christi verborgen. Die Verborgenheit teilt sie mit allen Gehalten des Glaubens, also mit Gottes Offenbarung überhaupt, mit Jesus Christus. Hier greift wieder die *Theologia crucis* ein. Wie Gott uns »verborgen in den Leiden« Christi begegnet, so ist die Kirche »verhüllt im Fleische«[26], verborgen unter dem Gegenteil. Daher vermag die Vernunft die Christenheit als solche nicht zu erkennen. Man kann und muß an ihr Ärgernis nehmen so gut wie an Christus. Denn ihre »Heiligkeit ist im Himmel, da Christus ist, und nicht in der Welt, vor den Augen, wie ein Kram auf dem Markt«. Sie ist verborgen unter viel Fehlern und Versagen, unter Häresien, Spaltungen und Ärgernissen – wie ja auch der einzelne Christ an sich selbst nur Versagen und Unheiligkeit sieht und also als Christ auch sich selbst verborgen ist. Daher ist der Artikel von der Kirche nicht minder ein »Artikel des Glaubens« als alle anderen. Die Kirche »will nicht ersehen, sondern erglaubt sein« – Glaube aber hat es immer mit dem Unsichtbaren zu tun[27].

Die Kirche ist auch unsichtbar, weil sie die Gemeinde der Glaubenden ist. Den Glauben aber kann niemand sehen. Christus allein kennt als der gute Hirte seine Schafe. Niemand sonst kann dem anderen ins Herz sehen[28]. Die Seele, die, wie Zachäus den Herrn Jesus aufnimmt mit Freuden, »ist ein verborgener Tempel, der dem Heiligen Geist allein bekannt ist« – weder Mensch noch Teufel wissen davon. Luther gebraucht hier das kühne Bild: »Gott will die Welt nicht lassen wissen, wenn er bei seiner Braut schläft[29].« Den Glauben gibt allein

23. 7, 219,6. – 26, 507,11: Außer solcher Christenheit ist kein Heil noch Vergebung der Sünden, sondern ewiger Tod und Verdammnis.

24. 10 I, 1,140.16.

25. 51, 507,14.

26. 39 II, 161,16: Necesse est, Ecclesiam esse involutam in carne.

27. DB 7, 418,9 (in der Vorrede auf die Offb Joh von 1530). Besonders 36: Es ist dies Stücke (Ich gläube eine heilige christliche Kirche) ebensowohl ein Artikel des Glaubens als die anderen. Darum kann sie keine Vernunft, wenn sie gleich alle Brillen aufsetzt, erkennen, der Teufel kann sie wohl zudecken mit Ärgernissen und Rotten, daß du dich müssest dran ärgern; so kann Gott sie auch mit Gebrechen und allerlei Mangel verbergen, daß du mußt drüber zum Narren werden und ein falsch Urteil über sie fassen. – Vgl. weiter 420,3. – 7, 710,1; 722, 5.

28. 21, 332, 37.

29. 17 II, 501,32; 510,37: Concubitum enim suum cum ecclesia sponsa illa exoptatissima vult celari a mundo.

der Heilige Geist, und er wirkt im Verborgenen. Luther macht diese Unsichtbarkeit des Glaubens und damit die Verborgenheit der wahren Kirche geltend gegen den hierarchischen Anspruch Roms, die Christenheit zu regieren, insbesondere etwa durch den »Bann«, die Exkommunikation, von ihr auszuschließen. Keine irdische Instanz kann die Grenze der Christenheit setzen und entscheiden, wer zu ihr gehört und wer nicht. Das weiß allein Christus, der Menschen den Glauben ins Herz gibt und allein diesen Glauben sieht. Hierarchische Kirchenzucht kann wohl von der äußeren Kirchengemeinschaft ausschließen, aber niemals von der »innerlichen, geistlichen, unsichtlichen im Herzen«, die mit dem Glauben gegeben ist[30]. Der Christenstand des einzelnen ist jedem Kirchentum unverfügbar.

Aber so stark Luther die Unsichtbarkeit des Glaubens und damit die Verborgenheit der Kirche hierarchischen Ansprüchen gegenüber betont, so wenig hat sie bei ihm absoluten Sinn[31]. Sie ist vielmehr nur relativ gemeint, als Antithese wider ein selbstherrliches Kirchentum. Wenn Luther nicht an dieser Front steht, dann redet er unbefangen davon, daß einer den Glauben eines anderen wohl zu erkennen vermag. Er denkt nicht daran, wie ihm die römische Polemik vorgeworfen hat, mit seinem Satz von der Unsichtbarkeit des Glaubens und der Unverfügbarkeit meines Christenstandes für das Kirchentum die Kirche als Gemeinschaft aufzulösen. Von einem theologischen Solipsismus – der Christ wäre nur des eigenen Glaubens und damit der eigenen Zugehörigkeit zur Kirche gewiß – ist keine Rede. Denn der Christ ist nach Luthers Wort ja auch sich selber verborgen[32]. Aber er glaubt an sein Christ-Sein um des Wortes und Sakramentes willen, das ihn berufen hat. Das Gleiche gilt für sein Verhältnis zu den anderen. Wo das Wort ist, da darf und soll ich von denen, die sich zu dem Worte

---

30. 1, 639,1. – 6, 64,5 (Von der geistlichen Gemeinschaft): Diese Gemeinschaft mag weder geben noch nehmen irgendein Mensch, er sei Bischof, Papst, ja auch Engel oder alle Kreaturen, sondern allein Gott selbst durch seinen heiligen Geist muß die eingießen ins Herz des Menschen, der da glaubt ... Also mag auch hieher kein Bann reichen noch sein. – 298,1: Wie kann hie ein Mensch regieren, das er nicht weiß noch erkennet? Wer kann aber wissen, welcher wahrhaftig gläubt oder nit? – 21, 333,6: mit dem Worte Christi »Ich erkenne die Meinen« stößet er ... das Judentum mit seinem Gesetz, Priestertum und viel mehr unser Papsttum mit alle seinem Wesen und nimmt ihnen allen die Macht, seine Herd zu regieren und darüber zu urteilen, will schlecht sich samt seiner Kirchen von ihnen ungemeistert haben, verwirft und verdammt alle solch Urteil, so sie wollen davon fällen, welches Christen oder nicht Christen und Gottes Volk sind.

31. Vgl. hierzu meine Schrift: Communio sanctorum. 1929. S. 86 ff.

32. 9, 196,16: Daß auch all sein Volk inwendig und verborgen ist, auch vor ihnen selber. – DB 7, 420,5: Es ist ein Christ wohl auch ihm selbst verborgen, daß er seine Heiligkeit und Tugend nicht sieht, sondern eitel Untugend und Unheiligkeit siehet er an sich. – Anderseits freilich 2, 458,32: Quomodo potest fieri, ut hanc fidem, si sit in te, non sentias?

halten, urteilen, daß sie zu der Christenheit, der Herde Christi gehören. Mit Paulus Röm 10,10 unterscheidet Luther hier den Glauben des Herzens und das Bekenntnis mit dem Munde. Den Glauben kann man zwar nicht sehen, aber die Glaubenden lassen sich erkennen, nämlich an der *confessio*, dem Bekenntnis. »Wegen des Bekenntnisses ist die Gemeinde sichtbar[33].« So ist die Kirche Christi doch nicht in jedem Sinne eine verborgene Wirklichkeit, sondern auch offenkundig. Luther unterscheidet nicht eine sichtbare und eine unsichtbare Kirche, sondern die eine und selbe Kirche oder Christenheit ist unsichtbar und sichtbar, verborgen und offenbar zugleich, in verschiedener Hinsicht[34].

Die Kirche als communio sanctorum

Die Deutung des Artikels communio sanctorum

Wir sahen, daß Luther den Artikel *communio sanctorum* im Glaubensbekenntnis als Apposition zu dem vorangehenden Glied *(ecclesia)* faßt[1]: er drückt aus, was die Kirche bedeutet[2]. Das entscheidet über Luthers Verständnis des Artikels.

Die Hauptfrage der Auslegung geht dann dahin: ist *communio* gleichbedeutend etwa mit *congregatio*, »Haufe«, »Gemeinde«, »Sammlung«, »Versammlung«; oder bedeutet es die »Gemeinschaft« in dem Sinne, den das 16. Jahrhundert in der Regel mit diesem Ausdruck verband[3]: das Verbundensein, das Teilhaben mit jemandem, die gemeinsame Teilnahme, das gemeinsame Anrecht an etwas. Im ersten Falle ist *sanctorum* ein Genitivus subjectivus, im letzteren objectivus, hier wieder mit der doppelten Möglichkeit, daß er das persönliche (Teilhaben mit) oder das sächliche (Teilhaben an) Objekt bezeichnet. Während also in jenem ersten Falle *sanctorum* ein Masculinum ist, könnte es im zweiten entweder Masculinum oder Neutrum sein. So ergeben sich drei Möglichkeiten. Bei Luther könnte man, von diesem Schema ausgehend, zwei Deutungen unterscheiden.

Seinem Verständnis des Artikels als Apposition zum Artikel von der Kirche

---

33. 39 II, 161,8: Propter confessionem coetus Ecclesiae est visibilis ... Etsi inter nos intus, id est fidem cernere non possumus, tamen videmus fidentes ... Ex confessione cognoscitur Ecclesia ...

34. Über seinen zeitweiligen »polemischen Spiritualismus« vgl. *W. Elert*: Morphologie I. S. 227.

1. 2, 190,16; 415,28; – 6, 606,33; – 11, 53,18; – 30 I, 92,4; 189,6.23; – 50, 624,15.

2. Ursprünglich – so erklärt Luther – war der Artikel wohl eine Glosse, die zum Text des Bekenntnisses nicht hinzugehörte (L. verweist auf Rufins Auslegung des Symbols); im Lauf der Zeit ist sie dann in den Text aufgenommen. 2, 190,20; 30 I, 189,6.

3. Vgl. Deutsches Wörterbuch 4, I, 3266 und bei Luther 30 I, 189, Anm. 3.

liegt am nächsten die Deutung: eine *communio*, die aus *sancti* besteht »eine Gemeine der Heiligen«, »eine Gemeinde, darin eitel Heilige sind«, am besten »eine heilige Gemeine«, »ein heilig Volk«[4]. Er tadelt die gebräuchliche Übersetzung »Gemeinschaft« als falsche und undeutsche Wiedergabe von *communio*[5]. *Communio* versteht er als Inbegriff, Kollektivum, aber das deutsche Wort Gemeinschaft, das uns heute in diesem Sinne geläufig ist, kennt er so noch nicht. Die klassische Stelle für diese Deutung ist die Behandlung des dritten Artikels im Großen Katechismus[6].

Anderswo hat *communio* für Luther auch den Sinn des Teilhabens, wie in der Tradition. Nun ist nur die Frage, ob der Objektgenitiv *sanctorum* sächlich oder personal ist, also das Teilhaben an den Heilsgütern oder das Teilhaben mit den Heiligen bezeichnet. Ersteres würde bedeuten, daß Luther das Wort *sanctorum* bisweilen personal und dann wieder neutrisch verstanden hätte. Dies ist an sich schon unwahrscheinlich. Das bestätigt sich an allen in Betracht kommenden Stellen[7]. Die *communio sanctorum* ist die Gütergemeinschaft der Gläubigen, das Teilgeben und Teilhaben der Glieder miteinander, das »Gemeinwerden« mit allen anderen, das Wirken füreinander. Auf dieses Verständnis wurde Luther wohl auch durch den Vulgatatext von Röm 12,13 *(necessitatibus sanctorum communicantes)* gewiesen[8]. Das *communicare*, das Luther in dem

4. 50, 624 ff. – Vgl. *Th. Pauls*: Gemeinschaft der Heiligen bei Luther, das Wort und die Sache. ThStKr 102. 1930. S. 31 ff.

5. 30 I, 189,23. – Aber gelegentlich verwendet er selber das Wort, zum Beispiel 2, 756,20; – 7, 218,22.

6. 30 I, 189,8.26. Außerdem ist diese Deutung vorausgesetzt 2, 190,16; 415,28. Vgl. weiter 11, 53,22: Ut Wittenberg est communio civium, ita ecclesia dicitur omnes fideles, qui sunt in orbe … »Communio dicitur« »sanctorum«, quia sanctificata est per deum … (*Sanctorum* ist also Maskulinum; die Deutung ist die gleiche wie im Großen Katechismus: eine heilige Gemeine) *Communio* bedeutet für Luther aber noch mehr als »Inbegriff«, »Sammlung« und ähnlich, nämlich zugleich die Einheit. 2, 169, 1: … quia extra communionem sanctorum positus, qui sunt unum cor in domino.

7. Über die Stelle 4, 401, 6 f., die auf den ersten Blick für eine neutrische Deutung sprechen könnte, siehe meine Schrift: Communio sanctorum. 1929. S. 39, Anm. 8. – Für den personalen Sinn von *sanctorum* siehe 6, 131,7.33.37. Quid est credere Ecclesiam sanctam quam sanctorum communionem? Quo communicant autem sancti? nempe bonis et malis: Omnia sunt omnium. Ferner kommen hier alle Stellen in Betracht, an denen die deutsche Übersetzung »Gemeinschaft der Heiligen« in einem Zusammenhang erscheint, der von der Gütergemeinschaft in der Kirche handelt. Also vor allem im Sermon vom Abendmahl 2, 743,8.27; 756,20; 757,29.

8. Diesen Text konnte Luther, bei seinem Verständnis der *sancti*, nicht lesen, ohne sofort an die *communio sanctorum* zu denken und sie von hier aus zu verstehen. Vgl. seine Römerbriefvorlesung 56, 470,1: Loquitur autem hic de affectu compassionis, ut necessitas sanctorum communes faciant etiam sibi, per compassionem. Vgl. außerdem die in der vorigen Anm. wiedergegebene Stelle 6, 131,37: communio … communicant.

Worte *communio* hört, hat gewiß immer sowohl ein persönliches wie auch ein sächliches Objekt: man nimmt mit den Brüdern an den natürlichen und Heilsgütern beziehungsweise an ihrer Not teil[9]. Aber der Ausdruck *communio sanctorum* selber bezeichnet das sächliche Objekt nicht. Doch mit dem persönlichen Objekt ist alles gesagt, denn die Brüder sind Begnadete und Belastete – das Teilhaben mit ihnen ist Teilnahme an ihrer Gnade, an ihrer Last.

Sind es wirklich zwei verschiedene Deutungen, die Luther vertritt? Sprachlichgrammatisch sicherlich: in dem einen Falle wird *communio* etwa dem von der C. A. später verwendeten *congregatio* gleichgesetzt und Gemeinde mit: »Sammlung«, »Versammlung«, »Haufe« erläutert[10], in dem anderen Falle bezeichnet es das Geschehen eines gegenseitigen *communicare*. Aber für Luther ist nun eben bezeichnend, daß mit dem ersten für ihn das zweite unmittelbar gegeben war – weil es sich um die Sammlung der an Christus Gläubigen, um *seine* Gemeinde handelt. So wird »Gemeine« im Sinne von »Haufe« zugleich Ausdruck eines lebendigen Wechselverhältnisses: miteinander »gemein werden«. Zu der »Gemeine« gehört hinzu, daß alles »gemein« ist[11]. *Communio* heißt nicht nur, ein Haufe, sondern ein Leib sein[12]. Luther kann die Zusammenfassung der vielen zur Einheit der »Gemeine« keinen Augenblick denken, ohne die Einheit als Gliedlichkeit am Leibe, damit als »Gemeinschaft« miteinander zu fassen.

Das neue Verständnis der communio

Daß die Kirche *communio sanctorum* ist, überkam Luther als Erbe[13]. Auch das personale Verständnis von *sanctorum* findet sich schon längst vor ihm. Bei Thomas zum Beispiel stehen die sakramental-sachliche und die personale Auffassung von *sanctorum* nebeneinander: Die *communio sanctorum* besagt einerseits den Anteil an den Heilsgütern, dem Verdienst Christi, durch die Sakramente (*sanctorum* neutrisch), andererseits auch den Anteil an den Heiligen, nämlich an ihren Verdiensten: die guten Werke der »Heiligen« kommen kraft

---

9. 30 I, 190,8 (Großer Katechismus) heißt es von der »Gemeine«: derselbigen bin auch ich ein Stück und Glied, aller Güter, so sie hat, teilhaftig und Mitgenosse.

10. 7, 219,2: Gemeine oder Sammlung der Heiligen. – 50, 624,16: Gemeinschaft der Heiligen, das ist ein Haufe oder Sammlung solcher Leute, die Christen und heilig sind.

11. 7, 219,11: Ich glaub, daß in dieser Gemeine oder Christenheit alle Ding gemein sind. – Luther hört also, wenn er von »Gemeine« spricht, immer das »gemein sein«, die Gütergemeinschaft und Leidensgemeinschaft mit. Auch wo er »Gemeine« sprachlich nur als »Sammlung« usw. nimmt, ist der andere Sinn, das »gemein sein«, sachlich immer mitgegeben.

12. 28, 149,3.

13. Für das Verständnis der *communio sanctorum* im Mittelalter vgl. meine Schrift: Communio sanctorum. 1929. S. 10 ff. Für die alte Kirche siehe W. *Elert*: Abendmahl und Kirchengemeinschaft in der alten Kirche hauptsächlich des Ostens. 1954.

256

der Liebe den anderen Gliedern der Kirche zugute. Es handelt sich also auch hier um eine Gütergemeinschaft der Liebe in der Kirche. Aber gemessen an dem Neuen Testament zeigt der traditionelle Gedanke eine zwiefache Schranke und Entstellung. Zuerst: entscheidend liegt es der Lehre, wie Luther sie vorfand, an dem Zusammenhang und Verkehr der irdischen mit der himmlischen und der im Fegefeuer leidenden Kirche, durch Verehrung der Heiligen, durch Genuß und Zuwendung der Verdienste. Demgegenüber tritt die Gemeinschaft innerhalb der irdischen Kirche stark zurück, um so mehr, als der biblische Sinn des Wortes »Heilige« durch den vulgär-katholischen in den Hintergrund gedrängt war. Sodann: die Gemeinschaft mit den »Heiligen« wird durch die Werkerei, wie Luther sagte, das heißt den Moralismus, verdinglicht und egoistisch entstellt. Beide Züge hängen eng zusammen: man blickt auf die himmlische Kirche, weil dort der Schatz der Verdienste ist; und der vulgär-katholische Begriff der »Heiligen« ist selber schon moralistisch.

Hier setzt Luthers Erneuerung des Gedankens ein[14]. Dieser bekommt bei ihm einen neuen Sinn, in doppelter Hinsicht. Zuerst: Luther hat die Gemeinschaft der Heiligen, in der er sich wußte, »vom Himmel auf die Erde hernieder geholt« (K. Holl). Er hat neu entdeckt, und zwar schon vor 1513, vor seiner ersten Psalmenvorlesung, daß die »Heiligen« im Neuen Testament, vor allem bei Paulus, nicht eine besondere Gruppe in der Gemeinde, sondern alle ihre Glieder sind, alle Christgläubigen[15]. Die Schrift verwendet das Wort »heilig« nicht, wie der vorherrschende kirchliche Sprachgebrauch, für die Seligen, die Vollendeten, sondern gerade für die Lebenden[16]. Nicht erst im Himmel gibt es Heilige, sondern bei uns auf Erden, überall in der Gemeinde. So ist nicht mehr zwischen Heiligen und gewöhnlichen Christen zu unterscheiden, sondern nur zwischen den verstorbenen und den noch lebenden Heiligen. Nicht jenen, sondern diesen sind wir zu dienen schuldig. Dienst der Heiligen ist demnach etwas ganz anderes, als man bisher verstanden und geübt hat, da man »gen Himmel gaffte«, statt hier auf Erden um sich zu schauen nach den geringsten Brüdern Christi[17]. Das Leben der Abgeschiedenen ist uns verborgen[18]. Die »Gemeinschaft« ist hier auf Erden zu verwirklichen, unter den Lebenden.

14. Vgl. *K. Holl*: Die Entstehung von Luthers Kirchenbegriff. In: Gesammelte Aufsätze I. Luther. S. 288; besonders S. 320 ff.; Luther als Erneuerer des christlichen Gemeinschaftsgedankens (Deutsch-Evangelisch. 1917. S. 241–246).

15. 56, 469,14; – 17 II, 50,3. – Über das Verständnis der *sancti* in Luthers Anfängen vgl. *L. Pinomaa*: Die Heiligen in Luthers Frühtheologie. Studia Theologica XIII, 1. 1959. P. zeigt den Weg Luthers von dem überkommenen Ideal der »Heiligen« zum reformatorisch-evangelischen Verständnis auf.

16. 17 II, 50,15.

17. 10 III, 407,29; 408,1: Was man den Heiligen tun will, daß mans abwende von den Toten und lege es auf die Lebenden. Die lebendigen Heiligen sein dein Nächsten, die Nackenden, die Hungrigen, die Durstigen, arme Leute, die Weib und Kindlein haben, die

Damit hängt das zweite eng zusammen, die Reinigung des Gedankens hilfreicher Gemeinschaft durch Luther. Die Bedeutung der Heiligen für die kämpfende Gemeinde wird im Katholizismus in doppelter Hinsicht durch den Moralismus entstellt: sie wird verdinglicht, und sie führt aus der Luft des religiösen Egoismus nicht heraus, ist vielmehr ganz von ihm durchdrungen. Beides ist zuletzt die eine und selbe Entstellung.

Die Verdinglichung der Gemeinschaft findet ihren Ausdruck in der Lehre vom »Schatz der Kirche«, das heißt dem Inbegriff der Verdienste Christi und der Heiligen, der durch das Schlüsselamt der Kirche für die Sünder zum Ausgleich ihres Mangels an guten Werken und Bußleistungen verwendet wird. Luther erhob scharfen Widerspruch in der 58. seiner 95 Thesen und in den Resolutionen zu ihnen. »Kein Heiliger hat in diesem Leben Gottes Gebote genugsam erfüllt.« Dennoch haben die »Heiligen« eine lebendige gegenwärtige Bedeutung für die Kirche. Nicht wegen ihrer sittlichen Leistung – auch sie waren Sünder; man kann also ihre Leistung auch nicht zum Beweis für die Wahrheit des Evangeliums benutzen. Ebensowenig ist ihr Leben dazu da, als gesetzliches Vorbild in eine »Regel« gefaßt und nachgemacht zu werden. Sie sind »Exempel« in anderem Sinne: durch ihre »Lehre«, das heißt ihre Gewißheit und Erkenntnis Gottes. Daß sie darin mit uns zusammenstimmen, dient unserem Erkennen Gottes zur Bestätigung. An ihrer Geschichte sieht man, wie Gott mit den Seinen in freier Gnade handelt – daran kann die Zuversicht zu seiner Barmherzigkeit sich stärken. »Exempel« sind die Heiligen durch ihren Glauben und Gehorsam, ihre Demut und Leidensgeduld, die Gott ihnen geschenkt hat[19]. Von ihnen geht eine lebendige Macht des Glaubens aus. Luther redet von der Bedeutung der Heiligen im Stil des Hebräerbriefes: wer die lange Reihe der Glaubenszeugen des Kap. 11 vorüberziehen sah, der hat neuen Ernst und Mut gewonnen zu dem »Darum auch wir ... « (12,1). Man mag auch hier von einem »Schatz der Kirche« reden, aber das hat dann einen völlig anderen Sinn als in der katholischen Theorie: Schatz ist das Leben der Heiligen nicht durch einen Ertrag an Verdienst, sondern weil die Christen wie die Glieder eines Leibes

Schande leiden. Da wend hin dein Hilf, da leg dein Werk an, da brauch dein Zungen hin, daß du sie beschützest, deinen Mantel auf sie deckst und zu Ehren hilfst. – 17 II, 50,28.

18. 17 II, 255,14: ... daß man die lieben Heiligen lasse bleiben, wo sie sind, und pflege derer, die hie mit uns leben, denn wir haben genugsam zu schicken mit uns, daß wir recht fahren, wie Christen sollen, darum lasse man sie bleiben, wie sie Gott geschickt hat. Wir können nicht wissen noch begreifen, wie sie dort leben. Jene Welt ist viel anders denn diese.

19. 15, 789,21.36 .Vgl. auch die Vorrede auf den Psalter, DB 10 I, 102,9.27: Da siehest du allen Heiligen ins Herze ... Welchs denn auch dazu gut ist, daß, wenn einem solche Wort gefallen und sich mit ihm reimen, daß er gewiß wird, er sei in der Gemeinschaft der Heiligen und hab allen Heiligen gegangen, wie es ihm gehe, weil sie ein Liedlein mit ihm singen.

alles, was sie leben, leiden, wirken, füreinander tun – das ist eben die *communio sanctorum*[20].

Es war Luthers Gottes- und Rechtfertigungsgedanke, der die katholische Schätzung der Heiligen zerschlug. Weil unser Heil allein an Gottes freiem Erbarmen hängt, verliert die Überschreibung von Verdiensten[21] in dem himmlischen Bankhaus von einem Konto auf das andere jeden Sinn. An die Stelle des Verdienstes tritt das Dienen aneinander. Niemand kann für den anderen bei Gott im strengen Sinne etwas erwirken, weder durch stellvertretende Leistung (Gott handelt mit jedem für sich, keiner kann für den anderen glauben, gehorchen, sterben – Stellvertretung kann niemals diesen Sinn haben, sie kann nur Hilfe zum eigenen Glauben und Leben des Vertretenen sein[22]) noch durch verdienstbetonte Fürbitte – auch die Fürbitte der Heiligen ist bei Luther etwas

20. 1, 607,38: Probata est itaque ista pars, quod merita sanctorum non possint esse thesaurus nobis, cum sint penuria ipsismet sanctis, nisi quis sic putet ea nobis esse thesaurum, non quia superfluunt, sed quia est communio Sanctorum, quod quilibet pro altero laborat sicut membrum pro membro. – Was das heißt, hat Luther einmal an dem Beispiel des armen Lazarus klargemacht: Gott läßt ihn eben durch seine Armut und sein Elend der ganzen Welt dienen, nämlich als Hilfe zu gleicher Leidensgeduld. 10 III, 185 f. »Also ein mächtig Ding ist es um einen Menschen, der im Glauben steht. Er hat uns mit seinem Hunger gespeist, mit seiner Bloßheit bekleidet und mit seinem Leiden uns allen ein Exempel geben zu einem Trost, ihm nachzufolgen.«

21. 1, 606,4: translatio quaedam operum.

22. 10 III, 308,26: Das ist das, daß wir alle Priester und Könige seind, daß wir Christen selbst einer für den andern für Gott treten mag und einen eignen Glauben erbitten. Also wenn ich nun sehe, daß du nicht den Glauben hast oder einen schwachen Glauben, gehe ich hin und bitte Gott, daß er dir wolle einen starken Glauben geben, nicht meinen Glauben, meine Werk, sondern eignen Glauben, eigne Werk, daß Christus alle seine Werk und Seligkeit ihm gebe durch seinen Glauben, wie er uns durch unsern Glauben geben hat. 306, 11: Darum merk, daß ihm niemand fürnehme, durch eines anderen Glauben oder Werk selig zu werden, ja, es kann nicht durch Mariä oder Christi Werk und Glauben geschehen ohne deinen eigenen Glauben, denn Gott wird nicht gestatten, daß Maria, ja Christus selbst also für dich trete, daß du fromm und gerecht seiest, es sei denn, daß du selbst gläubig und fromm seiest. – 17 II, 100,14: Gottes Gesetz wird niemand für den andern erfüllen mögen, ein jeglicher wirds müssen für sich selbst erfüllen. (Folgt Gal 6,5; 2 Kor 5,10.) Darum heißt es: du, du, du sollst lieben. Nicht laß einen andern für dich lieben. Denn ob wohl einer kann und soll für den anderen bitten, daß ihm Gott gnädig sei und helf, so wird doch niemand selig, er habe denn Gottes Gebot für sich selbst erfüllet. Darum nicht allein zu bitten ist für jemand, daß er ungestraft bleibe, wie die Ablaßbuben fürgeben, sondern vielmehr, daß er fromm werde und Gottes Gebot halte. – Luther will also Gal 6,2 so verstanden wissen, daß Gal 6,5 (Ein jeglicher wird seine Last tragen) in Geltung bleibt. Das Eintreten der Heiligen kann nicht Entlastung, aber Hilfe zum Tragen der eigenen Last bedeuten. Vgl. 1, 607,26 (gegen die Verwendung der Heiligenverdienste zur Entlastung von den Strafen): Martyrium autem et sanctorum poenae debent esse potius exemplum ferendarum

anderes als im Katholizismus – ob Gott sie erhört, steht bei ihm, ist seine Freiheit, der Mensch lebt zuletzt allein von Gottes freier Gnade[23]. Alles Eintreten, Fürbitten hat also in Wahrheit nicht die Bedeutung, bei Gott etwas zu erwirken[24], sondern es ist umgekehrt ein gnädiges Wirken Gottes an uns: er zieht mich zu sich durch den Dienst meiner Brüder an mir. Der Unterschied der reformatorischen Lehre von der *communio* gegenüber der katholischen läßt sich so ausdrücken: An die Stelle ausschließender, sachlicher Stellvertretung wird die umschließende, personhafte gesetzt. Das gilt auch von der Auffassung des Werkes Christi. Der Unterschied zwischen Anselm und Luther liegt eben an dieser Stelle. Man kann sich den Abstand klarmachen etwa an dem Beispiel stellvertretender Entsagung: nach der römischen Auffassung begründet die Entsagung als asketische Leistung, von dem Menschen für sich, abseits seines Lebensverhältnisses zu dem Bruder vollzogen, ein Verdienst, das dem Bruder gutgeschrieben werden kann; für Luther wie für Paulus ist die Entsagung stellvertretendes

poenarum. Alle Stellvertretung ist also inklusiv, nicht exklusiv. Von hier aus muß man vor allem auch Luthers Versöhnungslehre deuten.

23. 17 II, 202,14: Dieser Puff ist noch härter, da nicht allein unser eigen Person verstoßen, sondern auch der einige Trost abgeschlagen wird, den wir noch übrig haben, nämlich Trost und Fürbitt frommer und heiliger Leute. Denn das ist unser letzter Behelf, wenn wir fühlen, daß uns Gott ungnädig ist oder irgendeine Not leiden, daß wir zu frommen geistlichen Leuten gehen, Rat und Hilfe suchen und sie auch willig sind, wie die Liebe fordert, und wird doch nichts draus, sie werden auch nicht erhört, sondern wird nur ärger mit uns.

24. Das katholische Kirchenlexikon (2. Aufl. Bd. V, Sp. 1622) und *Scheeben-Atzberger*: Dogmatik IV 3. S. 885 finden es inkonsequent, daß die Reformatoren »die Fürsprache der Heiligen oder doch die Zulässigkeit ihrer Anrufung leugneten«, aber das Gebet der Lebenden füreinander zuließen. Dabei wird übersehen, daß Luther vor dem Anrufen der Heiligen deswegen warnt, weil mit ihm die Vorstellung der verdienstbetonten Fürbitte verbunden war, die bei der brüderlichen Fürbitte der Lebenden untereinander weniger in Frage kam. Im übrigen tritt der Gedanke brüderlicher Fürbitte der Vollendeten für Luther zurück, weil der Lebensstand der Abgerufenen uns verborgen ist. Daß sie vielleicht für uns bitten, hat Luther noch in den Schmalkaldischen Artikeln nicht geleugnet. 50, 210,10: »Und wiewohl die Engel im Himmel für uns bitten (wie Christus selber auch tut), also auch die Heiligen auf Erden oder vielleicht auch im Himmel«, so folge daraus doch keineswegs die kultische Anrufung der Engel und Heiligen – genausowenig, wie wir die Brüder auf Erden, die für uns bitten können, anrufen, verehren usw. »Ich kann dich sonst wohl ehren, danken und lieben in Christo.« – Luther hat den Gedanken an die vollendeten Heiligen dadurch gereinigt, daß er zu ihnen sich nicht anders als zu den Brüdern auf Erden stellen heißt. Die Reinigung des *communio*-Gedankens war also im Grund damit gegeben, daß Luther die »Heiligen« auf die Erde niederholte, wie umgekehrt der religiöse Egoismus die Begrenzung des Namens »Heilige« auf die Vollendeten mit sich brachte. Vgl. 17 II, 49,34: Aber uns ist recht geschehen, da wir die lebendigen Heiligen verachten, die unser bedurften, daß wir zufahren und suchten die verstorbenen Heiligen und suchten unsere Notdurft bei denselben.

Miteingehen in die Lage des Bruders, sinnvoll nur als Solidarität mit seiner bestimmten Gebundenheit, als Mittel zu seiner Freiheit. Dort sind die Menschen als Gesellschaft gedacht, in der Sachwerte übertragen werden können; hier stehen sie in der Gemeinschaft eines wirklichen Miteinanderlebens.

Damit rühren wir schon an das andere, worin Luther den Gedanken der *communio* zu seiner Reinheit wiederhergestellt hat. Als wirkliche Gemeinschaft konnte die Kirche im mittelalterlichen Katholizismus gar nicht verstanden werden, weil unter der Herrschaft des Moralismus jeder doch zuerst für sich selber sorgt: »Die Liebe hebt bei sich selber an[25]«, und auch wo sie an dem anderen handelt, ist das letzte Ziel, die eigene Seligkeit zu sichern. Unerbittlich hat Luther diesen Zusammenhang aufgedeckt: die ihrem Wesen nach selbstsüchtige Werkerei läßt es zur »Gemeinschaft der Heiligen« nicht kommen. Die Werkerei führt statt zur Herstellung der Gemeinschaft vielmehr zu ihrer Auflösung: der Drang nach asketischen Vorzugsleistungen ruft die religiöse Klassenbildung hervor; die Gleichheit aller Glaubenden in der Gliedschaft am Leibe Christi wird verletzt, am deutlichsten durch den hochfahrenden Anspruch auf Mittlertum für die gewöhnlichen Christen, zu dem die Werkheiligkeit folgerichtig hinführt[26]. Diese ganze Welt der frommen Selbstsucht wird durch das Evangelium in Trümmer gelegt und vom Grunde her zerstört. Luther weiß, daß allein das Evangelium von der Rechtfertigung aus freier Gnade durch den Glauben, dieses aber auch wirklich Gemeinschaft stiften kann. Der Glaube an das Evangelium legt das Heil des Menschen ganz in Gottes Hände, erlöst den Menschen damit von der selbstischen Sorge um sein eigenes ewiges Schicksal, die sein ganzes Handeln bestimmte, und macht sein Wirken frei zum Dienst[27].

25. Vgl. dazu Luther in der Römerbriefvorlesung 56, 390,26; 517,7. Den Satz *charitas ordinata incipit a se ipsa* vertraten Duns Scotus und Gabriel Biel (siehe die Stellen 56, 390 im Apparat), aber auch schon Thomas (siehe *Holl*, Luther, S. 165); ja, diese Voranstellung der Selbstliebe vor die Nächstenliebe geht auf Augustin zurück (siehe *Holl*: Gesammelte Aufsätze III. S. 87,109).

26. 17 II, 33,34: Die Werkheiligen müssen Sekten und Unterschied unter den Christen anrichten. Da wollen die Pfaffen mehr sein denn die Laien, die Mönche mehr denn die Pfaffen, die Jungfrauen mehr denn Eheleut, und die viel beten und fasten, mehr sein, denn die da arbeiten, und die da strenge leben, mehr sein denn die schlecht hin leben ... Da reizet man die Einfältigen auf die Werk und Stände vom Glauben (weg) ... Ja sie wollen zuletzt bitten für die armen Christen und Mittler werden zwischen Gott und den Christen und achten die anderen Stände als gar nichts.

27. 17 II, 37,7. Mir ist genug, daß ich eben desselben Leibs Glied bin und habe so viel Recht und Ehre dran als die andern alle. Darum will und darf ich nicht darum arbeiten, daß ich ein Glied und des Leibs teilhaftig werde. Denn das habe ich schon bereits und mir genüget auch dran. Sondern meine Werke sollen dem Leibe und seinen Gliedern, meinen lieben Brüdern und Mitgenossen dienen und will mir nichts Sonderliches fürnehmen noch eine Zwietracht und Sekten anrichten. – 15, 607,11: Ego sat habebo cibi salvationis, sed omnia, quae vivo et habeo, ut utilia sint aliis.

Auch der römische Katholizismus beschreibt das Wesen der Kirche mit dem paulinischen Bild des Leibes, auch er weiß – und Augustin hat es am großartigsten verkündet –, daß das Lebensgesetz der Kirche die Liebe ist. Aber das alles wird dann doch entstellt durch den Moralismus und die fromme Selbstsucht. Die Gemeinde wird zum Mittel für die Seligkeit aller einzelnen. »Luther hat die Fassung des Gemeinschaftsgedankens durchbrochen, die die katholische Kirche vertrat und vertritt« (Holl). Bei ihm liegt alles an der Gemeinschaft um ihrer selbst willen – sie verwirklicht das »Gesetz Christi«. Die Liebe hat keinen Zweck außer sich. Sie ist das Leben Gottes selber.

Die communio als Gabe und Aufgabe

Die Kirche ist *communio sanctorum*[28]. »Ich glaub, daß da sei auf Erden, so weit die Welt ist, nit mehr denn eine heilige gemeine Christliche Kirche, welche nichts anders ist, denn die Gemeine oder Sammlung der Heiligen, der frommen, gläubigen Menschen auf Erden, welche durch denselben Heiligen Geist versammelt, erhalten und regieret wird ... Ich glaub, daß in dieser Gemein oder Christenheit alle Ding gemein sind, und eines jeglichen Güter des anderen eigen und niemand etwas eigen sei, darum mir und einem jeglichen Gläubigen alle Gebet und gute Werk der ganzen Gemeine zu Hülf kommen, beistehn und stärken müssen, zu aller Zeit, im Leben und Sterben, und also ein jeglicher des andern Bürde trägt, wie Sanct Paulus lehret.« So in der »Kurzen Form der Zehn Gebote ...« 1520 und im Betbüchlein von 1522[29].

Die *communio* beruht darauf, daß die Glaubenden durch Christi Liebes-Hingabe ein Leib, »ein Kuchen« mit Christus und dadurch auch miteinander[30] geworden sind[31]. Wer dem Worte glaubt, der ist durch den Heiligen Geist dem Leibe Christi »eingeleibet«. Das Fürsichsein hat aufgehört, nicht zu mystischem Aufgehen ineinander, aber zu völliger Gemeinschaft des Lebens durch die Liebe[32]. Es gibt kein Sondereigentum an Macht oder Ohnmacht, an Gerechtigkeit

---

28. Wichtigste Quellen für Luthers Lehre von der Kirche als *communio*: die Sermone von der Bereitung zum Sterben und vom Abendmahl (1519), 2, 685; 742; – der Galaterkommentar von 1519 (besonders zu Gal 6,1 ff.), 2,601 ff.; – die Tesseradekas (1520) 6,130; – der Traktat de libertate christiana (1520) 7,49; einige Predigten von 1522 bis 1524, 10 I, 2,67; 10 III, 217.238; 12,486; 15,494.

29. 7, 219,1.11. – 10 II, 394,6.

30. 10 III, 218,15; 12, 490,1; 15, 607,22; 28, 149,3.

31. 1, 593,4: Quia per fidem Christi efficitur Christianus unus spiritus et unum cum Christo. Erunt enim duo in carne una, quod sacramentum magnum est in Christo et Ecclesia. Cum ergo spiritus Christi sit in Christianis, per quem fratres cohaeredes, concorporales et cives fiunt Christi, quomodo ibi possit non esse participatio omnium bonorum Christi? nam et Christus ex eodem spiritu habet omnia sua.

32. 6, 131,4: Fides, spes, charitas aliaeque gratiae et dona ... omnia communia fiunt

oder Sünde, Friede oder Not, das nicht für alle da wäre[33]. Das *admirabile commercium*, der »fröhlich Wechsel«[34], die »Gütergemeinschaft«[35] zwischen Christus und den Menschen bedeutet zugleich restlosen Austausch, unbedingte Lebensgemeinschaft, Güter- und Notgemeinschaft der Seinen untereinander[36]. Der Leib lebt *ein* Leben. Das ist das Wesen der Liebe Christi. Christus selber lebt von diesem Geist der Liebe – was er ist und hat, ist nichts anderes, als daß der Vater ihm Anteil an sich selbst und allem, was er hat, gegeben hat[37].

Diese Gemeinschaft bedeutet Gabe und Aufgabe, Gnade und Beruf zugleich, für jedes Glied der Kirche[38]. Die Gabe der Gemeinschaft faßt Luther in den Satz: Christi und aller Heiligen Gut ist mein Gut; meine Last, Not, Sünde ist Christi und der Heiligen[39]. Darin liegt nicht nur, daß Christi Gerechtigkeit die Sünde des Menschen sühnt, daß »Christus und seine Heiligen für uns treten vor Gott, daß uns die Sünde nicht werde gerechnet nach dem gestrengen Urteil Gottes«. Sondern auch das andere: Christus und die Gemeinde »fechten mit uns« wider die Sünde, leiden mit, tragen mit an den Nöten eines jeden[40]. Der Glaube, die Reinheit, das Gebet der anderen wird mir in der Armut und Ohnmacht meines Christenstandes zur helfenden Macht. Ich bin niemals allein, im Leben oder Sterben; Christus und die Kirche sind bei mir[41]. Was ein Glied an-

per charitatem. – 2, 756: die Kirche ist »die göttliche, die himmlische, die alleredelste Bruderschaft, die Gemeinschaft aller Heiligen, in welcher wir allesamt Brüder und Schwestern sein, so nah, daß nimmermehr kein näher mag erdacht werden. Denn da ist ein Tauf, ein Christus, ein Sakrament, ein Speis, ein Evangelium, ein Glaub, ein Geist, ein geistlicher Körper und ein jeglicher des anderen Gliedmaß.«

33. 30 I, 190,8: Derselbigen (Gemein) bin ich auch ein Stück und Glied, aller Güter, so sie hat, teilhaftig und Mitgenosse.

34. Vgl. schon 1, 593,30: participatio suavissima et jucunda permutatio.

35. 12, 486,8: Siehe, so wirst du denn ein Kuchen mit Christo, daß wir treten mit ihm in eine Gemeinschaft seiner Güter und er in eine Gemeinschaft unserer Güter.

36. 2, 749,32: Gemeinschaft und gnädiger Wechsel oder Vermischung unserer Sünd und Leiden mit Christus Gerechtigkeit und seiner Heiligen. – 6, 131,36: Quid est credere Ecclesiam sanctam quam sanctorum communionem? Quo communicant autem sancti? nempe bonis et malis; omnia sunt omnium.

37. Vgl. den letzten Satz der S. 262, Anm. 31 angeführten Stelle: nam et Christus ex eodem spiritu habet omnia sua.

38. Diese beiden Seiten unterscheidet Luther besonders klar im Abendmahlssermon, 2, 744 ff.

39. 1, 593,19; – 6, 131,7 und oft.   40. 2, 744,23.

41. 1, 333,13; – 2, 745,7; – 6, 131,7. An dieser herrlichen Stelle aus der Tesseradekas heißt es: Dum ego patior, patior jam non solus, patitur mecum Christus et omnes Christiani ... Ita onus meum portant alii, illorum virtus mea est. Fides Ecclesiae meae trepidationi succurrit, castitas aliorum meae libidinis tentationem suffert, aliorum jejunia mea lucra sunt, alterius oratio pro me sollicita est ... Quis ergo queat desperare in peccatis? quis non gaudeat in penis, qui sua peccata et penas jam neque portat aut

geht, geht den ganzen Leib an. Luther findet den biblischen Grund für diese Gewißheit vor allem in den immer wieder angeführten Paulus-Stellen vom Gesetz Christi Gal 6,2 und von der Lebensgemeinschaft der Glieder des Leibes 1 Kor 12,22 ff., 26. Als Mittel, durch welche die *communio* dem einzelnen zugute kommt, nennt Luther die Fürbitte der Brüder – wie hat er sie immer wieder erbeten für seinen Kampf mit dem Satan, besonders dringlich in seinen schweren Anfechtungen 1527, wie hat er sich dieses Mitkämpfens der Brüder getröstet[42]! –, dazu das helfende, warnende, strafende, aufrichtende Wort der Seelsorge, das *mutuum colloquium et consolatio fratrum,* wie er in den Schmalkaldischen Artikeln sagt[43]. Wenn Luther von der Kirche immer nur mit überschwenglicher Freude, in strömender Dankbarkeit reden konnte, so war das nicht zuletzt begründet in der Gewißheit dieser *communio sanctorum*[44].

Dabei dachte er nicht nur an das bewußte Eintreten der Brüder füreinander. Die Hilfe, die sie bedeuten, greift weiter, als sie selber wissen und wollen. Ihr Leben ist uns Vorbild und Kraft im eigenen Kampf. Gott hat sie auch mit ihrem Allereigensten, mit dem, was sie für sich zu ringen und zu leiden haben, ohne ihr Wissen und Wollen in den Dienst seiner Gemeinde gestellt. Auch in diesem Sinne lebt unser keiner sich selber[45].

Die *communio* ist niemals nur Gabe für den Glauben, sondern immer zugleich Aufgabe für die Liebe[46]. Jeder soll die Last Christi und seiner Kirche auf sich nehmen als seine eigene. Die Schmach Christi, den Widerspruch gegen sein Wort, die Not der Christenheit, das Unrechtleiden der Unschuldigen, die Schuld und Schande der Sünder, den Mangel der Bedürftigen und Armen muß er auf sein Herz nehmen, nicht in billigem Mitleid, sondern zu tätigem Tragen und Leiden; er soll »wehren, tun, bitten«: für die Wahrheit kämpfen, dem Unrecht wehren, für die Erneuerung der Kirche und ihrer Glieder wirken, für die Armen mit dem eigenen Vermögen, für die Kranken mit dem eigenen Leben[47], für die Sünder mit der eigenen Gerechtigkeit eintreten vor Gott und den Menschen[48] – kurz: sich allen »gemein« machen in ihren natürlichen und christ-

si portat non solus portat, adjutus tot sanctis filiis Dei, ipso denique Christo? Tanta res est communio sanctorum et Ecclesia Christi.

42. Vgl. besonders die Briefe des Jahres 1527, Br. 4.

43. 50, 241,2. – Vgl. 40 III, 343,4.19.

44. Das gilt besonders von dem Beichten bei dem Bruder und dem Zuspruch der Absolution durch ihn; darüber siehe S. 273.

45. Das gilt von Lazarus 10 III, 185,6. – Luther hofft, daß sein eigener Kampf mit dem Satan vielen zugute komme. Br. 6, 235,12: Spes mea est, agonem hunc meum ad multos pertinere.

46. Hauptstelle 2, 745–750; 757,33.

47. 20, 713,28; 23, 352 ff. Es handelt sich da um das Aushalten bei den Pestkranken, in der Pflege und Verkündigung des Wortes. Luther hat es selbst geübt.

48. 2, 606,10. Vgl. Anm. 50.

lichen Bedrängnissen, mit allen äußeren und inneren Gütern[49]. Aller Besitz, den wir haben, ist gleichsam »göttliche Gestalt« (Phil 2,5); ihrer gilt es sich zu entäußern, wie Christus tat; sie muß in uns zur Knechtsgestalt werden[50]. Wie Christus in seiner Liebe unsere Gestalt annahm, »so sollen wir durch dieselbe Liebe uns auch wandeln und unser lassen sein aller anderen Christen Gebrechen und ihre Gestalt und Notdurft an uns nehmen und ihrer sein lassen alles, was wir Gutes vermögen, daß sie desselben genießen mögen[51]«. Nicht in der Herrengestalt des Besitzes, sondern in der Knechtsgestalt der dienenden Hingabe, des Einswerdens mit jeder Not und Schande und Schuld sollen die Glieder der Kirche leben. »Alles, was wir haben, muß stehen im Dienst, wo es nicht im Dienst steht, so stehets im Raub[52].« Jede Gabe, jede Kraft, Gesundheit, Friede, Reinheit gehört der Liebe, den Brüdern[53]. »Du sollst dein Kreuz tragen, nicht daß du selig werdest, sondern deinem Nächsten zugute, daß er es siehet und auch gereizt wird, sein Kreuz zu tragen[54].« Weil für den Rechtfertigungsglauben

49. 10 I, 2, 89,8: Wie ... Christus allen gemein worden ist, ... also sollen wir auch untereinander gemein werden. – 11, 76,27: Si sanus (lies: doctus) es, non utere doctrina tua ad commodum tuum, sed inservi fratri. Si sanus es et proximus infirmatur, vide, ut consoleris eum. Si vides mirabilem aliquem, qui dissentiat cum uxore, fac ut pax sit inter hos. Si non facis, non habes tecum Christi sensum. Si dives es, vides proximum pauperem, servi ei cum bonis tuis, si non facis, jam Christianus non es. Ita faciendum in omnibus bonis spiritualibus et carnalibus (Nachschrift Rörers; vgl. den Druck 12, 470,23). Vgl. auch 17 II, 327 f.

50. 2, 603,13: Ecce similis Christus hominibus, id est peccatoribus et infirmis, nec alium habitum nec aliam formam prae se fert quam hominis et servi, dum nos non despicit in forma dei, sed formam nostram gerit, portans peccata nostra in corpore suo. – 606,1.10: Hae enim sunt formae dei, quas exinaniri oportet, ut formae servi in nobis sint, quia his omnibus coram Deo stare et mediare debemus pro iis, qui ea non habent, tanquam aliena veste induti ... sed et coram hominibus adversus detractores aut violentos eadem charitate illis servire debemus. – Vgl. Br. 1, 35,37 (in dem Brief an Georg Spenlein vom 8. April 1516).

51. 2, 748,14.20. – Auch 15, 507,13: wie Christus bei der Fußwaschung seine Kleider ablegte, das heißt im Verkehr mit den Jüngern nicht auf seine Überlegenheit und Heiligkeit pochte, so auch wir.

52. 12, 470,40.

53. 2, 606,1: Si autem aliquid in nobis est, non nostrum, sed dei donum est; si autem Dei donum est, jam charitati totum debetur, id est legi Christi; si charitati debetur, jam non mihi, sed aliis per ipsum serviendum est. Tota mea eruditio non est mea, sed ineruditorum, quibus eam debeo; mea castitas non est mea, sed carne peccantium, quibus per eam servire debeo, eam deo offerendo pro illis, eos suscipiendo, excusando, ac sic mea honestate eorum turpitudinem velando coram deo et hominibus ...; sic sapientia mea stultis, sic potentia oppressis, sic divitiae pauperibus, sic justitia peccatoribus. – 15, 607,7.22: Ja, datum est mihi hoc donum, ut aliis communices ... Ego sat habebo cibi salvationis, sed omnia quae vivo et habeo, ut utilia sint aliis.

54. 10 III, 119,9.

die Frage der eigenen Seligkeit gelöst ist, weil der Mensch hier alles von Gott, nichts von sich selber erwartet, ist er nun mit allem eigenen Haben, Tun, Leiden ganz frei zum Dienst. Er lebt in keinem Sinne mehr sich selber, sondern ganz der *communio sanctorum*. »Es ist ein jeder Mensch um des andern willen geschaffen und geboren[55].«

Luther hat das Gesetz der Liebe auch im Blick auf die äußeren Güter des Lebens immer wieder eingeschärft[56]. Aber hier war es ihm doch ein Geringes gegenüber dem Tragen der Schwachheit und Sünde der Brüder[57]. Er unterscheidet drei Stufen der *communio*[58]: zuerst die Hingabe »zeitlichen Gutes«, leiblicher Dienst an den Menschen, dann der Dienst mit Lehre, Zuspruch, Fürbitte; endlich, als das Höchste, das Tragen der Schwachheit der Brüder, die Gemeinschaft der Begnadeten und Behüteten mit den Sündern, der »Gesunden« mit den »Kranken«. Hier schlug für ihn das innerste Herz der Liebe Christi und darum auch der christlichen Liebe. Immer wieder hat er hier das Vorbild Christi gezeichnet, vor allem im Anschluß an Phil 2,5[59], an Röm 15,1 ff.[60], an die Fußwaschung[61], aber auch in der Auslegung der Gleichnisse Luk 15[62] und der Erzählung vom Pharisäer und Zöllner[63] die Art solcher stellvertretenden Liebe beschrieben.

Die Stellen, an denen Luther hierauf zu sprechen kommt, sind besondere Höhen seiner Predigt. Hart straft er das selbstsüchtige Christentum: »Die sehen auf ihr Leben und blasen sich auf und können nicht dahin kommen, daß sie gnädig werden den Sündern. So viel wissen sie nicht, daß sie Knecht sollen werden und ihre Frömmigkeit soll den anderen dienen[64].« Der Pharisäer – Luther weiß ihn mitten in der Christenheit lebendig – sündigt nicht allein wider Gott, sondern auch an dem Bruder[65]. Er verletzt nicht nur den Glauben, sondern auch die Liebe. Mit seinen Worten »Ich danke dir Gott, daß ich nicht bin wie andere Leute« straft er sich unmittelbar Lügen: Er meint, kein Räuber zu sein, und ist es doch, da er so tut, als wäre er der einzige Gerechte, und dem

55. 21, 346,21 (nach Crucigers Bearbeitung).
56. Zum Beispiel 24, 409,13.
57. 10 III, 97,21; 217,13: Nu das äußerliche Werk der Liebe ist sehr groß, wenn wir unser Gut lassen dem anderen ein Knecht werden. Aber das Größt ist das, wenn ich mein Gerechtigkeit hingeb und dienen laß des Nächsten Sünde. – 238,17: Ihr habt gehört, daß man Gott glauben und den Menschen lieben soll in Gütern äußerlich, und das ist das Kleinste, darnach die Gerechtigkeit dienen lasse dem Sünder, und das ist das Größte, daß sich der Höchste nicht entziehe dem Sünder, gleich so arm scheine wie der größte Sünder.
58. 15, 499,5.21.   59. 2, 603,13; – 7, 65,10; – 10 III, 217,10; 219,29.
60. 2, 603,1; 10 I, 2,67 ff.; 20, 715,3.   61. 15, 507,15.
62. 10 III, 217 ff.   63. 10 I, 2, 349 ff.; – 15, 671 ff.   64. 10 III, 218,5.
65. 15, 673,9: Est itaque non solum sine fide coram deo, sed et sine charitate coram hominibus etc.

Nächsten damit die Ehre vor Gott raubt. Überdies wäre er dem sündigen Bruder Fürbitte, Zurechtweisung, Hilfe aus seiner Sünde schuldig – Gott läßt ja dazu in der Gemeinde einige fallen, damit die anderen Gelegenheit haben, ihnen gegenüber evangelischen Brudersinn zu bewähren[66] –, statt dessen weidet er sich an der Sünde des Bruders, freut sich daran, wenn dessen Seele dem ewigen Tod verfällt – er braucht ja die Schwachheit und das Fallen seiner Brüder, um an ihr sein Selbstgefühl zu nähren[67]. Luther urteilt, daß es eine furchtbarere Sünde nicht gibt[68]. Es ist ein Haß, größer als im Heidentum. »Wenn ich in Sündennot stecke, sollte er blutige Tränen weinen und mir zu Hilfe kommen, und er freut sich derweilen und sagt: Ich bin rechtschaffen vor Gott[69]!« – Selten hat Luther mit so erschütterndem Ernst gepredigt wie hier. Man spürt: hier rührt er an das ihm Entscheidende, an den Nerv des Evangeliums. Der von Gottes Ehre zeugt wider alle »Werkerei«, wacht auch über der Ehre des Menschen wider die räuberische, mörderische Lieblosigkeit des »Gerechten«. Er sieht den tiefen Zusammenhang: der moralische Hochmut nimmt Gott und dem Nächsten die Ehre. Er behandelt Gott nicht als Gott und den Menschen nicht als Menschen[70]. Statt, selber ein armer Sünder wie alle, sich in die Gemeinde zu stellen, zerstört er sie[71].

Was heißt dann aber: sich des Sünders und seiner Sünde annehmen, Gemeinschaft mit ihm halten? Luther stellt voran, was an Christi Umgang mit den Sündern das Entscheidende ist: er deckt unsere Sünde, er tritt mit seiner Gerechtigkeit für uns ein. Das ist das Maß auch für uns: es gilt die eigene Gerechtigkeit für den Sünder einzusetzen[72]. Dabei ist – wir haben es schon gesehen –

66. 20. 715,12: Sed Deus facit aliquando fratres nostros intractabiles.

67. Vgl. auch 2, 603,28: At hanc divinae voluntatis despensationem non intelligentes hypocritae, perversissimi omnium hominum, ad suam invidiam exercendam arripiunt, lapsus fratrum tantum ad accusandum, mordendum, persequendum considerant. 598,10; 604,22; 607,1.12.

68. 10 III, 221,2; 15, 673,20.

69. 15, 673,23.

70. 15, 673,37: Ergo sua propria verba indicant eum esse impium, qui velit deum non deum esse, homines non homines.

71. 10 I, 2, 351,25 vom Pharisäer: Denn hätte er also gesagt: Ach Gott, wir sein allzumal Sünder, der arme Sünder hie ist auch einer, desgleichen ich auch, wie die andern, und hätte sich mit hineingezogen in die Gemein und gesagt: Ach Gott, bis uns gnädig, so hätte er Gottes Gebot erfüllet.

72. 10 III, 220,28; 238,15: Also müsset ihr hier auch tun: eine Jungfrau muß ihren Kranz einer Hure aufsetzen, ein fromm Weib ihren Schleier einer Ehebrecherin, und ganz und gar unser Ding lassen ein Kleid sein, damit wir decken die Sünder. Denn es wird ein jeglicher Mann sein Schaf haben und ein jegliches Weib seinen Pfennig. Es müssen alle unsere Gaben eines anderen sein. – 7, 37,37. – 10 III, 217,25: Darum wollen wir hie reden von dem hohen Werk der Liebe, daß ein frommer Mann seine Gerechtigkeit setze für den Sünder, ein fromm Weib ihre Ehre für die ärgste Hure.

jeder römische Sinn fernzuhalten. Es geht um nichts anderes als dieses: Ich habe meinen Gnadenstand nicht für mich, nicht allein; ich nehme den Bruder in jedem Augenblick mit hinein, ich stehe zu ihm, will nichts anderes sein als er – wie ich denn auch nichts anderes bin vor Gott: »jede Sünde, die ein anderer tut, kann auch ich tun; heute stehe ich, morgen falle ich, weil das Fleisch nichts Gutes tun kann[73].« Falle ich nicht in des Nächsten Sünde, so ist es Gott, der mich behütet, nicht mein Verdienst[74]. Ich mache mich mit dem Bruder solidarisch, als der ich wirklich mit ihm solidarisch bin. »Die Kinder Gottes wollen nicht allein in den Himmel, sondern mitbringen die Allersündigsten, ob sie möchten[75].« Sie stehen vor Gott nirgends anders als an der Seite der Brüder, vielmehr an ihrer Stelle. Rechte stellvertretende Liebe ist gar imstande, auf das von Gott geschenkte Heil zu verzichten um der Brüder willen, Gott zu bitten, wie Mose und Paulus, daß er mich verwerfe und statt meiner die Brüder selig mache[76]. Diese Stellvertretung bedeutet nicht etwa billiges Dulden der Sünde. Nicht die Sünde, sondern der Sünder ist zu dulden, so zu dulden und zu tragen, daß man – Luther erinnert an Mt 18 – seine Sünde straft, so zu strafen, daß man dabei in der Liebe und ihrer Solidarität mit dem Bruder bleibt. Man tritt in Schmutz und Schande des Bruders mit ein, um in Kraft des eigenen Behütetseins ihm »aus den Sünden zu helfen«. Man »läuft ihm nach«, um ihn zu suchen. Man wird ein Mit-Gebundener, damit er frei werde, ein Mit-Gefallener, damit er aufstehe und wandle[77].

73. Der gleiche Gedanke bei Thomas a Kempis, De imitatione Christi, lib. 1, Kap. 2 am Ende.

74. 15, 674,9.   75. 1, 697,30.

76. In der Römerbriefvorlesung (zu Kap. 9,3; 56, 389 ff.) liegt der Ton mehr auf der Selbstaufgabe überhaupt, nicht ausdrücklich auf ihr als Opfer für die Brüder. Luther hebt den Haß gegen sich selbst, weniger die Liebe zu den Brüdern hervor. Dieser Zug des paulinischen Gedankens tritt zurück. – Dagegen in der wichtigen Predigt am 3. Trinitatissonntag 1522 (10 III, 219,6) werden Moses' Gebet (Exod 32,32) und Paulus Röm 9,3 als Vorbilder des Eintretens für die Sünder genannt. »Seht, das (Mose) war ein Mann, der da wußte, daß ihn Gott lieb habe und habe ihn geschrieben in das Buch der Seligen. Dennoch sprach er: Herr, es wäre mir lieber, daß du mich verdammst und das Volk seligest. Also auch Paulus, der doch sonst die Juden hart straft, Hunde und sonst hieß, der fiel dennoch dahin und sagt: Ich hab gewünscht, daß ich möcht verdammt sein und ewiglich verbannet bleiben, daß allein dem Haufen geholfen würde. Das Wort kann kein Vernunft erkennen, denn es ist zu hoch.«

77. 10 III, 217,18: Da muß ich freund sein und lieb haben den Sünder und muß feind sein seinem Laster und ihn herzlich strafen und dennoch lieben im Herzen, daß ich seine Sünde mit meiner Gerechtigkeit zudecke. Also feind soll ich ihm sein, daß ich ihn nicht leiden mög; so lieb soll ich ihn haben, daß ich ihm nachlaufe und werde wie der Hirt, der das Schaf sucht und die Frau, die den verlorenen Pfennig sucht. 218,21: Da legt sich nun Gott dazwischen hinein und fällt ein Urteil und sagt, daß dieselben sich unterwerfen und die Sünder auf die Schultern laden und tragen und denken, daß sie mit ihrer Ge-

Luther hat die Bewährung solcher Gemeinschaft vor allem auch von dem kirchlichen Amt gefordert. Autorität kann nur dort sein, wo Solidarität ist, Herrschaft nur, wo Dienst ist. Die hierarchische Majestät muß es lernen, »die Kleider abzulegen« wie Christus zur Fußwaschung. Das eigentliche Wesen jedes kirchlichen Amtes ist die Seelsorge an den Sündern durch die Verkündigung des Evangeliums an die einzelnen[78].

Die Regel der *communio* mit den Sündern gilt aber nicht nur für das Verhältnis zu den einzelnen, sondern auch für das zu der ganzen Kirche[79]. Auch sie kann sündigen[80]. Eben dann gilt es das »Gesetz Christi« zu erfüllen, die Last der Kirche auf sich zu nehmen. Ist die Kirche entartet, versagen Päpste und Priester, dann ist die Liebe, die Gemeinschaft zu bewähren. Also nicht Trennung, Separation – Luther erklärt mit großer Schärfe den Abfall der Böhmen von der römischen Kirche, den Willen, die Gemeinde der Heiligen aufzurichten, für unentschuldbar, gottlos, wider das Gesetz Christi[81] –, sondern umgekehrt gerade jetzt stärkste Verbundenheit und Anteilnahme. Nun nicht weglaufen, sondern vielmehr hinzulaufen, inmitten der Kirche wirken für ihre Erneuerung[82]. Damit beschreibt Luther den Weg, den er selber in seinem Verhältnis zur römischen Kirche gehen wollte. Hatte er nicht Grund genug, die Gemeinschaft mit der entarteten Kirche zu zerbrechen? Ein leidenschaftliches »Das sei ferne!« ist 1519 seine Antwort. Er will anklagen, schelten, drohen, bitten – aber die Einheit der Kirche soll darum nicht zerbrochen werden. Über alles die Liebe! Um ihretwillen sind nicht nur Verluste an äußeren Gütern des Lebens, sondern auch alle Greuel der Sünde in Kauf zu nehmen. Eine Liebe, die an dem

rechtigkeit und Frömmigkeit den anderen aus den Sünden helfen ... Das sind die rechten christlichen Werke: daß man hinfalle, wickle und flicke sich in des Sünders Schlamm so tief als er drinsteckt, und nehme des Sünde auf sich und wühle sich mit heraus und tue nicht anders, denn als wären sie sein eigen. Strafen soll man und ernstlich mit ihm umgehen, aber nicht verachten, sondern herzlich lieb haben ... das sind die rechtschaffenen hohen Werk, in denen wir uns üben sollen. Vgl. auch 10 I, 2, 68 f.

78. 15, 507,34 (in einer Predigt über die Fußwaschung 1524): Si Episcopi dicunt: si nos lavaremus, tum periret nostra potestas, si Episcopi lavarent et hospitio susciperent pauperes (so ist wohl statt *Episcopos* zu lesen), totum mundum converterent ... Sed illi nihil curant, dummodo manent in majestate. Non poteris imperare Christianis, nisi deponas vestes ut Christus. Ita cum officio praedicationis spiritualiter debent lavare pedes, i. e. cum proximi peccatis umgehn, debeo eum consolari, quando peccat. Vgl. 10 I, 2, 306,18.

79. 2, 605,3.

80. 40 II, 560,10: Facies ecclesiae est facies peccatricis.

81. Vgl. I, 697,12.

82. 2, 605,17: Si enim sunt mali pontifices, sacerdotes aut quicunque, et tu vera charitate ferveres, non diffugeres, sed etiam, si in extremis maris esses, accurreres, fleres, moneres, argueres, prorsus omnia faceres et hanc Apostoli doctrinam (Gal 6,2), secutus non commoda sed onera ferenda tibi esse scires. – Ähnlich 456,20.

anderen nur Vorzüge genießen, nicht Lasten tragen will, ist nichts als Schein[83]. So schließt die *communio* für Luther die Pflicht ein, die Einheit der Kirche trotz Sünde und Entartung in ihr zu wahren. Er selber hätte sich von Rom nie getrennt, wenn es ihn nicht unbußfertig ausgestoßen hätte. Aber auch nach der Trennung darf die *communio* nicht aufhören; Luther hat sich stets der ganzen, der einen Kirche verantwortlich gefühlt. Das war der Sinn seiner Streitschriften gegen Rom bis zum Ende.

Evangelisches Priestertum

Luther kann sein ganzes Verständnis der Kirche als Gemeinschaft der Heiligen auch ausdrücken, indem er das Priestertum als das Lebensgesetz der Kirche beschreibt. Wenn Christus unsere Last trägt und mit seiner Gerechtigkeit für uns eintritt, dann ist das priesterliches Walten; so auch das gegenseitige Tragen und Stellvertreten in der Christenheit[84]. Grund der Kirche ist Christi Priestertum, ihre innere Verfassung das Priestertum der Christen füreinander. Aus Christi Priestertum fließt das der Christen. Als seine Brüder bekommen sie durch ihn Anteil an seinem priesterlichen Amt, und zwar durch die Taufe, die Wiedergeburt, die Salbung mit dem Heiligen Geiste[85]. Das Priestertum bedeu-

83. 2, 605,23: Nunquid et nos, qui ferimus onera et vere importabilia monstra Romanae curiae, ideo fugimus et discedimus? Absit, absit. Reprehendimus quidem, detestamur, oramus, monemus, sed non scindimus ob hoc unitatem spiritus, non inflamur adversus eam, scientes, quod charitas super omnia eminet, non tantum super rerum corporalium damna, sed etiam super omnia monstra peccatorum; ficta charitas est, quae non nisi commoda alterius ferre potest.

84. Daher weist Luther auf Christi Priestertum hin im Zusammenhang mit der apostolischen Mahnung, das Gesetz Christi zu erfüllen, indem man die sündigen Brüder trägt. Br. 1, 61,24.

85. 6, 407,22: Demnach so werden wir allesamt durch die Tauf zu Priestern geweiht. 564,9: Omnes sumus sacerdotes, quotquot Christiani sumus. – 10 II, 309,11: Da (Joh 16,26 f.) hat er uns gekrönt, geweiht und gesalbt mit dem heiligen Geist, daß wir allzumal in Christo Priester seind und priesterlich Amt tun mögen, vor Gott treten, einer für den anderen bitten. Also mögen wir allesamt sagen: Christus ist mein Priester worden, der hat für mich gebeten und erworben den Glauben und Geist, so bin ich nun auch ein Priester und soll weiter bitten für die Welt, daß Gott ihnen auch den Glauben gebe. – 11, 411,31; 12, 308,4: Darum weil er Priester ist und wir seine Brüder sind, so haben alle Christen Macht und Befehl und müssens tun, daß sie predigen und vor Gott treten, einer für den anderen bitte und sich selbst Gott opfere. – 17 II, 6,11 von dem »innerlichen, geistlichen Priestertum«, das »aller Christen gemein« ist: »dies wird mit dem heiligen Geist inwendig im Herzen gesalbet«. 30: Christus ist Priester mit allen seinen Christen ... Dies Priestertum läßt sich nicht machen oder ordnen. Hier ist kein gemachter Priester. Er muß Priester geboren sein und erblich aus der Geburt mit sich bringen. Ich meine aber die Geburt aus dem Wasser und Geist. Da werden alle Christen

tet: vor Gott treten, für andere bitten, eintreten und sich selber Gott opfern, einander das Wort Gottes verkündigen[86]. Priester ist man immer für andere. Luther versteht unter dem Priestertum aller Glaubenden niemals nur »protestantisch« die Unmittelbarkeit zu Gott, das heißt die Freiheit des Christen, ohne menschlichen Mittler vor Gott zu treten, sondern stets »evangelisch« die Vollmacht, für die Brüder, auch für die »Welt« vor Gott zu kommen[87]. Nicht der religiöse Individualismus, sondern gerade die Wirklichkeit der Gemeinde als *communio* ist im »allgemeinen Priestertum« beschlossen. Indem der einzelne unmittelbar vor Gott gestellt wird, empfängt er gerade die Vollmacht der Stellvertretung. Priestertum heißt: Gemeinde; das Priestertum ist die innere Gestalt der Gemeinde als *communio sanctorum*[88]. Dieses Merkmal unterscheidet die Christen von der übrigen Menschheit: sie sind priesterliches Geschlecht, königliches Priestertum[89]. Luther sagt sonst: Der Artikel »Christus hat unsere Sünden getragen« mache »einen großen, ewigen Unterschied zwischen aller anderen Menschen Religion auf Erden und zwischen der unsern«. Man erkennt, wie für ihn beides zusammengehört: Christi Priestertum, der Christen Priestertum; Versöhnungsglaube an Christus und die *communio sanctorum* als Wesen der Kirche. Zuletzt ist ihm das priesterliche Opfern der Christen nichts anderes als Christi Opfer selbst. Das Leben der Christen ist ja sein Leben. Alles Opfer, durch das die Gemeinde besteht, ist ein Sich-Opfern mit und in Christus, im gleichen und selben Opfer, das einmal geschah und doch völlige Gegenwart hat, das nicht wiederholt werden kann, aber in der Wirklichkeit der Gemeinde lebendig ist[90].

solche Priester des höchsten Priesters, Christi Kinder und Miterben. – 12, 178,21; 179,15. – Den Schriftbeweis für das Priestertum aller Christen führt Luther unter anderem mit Joh 6,45; Ps 45,8; 1 Petr 2,9; Offb 5,10; vgl. 6, 407,22; 11, 411,33.

86. Außer den in der vorigen Anmerkung gebrachten Stellen siehe 7, 28,6; 57,24. – In der Schrift »De instituendis ministris Ecclesiae« (1523) 12, 180 ff. zählt Luther die sieben Rechte des allgemeinen Priestertums auf: Gottes Wort verkündigen; taufen; Abendmahl halten; das Schlüsselamt verwalten; für andere bitten; opfern; über die Lehre und die Geister richten und entscheiden. Die gleichen drei Stücke wie 12, 308 (siehe die vorige Anm.) auch ebendort 309,24; 318,29; ebenso EA 40, 150 ff. – 10 III, 107,14.29: Die vierte Pflicht eines Priesters ist, die Sünde des Bruders tragen, wie Christus unsere Sünde getragen hat. (Diese Predigt ist freilich nicht einwandfrei überliefert.)

87. 10 III, 309,11 (s. Anm. 85) zeigt durch den Schluß, daß die Christen die priesterliche Aufgabe nicht nur untereinander, sondern auch gegenüber der »Welt« haben.

88. Vgl. *K. Holl*, S. 320; besonders auch die Wendung in dem Inhaltsverzeichnis S. VII: »Das allgemeine Priestertum als Bedingung für die Herstellung einer wirklichen Gemeinschaft in der Kirche.«

89. 2, 606,17: Hac tessera, hoc symbolo, hac nota discernimur Christiani ab omnibus populis, ut essemus deo in peculium et genus sacerdotale et regale sacerdotium (vgl. Ex 19,5 f.; 1 Petr 2,9).

90. 17 II, 6,23: Jenes (das äußerliche, scheinende Priestertum) opfert Christum wieder-

Auf zwei Erweisungen des Priestertums ist noch besonders einzugehen: die Verkündigung des Wortes Gottes und die Übung der Beichte und Zucht. Das Priestertum aller Glaubenden bedeutet Recht und Pflicht, das Wort Gottes zu bekennen, zu lehren und auszubreiten[91]. Das ist das höchste Priesteramt[92]. Luther bindet freilich das öffentliche Lehren mitten in der Christenheit an die Berufung durch die Gemeinde (S. 284) und läßt öffentliches Hervortreten einzelner ohne Berufung nur für eigentliches Missionsgebiet oder für den Fall der Not, wenn der berufene Lehrer versagt oder irrt, zu[93]. Aber innerhalb dieser Begrenzung sind alle berufen, einander das Wort Gottes zu verkündigen. Und der Gemeinde als ganzer gilt die Vollmacht und Pflicht der Verkündigung ohne Einschränkung. Wer im Glauben steht, kann auch gar nicht anders; »ich glaube, darum rede ich[94]«. Luther kennt keine Gemeinde, die nicht Verkündigerin sein müßte, keine Gemeinde, in der nicht alle zu Zeugen berufen wären, ein jeder zur Seelsorge mit dem Troste des Wortes an den Bruder, der dessen in seiner Not bedarf[95].

Eine besondere Gestalt solcher Verkündigung des Wortes Gottes aneinander

um mit greulicher Verkehrung, dieses (das innerliche, geistliche) läßt ihm genügen, daß Christus einmal geopfert ist, und opfert sich mit ihm und in ihm, im selben und gleichen Opfer.

91. 7, 57,24: Per sacerdotium digni sumus coram Deo apparere, pro aliis orare et nos invicem ea quae Dei sunt docere. – 11, 412,5: Ists aber also, daß sie Gottes Wort haben und von ihm gesalbet sind, so sind sie auch schuldig, dasselb zu bekennen, lehren und ausbreiten (folgt Hinweis auf 2 Kor 4,13; Ps 116,10; 51,15). Also daß hie abermal gewiß ist, daß ein Christ nicht alleine Recht und Macht hat, das Wort Gottes zu lehren, sondern ist dasselbige schuldig zu tun bei seiner Seele Verlust und Gottes Ungnade.

92. 12, 318,28.

93. 6, 408,13; 11, 412,14.

94. 10 III, 234,3: Wo man glaubt, da gibt Gott so viel, daß man nicht allein den Leuten hilft äußerlich mit seiner Hab, sondern auch inwendig bricht heraus und lehret und machet auch reich inwendig. Denn ein solcher Mensch kann nicht schweigen, er muß den andern verkündigen und sagen, wie es ihm gangen ist, und bricht also heraus ins Evangelium wie der Psalm sagt (folgt Ps 51,12 ff.; 116,10). Das ist mir ein wunderbarlich Konsequentia. Aber also folget sie: Wenn ich glaub, so erkenn ich Gott, so siehe ich denn, was andern Leuten fehlet, da muß ich denn reden. – Ebendort 311,27 ff.: Denn wo der rechtgeschaffen Glaub ist, da läßt der Geist dich nicht ruhen. Du brichst heraus, wirst ein Priester und lehrest ander Leute auch (folgt Ps 116,10). 12, 318,29; – 45, 540,17: Darum fähret er heraus, lehret und vermahnet die andern, rühmet und bekennet dasselbige vor jedermann, bittet und seufzet, daß sie auch möchten zu solcher Gnade kommen.

95. 40 III, 342,2.19: Ideo conjunxit nos deus, ut alter alteri porrigat ut dicat: Consolemini pusillanimes (Jes 41,6). – In Veit Dietrichs Druck: Utile autem est in talibus paroxysmis adesse fratrem, qui consoletur nos verbo. Voluit enim Deus Ecclesiam sic esse, ut alter alterum consoletur. – 543,6.20. – 49, 139,6.

ist der Zuspruch der Vergebung der Sünden. »Was ist nun anders sagen ›Dir werden deine Sünden vergeben‹ denn das Evangelium predigen[96]?« Das größte Gut der Gemeinde ist für Luther, daß es in ihr Vergebung der Sünden gibt. Er geht in der »Kurzen Form« 1520 von der Beschreibung der Gütergemeinschaft in der Gemeinde, dem Gang des dritten Artikels folgend, unmittelbar zu der Vergebung der Sünden über: »Ich glaub, daß da sei in derselben Gemein und sonst nirgend Vergebung der Sünd[97].« Diese dem Bruder zu verkündigen und zuzutragen hat die ganze Gemeine und jedes ihrer Glieder die Vollmacht Christi empfangen, nach Mt 16,19 und 18,18[98]. »Die ganze Kirche ist voller Vergebung der Sünde[99].« Das ist die Herrlichkeit der Gemeinde[100]. Sie wird erfahren in der privaten Beichte und Absolution, »da einer dem anderen beichtet und nimmt ihn allein auf einen Ort und sagt ihm, was ihm anliegt, auf daß er von ihm höre ein tröstlich Wort[101]«. Den kirchlichen Zwang zur Beichte lehnt Luther ab. Sie kann nicht Gesetz sein, sie ist ihm eine unentbehrliche Gestalt des Evangeliums, daher nicht Auflage, sondern Geschenk, das er nicht missen kann[102]. Beichte hören ist ein priesterlicher Dienst, um den ich jeden Bru-

---

96. 10 III, 395,8. – 12, 184,32: Ligare et solvere prorsus aliud nihil est quam Evangelium praedicare et applicare.

97. 7, 219,17. – Die *communio sanctorum* und die Vergebung der Sünden setzt auch Thomas in Beziehung zueinander – aber wie anders als Luther! Opusc. 6. expositio Symboli art X.

98. 2, 716,25; 722,10 (1519). Welcher Christenmensch zu dir sagen kann: dir vergibt Gott deine Sünd, in dem Namen usw., und du das Wort kannst fahen mit einem festen Glauben, als spräche Gott zu dir, so bist du gewiß in demselben Glauben absolviert ... Denn diese Gewalt, die Sünde zu vergeben, ist nit anders, denn daß ein Priester, ja so es not ist, ein jeglicher Christenmensch mag zu dem andern sagen, und so er ihn betrübt und geängstet sieht in seinen Sünden, fröhlich ein Urteil sprechen: Sei getrost, dir sein dein Sünd vergeben, und wer das aufnimmt und glaubt als ein Wort Gottes, dem sein sie gewißlich vergeben. – 10 III, 215 f.; 394 ff. – 394,27: Wer nun den Glauben hat und ist ein Christ, der hat auch Christum, daß alle die Güter Christi sein; so hat er auch die Gewalt, die Sünde zu vergeben ... So ist die Gewalt Christi mein. 395,5: Denn wo der Glaub, da folgt alles, das Christi ist. Hat nun ein Christ Macht, die Sünde zu vergeben, so hat er auch Macht, alle Dinge zu tun, so einem Priester zusteht. – 12, 183,30: Nos autem omnes, qui Christiani sumus, habemus commune hoc officium clavium. 184,21.

99. 2, 722,25.

100. 2, 723,2: Also ein groß Ding ist es um einen Christenmenschen, daß Gott nicht voll geliebt und gelobt werden mag, wenn uns nicht mehr geben wäre, denn einen zu hören in solchem Wort mit uns reden. Nu ist die Welt voll Christen, und niemand das achtet noch Gott dankt.

101. 10 III, 97,8. – Luther führt übrigens die naheliegende Stelle Jak 5,16 nicht für sich an, da er sie, mit Erasmus, auf die Abbitte bei dem Bruder für ein diesem zugefügtes Unrecht deutet. Vgl. meinen Beitrag in der Festschrift für Th. Zahn. 1928. S. 176 ff.

102. 10 III, 61,7.28: Aber dennoch will ich mir die heimliche Beichte niemand lassen

der angehen kann[103]. Auch wenn ich mich an den berufenen Diener am Wort wende – und Luther denkt in der Regel an ihn –, ist es brüderlicher Dienst, den ich erbitte: Luther sieht in dem Priester den Bruder, dessen Beichtehalten immer zugleich ein Mittragen der Sünde ist[104]. Es steht unter der Verheißung von Mt 18,19[105]. Diese Privatbeichte bei dem Bruder kann die Gemeinde nicht entbehren. Ein starker Glaube an die Vergebung Gottes bedarf allerdings des Bruders nicht – der Christ mag dann alleine Gott beichten. Aber wie viele haben solchen starken Glauben[106]? Und sollten wir nicht jeden Weg, das Evangelium zu hören, mit großer Dankbarkeit nützen? »Gott hat uns so hoch begnadet, daß er alle Winkel voll des Wortes Gottes gesteckt hat«, nämlich in Gestalt der Brüder, der Mitchristen in der Gemeinde. Das soll man nicht in den Wind schlagen, sondern dankbar aufnehmen[107]. »Das Evangelium soll ohne Unterlaß schallen und klingen durch aller Christen Mund, darum soll man mit Freuden annehmen, wo und wann mans hören kann, die Hände aufheben und Gott danken, daß du es überall hören kannst[108].« Das ist für Luther offenbar das Größte an

nehmen und wollte sie nicht um der ganzen Welt Schatz geben. Denn ich weiß, was Trost und Stärke sie mir gegeben hat. Es weiß niemand, was sie vermag, denn wer mit dem Teufel oft und viel gefochten hat. Ja, ich wäre längst vom Teufel erwürgt, wenn mich nicht die Beichte erhalten hätte.

103. 10 III, 395,25: Item so ich komm zu meinem guten Freunde und sag ich zu ihm: Lieber guter Freund, das ist mein Not und Anliegen in Sünden, und er soll frei sagen: Dir sein deine Sünde vergeben, gehe im Friede Gottes, das sollst du glauben und frei glauben, daß sie dir vergeben sein, als wäre Christus selbst dein Beichtvater gewesen, wo ers allein in dem Namen Gottes tut. – 398,35: Also wenn dich dein Gewissen peinigt, so gehe zu einem frommen Mann, klag ihm deine Not, vergibt er dir die, so sollst du es annehmen, er darf dazu keines Papstes Bullen.

104. 8, 184,27: Ja, ich sag weiter und warne, daß ja niemand einem Priester als einem Priester heimlich beicht, sondern als einem gemeinsamen Bruder und Christen. – 15, 487,6: Si fratrem consulo, sic et sic diabolus me decepit, tamen incipit charitas fraterna et juvat te. Luther denkt in der ganzen Predigt offenbar an die Beichte bei dem Priester. Aber er redet immer wieder einfach von dem »Bruder« (488,4.8). – Darauf, daß Luther »oftmals auch den Geistlichen absichtlich als Nächsten oder Bruder« bezeichnet, hat schon J. Köstlin: Luthers Theologie II². 1901. Anm. 527 hingewiesen. Luther lehnt das hierarchische Verständnis des Amtes als wider-evangelische Entstellung ab.

105. 8, 184,7. Unter Berufung auf Jesu Zusage: »Drumb laßt uns nur frisch und tröstlich erwägen auf seine klaren Worte, und einer dem andern beichten, raten, helfen und bitten, was uns immer anliegt heimlich, es sei Sünde oder Pein, und ja nicht zweifeln an solcher lichter, heller Zusagung Gottes.« – Es ist an dieser und anderen Stellen bezeichnend, daß Beichten und Vergeben durchaus nicht als isolierte Akte zu stehen kommen, sondern mit dem »Raten« und »Helfen« zusammengehören.

106. 10 III, 63,1.   107. 15, 486,2; 488,2. Vgl. auch den Druck Zeile 14 ff.

108. 15, 486,17. (Die Gestalt der Stelle geht nicht sicher auf Luther selbst zurück.) 488,30: Denn welchem willst du dein Gebrechen klagen denn Gott? wo kannst du ihn aber finden denn in deinem Bruder? Der kann dich mit Worten stärken und helfen.

der Gemeinde, daß sie bedeutet: Gottes Wort, das Evangelium ist mir ganz nahe und gegenwärtig, ich bin von ihm überall umfangen, umtönt, ich brauche nur nach ihm zu fragen. In jedem Bruder ist es mir nahe, denn er darf es mir in meine Not hinein sagen im Namen Gottes[109].

Das Sakrament der communio

Die Wirklichkeit der Kirche als *communio sanctorum* fand Luther ausgedrückt und verbürgt in dem Sakrament des Abendmahls[110]. Er entfaltet 1519 gerade in einem Sermon vom Abendmahl sein Verständnis der Kirche als Gemeinde. Als »Sakrament der Liebe« hatten auch Augustin und Thomas das Abendmahl schon gewürdigt[111]. Aber bei Luther wird auch dieses Erbe neu, weil er die *communio* neu versteht. Im Abendmahl empfängt man »ein gewisses Zeichen der

---

109. Hier ist noch einmal an das *mutuum colloquium et consolatio fratrum* in den Schmalkaldischen Artikeln zu erinnern: Luther stellt es mit einem »und auch« neben die Predigt, die Taufe, das Sakrament des Altars, die Kraft der Schlüssel als eins der Mittel, durch die Gott uns Rat und Hilfe wider die Sünde gibt. Er unterscheidet das *mutuum colloquium* ... von der »Kraft der Schlüssel«; es bedeutet wohl »den ganzen Verkehr der des Trostes und Rates bedürftigen Christen mit ihren Brüdern« *(J. Köstlin)*. Aber es ist doch von der Absolution nicht zu lösen. (Vgl. die Wittenberger Konkordie: die Absolution als Zweck des *colloquium*: colloquium propter absolutionem et institutionem.) Das *consolari* der Sünder besteht in dem Mitteilen der Vergebung der Sünden. Vgl. 15, 508,1.

110. Die Quellen für diese Würdigung des Abendmahls als Sakrament der *communio sanctorum* reichen von 1519 bis 1524. In erster Linie ist zu nennen der Abendmahlssermon von 1519; 2,742 ff. Ferner: Vom Anbeten des Sakraments ... 1523; 11, 431 ff. Sodann Predigten der Jahre 1522 bis 1524: 10 III, 55 ff.; 12, 485 ff.; 15, 497 ff.

111. 2, 745,25. – Vgl. Augustin, In Joann. 26,13, MSL 35, Sp. 1613: O signum unitatis! o vinculum charitatis! – Thomas, Summa III, qu. 53,3: eucharistia dicitur sacramentum charitatis, quae est vinculum perfectionis, ut dicitur Col. 3,14. – Vgl. *B. Bartmann*: Dogmatik II⁴/⁵. S. 342: »Die Eucharistie ist das Sakrament der Liebe.« Auch die Symbolik der Elemente (Brot wird, indem die Körner, die »ein jeglichs für sich ein eigen Leib« sind, ihr Eigensein, ihre Gestalt aufgeben, ihr Mehl ineinander mengen und ein Leib werden; entsprechend wird aus den Beeren durch die Hingabe ihres Fürsichseins der Wein) und des Essens und Trinkens (indem wir Brot und Wein genießen, verwandeln wir sie in uns), in der Luther »die Liebe abgemalt« findet (2, 748,6; 11, 441; 12, 488,11; 15, 503,1.8; 19, 509,29; 511,1), wird schon in der Tradition geltend gemacht. So bei Cyprian in seinen Briefen (ad Caecilium, ep. 63, ad Magnum, ep. 76), Augustin Vgl. auch Joh. Gerhard, loci V, 13 Preuß.
Aber hier überall ist der Vergleichspunkt nur dieser, daß die vielen zur Einheit werden. Dagegen fehlt das für Luthers Deutung Wichtigste: nämlich daß die Körner und Beeren ihre Gestalt verlieren – wie Christus unsere Gestalt annimmt und wir seine und der anderen Christen.

Gemeinschaft und Einleibung mit Christo und allen Heiligen[112]«. Wie die *communio* zugleich Gabe und Beruf ist, so hat auch das Abendmahl den einheitlichen Doppelsinn[113]: es verpfändet mir das priesterliche Opfer und Eintreten Christi und der ganzen Kirche für mich[114], er verpflichtet mich zu priesterlichem Opfer für die Brüder[115]. Man darf sich nicht nur an das erste halten, an den Trost des Sakraments, und die Pflicht vergessen. Solchem Eigennutz ist das Sakrament nichts nütze. Die Frucht dieses Sakraments ist die Liebe, wie sie sein Grund ist[116]. Luther weiß, daß er mit solchen Sätzen nicht nur die übliche egoistische Praxis, sondern auch die individualistische Lehre vom Abendmahl trifft. Das Abendmahl wird in seinem eigentlichen Sinne nicht mehr verstanden[117]. Es werden viele Messen gehalten, »und doch die christliche Gemeinschaft,

112. 2, 743,20. Vgl. 2, 743,7: Die Bedeutung oder das Werk dieses Sakraments ist Gemeinschaft aller Heiligen. – 694,22: Ich sei sein würdig oder nit, so bin ich (wenn der Priester mir den heiligen Leichnam Christi gegeben hat) ein Glied der Christenheit nach Laut und Anzeigung dieses Sakraments. – 6, 63,4: Das Sakrament des heiligen Leichnams Christi ist ein Zeichen der Gemeinschaft aller Heiligen.

113. 2, 743,27: Diese Gemeinschaft steht darin, daß alle geistlichen Güter Christi und seiner Heiligen mitgeteilt und gemein werden dem, der dies Sakrament empfängt, wiederum alle Leiden und Sünden auch gemein werden und also Liebe gegen Liebe entzündet wird und vereinigt. 745,36.

114. 2, 744, 8.28; 745,7: Also in diesem Sakrament wird dem Menschen ein gewiß Zeichen von Gott selber geben durch den Priester, daß er mit Christo und seinen Heiligen soll also vereinigt werden und alle Ding gemein sein, daß Christus Leiden und Leben soll sein eigen sein, dazu aller Heiligen Leben und Leiden.

115. 2, 745,18: Wenn du also dieses Sakrament genossen hast oder nießen willst, so mußt du wiederum mittragen der Gemeine Unfall ... Da muß nu dein Herz sich in die Lieb ergeben und lernen, wie dies Sakrament ein Sakrament der Lieb ist, und wie dir Lieb und Beistand geschehn, wiederum Lieb und Beistand erzeigen Christo in seinen Dürftigen.

116. 10 III, 55,10. – 15, 497 ff.; 500,7: Oportet ergo exhibeas charitate te sumpsisse sacramentum. – Daher erinnert Luther, wenn er zur Liebe rufen will, auch in ganz anderem Zusammenhang an den Sinn des Abendmahls, das so viele fruchtlos nehmen. 11, 76,26. – In der »Deutschen Messe« heißt es in der Kollekte nach dem Abendmahl: (19, 102,8) »und bitten deine Barmherzigkeit, daß du uns solches gedeihen lassest zu starkem Glauben gegen dir und zu brünstiger Liebe unter uns allen«. Diese letzte Wendung hat, soviel ich sehe, in der römischen Messe weder ein Vorbild noch eine Entsprechung. Der ganze Passus dieser Kollekte von »daß du uns solches gedeihen lassest ...« an ist von Luther selber verfaßt, während dem ersten Teil die Postcommunio der Messe des 18. Sonntags nach Pfingsten zugrunde liegt; siehe *P. Drews*: Beiträge zu Luthers liturgischen Reformen. 1910. S. 95 f.

117. 2, 747,4.26. – 10 III, 57,7 (an die Gemeinde zu Wittenberg): Ihr wollt von Gott all sein Gut im Sakrament nehmen und wollt sie nit in die Liebe wieder ausgießen; keiner will dem andern die Hände reichen, keiner nimmt sich des andern ernstlich an. – 12, 470,16: O welch ein Hohn und Spott wird Gott geschehen, daß wir alle das Sa-

die da sollt geprediget, geübt und in Christi Exempel fürgehalten werden, ganz untergeht«. Das war in der alten Kirche anders – Luther hält seiner Zeit in ihrer individualistisch entarteten Abendmahlsfeier das Bild des urchristlichen Herrenmahles vor[118]. Und in der Tat, seine Abendmahlslehre in den entscheidenden reformatorischen Jahren bedeutet, daß er die urchristliche »Gemeinschaft des Leibes Christi« im Sinne von 1 Kor 10,16 f. wiederentdeckt hat. Mit dem neutestamentlichen Gedanken der Kirche als *communio* hat Luther zugleich das Sakrament der *communio* als solches wiedergewonnen. Das Abendmahl ist ihm das rechte Sakrament der Kirche als Gemeinde. Es steht im Mittelpunkt ihres Lebens, Ausdruck und Pfand des »Gesetzes Christi«, seiner Liebe, von der sie lebt, in der sie leben soll.

Wie ernst Luther es mit diesem Verständnis des Abendmahls ist, zeigt sich darin, daß er es wagt, neben das Essen Christi im gläubigen Genießen des Sakraments das gegenseitige Sich-Essen und -Trinken der Christen durch die Güter- und Not-Gemeinschaft der Liebe zu stellen[119]. Wie Christus im Abendmahl uns Speise und Trank ist, so sind wir auch füreinander Speise und Trank, das heißt: alles, was ich habe, gebe ich meinem Nächsten, der dessen bedarf, und umgekehrt lasse ich mir in meiner Armut durch ihn dienen und helfen. Allerdings hat die Entsprechung zwischen dem »Essen« Christi und dem Essen des Nächsten bei Luther eine klare Grenze: es handelt sich um eine Entsprechung nur zu dem geistlichen Essen Christi, das heißt: dem Empfangen Christi im Glauben an sein »für euch« – darüber hinaus aber weiß Luther von einem leib-

krament nehmen und gute Christen sein wollen. Aber wollen uns nicht auch also herunter lassen und dem Nächsten dienen.

118. 2, 747,14. – Luther lehrt das Abendmahl auch in anderer Beziehung als Sakrament der Gemeinde verstehen. Er erinnert an die erste Kirche: die Kommunion war Bekenntnis, Erkennungszeichen der Christen, das Verfolgung und Tod über sie brachte. 15, 491,3.

119. 11, 441,4: Und gleichwie ein Glied dem andern dienet in solchem gemeinem Leibe, also isset und trinket auch einer den andern, das ist, er geneußt sein in allen Dingen und ist je einer des andern Speis und Trank, daß wir also eitel Speis und Trank sind untereinander, gleichwie Christus uns eitel Speis und Trank ist. – 15, 503,6: Christum per fidem edo, cum credo verbo sacramenti. Ita proximus me edit, quando omnia mea sibi inserviunt. Econtra ego pauper alterius ope indigeo. – In der Bearbeitung für den Druck Z. 26: Wir essen den Herrn durch den Glauben des Worts, das die Seele zu sich nimmt und sein geneußt. So isset mein Nächster mich wieder, mein Gut, Leib und Leben gebe ich ihm und alles was ich hab, und laß ihm des alles genießen zu aller Notdurft. Item, so darf ich meines Nächsten wieder, bin auch arm und elend und lasse mir wieder helfen und dienen. Also werden wir ineinander geflochten, daß einer dem andern hilft, wie uns Christus geholfen hat, welches geistlich einander essen und trinken heißt. 498,14. – Vgl. auch den Schluß des Abendmahlsliedes von 1524: Jesus Christus, unser Heiland, der von uns den Gottes Zorn wandt; »deinen Nächsten sollst du lieben, daß er dein genießen kann, wie dein Gott an dir getan.« 35, 437,5.

lichen Essen des Leibes Christi, und dieses hat keine Entsprechung im Verhältnis der Christen untereinander[120].

Diese Gedanken ebenso wie die ganze Würdigung des Abendmahls als Sakrament der *communio sanctorum* treten bei Luther später in den Hintergrund gegenüber dem alles beherrschenden Interesse an der Realpräsenz und dem Genießen des himmlischen Leibes und Blutes Christi. Die Gedanken von 1519 finden sich, soviel ich sehe, nur bis in das Jahr 1524 – es ist bezeichnend, daß sie eben da aufhören, wo der Kampf um die Realpräsenz beginnt. Dadurch ist die Lehre vom Abendmahl und die Feier des Mahles in der lutherischen Kirche gegenüber der urchristlichen Fülle ohne Frage verengt und verarmt worden. Das Abendmahl hat auch durch Luther seine urchristlich-beherrschende Stellung im Leben der Kirche als Gemeinde noch nicht wiederbekommen. In der Feier unserer Kirche ist es wohl Höhepunkt des einzelnen Christenlebens, aber nicht ebenso Mittelpunkt des Lebens in der Gemeinschaft des Leibes Christi. In dieser Beziehung steht Luthers erste Abendmahlsschrift, der Sermon von 1519, höher als alle folgenden. Wir müssen heute seine Gedanken wieder aufnehmen[121].

Die Lehre von der Gemeinschaft der Heiligen bedeutet bei Luther eine überaus lebendige Vorstellung von der Gegenwart Christi in der Gemeinde. Christus ist gegenwärtig in doppelter Weise, im Geben und im Nehmen. In dem Worte des Ernstes und Trostes, das die Gemeinde oder der Bruder mir im Namen Gottes sagt, in seinem Eintreten für mich, in seinem Tragen und Helfen ist Christus selber da[122]; wir dürfen und sollen in diesem Sinne, durch Entäußerung zur »Knechtsgestalt«, einer dem anderen ein Christus sein[123]. Zugleich aber: in den Bedürftigen, Sündern, Belasteten ist laut seines eigenen Wortes Mt 25,40 Christus da[124] – was den geringsten Brüdern geschieht, geschieht ihm; in ihnen allein will er geliebt, bedient sein. Das ist Christi Gegenwart in der Gemeinde.

120. Vgl. die klare Unterscheidung 23, 179,17.
121. Vgl. dazu *Paul Philippi*: Abendmahlsfeier und Wirklichkeit der Gemeinde. 1960.
122. Br. 4, 238,10: Non frustra haec peto, quia opus est mihi precibus fratrum et auxilio, in quibus Christum meum venetor et adoro.
123. 7, 35,34: und gegen meinen Nächsten auch werden ein Christen, wie Christus mir geworden ist. 7, 66,3.25.35. Dabo itaque me quendam Christum proximo meo, quemadmodum Christus sese praebuit mihi ... Debemus ... unusquisque alteri Christus quidam fieri, ut simus mutuum Christi et Christus idem in omnibus, hoc est, vere Christiani.
124. 12, 333,24. Vor allem vgl. die Predigt vom 30. September 1526; 20, 514. In der Bearbeitung der Predigt für den Druck heißt es, sachlich durchaus entsprechend Rörers Nachschrift: »Also ist die Welt voll Gottes. In allen Gassen vor deiner Tür findest du Christum, gaff nicht in den Himmel« usw. – Vgl. auch eine Briefstelle wie Br. 4, 15,13.

Das kirchliche Amt

Begründung und Inhalt

In der Schrift »Von den Conciliis und Kirchen« zählt Luther zu den Kennzeichen dafür, daß Kirche da ist, auch, daß sie Ämter hat und Menschen in sie beruft[1]. Dieses Kennzeichen steht freilich erst an fünfter Stelle: voran geht das Gotteswort, die Taufe, das Abendmahl, die Schlüssel. Aber eben um dieser vier »Heiltümer« willen ist es nötig, daß die Christenheit, »das christliche heilige Volk«, Ämter hat, »Kirchendiener«, welche diese Heiltümer reichen[2]. Die Notwendigkeit und Vollmacht der Ämter und ihres Dienstes begründet Luther nun doppelt. Das eine Mal geht er von dem Priestertum aller Getauften aus: sie alle sind kraft ihres Priestertums zum Dienst am Wort und Sakrament bevollmächtigt und berufen, aber es geht nicht an, daß ein jedes Glied der Gemeinde diesen Dienst öffentlich, für die ganze Gemeinde versieht. Das würde zu einem schlimmen Durcheinander führen[3]. Um das zu verhüten, muß die Gemeinde den öffentlichen Dienst einem allein übertragen, der ihn »von wegen und im Namen der Kirche« versieht. »Viel mehr« aber als auf diese Weise ergibt sich die Notwendigkeit und Vollmacht des Amtes aus der Einsetzung Christi: er hat nach Eph 4,8. 11 »den Menschen Gaben gegeben«, etliche zu Aposteln, Propheten, Evangelisten, Lehrern usw. gesetzt. Diese Einsetzung bezieht sich nicht nur auf die erste Generation. Denn die Kirche soll bleiben bis an der Welt Ende. Daher müssen, nachdem die urchristlichen Apostel und so weiter nicht mehr da sind, andere an ihre Stelle treten, »die Gottes Wort und Werk treiben[4]«. So ist das Predigtamt von Gott selber »geboten, gestiftet und geordnet[5]«.

1. 50, 632,35: Zum fünften kennt man die Kirche äußerlich dabei, daß sie Kirchendiener weihet oder beruft oder Ämter hat, die sie bestellen soll. – Vgl. zu diesem Kapitel »Das kirchliche Amt« auch W. *Brunotte*: Das geistliche Amt bei Luther. 1959. – H. *Lieberg*: Amt und Ordination bei Luther und Melanchthon. Diss. Erlangen 1960.

2. 50, 632,36: Denn man muß Bischöfe, Pfarrherr oder Prediger haben, die öffentlich und sonderlich die obgenannten vier Stück oder Heiltum geben, reichen und üben. – 11, 411,22: Weil aber Christliche Gemeine ohn Gottes Wort nicht sein soll oder kann, folget ..., daß sie ... Lehrer und Prediger haben müssen, die das Wort treiben. – 39 II, 287,9: Opus est ... perpetuo in Ecclesia ministerio verbi.

3. 12, 189,23: ne turpis sit confusio in populo Dei. – 50, 633,6: Denn der Haufe kann solches nicht tun, sondern müssens einem befehlen oder lassen befohlen sein. Was wollt sonst werden, wenn ein jeglicher reden oder reichen wollt, und keiner dem andern weichen? Es muß einem allein befohlen werden und lassen allein predigen.

4. 50, 633,2; 634,11.

5. 50, 647,8. Weitere Stellen für die Einsetzung des Amtes durch Gott bzw. Christus: 30 II, 598,33. – 37, 269,18; 192,5; siehe *Elert*: Morphologie I. S. 301 im Text und Anm. 1. – 38, 240,24: Die Amt und Sakrament sind nicht unser, sondern Christi. Denn er hat solches alles geordnet und hinter sich gelassen in der Kirche, zu üben und gebrauchen bis

Luther stellt die beiden Begründungen des Amtes, von »unten« und von »oben« her, unbefangen nebeneinander. Sie bilden für ihn keinen Gegensatz. Aber es sind deutlich zwei verschiedene Linien. Das eine Mal begründet er das Amt unter Voraussetzung des allgemeinen Priestertums, von ihm aus, also mittelbar; das andere Mal leitet er es, ohne auf das Priestertum aller sich zu beziehen, unmittelbar von der Setzung Christi her, der von Anfang an die Verkündiger des Evangeliums gegeben hat. Beide Begründungen setzen voraus, daß das Evangelium verkündigt werden und die Sakramente verwaltet werden müssen, damit die Kirche bleibe, solange die Welt steht. Aber bei der Frage, wer das tun solle, gabelt sich der Weg. Die eine Gedankenreihe antwortet zunächst: alle – und kommt erst von da aus mit einer rationalen, nämlich soziologischen Erwägung zu der Notwendigkeit, einen einzelnen mit dem Amt zu betrauen. Die andere weiß das besondere Amt direkt vom Herrn gegeben und eingesetzt. Aber auch bei der Begründung vom allgemeinen Priestertum her geht das Amt auf Gottes Willen zurück, wenn auch nicht unmittelbar, so doch mittelbar; denn Gott will Ordnung in der Gemeinde.

Luther kann das Amt nicht allein auf die unmittelbare Einsetzung durch Christus zurückführen. Dadurch würde verdunkelt, daß alle getauften Christen von Christus, dem Priester, das Priestertum überkommen haben, durch ihn ermächtigt und verpflichtet sind, alle Funktionen des Priesters, wie Luther sie beschreibt, auszuüben[6]. Sie haben alle die Vollmacht des Dienstes am Wort und Sakrament[7]. Weil das besondere Amt das priesterliche Amt aller Christen nicht aufhebt, weil ihm dieses das Lebensgesetz der Gemeinde ist, muß er das besondere Amt angesichts des allgemeinen begründen. Er tut es auf die Weise, daß er das besondere Amt aus dem allgemeinen ableitet. Dabei unterscheidet er die Ausübung des Priestertums zwischen Bruder und Bruder sowie im Falle der Not – und die öffentliche, der ganzen Gemeinde geltende Versehung des Dienstes am Wort[8]. Hier wird das besondere Amt notwendig unter dem Gesichtspunkt der Ordnung, für den Luther sich auf Paulus, 1 Kor 14,40, beruft: in der Gemeinde soll alles ordentlich zugehen[9]. Daher muß die Gemeinde einen einzelnen in das besondere Amt, den Dienst an Wort und Sakrament berufen[10]. Damit geschieht eine Delegation der Vollmacht, die die ganze Gemeinde und jeder einzelne hat, an einen, den sie aus ihrer Mitte erwählt oder ein Oberer beruft. Denn eben weil die Vollmacht zum Dienst am Wort und Sakrament

an der Welt Ende. – In seinem Bekenntnis von 1528 stellt Luther »das Priesteramt« mit dem Ehestand und der weltlichen Obrigkeit zusammen als »heiligen Orden«, »Stift«, »Stand« von Gott eingesetzt. 26, 504,30.

6. Vgl. S. 270.   7. 6, 566,27.

8. 12, 189,25: Aliud enim est jus publice exequi, aliud jure in necessitate uti: publice exequi non licet, nisi consensu universitatis seu Ecclesiae. In necessitate utatur quicunque voluerit.

9. 12, 189,24.   10. 6, 440,30.

der ganzen Gemeinde gegeben ist, darf kein einzelner für sich allein sich anmaßen, sie auszuüben. Er muß dazu berufen sein, er muß das Einverständnis der Gemeinde haben. Dann versieht er das Amt anstatt aller, der ganzen Gemeinde, als ihr Stellvertreter[11].

Stellvertreter der Gemeinde, der in ihrer aller Namen handelt, ist der Pfarrer sowohl in der Verkündigung wie auch in der Liturgie. Luther hat davon herrlich gehandelt in seiner Schilderung einer evangelischen Messe, als der »rechten christlichen Messe«. Der Pfarrer singt »die Ordnung Christi im Abendmahl eingesetzt«, also den Abendmahlsbericht; die Gemeinde kniet neben, hinter, um ihn, alle »rechte heilige Priester«, wie auch der Pfarrer selber; und »lassen unsern Pfarrherrn nicht für sich, als für seine Person die Ordnung Christi sprechen, sondern er ist unser aller Mund, und wir alle sprechen sie mit ihm von Herzen[12]«. Man sieht: das stellvertretende Handeln des Pfarrers schließt das Mittun der Gemeinde nicht aus, sondern ein. Ebenso ist es auch bei der Verkündigung des Wortes. Bei Luther entbindet das öffentliche Verkündigen des Dieners am Wort die Glieder der Gemeinde nicht von ihrer priesterlichen Pflicht, einander das Wort Gottes zu sagen.

Das besondere Amt, zu dem einer aus der Gemeinde des allgemeinen Priestertums berufen wird, hat bei Luther keinen anderen Inhalt und auch keine andere Vollmacht als das Priestertum aller anderen. Der Träger des kirchlichen Amtes handelt im Namen Christi, sein Wort ist Christi Wort, er steht den Gliedern der Gemeinde an Christi Statt gegenüber[13]. Aber das alles gilt auch von jedem

11. Für die Ableitung des Amtes aus dem allgemeinen Priestertum vgl. besonders: An den christlichen Adel; De captivitate; De instituendis ministris Ecclesiae (1523); Daß eine christliche Versammlung ... (1523); Von der Winkelmesse und Pfaffenweihe (1533). – 6, 407,29; 408,13; 566,26: Esto itaque certus et sese agnoscat quicunque se Christianum esse cognoverit, omnes nos aequaliter esse sacerdotes, hoc est eandem in verbo et sacramento quocunque habere potestatem, verum non licere quenquam hac ipsa uti nisi consensu communitatis aut vocatione majoris (quod enim omnium est communiter, nullus singulariter potest sibi arrogare, donec vocetur). – 6, 408,13: Denn weil wir alle gleich Priester sein, muß sich niemand selbst hervortun und sich unterwinden, ohn unser Bewilligen und Erwählen das zu tun, des wir alle gleiche Gewalt haben. Denn was gemeine ist, mag niemand ohne der Gemeine Willen und Befehl an sich nehmen. Vgl. 407,30. – 12, 180,17: Verbi ministerium esse omnibus Christianis commune. 189,17.

Für den Gedanken der Delegation und Stellvertretung vgl. unter anderem 6, 407,31: dieselbe Gewalt für die andern auszurichten. – 11, 412,32: daß er anstatt und Befehl der andern predige und lehre; 413,22: der an ihrer Statt das Wort lehre. – 12, 189,22: qui vice et nomine omnium, qui idem juris habent, exequantur officia ista publice. – 38, 230,19 f.: von unser aller wegen.

12. 38, 247,9 (1533).

13. 37, 381,14: Das ist ein groß Ding, daß eins jeglichen Pfarrers Mund Christi Mund ist. – 49, 140,8: Ideo non debes pfarrherr audire ut hominem, sed ut Deum.

Christen, der von seinem Bruder in der Beichte oder sonst seelsorgerlich in Anspruch genommen wird. »Die Gewalt Christi ist mein«, so darf jeder Christ sagen, weil er durch Christus Priester ist[14]. Auch er steht seinem Bruder, der ihn in Anspruch nimmt und ihm seine Not und Sünde bekennt, im Namen und in der Autorität Christi gegenüber[15]. Das Gegenüber Christi zu der Gemeinde und allen ihren Gliedern erscheint in dem Gegenüber des Amtes zur Gemeinde und jedem Glied, aber nicht weniger in dem Gegenüber eines jeden Christen zu seinem Bruder, wenn er ihm das Wort Gottes zu sagen, den Trost des Evangeliums, die Vergebung zu verkündigen hat. So ist der einzige Unterschied des kirchlichen Amtes gegenüber dem Priestertum aller das Moment der Öffentlichkeit, des auf die ganze Gemeinde gerichteten öffentlichen Dienstes am Wort und Sakrament. Dem einzelnen Christen sind seine Nächsten anvertraut, dem Träger des Amtes die ganze Gemeinde. Wenn neulutherische Theologen die Autorität der Amtsträger und die der Laien-Christen grundsätzlich unterschieden, wenn sie dem Sakrament eine größere und sicherere Wirksamkeit zusprachen, falls es durch den Amtsträger ausgeteilt wurde, gegenüber der Wirkung des von einem Laien verwalteten, so hat das mit Luther nichts zu tun, so gewiß er die Verwaltung der Sakramente normal durch das geordnete Amt vollzogen wissen wollte. Er spricht von dem *ministerium verbi*, dem Dienst am Wort, dem Predigtamt, als dem »höchsten Amt in der Kirche[16]«. Aber auch dann denkt er nicht nur an das besondere Amt, sondern an das allen Christen mit ihrem Priestertum verliehene und aufgetragene[17]. Christus hat das eine wie das andere eingesetzt. Von wem der Dienst am Wort versehen wird, ist für Luther eine sekundäre Frage gegenüber dem, daß er versehen wird. Alles liegt an der Funktion, die Frage nach der Person ist demgegenüber zweiten Ranges[18].

Das alles bedeutet ein mehrfaches Nein zur römischen Lehre und Praxis. Zuerst: der Träger des kirchlichen Amtes ist nicht »Priester« im Sinne der Tradition. Der Titel »Priester« ist vielmehr allen Christen eigen und darf daher

14. 10 III, 394,32.

15. Das hat Luther trotz seines Kampfes wider die »Schleicher und Winkelprediger« auch in seinen späten Jahren mit der gleichen Bestimmtheit wie in den ersten reformatorischen Schriften ausgesprochen. So 49, 139,3. In der Auslegung von Joh 20,21 (»Gleichwie mich der Vater gesandt hat, so sende ich euch«) heißt es: »Solchen Befehl tue ich euch auch usque ad finem mundi, ut sciatis, quod non faciatis vestra autoritate, sed ex ejus Befehl, qui vos mittit, ut sciatis non ex humana potentia hoc fieri ...« Und dann sagt Luther ausdrücklich: »Non loquor tantum de illis, qui ministri, sed omnibus Christianis.« Also handeln auch die Christen, die nicht im kirchlichen Amt stehen, wenn sie einander Trost zusprechen, auf Befehl und mit der Autorität Christi.

16. 11, 415,25.30; 12, 181,17.

17. 12, 181,17: ... ministerium verbi summum in Ecclesia officium esse prorsus unicum et omnibus commune, qui Christiani sunt, non modo jure, sed et praecepto.

18. *W. Elert:* Morphologie I. 1931. S. 301.

nicht für den Träger des Amtes als solchen in Anspruch genommen werden. Im Neuen Bund ist kein Platz für ein besonderes, durch einen liturgischen Ritus geweihtes Priestertum, sondern nur für das »angeborene« aller Getauften[19]. Demgemäß gibt auch das Neue Testament keinem Apostel oder einem anderen Amt der Christenheit den Namen Priester, sondern allen Christen insgemein[20]. Daß man in der Kirche dann doch wieder Priester hatte, war Wirkung des Kultus der heidnischen Umwelt oder alttestamentlich-jüdisches Erbe, eine Paganisierung oder Judaisierung, die der Kirche zu großem Schaden gereichte[21]. Das kirchliche Amt, das man bisher Priestertum nannte, hat seinen Inhalt in nichts anderem als in dem Dienst am Wort[22]. Daher soll man die Pfarrer nicht Priester nennen, sondern etwa, wie der Apostel Paulus, »Diener« (1 Kor 4,1)[23]. Zweitens: demgemäß versetzt die Berufung in das kirchliche Amt auch nicht in einen besonderen christlichen Stand, sondern eben nur in den besonderen Dienst mit dem Wort und Sakrament an der Gemeinde. Es gibt keinen *character indelebilis*. Zwischen dem berufenen Pfarrer und dem Laien besteht ein Unterschied nur von Amts wegen, nicht des Seins, sondern nur des Wirkens[24]. Die Priesterweihe, der *ordo*, ist kein Sakrament, weil als ein solches nicht aus der Schrift zu begründen, sondern nur eine liturgische Handlung *(ritus)*, mit der die Berufung der Prediger des Evangeliums vollzogen wird[25]. Diese – die Berufung – ist der entscheidende Akt. So urteilt Luther nicht nur in seiner Frühzeit, sondern noch 1541.

19. 12, 178,21: ... in novo testamento sacerdotem externe unctum nullum esse nec esse posse. 26: Sacerdos enim novo praesertim testamento non fit, sed nascitur, non ordinatur sed creatur.

20. 38, 230,13: Der Heilige Geist hat im Neuen Testament mit Fleiß verhütet, daß der Name Sacerdos, Priester oder Pfaffe auch keinem Apostel noch einigen andern Amte ist gegeben, sondern ist allein der Getauften oder Christen Namen, als ein angeborener erblicher Name aus der Taufe.

21. 12, 190,12: Quod autem sacertotes vocantur, id vel ex gentilium ritu vel ex Judaicae gentis reliquiis sumptum est, deinde maximo Ecclesiae incommodo probatum.

22. 1, 566,32: sacerdotium esse non nisi ministerium verbi. – 38, 239,10: Also bleibt nichts im Pfarramt oder Predigtamt, denn das einige Werk, nämlich geben oder darreichen das Evangelion, von Christo befohlen zu predigen.

23. 12, 190,11.

24. 6, 657,19: der Priester a laico nihil differat nisi ministerio.

25. De capt. babylon. 6, 560 ff., besonders 564,16; 566,31. Ordinis sacramentum, si quicquam est, esse nihil aliud quam ritum quendam vocandi alicujus in ministerium Ecclesiasticum. – 54, 428,3 ff. Ordo non est sacramentum, sed ministerium et vocatio ministrorum Ecclesiae.

Das Amt kann der einzelne Christ sich nicht selber anmaßen. Es wird ihm durch ordentliche Berufung zuteil. Luther hatte guten Grund, das gegenüber den vielen schwärmerischen Winkelpredigern zu betonen. Er unterscheidet zwei Arten der Berufung durch Gott in das Amt: die innere, unmittelbare – so hat Gott zum Beispiel die Propheten und den Apostel Paulus berufen – und die äußere, mittelbare, nämlich durch Menschen vermittelte[26]. Jene muß sich erweisen durch »äußerliche Zeichen und Zeugnis«. Das hat Luther auch gegen Münzer und die Bauern immer wieder geltend gemacht[27]. Er ließ durchaus Raum dafür, daß Gott seine geschichtlichen Ordnungen einmal durchbrach, aber das mußte mit Zeichen und Wundern bestätigt sein (obgleich auch da Vorsicht geboten war, denn Wunder und Zeichen kann auch der Satan tun!). Die andere, die äußere Berufung, durch Menschen, bedarf keiner Zeichen. Sie geschieht auf die Weise, daß einer von den anderen ersucht wird zu predigen, also das Amt zu übernehmen. Dann ist er verpflichtet durch das Gebot der Liebe. Es ist aber Gott selber, der die Liebe gebietet, und daher ist, wer von Menschen in das Amt gerufen wird, durch Gott selber berufen. Er bedarf keines Ausweises durch Wunder und Zeichen. Luther hat das gerade auch im Blick auf sein eigenes Predigtamt in Wittenberg betont[28].

Daß der Prediger ordentlich berufen wird, das ist für Luther nicht nur um der Ordnung in der Kirche willen wichtig, sondern ganz persönlich für den Prediger selbst. Das hat er für sich selbst in seinem reformatorischen Wirken bezeugt. In den großen Aufgaben, angesichts der Schwere der Verantwortung, der Anfechtungen und Kämpfe, die seine Arbeit ihm eintrug, fand er seinen Halt

26. 16, 33,2; 32,12 (Aurifabers Bearbeitung). – 17 II, 254,22. – 12, 460,26. – 31 I, 210 ff. – 38, 493,39. – 40 I, 59 ff.

27. Zum Beispiel 18, 304,9.

28. 16, 33,6: Ego per deum vocatus sum, quando homines urgent, me ... Hoc audiendum est, quia dicit, Ama proximum sicut te ipsum ... – 35,2: Sic possum absque omnibus signis praedicare et tamen secundum deum ... Luther erklärt ausdrücklich, daß diese Regel – niemand darf predigen, ohne ordentlich berufen zu sein – nur innerhalb der christlichen Gemeinde gilt; dagegen nicht unter Nicht-Christen; da soll man nicht auf die Berufung warten, sondern wie die Apostel ohne ordentliche Berufung predigen. 11, 412,15. – 16, 35,6. – Also: was innerhalb der Christenheit, der Gemeinde gilt, gilt nicht auch für das Missionsgebiet. Ebenso wird die Regel durchbrochen im Notfall, wenn nämlich eine Schar von Christen offenkundig keinen rechten Lehrer hat. 11, 412,35; 414,7. – 12, 189,25. – 20, 222,35: Das ist nu mein Beweisung, nicht daß ich durch ein Gesicht Gottes berufen sei zum Predigtamt, sondern daß ich dazu gezwungen werd durch andere Leut, und muß es um anderer Leut willen tun. Also hab ich die Beweisung des Geists der Liebe, die nicht das Ihre sucht, sondern fleißt sich anderer Leute Nutz. Ich hab nichts davon denn Unruh, ich wollt lieber daheim bleiben in meinem Stüblein, aber ich bin es schuldig und verpflichtet aus dem Geist der Liebe.

und Trost in der Tatsache, daß er sich zu seinem Amt nicht gedrängt hatte, sondern hinein gerufen, ja »gezwungen« war, nämlich durch sein theologisches Doktorat. »Denn ich müßte wahrlich zuletzt verzagen und verzweifeln in der großen schweren Sachen, so auf mir liegt, wo ich sie als ein Schleicher hätte ohn Beruf und Befehl angefangen[29].« Das gilt aber nicht nur für ihn persönlich, sondern für jeden Prediger. »Es ist nicht genug, das Wort zu haben und die reine Lehre, auch die Berufung muß gewiß sein« – sonst »gibt Gott ihm kein Glück dazu«. Wie soll in dem Kämpfen, die das Pfarramt zu bestehen hat, in den Anfechtungen des Satans der bestehen, der seiner Berufung nicht gewiß, dessen Berufung unsicher ist[30]? Sich eigenmächtig zum Predigen drängen, das ist Ungehorsam gegen Gott, und der Ungehorsam »macht alle Werke böse«; ein solcher Mann wirkt mit schlechtem Gewissen, er wird sündig an dem Wort, zu dessen Verkündigung er sich gedrängt hat[31]. Luther stellt mit alledem neben das Paulus-Wort »was nicht aus dem Glauben geht, ist Sünde«, für den Pfarrer und Prediger geradezu den anderen Satz: Was nicht auf Grund von Berufung geschieht, ist Sünde. »Der Beruf (das heißt die Berufung) und Befehl macht Pfarrherr und Prediger ... Gott will nichts aus eigener Wahl oder Andacht, sondern alles aus Befehl und Beruf getan haben, sonderlich das Predigtamt[32].«

Luther weiß, daß gegen diese strenge Regel das Selbstgefühl derer, die sich zum Predigen tüchtig befinden, sich auflehnt. Sie meinen, daß Gott sie brauche und daß sie mit ihrem Predigen viel wirken können. Ihnen spricht Luther zu: »Wird Gott deiner bedürfen, so wird er dich wohl rufen« – darauf gilt es getrost zu warten[33]! Frucht schafft nur der, der ohne seinen Willen zum Lehren berufen wird. Wer unberufen lehrt, der tut sich selbst und seinen Hörern Schaden, denn Christus ist nicht mit ihm.

29. 30 III, 522,3. Vgl. *K. Holl,* S. 393. – 31 I, 212,6 (von seinem Bücherschreiben »in aller Welt«): Ich habs nie gern getan, tue es auch noch nicht gern. Ich bin aber in solch Amt erstlich gezwungen und getrieben, da ich Doktor der Heiligen Schrift werden mußte ohn meinen Dank ...

30. 40 I, 62,5.21; – 11: Qui praedicator est et Pfarrer, habet consolationem, quod sit in officio sancto, coelesti et potest resistere universis portis inferi. Sed horrendum, quando conscientia dicit eum fecisse sine vocatione.

31. 40 I, 63,1.13.

32. 31 I, 211,19.31.

33. 2, 454,36: Quis autem te vocavit? Expecta vocantem, interim esto securus. Immo si esses sapientior ipso Salomone et Daniele, tamen, nisi voceris, plus quam infernum fuge, ne verbum effundas. Si tui egerit, vocabit te. Si non vocabit, non te rumpet scientia tua ... Nemo fructificat verbo, nisi qui sine suo voto vocatur ad docendum. Unus est enim Magister noster Jesus Christus. Hic solus docet, et fructum facit per vocatos servos. Qui autem non vocatus docet, non sine damno et suo et auditorum docet, quod Christus non sit cum eo. Roth bringt dieses Stück aus Luthers Galaterkommentar verdeutscht in seiner Fastenpostille in einer von ihm zusammengestellten angeblichen Predigt Luthers, 17 II, 258,38.

Wer die Vokation vorzunehmen hat und auf welche Weise sie geschieht, darauf braucht unsere Darstellung der Theologie Luthers im einzelnen nicht einzugehen[34]. Nur die Hauptlinien sind hervorzuheben[35]. Luther kennt hier keinen unbedingten Modus. Wie die Vokation sich vollzieht, das ist von der jeweiligen Lage und ihrer Notwendigkeit abhängig und hat nicht den Charakter göttlichen Rechts. Entscheidend blieb für Luther immer, daß die Gemeinde die Vollmacht habe, sich ihre Diener am Wort zu erwählen und zu berufen. Zugleich will er nach dem neutestamentlichen Vorbild, das die Apostelgeschichte und die Pastoralbriefe bezeugen, auch die Bischöfe, wenn sie rechte sind, beteiligt wissen. Aber diese dürfen nicht berufen, ohne daß die Gemeinde zustimmt. Ohne den Willen der Gemeinde darf keine Vokation geschehen[36]. Von dem Normalen unterscheidet Luther die Notlagen. In ihr kann dann zum Beispiel auch die Obrigkeit einen Prediger berufen[37] oder auch ein einzelner von sich aus das Amt übernehmen, nämlich wenn eine Gemeinde fehlt, die in der Lage wäre, sich ihren Pfarrer zu berufen. Aber das alles sind Ausnahmen. Die Norm hat Luther 1545 noch einmal in den Satz gefaßt: »Die Berufung wird rechtens von der Kirche vollzogen«, wobei er die »Kirche« niemals ohne das Mithandeln der Gemeinde denken kann[38]. Die Vokation durch die Kirche aber ist Vokation durch Christus selbst.

Die Berufung durch die Gemeinde war für Luther so sehr das Entscheidende, daß er an einem besonderen liturgischen Akt der »Ordination« – er übernimmt den Ausdruck aus der mittelalterlichen Kirche – nicht sonderlich interessiert war. Er setzt ihn von der römischen Priesterweihe scharf ab. »Es soll und kann im Grunde die Weihe nichts anders sein (soll es recht zugehen), denn ein Beruf (Berufung) oder Befehl des Pfarramtes oder Predigtamts[39].« Die Ordination als kirchliche Handlung kommt als eine Gestalt der Vokation zu stehen, die diese zugleich öffentlich bestätigt[40]. Sie hat nicht absoluten Charakter, sondern

---

34. Vgl. hierzu *Elert*: Morphologie I. S. 303 ff. und die S. 279, Anm. 1 genannten Schriften.

35. Vgl. vor allem die Schrift: Daß eine christliche Versammlung ... (1523) 11, 413 ff.

36. 11, 413,18; 414,1.14.   37. 11, 415,19.

38. 54, 428,5: Ea vocatio legitime fit ab Ecclesia.

39. 38, 228,27; 238,7: Ordinieren soll heißen und sein berufen und befehlen das Pfarramt, welchs Macht hat und haben muß Christus und seine Kirche. – Ebenso 236,3. – 15, 721,3: Ordinare non est consecrare. Si ergo scimus pium hominem, extrahimus eum et damus in virtute verbi, quod habemus, auctoritatem praedicandi verbum et dandi sacramenta. Hoc est ordinare. Ipsi (die Römischen) hoc verbum, quod ab apostolis venit »bestellen«, exposuerunt »weihen«, quia illius ordinis wollen wir müssig sein. – Luther lehnt hier (1524) also den Begriff der »Weihe« und die so verstandene Ordination ab als Umdeutung des apostolischen Sinnes der Handlung.

40. 38, 428,25: so wollen wir aus Befehl der Kirchen durch unser Amt euch ordinieren und bestätigen.

gilt dem Ordinanden für den Dienst an einer bestimmten Gemeinde. Luther gebraucht die Begriffe Berufen und Ordinieren als gleichbedeutend. Dem entspricht auch das Ordinationsformular von 1535[41]. Es schließt sich nicht an die römische Priesterweihe an, sondern an das neutestamentliche Vorbild[42]. Luther hat das Formular frei geschaffen: Schriftlesung und Gebet unter Auflegung der Hände[43].

Die wahre und die empirische Kirche

Die Autorität der Tradition und ihre Grenze

Die christliche Kirche ist für Luther, unbeschadet ihres geistlichen Wesens, eine geschichtliche Wirklichkeit, von Dauer und Kontinuität von den Aposteln her durch die Jahrhunderte bis in seine Gegenwart. Die Evangelischen sind nicht eine andere, neue Kirche, sondern »die rechte alte Kirche, mit der ganzen heiligen christlichen Kirche ein Körper und eine Gemeine der Heiligen[1]«. Bei allem, was er gegen die römische Kirche auf dem Herzen hatte, war ihm doch gewiß, daß Gott die wahre Kirche auch inmitten ihrer babylonischen Gefangenschaft trotz allem wunderbar erhalten habe[2]. Von der vorreformatorischen Kirche haben die Evangelischen das große christliche Erbe überliefert bekommen – denn dieses Erbe ist auch unter dem Papsttum nicht verlorengegangen. »Wir bekennen, daß unter dem Papsttum viel christlichen Gutes, ja alles christliche Gut sei und auch daselbst herkommen sei an uns«; Luther nennt »die rechte heilige Schrift, rechte Taufe, recht Sakrament des Altars, rechte Schlüssel zur Vergebung der Sünde, rechtes Predigtamt, rechter Katechismus, als das Vaterunser, Zehn Gebote, die Artikel des Glaubens[3]«. Was er hier anführt, sind lauter biblische Stücke – mit Ausnahme des letzten: »die Artikel des Glaubens«. Daß er neben dem unmittelbar biblischen Gut auch diese hier nennt, führt uns schon zu der Tatsache hinüber, daß er, trotz mancher Bedenken im einzelnen, auch die altkirchlichen Symbole als wesentlich der biblischen Wahrheit entsprechend rezipiert hat[4]. In der römischen Messe fand er neben dem, was wider das Evangelium war, auch echtes christliches Gut und hat sich dazu in seiner

41. 38, 423 ff.   42. 38, 228,29.
43. Die Handauflegung schon 1523: 12, 193,38. – Zu Luthers Verständnis der Ordination siehe vor allem die Einleitung von *Paul Drews* zu dem Ordinationsformular, WA 38, 401 ff. Dazu die S. 279, Anm. 1 genannten Arbeiten. Vgl. auch *Peter Brunner*: Nikolaus von Amsdorf als Bischof von Naumburg. 1961. S. 60 ff.
1. 51, 487,3.   2. 38, 220,18.
3. 26, 147,13. – 40 I, 69,5.23 (speziell von der Kirche in der Stadt Rom). – 51, 501,20. – 39 II, 167,8.16.
4. Vgl. S. 20.

»Deutschen Messe« bekannt. Ebenso übernahm er eine nicht geringe Anzahl von Kollektengebeten aus mittelalterlichen Vorlagen (wobei seine Übersetzung ins Deutsche freilich oft ein schöpferisches Neugestalten war[5]). Und wie er zu den Zeugnissen dafür, daß Gott das Gut der Christenheit auch in der alten Kirche erhalten habe, »viele gute Lieder und Gesänge beide, lateinisch und deutsch« zählt[6], so überführt er diese auch in den deutschen Gottesdienst, in den Gebrauch der evangelischen Gemeinden; er übersetzt eine Anzahl der besten lateinischen Hymnen und andere bewährte Gesangstücke aus der Liturgie und dichtet sie zu deutschen Liedern um (»die feinsten lateinischen Gesänge de tempore behalten wir fest, sie gefallen uns von Herzen wohl«), ferner nimmt er die kraftvollsten deutschen Lieder des Mittelalters auf, reinigt sie von unevangelischen Gedanken und fügt eigene Strophen hinzu[7].

Also nicht nur das biblische Gut im unmittelbaren Sinne, sondern auch Elemente der kirchlichen Tradition übernahm Luther dankbar aus den Händen der alten und mittelalterlichen Kirche. Dazu gehört nicht zuletzt auch der kirchliche Brauch der Kindertaufe. Da sie nach Luthers Urteil in der Heiligen Schrift nicht ausdrücklich angeordnet ist, gibt sie ihm im Kampf mit der täuferischen Bestreitung Gelegenheit, grundsätzlich über die Autorität der Tradition in der Kirche zu sprechen[8]. Er erklärt: Wo der gesamtkirchliche Consensus in einer Lehre oder einem Brauch nicht wider die Schrift ist, hat er Verbindlichkeit. In Sachen des Abendmahls erklärt er gegen den Spiritualismus: »Das Zeugnis der ganzen heiligen christlichen Kirchen (wenn wir schon nichts mehr hätten) soll uns allein genug sein, bei diesem Artikel zu bleiben und darüber keinen Rottengeist zu hören noch zu leiden. Denn es fährlich ist und erschrecklich, etwas zu hören oder zu glauben wider das einträchtig Zeugnis, Glauben und Lehre der ganzen heiligen christlichen Kirche, so von Anfang her nun über fünfzehnhundert Jahr in aller Welt einträchtiglich gehalten hat[9].«

Luther vertritt, wie man sieht, in keiner Weise einen absoluten Biblizismus, keinen »Bibelabsolutismus« im Sinne eines »Antitraditionalismus«. Er begrenzt weder das christliche Dogma noch die ethische Weisung des Evangeliums auf das ausdrücklich in der Schrift Ausgesprochene. Er fordert nicht, daß das Wahrheitsgut der Christenheit auf die biblische Lehre zu reduzieren sei. Der Heilige Geist hat nicht nur die Apostel, sondern (wenngleich mit einem von Luther deutlich betonten Unterschied) auch seither die Christenheit geleitet. Daraus ergibt sich das Recht und die Gültigkeit der christlichen Tradition. Sie ist nur daraufhin zu prüfen, ob sie nicht im Widerspruch zu der klaren, in

5. *P. Althaus d. Ä.:* Forschungen zur evangelischen Gebetsliteratur. 1927. S. 195 f.
6. 38, 221,30.
7. *P. Althaus d. Ä.:* Luther als Vater des evangelischen Kirchenliedes. 1917. S. 29 ff.
8. Vgl. S. 307 f.
9. 30 III, 552,8.

der Schrift enthaltenen Wahrheit des Evangeliums steht. Was diese Probe besteht, das soll man beibehalten.

In diesem Sinne also ist die Schrift Maßstab dafür, was als gute Tradition der Kirche gelten kann und was nicht. Weil Luther diesen Maßstab mit Nachdruck geltend macht, daher kann sein grundsätzliches Ja zur Tradition der Kirche nun doch kein vorbehaltloses sein. Es schließt vielmehr die Möglichkeit eines Nein ein. Dieses Nein ist kein grundsätzliches und allgemeines, sondern immer ein konkretes und immer ein solches, das mit der Schrift begründet werden muß. Aber es wird unausweichlich, wo die Tradition sich mit der Schrift nicht in Einklang bringen läßt, sondern ihr offenkundig widerspricht.

Dieses Nein auszusprechen ist Luther nach seinen eigenen Zeugnissen bitter schwer geworden. Denn auch ihm war die Kontinuität der Kirche und die Zuversicht zu der nicht aussetzenden Leitung durch den Heiligen Geist ein unentbehrliches Stück seines Glaubens. Die Gegner halten ihm entgegen: »Ecclesia, ecclesia – glaubst du, daß Gott so unbarmherzig sei, daß er wegen weniger Lutherischer Häretiker seine ganze Kirche verwerfe? Glaubst du, daß er in so vielen Jahrhunderten seine Kirche im Irrtum gelassen habe[10]?« – »Meinest du denn, daß du allein klug seiest[11]?« Jedes Nein zu einem wesentlichen Stück der Tradition stellte ja die gesamte kirchengeschichtliche Entwicklung, ja das ganze Dogma von der Kirche in Frage. Das »Ecclesia, ecclesia« des Papstes und der Seinen machte Luther selber innerlich zu schaffen: »Da stößt man einen mächtig sehr«, nämlich mit diesem Pochen auf die Wirklichkeit und Wahrheitsmacht der Kirche. Noch 1538 kommt er in einer Predigt auf diese Anfechtung zu sprechen[12]. Die römische Kirche nimmt in Anspruch, daß sie die wahre Kirche sei – und Luther kann selber nicht leugnen, was er ja immer wieder anerkannt hat: »im Papsttum ist Gottes Wort, Apostel Amt, und wir die Heilige Schrift, Taufe, Sakrament und Predigtstuhl von ihnen genommen haben«. Steht dann, wer sich widersetzt, nicht wider die Kirche Christi und Christus selbst? So fragen die Gegner – und Luther empfindet: »Das ist ein Argument, das ihnen über die Maßen schwer zu nehmen und auszureden ist, ja auch uns selbst schwer wird aufzulösen und zu widerlegen.« – »Da stürmen denn solche Gedanken ins Herz: Nun sehe ich, daß ich unrecht habe. O daß ich's nicht angefangen und nie kein Wort gepredigt hätte! Denn wer darf sich setzen wider die Kirche, von der wir im Glauben bekennen: Ich glaube eine heilige christliche Gemeinde ...«

Aber Luther hat diese schwere Anfechtung überwunden und die kirchliche Tradition entschlossen angegriffen. »Niemand sagt gerne, daß die Kirche irre, und doch ist es nötig, zu sagen, daß sie irrt, wenn sie außerhalb oder gegen das

---

10. 40 I, 54,6; 55,3.16 (Rörers Nachschrift und Druck). Ebenso 130,32.
11. 46, 22,33.
12. 46, 5,31; 6,3.15 (von Cruciger bearbeitet).

Wort Gottes etwas lehrt[13].« Hier erhebt sich freilich ein neues Problem. Was heißt »Wort Gottes«? Luther mußte erleben, daß man seine Lehre und seine Kritik der Tradition auch mit dem Hinweis auf Schriftstellen bekämpfte. Mit einem formalen gesetzlichen Biblizismus wäre er den Gegnern nicht beigekommen. Letzte Autorität und Maßstab war für Luther nicht das Bibelbuch, der Kanon als solcher, sondern die von ihrer Mitte, von Christus, von dem radikal verstandenen Evangelium her sich auslegende und auch sich kritisierende Schrift. Die Autorität der Schrift ist bei Luther eine streng evangeliozentrische[14]. Man kann seine Haltung dahin kennzeichnen: Auch der Kanon als solcher war für ihn ein Stück kirchlicher Tradition und mußte daher der Kritik vom Wort Gottes her unterworfen werden. Die römisch-katholische Theologie hat Luthers Weise, die Autorität der Schrift aufzufassen und geltend zu machen, bis heute vielfach als subjektive Willkür beurteilt. Aber Luther war himmelweit davon entfernt, von sich aus die Mitte der Schrift zu bestimmen und selbstsicher seine Theologie als diese Mitte auszugeben. In der Nachschrift der Galatervorlesung von 1531 hat Rörer uns die Bemerkung des Reformators aufbewahrt, daß in ihm selber immer wieder Widerspruch gegen das Evangelium, wie er es verstand, lebendig sei[15]. Aber er wußte sich auch immer aufs neue durch das Zeugnis des Apostels Paulus überwunden und bezwungen, und dessen *cantus firmus* fand er in der ganzen Schrift wieder – was innerhalb des Kanons dazu etwa nicht stimmte, war Ausnahme und konnte keinen Anspruch auf die Autorität des Wortes Gottes machen[16]. Luther hatte bei alledem ein sachliches Kriterium – es ist ein entscheidender Satz seiner Theologie: es handelt sich um den theozentrischen Charakter des Evangeliums, um die Wahrung der Ehre Gottes als Schöpfer aus dem Nichts. Luther bekennt, daß Staupitz ihn einst damit getröstet habe in seinen Zweifeln: Luthers Lehre gebe doch Gott und nicht den Menschen die ganze Ehre; »Gott kann man nicht zuviel geben.« Luther hat dieses Kriterium aufgenommen und die Anfechtung durch den Widerspruch zur Tradition damit überwunden: »Dennoch weiß ich dieses gewiß, daß ich nicht Menschen zu Gefallen rede, sondern Gott (vgl. Gal 1,10), das heißt: daß ich alles Gott zuerkenne, den Menschen nichts. Es ist sicherer, Gott zuviel zu geben als den Menschen[17].« – »Meine Lehre läßt Gott einen Gott sein, darum kann sie nicht lügen, denn sie gibt Gott die Ehre[18].« Auch dieses Kriterium für die Wahrheit seiner Auslegung des Evangeliums hatte er nicht willkürlich aufgestellt: es war ihm durch den Apostel Paulus Röm 4,17 gegeben: »Abraham glaubte an den Gott, der das Nichtseiende zum Sein ruft.«

13. 40 I, 132,27: Nemo enim libenter dicit Ecclesiam errare, et tamen necesse est dicere Ecclesiam errare, si extra vel contra verbum Dei aliquid docet.

14. Vgl. S. 80.

15. 40 I, 131,7: ego qui saepe sentio contra hanc doctrinam.

16. Vgl. Stellen wie 40 I, 458,30; über den Jakobusbrief 39 II, 199,19; 219,9.

17. 40 I, 131,2.18; 132,1.9.   18. 17 I, 232,9.

Außer und neben dem Wort Gottes gibt es in der Kirche für Luther keine unbedingte Autorität. Wenn sich jemand in Dingen des christlichen Glaubens und Lebens auf die »Meinung der Kirche« beruft, dann kommt es darauf an, was darunter verstanden wird: ob die wahre Meinung der Kirche – diese ist daran kenntlich, daß sie »stehet und gegründet ist in der Schrift« – oder die selbstgemachte, »außer der Schrift erfunden«, die man als die wahre Meinung der Kirche nur ausgibt. Nur die erstere hat Autorität, eben kraft ihrer Gründung in der Schrift, ihrer Übereinstimmung mit dem, was Christus gewollt und geordnet hat: »Die Kirche glaubt und meinet nichts außer Christus' Meinung und Ordnung, viel weniger wider seine Meinung und Ordnung.« Diese Meinung der Kirche kann nicht irren, so wenig wie das Wort Gottes[19]. Nur in diesem Sinne also kann und darf man sich auf die Autorität der Kirche berufen. Sie ist relativ, bezogen auf die Heilige Schrift.

Die Autorität der Kirche als solche, ihrer Väter, ihrer Überlieferung, ihrer Ämter und Organe kann keine unbedingte sein. Denn die Kirche kann irren – das hat der Herr selber angekündigt (Mt 24,24). Daher kann man sich nicht einfach auf die Väter der Kirche berufen: »auf der Väter Leben und Tun können wir nicht trauen noch bauen, sondern auf Gottes Wort allein[20]«. Schon das Alte Testament zeigt, an David und Nathan, daß die Kirche irren kann; nicht minder das Neue: auch die Apostel haben »oft gesündigt und gefehlt«, zum Beispiel Petrus, worüber Paulus Gal 2,11 ff. berichtet[21]. So muß auch die Kirche unbeschadet ihrer Heiligkeit täglich die fünfte Bitte des Vaterunsers um Vergebung sprechen – also nicht nur die einzelnen, sondern die Kirche im ganzen[22]. Die Kirche »bleibt eine untertänige Sünderin vor Gott bis an den Jüngsten Tag,

19. Von der Winkelmesse und Pfaffenweihe, 1533; 38, 203,1; 216,10: Glaube oder Meinung der Kirche ist zweierlei: die eine heißt und ist auch die rechte wahrhaftige Meinung der Kirche, dieselbige ist offenbar und jedermann bekannt, und stehet und ist gegründet in der Schrift ... Diese Meinung der Kirche kann nicht irren, denn sie hält sich nach dem Wort Gottes und der Meinung Christi selbst im Himmel ... 217,11: Die andere Meinung der Kirche ist, die man außer der ersten Meinung selbst macht und mit solchem Namen nennt oder heißt, daß es der Kirche Meinung sei und ists doch nicht, sondern sind eitel Menschendünkel, außer der Schrift erfunden, mit der Kirchen Namen geschmückt ... 218,1. – 51, 518,33: Die Kirche kann nicht irren, denn Gottes Wort, welches sie lehret, kann nicht irren.

20. 38, 206,16.

21. 38, 208,14; 12, 417,4.30; 419,20.

22. 38, 208,18; 216,1. – 40 I, 132, 2: Dicere possum: Ecclesia est sancta, sed cogitur dicere: Remitte. – 39 I, 351,17; von der dritten Bitte: Hanc autem orationem oportet ab Ecclesia tota orari usque in finem mundi et a quolibet sancto usque ad mortem. Quia tota ecclesia sancta est et agnoscit sese peccatum habere et perpetuo penitentiam agendam esse. – 40 III, 506,4.18.

und ist allein heilig in Christo ihrem Heilande, durch Gnade und Vergebung der Sünden[23]«. Daher kann ein Christ der Kirche nicht unbedingt gehorchen. Unbedingt haben wir Christus zu gehorchen – mit dem Maßstab seines Wortes »beurteilen wir beide, Apostel, Kirche und Engel dazu« (also auch die Apostel müssen es sich, unbeschadet dessen, daß sie größere Autorität haben als die Kirche, gefallen lassen, daß man sie an dem Wort Christi mißt). »Wohl gehorchen wir den Aposteln und der Kirche auch, sofern sie jenes Mannes (das heißt Christi) Wahrzeichen mitbringen«, nämlich daß sie gemäß der Sendung durch ihn Mt 28,19 f. das Evangelium predigen. »Wo sie das Zeichen nicht bringen, so hören wir sie nicht weiter, denn St. Paulus Gal 2 Petrum hörete« – das heißt: Paulus hörte nicht auf Petrus, sondern machte ihm Vorhaltungen wegen seiner Abweichung vom Evangelium. Die Berufung auf die Autorität der Kirche hilft hier also nichts[24]. Die Autorität und damit die Gehorsamspflicht hat ihren Grund und ihre Grenze in dem Evangelium, also darin, daß und wieweit die Kirche treue Zeugin des Evangeliums ist und sich damit als von Christus gesandt erweist.

Der Gehorsam gegen die Kirche ist nur als eine Gestalt des Gehorsams gegen Christus christlich-möglich. Aber beides kann auseinandertreten: es kann kommen, daß man um des Gehorsams gegen Christus willen der empirischen Kirche den Gehorsam aufkündigen muß. Umgekehrt: es gibt einen Gehorsam gegen menschliche Autoritäten, der zum Ungehorsam gegen Gott wird. Luther hat in einem denkwürdigen Wort unter diesen menschlichen Autoritäten ausdrücklich auch die Kirche genannt: »Verflucht sei aller Gehorsam in den Abgrund der Hölle, so der Oberkeit, Vater, Mutter, ja auch der Kirche gehorsam ist, so daß er Gott ungehorsam ist. Hier kenne ich weder Vater, Mutter, Freundschaft, Oberkeit oder christliche Kirche[25].« Die Kirche nimmt also den anderen genannten irdischen Autoritäten gegenüber keine Sonderstellung ein. Alle miteinander sind durch Menschen verkörpert, und »Irren ist menschlich« – das hebt Luther gerade auch im Blick auf die Kirche hervor[26]. Zu der Menschlichkeit kommt dann die Sündigkeit, von der auch die Kirche nicht ausgenommen ist. Beide Momente verbieten es, daß eine dieser Instanzen unbedingte Autorität und unbedingten Gehorsam in Anspruch nehmen könnte. Aber hat die Kirche unter allen den Autoritäten nicht doch dadurch eine Sonderstellung,

---

23. 38, 216,5. Vgl. 40 II, 560,10: Facies ecclesiae est facies peccatricis.

24. 38, 208,20.

25. 28, 24,15.

26. Über die Väter 7, 711,10: Errasse confiteor saepissime, ut homines. – 18, 771,14.30 erklärt Luther, daß es nichts hilft, für die rechte Auslegung der paulinischen Sätze über die Rechtfertigung sich auf die kirchlich anerkannten Väter zu berufen. »Sind nicht auch sie alle gleichweise blind gewesen, ja haben sie nicht des Paulus ganz klare und deutliche Worte nicht beachtet?« – 39 I, 185,28: Possunt ergo Episcopi congregati seu concilium errarre sicut alii homines, tum publici, tum privati.

daß ihr der Heilige Geist verheißen ist? Auch darauf geht Luther ein – wir kommen im Folgenden darauf.

Luther konkretisiert diese Gedanken über die Grenzen der Autorität der Kirche und über ihre Irrtumsfähigkeit, indem er sie speziell auch auf das Konzil anwendet[27]. Ein Konzil hat nicht als solches unbedingte geistliche Autorität, sowenig wie die Kirche überhaupt und ihre Tradition. Die Konzilien haben noch immer in Anspruch genommen, daß sie im »Namen Christi« zusammentreten und daher gemäß der Verheißung Christi Mt 18,20 (»Wo zwei oder drei versammelt sind ...«) nicht irren können. Aber Christi Namen in Anspruch nehmen – so wendet Luther ein – bedeutet nicht schon wirklich im Namen Christi zusammengetreten sein und seine Autorität haben. »Treten sie im Namen Christi zusammen, so wird doch dies das Zeichen dafür sein: daß sie gemäß Christo, nicht gegen das Evangelium handeln.« Also an dem Inhalt der Konzilsbeschlüsse entscheidet sich, ob ein Konzil in Wahrheit sich in Christi Namen versammelte. »Mögen auch Heilige auf dem Konzil sein, mögen es viele sein, mögen Engel da sein, so ist doch nicht der Person zu glauben, sondern dem Worte Gottes, weil auch die Heiligen fehlen können. Niemand ist also entschuldigt, der da sagt: Jener Mann war ein Heiliger, also ist ihm zu glauben; Christus dagegen sagt: Ganz und gar nicht, sondern wenn er von mir recht redet, dann glaube ihm.« Hier entscheidet auch nicht etwa die Mehrheit; vielmehr: »Wenn ich *einen* Menschen sehe recht von Christus denken, den sollte ich billig küssen und ihm um den Hals fallen, und alle anderen, die falsch denken, stehenlassen.« Also die reine Wahrheit des Evangeliums ist es, die seinen Zeugen, den Männern der Kirche, wahre Autorität gibt. Es ist das gleiche, wenn Luther sagt: Im Heiligen Geist versammelt sind nur die, welche die »Analogie des Glaubens« und nicht ihre eigenen Gedanken bringen[28].

Wenn ein Konzil nicht irrt, sondern die Wahrheit bezeugt, so geschieht das nicht etwa selbstverständlich, weil es eben ein Konzil ist, das die allgemeine Kirche repräsentiert, also nicht wegen der formalen Autorität des Konzils als solchen, also nicht notwendig, sondern rein tatsächlich, »zufällig« (im Gegensatz zum Selbstverständlichen). Das ist dann jedesmal ein besonderer Erweis der Huld Christi gegenüber seiner Kirche, und er bedient sich dabei entweder eines einzelnen »Heiligen« im Konzil oder auch der Stimme der Gesamtkirche – aber, wie gesagt, das ist eine besondere Gnade und ergibt sich nicht aus der Autorität eines Konzils als solchem von selbst. Nicht die Autorität des Konzils verbürgt die Wahrheit, sondern das jeweils von Christus frei gewährte Geschenk

27. Disputation de potestate concilii, 1536; 39 I, 189,29; 190,24. Vgl. die Thesen 39 I, 185 f., Th, 12 ff. – Ferner Luthers Kritik der Konzilien in der Schrift »Von den Konziliis und Kirchen«, 1539; 50, 509–624.

28. 39 I, 186,18: Congregari facile est, sed in Spiritu sancto congregari non possunt nisi Apostolorum fundamentum secuti non suas cogitationes, sed fidei analogiam tractarint.

der Wahrheit gibt dem Konzil die Autorität[29]. Daß ein Konzil die Kirche »repräsentiert«, besagt noch nicht, daß es auch selber Kirche, die wahre Kirche ist. Dieses ist, wie gesagt, nicht selbstverständlich, nicht mit dem Zusammentreten des Konzils an sich gegeben, sondern rein tatsächlich, »zufällig«[30].

Auch Luther bekennt sich dazu, daß der Kirche Christi der Heilige Geist verheißen ist. Aber er ist mit keiner Verheißung an die Versammlung der Bischöfe oder das Konzil notwendig gebunden, das heißt: kein Konzil kann sich als solches mit seinen Beschlüssen auf die Verheißung des Heiligen Geistes berufen und von daher die bindende Autorität für seine Beschlüsse herleiten[31]. Die kirchliche Legitimität einer solchen Versammlung schließt nicht an sich selbst die geistliche Legitimität ein. Diese hängt allein an der Apostolizität dessen, was das Konzil lehrt und beschließt[32]. Es bedarf keines Wortes, daß Luther ebenso über den Anspruch des höchsten kirchlichen Lehramtes urteilen würde. Das vatikanische Dogma von der Unfehlbarkeit des ex cathedra lehrenden Papstes fällt ebenso unter seine Kritik wie das Dogma vom Konzil.

Der Heilige Geist in der Kirchengeschichte

In Luthers Beurteilung der Konzilien wird der Unterschied deutlich zwischen dem römischen und dem evangelischen Verständnis der Geistesleitung der Kirche. Er besteht nicht darin, daß die römisch-katholische Kirche sich zu dieser Geistesleitung bekennte, das evangelische Denken aber nicht. Die Zuversicht, daß Christus durch seinen Heiligen Geist bei der Kirche bleibe, sie leite und in alle Wahrheit führe, ist Luther genauso gewiß wie seinen Gegnern. Er kann sagen: »Auch wir bekennen, daß die Kirche alles richtig mache[33].« Und so bestimmt er bestreitet, daß nach der Zeit der Apostel durch einen einzelnen in der Kirche Unfehlbarkeit in Glaubenssachen in Anspruch genommen oder von

29. 39 I, 185,32: Si vero non errant, hoc fit casu, seu sancti alicujus inter eos seu ecclesiae merito, non autoritate congregationis eorum. – 186,1: Sicut Nicaenum Concilium unius Paphnutii virtute errorem vitavit, ita favente Ecclesiae suae Christo.

30. 39 I, 186,33: Quod si aliud amplius (nämlich: als bloße Repräsentanz der Kirche) sunt (id est vera ecclesia), hoc fit casu, non virtute repraesentantis ecclesiae. – 187,7: Imo Concilium est semper repraesentans Ecclesia per se loquendo. Sed per accidens est Ecclesia.

31. 39 I, 186,5: Non enim est ulla promissione Spiritus sanctus alligatus ad Episcoporum vel Concilii congregationem nec hoc possunt probare. Proinde superbe et falso, ne dicam blaspheme jactant, sese in Spiritu sancto legitime congregatos esse. Quis eos aut nos certos facit, quod spiritus sanctus ad eorum congregationem necessario sit alligatus?

32. 187,13: Nemo igitur tenetur credere decretis Ecclesiae repraesentativae, id est Conciliis, nisi Apostolorum scripturis judicent et loquantur, quod fit casu.

33. 7, 713,7: Fatemus et nos, Ecclesiam recte omnia facere.

ihm behauptet werden könne, so gewiß ist ihm doch, daß die Gesamtkirche nicht irre[34]. Aber wo und welches ist die Kirche, von der das alles gilt? Hier greift nun Luthers *Theologia crucis* ein. Sie bestimmt auch sein Verständnis der Kirche Christi. Sie besagt: die wahre Kirche Christi und das geschichtliche Kirchentum sind nicht dasselbe. Die wahre Kirche ist verborgen[35], nicht identisch mit der offiziellen Kirche und ihrer Geschichte, ja von ihr gar nicht als Kirche anerkannt. Von dieser wahren, der verborgenen Kirche gilt: sie wird von Christi Geist regiert, sie kann nicht irren, auch in dem geringsten Artikel, denn Christus bleibt bei ihr bis zum Ende der Welt nach seiner Verheißung, sie ist »Pfeiler und Grundfeste der Wahrheit« (1 Tim 3,15)[36]. Diese Verheißung gilt aber nicht ohne weiteres für das ganze Kirchentum, für die offizielle Kirche. Die von ihr behauptete apostolische Sukzession ihrer Bischöfe besagt nicht selbstverständlich auch die Sukzession der Wahrheit, des echten apostolischen Evangeliums – und diese ist nicht an jene gebunden[37]. Die Leitung der Kirche durch den Heiligen Geist läßt sich nicht einfach in einer organologischen Theorie der Kirchengeschichte für die Entscheidungen und die Entwicklung der empirischen Kirche in Anspruch nehmen. Luther kann die Geschichte und Wirklichkeit dieses empirischen Kirchentums nicht anders verstehen, als daß es auch unter Gottes Zorn stehe[38], oder, mit anderer Wendung: Luther erklärt mit scharfer polemischer Zuspitzung, daß bei den päpstlichen und anderen offiziellen Dekreten und Satzungen Roms immer die Frage zu stellen sei, ob sie statt vom Heiligen Geist nicht vielmehr vom Satan herstammen[39]. Gewiß sind Luthers Sätze über den Unterschied und Gegensatz der offiziellen und der heimlichen Kirche durch seinen Kampf gegen Rom, also durch die konkrete polemische Situation mitbedingt. Aber man darf nicht verkennen, daß sie nach Begründung und Sinn weit darüber hinausgreifen. Luther findet dieses Gesetz, unter dem die Kirche steht,

34. 39 I, 48,5: Quare non est arrogandum ulli post apostolos hoc nomen, quod non possit errare in fide, nisi soli ecclesiae universali. – Vgl. 6, 561,25; – 615,5: wahr ist, daß die gemeine Christliche Kirche (das ist: alle Christen sämtlich in aller Welt) nit irren mag.

35. 18, 652,23: Abscondita est ecclesia, latent sancti. – Das gilt schon im Alten Testament: das wahre Gottesvolk ist verborgen, nicht identisch mit der jüdischen Kultgemeinde; vielmehr steht schon im Alten Testament der wahren Kirche immer wieder die *larva ecclesiae* gegenüber, welche die wahre Kirche verfolgt; siehe die Belege bei *H. Bornkamm*: Luther und das Alte Testament. S. 176 ff.

36. 18, 649,30. – 51, 511,21.

37. Die wahre apostolische Sukzession ist das Evangelium: wer das Evangelium rein verkündigt, der steht in der echten Sukzession. 39 I, 191,28: Haec est vera definitio Ecclesiae, non quae succedit Apostolis, sed quae confitetur, quod Christus sit filius Dei. – 39 II, 176,5.177,1: Successio ad Evangelium est alligata ... Man soll sehen, wo das verbum ist ... Ubi est verbum, ibi est Ecclesia ... Credendum est episcopo, non quia succedit episcopo hujus loci, sed quia docet Evangelium. Evangelium soll die successio sein.

38. 5, 43,23.   39. 7, 713,24.

ja schon im Alten Testament, zum Beispiel zu Elias Zeit, und in der ganzen Geschichte des Volkes Gottes seither. »Wer weiß, ob nicht im ganzen Lauf der Welt, von Anbeginn an, es immer so um die Kirche Gottes stand, daß die einen Volk und Heilige Gottes genannt wurden, die es doch nicht waren, die anderen aber unter ihnen wie ein Rest waren und nicht Volk Gottes oder Heilige genannt wurden[40].«

Die offizielle und die heimliche Kirche haben einen Identitätspunkt: das ist das Evangelium, die Sakramente, die Schlüssel und so weiter – das alles sieht Luther auch bei der offiziellen Kirche. Damit ist schon gegeben, daß die verborgene Kirche nicht etwa eine ideale, platonische Wirklichkeit ist. Sie hat nach Luther geschichtliche Wirklichkeit. Die *Theologia crucis*, nach der Gottes Volk, Christi Gemeinde nicht mit der historischen Gestalt der offiziellen Kirche identisch, sondern unter ihr verborgen ist, wird ergänzt durch die *Theologia resurrectionis*: Gott hat auch unter einem vielfach irrenden Kirchentum, wie unter dem Papsttum, seine Kirche erhalten – nämlich dadurch, daß er den Wortlaut des Evangeliums und die Sakramente wunderbar erhielt: dadurch haben viele im rechten Glauben gelebt und sind in ihm gestorben – wenngleich sie innerhalb der offiziellen Kirche nur eine kleine, schwache und verborgene Minderheit waren. Luther spricht das immer wieder aus[41]. Er sieht in der wirklichen Geschichte der Kirche trotz allem eine Wahrheitslinie, in der die Verheißung, daß der Heilige Geist die Kirche leiten wolle, immer aufs neue erfüllt wurde. Die wahre Kirche ist in diesem Sinne also Gegenstand nicht nur des Dennoch-Glaubens, sondern auch der geschichtlichen Erfahrung, in einer offenkundigen Kontinuität, zu der Luther sich immer wieder bekannt hat. Aber diese Kontinuität der Geistesleitung, der Bewahrung der wahren Kirche ist nun gerade nicht identisch mit der offiziellen Tradition und angeblichen apostolischen Sukzession[42] des Kirchentums und wird durch sie nicht garantiert. Gott wählt sich seine Wahrheitszeugen zu jeder Zeit, wie und wo er will. Luther hat, wie wir sahen, darauf hingewiesen, daß die Wahrheit in der konkreten Lage der Kirche bei einem einzelnen sein könne, der sie nun wider die Instanzen der offiziellen Kirche vertreten muß. Man darf also die Leitung durch den Heiligen Geist nicht hierarchisch oder supranatural-evolutionistisch verstehen. Gott läßt die offizielle Kirche auch irren, um ihr immer wieder so naheliegendes Vertrauen auf Menschen statt des Vertrauens auf sein Wort allein zu zerbrechen[43]. Aber dann sendet er ihr wieder Zeugen seiner Wahrheit.

40. 18, 650,27. – Zur Verborgenheit der wahren Kirche vgl. auch 40 III, 504 f.

41. 18, 651,3: Verum sub iis (Päpsten und Konzilien) servavit suam Ecclesiam, sed ut non diceretur Ecclesia. – 39 II, 167,8.16; – 168,17. – 40 III, 505,6.23.

42. 39 II, 176,5.20.

43. 12, 418,3: Warum läßt denn Gott solches geschehen? Darum tut ers, daß er nicht will haben, daß wir uns stützen und trösten auf irgendeines Menschen Wort und Lehre, wie heilig sie auch sein mögen, sondern allein unser Vertrauen setzen auf sein Wort.

Das Sakrament

Gott begegnet uns in seinem Wort, das wir im Glauben empfangen und annehmen. Evangelium und Glaube, *promissio* und *fides*, in dieser Korrelation handelt Gott mit dem Menschen. Ihr ordnet Luther auch sein Verständnis der Sakramente ein[1]. Das macht den evangelischen Charakter seiner Lehre von den Sakramenten aus. Wir werden das zuerst an dem Verhältnis des Sakramentes zum Evangelium, sodann an seiner Beziehung auf den Glauben aufzuzeigen haben.

Sakrament und Evangelium

Sakrament ist für Luther die Verbindung eines Verheißungswortes mit einem Zeichen, also eine Verheißung, der ein von Gott eingesetztes Zeichen, ein Zeichen, dem eine Verheißung beigegeben ist[2]. Das bedeutet zunächst: nicht ein Zeichen oder Symbol für sich ist schon Sakrament. Luther erklärt: Natürlich kann jede sichtbare Handlung etwas »bedeuten« und als Bild oder Gleichnis für unsichtbare Wirklichkeiten verstanden werden. Aber damit hat eine symbolische Handlung noch nicht den Charakter eines Sakraments[3]. Die symbolische Handlung muß von Gott eingesetzt und mit einer Verheißung verbunden sein. Der Charakter eines Sakraments kommt entscheidend dadurch zustande, daß ein göttliches Verheißungswort da ist[4]. Wo das fehlt, wie zum Beispiel bei der Ehe oder Konfirmation, kann von einem Sakrament nicht die Rede sein. Auf der anderen Seite gibt es Wirklichkeiten und Akte im Christenleben, denen Gott eine Verheißung gegeben hat, wie das Gebet, das Hören und Bewahren des Wortes, das Kreuz. Aber hier fehlt das Merkmal eines Zeichens oder Symbols. Das gilt zum Beispiel auch von dem sogenannten Sakrament der Buße. Strenggenommen gibt es also in der Kirche Gottes nur zwei Sakramente, die Taufe und das Abendmahl, denn nur bei ihnen sind ein von Gott gestiftetes Zeichen und die Verheißung der Vergebung der Sünden beieinander[5].

---

1. Br. 1, 595,2: quod sacramentum non sit, nisi ubi expressa detur promissio divina, quae fidem exerceat, cum sine verbo promittentis et fide suscipientis nihil possit nobis esse cum Deo negotii.

2. 6, 532,24: Nostra et patrum signa seu sacramenta habent annexum verbum promissionis, quod fidem exigit. 572,10: quae annexis signis promissa sunt. Im Großen Katechismus 30 I, 214,14 und sonst vielfach nimmt Luther Augustins Wort auf: Accedat verbum ad elementum et fit sacramentum.

3. 6, 550,25.31: Diximus, in omni sacramento haberi verbum promissionis divinae, cui credi oporteat ab eo, qui signum suscipit, nec solum signum posse sacramentum esse ... Figura aut allegoria non sunt sacramentum.

4. 6, 550,9: Ad sacramenti enim constitutionem ante omnia requiritur verbum divinae promissionis, quo fides exerceatur.

5. 6,571,35; 572,10: Proprie tamen ea sacramenta vocari visum est, quae annexis

Das Entscheidende im Sakrament ist demnach das Wort, die Verheißung[6]. Das Sakrament ist nichts ohne das Wort[7]. Es hat keinen anderen Inhalt und keine andere Wirkung als das Wort der Verheißung. Die Verheißung aber ist immer die eine: Vergebung der Sünden. Das alles hat Luther im Kleinen Katechismus bei der dritten und vierten Frage zu Taufe und Abendmahl deutlich ausgesprochen[8]. So kennt Luther auch nicht verschiedene Sakramentsgnaden, sondern überall die eine und selbe ganze, die Vergebung der Sünden und mit ihr Leben und Seligkeit bringt.

Ist das Sakrament also eine Gestalt, in der das Wort zu uns kommt, so hat diese Gestalt doch ihre besondere Art und Bedeutung neben der mündlichen Verkündigung. Das Sakrament gibt dem Menschen ein Wahrzeichen, ein Unterpfand, ein Siegel für die Verheißung Gottes[9]. Das soll den Glauben stärken, ihm helfen im Kampf mit dem Zweifel[10]. Dazu sind die Sakramente eingesetzt. Dieser Bestimmung des Sakraments als Zeichen für den Glauben ordnet Luther 1520 auch das Abendmahl ein, einschließlich der Realpräsenz und des Genusses des wahren Leibes und Blutes Christi: die Gabe von Leib und Blut ist Zeichen, das die Zusage der Sündenvergebung vergewissert. Später freilich führte das Eigengewicht der Realpräsenz des Leibes und Blutes über die Wertung als Zeichen hinaus (siehe weiter in der Lehre vom Abendmahl). Aber auch dann bleibt die eigentliche Gabe des Abendmahls für Luther die Vergebung der Sünden und werden Leib und Blut Christi auch noch als ein »gewiß Pfand und Zeichen« für sie verstanden[11].

signis promissa sunt. Caetera, quia signis alligata non sunt, nuda promissa sunt. Quo fit, ut, si rigide loqui volumus, tantum duo sunt in Ecclesia dei sacramenta, Baptismus et panis, cum in his solis et institutum divinitus signum et promissionem remissionis peccatorum videamus.

6. 40 II, 411,4.8.21.33: Nos confessionem (die Beichte), Sacramenta sic tractamus, ut ipsum verbum urgeamus ... Sic ad consolationem divinam revocamus, Caput confessionis, Sacramenti sit ipsa vox auditus.

7. 38, 231,9. – 12, 180,7: verbo baptisamus. 182,1: majestatem verbi dei in baptismo regnantis.

8. »Wasser tuts freilich nicht, sondern das Wort Gottes, so mit und bei dem Wasser ist.« – »Essen und Trinken tuts freilich nicht, sondern die Wort, so da stehen: für euch gegeben und vergossen zur Vergebung der Sünden.«

9. 2, 694,17: Sieh, ein solch Vorteil hat, der die Sakrament erlangt, daß er ein Zeichen Gottes erlangt und Zusag, daran er seinen Glauben üben und stärken mag, er sei in Christus Bild und Güter beruft. 694,38. – 692,30: die Sakrament ein Wahrzeichen und Urkund. 37: gleich ein sichtlich Zeichen göttlicher Meinung, daran man sich halten soll mit einem festen Glauben. 686,17: Zeichen, die zum Glauben dienen und reizen. – 7, 323,4: Sakrament sein gleich wie Zeichen oder Siegel seiner Wort. – 10 III, 142,8: sein Wort mit Zeichen als mit einem Siegel darmit sind bestätiget, daß wir ja nicht zweifelten.

10. Außer den Stellen in der vorigen Anm. 6, 529,36: Omnia sacramenta ad fidem alendam sunt instituta.   11. 30 I, 225,3.

Die besondere Bedeutung des Sakraments, seinen Vorzug gegenüber dem mündlichen Wort sieht Luther auch darin: das Wort der Verkündigung wendet sich generell an alle, das Sakrament eignet, was das Wort enthält, speziell dem einzelnen zu[12]. Dieses Moment hängt mit dem vorhin genannten eng zusammen: eben indem das Sakrament mir als einzelnem gereicht wird, stärkt es meinen Glauben, daß die Verheißung gerade auch mir gilt. Das bleibt bei der Verkündigung offen, jedenfalls für den Angefochtenen; denn die öffentliche Predigt kann den einzelnen nicht als einzelnen, als ihn selbst anreden.

Das Besondere des Sakraments liegt auch in seiner Leibhaftigkeit. Die Sakramente sind leibliche Akte, am Leib, vom Leib vollzogen. Diese Leibhaftigkeit bedeutet bei Luther vor allem Sinnlichkeit, Sinnenhaftigkeit des Zeichens oder Pfandes als Hilfe für den Glauben: es kann mit den Sinnen ergriffen und so vom Herzen aufgenommen werden[13]. Aber daß in den Sakramenten am Leib, mit dem Leib gehandelt wird, hat darüber hinaus den Sinn, daß die Verheißung, die im Sakrament Gestalt gewonnen hat, auch den Leib des Menschen betrifft. Das Sakrament versichert uns durch seine Leibhaftigkeit, daß auch unser Leib zum ewigen seligen Leben bestimmt ist. Das gilt für die Taufe[14]. In der Abendmahlslehre tritt zu der Leibhaftigkeit der Elemente und der mit ihnen vollzogenen Handlung noch die übernatürliche Leibhaftigkeit der Gabe, des Leibes und Blutes Christi. Da wertet Luther nicht sowohl jene als vielmehr diese als Pfand für die Verheißung, daß auch der Leib ewig leben solle[15]. Das hat bei der Taufe keine Entsprechung.

12. 19, 504,6: est haec differentia: quando predico Christi justitiam, est manifesta praedicatio. Ibi nemini aliquid do, sed qui capit, capiat. Quando vero do corpus, do tibi privato corpus ejus et sanguinem, per quae habes remissionem peccatorum ... Quod alicui specialiter attribuo, in praedicatione publica non fit, sed in sacramento, utrumque tibi zueig ... (Rörers Nachschrift). Im deutschen Druck heißt es (504,27) noch: Wiewohl in der Predigt eben das ist, das da ist im Sakrament und wiederum, ist doch darüber das Vorteil, daß es hie auf gewisse Person deutet. Dort deutet und malet man keine Person ab, aber hie wird es dir und mir insonderheit geben, daß die Predigt uns zu eigen kommt.

13. 30 I, 215,24: Ja, es soll und muß äußerlich sein, daß mans mit Sinnen fassen und begreifen und dadurch ins Herz bringen könne.

14. 30 I, 217,28: ... so ist mir zugesagt, ich solle selig sein und das ewige Leben haben beide an Seel und Leib. Denn darum geschieht solchs beides in der Taufe, daß der Leib begossen wird, welcher nicht mehr fassen kann denn das Wasser, und dazu das Wort gesprochen wird, daß die Seele auch könne fassen. Weil nun beide, Wasser und Wort, eine Taufe ist, so muß auch beide Leib und Seele selig werden und ewig leben, die Seele durchs Wort, daran sie glaubt, der Leib aber, weil er mit der Seele vereinigt ist und die Taufe auch ergreifet, wie ers ergreifen kann.

15. 23, 155,36: Christus gibt uns seinen eigenen Leib zur Speise, »auf daß er uns mit solchem Pfande versichere und vertröste, daß auch unser Leib solle ewiglich leben, weil er hie auf Erden einer ewigen und lebendigen Speise geneußt«.

Mit der Auffassung des Sakraments als Zeichen für die im Wort dargebotene Verheißung ist die unlösliche Beziehung des Sakraments auf den Glauben gegeben. Denn wie das Wort, so ist auch seine sakramentale Gestalt für den Glauben da, wartet auf ihn und hilft dem Menschen ohne den Glauben nichts zu seinem Heile. Das betont Luther immer wieder gegenüber dem römischen Sakramentalismus. Nach dessen Lehre gibt das Sakrament jedem die Gnade, der nicht mit einer Todsünde »den Riegel vorschiebt«. Demgegenüber erklärte Luther: »Es ist Ketzerei, wo man hält, daß die Sakrament Gnad geben allen, die nit einen Riegel fürstecken[16].« Die päpstliche Bulle verurteilte diesen Satz. Luther hat immer an ihm festgehalten. Er folgte notwendig aus der Erkenntnis, daß es sich im Sakrament um eine göttliche Zusage handelt, also um ein Anerbieten von Person zu Person: ein solches muß man mit dem persönlichen Akt des Glaubens ergreifen und annehmen[17]. Wie das Wort überhaupt, so ist auch das Sakrament personale Begegnung Gottes mit dem Menschen. Daher gilt: »Gottes Werke sind heilsam und not zur Seligkeit und schließen nicht aus, sondern fordern den Glauben, denn ohne Glauben könnte man sie nicht fassen[18].«

Gegenüber der römisch-katholischen Sakramentslehre und -frömmigkeit kann Luther die Sakramente, vor allem die Taufe, sogar als für den Glauben entbehrlich erklären. Unter Berufung darauf, daß Christus Mk 16,16 nicht sagt: »Wer nicht glaubt und nicht getauft wird ... «, sondern nur: »Wer nicht glaubt, der wird verdammt werden«, stellt er fest: Christus zeigt dadurch, daß der Glaube bei dem Sakrament so notwendig ist, daß er sogar ohne Sakrament zur Seligkeit bewahren kann[19]. Kann man die Taufe bekommen, so lasse

---

16. In den *Resolutiones disputationum* ... 1518; 1, 544,37; vgl. 7, 317,26 (Grund und Ursach ...).

17. Vgl. vor allem »Grund und Ursach ...« 7, 318 ff. Besonders 321,36: Wo man mit Worten und Zusagung handelt, da muß Glaube sein, auch unter den Menschen auf Erden ... Nu handelt Gott mit uns nit anders, denn mit seinem heiligen Wort und Sakrament, welche sein gleich wie Zeichen und Siegel seiner Wort. So muß ja not sein vor allen Dingen der Glaub zu solchen Worten und Zeichen. Denn wo Gott redet und zeichet, da muß man gläuben aus ganzem festen Herzen ... 323,13: Dieweil denn in einem jeglichen Sakrament ist ein göttlich Wort und Zusage, darin Gott uns anbeut und zusagt seine Gnade, ists wahrlich nit gnug, den Riegel abzutun, wie sie sagen, sondern es muß ein unwankender, unschwankender Glaub da sein im Herzen, der dieselbige Zusagung und Zeichen aufnehme und nit zweifel, es sei also, wie Gott allda zusagt und zeichet. – 6, 533,34: Efficaciam sacramenti citra promissionem et fidem quaerere est frustra niti et damnationem invenire.

18. 30 I, 216,24.

19. 6, 533,36: Quo monstrat, fidem in sacramento adeo necessarium, ut etiam sine sacramento servare possit. – Ebenso 7, 321,4, unter Berufung auf Mk 16,16 und unter anderem auch auf Röm 1,17 (Der Gerechte wird leben aus seinem Glauben): »Er spricht

man sich taufen; denn wir sollen das Sakrament der Taufe nicht verachten. Kann man sie aber nicht haben oder wird sie einem versagt, so wird er dennoch selig, wenn er nur das Evangelium glaubt. »Denn wo das Evangelium ist, da ist auch Tauf und alles, was ein Christenmensch bedarf[20].« Das heißt also: die Taufe ist nur eine besondere Versiegelung des Evangeliums; ihr Gehalt ist kein anderer als dieses selbst und demgemäß in ihm beschlossen und daher auch ohne den Vollzug der Taufe für den Glauben gegenwärtig und wirklich.

Das Tridentinum hat diese Lehre von den Sakramenten verdammt, insbesondere auch den Satz, daß sie unter Umständen für das Heil entbehrlich seien[21]. Freilich kennt auch die katholische Lehre unter Umständen einen relativen Ersatz für die Taufe, nämlich »die Begierdetaufe«, das heißt einen Akt vollkommener Liebe, verbunden mit dem Verlangen, die Wassertaufe zu empfangen[22]. Auch hat der Satz Bernhards *»Non defectus, sed contemtus sacramenti damnat«* immer Geltung behalten. Aber das reicht an Luthers Satz nicht heran. Denn dieser macht auch die Begierde nach der Taufe nicht mehr zur Bedingung für das Heil, sondern allein den Glauben an das Evangelium: wer das Evangelium hat, der hat alles.

Das vertritt Luther in der Auseinandersetzung mit der katholischen Lehre. Später wird er in Sachen des Sakraments an eine zweite Front gerufen, in den Kampf mit den Täufern und Spiritualisten. Ihnen gegenüber mußte anderes betont werden. Wie sie das äußere Wort geringachten gegenüber dem inneren, so verachten sie auch die »äußerlich Ding« der Sakramente. Was sie von Luther gelernt haben, daß allein der Glaube selig macht, spielten sie gegen die Wertung der Sakramente aus; was Luther zu den Sakramenten geltend gemacht hatte,

nit also ›Ein gerechter Mensch wird leben aus den Sakramenten‹, sondern ›aus seinem Glauben‹, denn nit die Sakrament, sondern der Glaub zu den Sakramenten macht lebendig und gerecht.« – 27, unter Berufung auf Röm 10,10, wo Paulus nicht von den Sakramenten, sondern nur von dem Glauben spricht: Denn ohn leiblich Empfangen der Sakrament (so sie nicht verachtet werden) kann man fromm durch den Glauben werden. – 2, 694,19: ohn welche Zeichen die andern allein im Glauben arbeiten und sie mit der Begierde des Herzens erlangen, wie wohl sie auch erhalten werden, so sie in demselben Glauben bestehn. – Auch noch 1533 urteilt Luther über das Verhältnis von Wort und Sakrament 38, 231,9: denn die Sakrament ohne das Wort nicht sein können, aber wohl das Wort ohne die Sakrament, und zur Not einer ohn Sakrament, aber nicht ohn das Wort könnte selig werden, als die, so da sterben, ehe sie die begehrte Taufe erlangen.

20. 10 III, 142,18 (1522): Es kann auch einer glauben, wenn er gleich nit getauft ist, denn der Tauf ist nit mehr denn ein äußerlich Zeichen, das uns der göttlichen Verheißung ermahnen soll. (Es folgen die oben im Text wiedergegebenen Sätze.)

21. Trid. S. 7, can. 4 de sacramentis in genere; Denz. 847.

22. Trid. S. 6, cap. 4: Denz. 196 (... sine lavacro regenerationis aut ejus voto fieri non potest). – Die Begierdetaufe verleiht zwar die Rechtfertigung, aber nicht auch den *charakter indebilis* und das »Christusgepräge« *(Michael Schmaus:* Katholische Dogmatik IV, 1. 3./4. Aufl. S. 158).

das sagen sie wider die Sakramente. Ihnen gegenüber muß Luther nun betonen, daß Gott die Sakramente eingesetzt und geboten hat, daß er durch »äußerliche Ordnung« sein Werk in uns tun will, um unsertwillen, damit wir sinnenhaften Menschen sein Wort durch die Sinne ins Herz bekommen können – »wie denn das ganze Evangelium eine äußerliche mündliche Predigt ist«; daß man den Glauben und das »äußerlich Ding« wie die Sakramente nicht auseinanderreißen darf, weil er gerade an ihnen haftet und an sie gebunden ist, durch die Gott mit uns handeln will, in die er sein Wort hineingegeben und gebunden hat. Gewiß, alles liegt am Glauben, aber eben der Glaube »muß etwas haben, daran er sich halte und darauf stehe und fuße[23]«. Ferner: die Spiritualisten gingen über Luthers Korrelation von Sakrament und Glaube dadurch hinaus und verfälschten sie, daß sie die Priorität des Sakraments, das heißt: des Handelns Gottes verleugneten und den Vollzug des Sakraments an die Voraussetzung des Glaubens banden. Dadurch wurde die Taufe, statt eines Zeichens und Pfandes für Gottes Verheißung, vielmehr zu einem Zeichen für des Menschen Gläubigkeit und ging damit ihrer Bedeutung für das Heil verlustig. Luther gibt auch hier von der unlöslichen Beziehung des Sakraments auf den Glauben nichts preis. Aber jetzt muß der Ton darauf gelegt werden, daß Gottes Handeln im Sakrament dem Glauben voraufgeht, zu ihm beruft, ihn begründet, gewiß ohne ihn nicht zum Heil wirkt, aber doch in sich selbst gültig ist, gleichviel, wie der Mensch sich dazu stellt, ob er das, was Gott gibt, recht gebraucht oder mißbraucht[24]. Der

23. 30 I, 212,30: Denn da liegt die höchste Macht an, daß man die Taufe trefflich, herrlich und hoch halte, denn darüber streiten und fechten wir allermeist, weil die Welt jetzt so voll Rotten ist, die da schreien, die Tauf sei ein äußerlich Ding, äußerlich Ding aber sei kein Nütz. Aber laß äußerlich Ding sein als es immer kann – da stehet aber Gottes Wort und Gebot, so die Taufe einsetzet, gründet und bestätigt. Was aber Gott einsetzet und gebeut, muß nicht vergeblich, sondern eitel köstlich Ding sein, wenn es auch dem Ansehen nach geringer denn ein Strohhalm wäre. 215,21: Daß aber unsere Klüglinge, die neuen Geister, vorgeben, der Glaube mache allein selig, die Werk aber und äußerlich Ding tun nichts dazu: antworten wir, daß freilich nichts in uns tuet denn der Glaube ... Das wollen aber die blinden Blindenleiter nicht sehen, daß der Glaube etwas haben muß, daß er glaube, das ist: daran er sich halte und darauf stehe und fuße. Also hanget nun der Glaube am Wasser und glaubt, daß die Taufe sei, darin eitel Seligkeit und Leben ist, nicht durchs Wasser ... sondern dadurch, daß es mit Gottes Wort und Ordnung verleibt ist und sein Name darin klebet ... Nun sind sie so toll, daß sie voneinander scheiden den Glauben und das Ding, daran der Glaube haftet und gebunden ist, ob es gleich äußerlich ist. Ja, es soll und muß äußerlich sein, daß mans mit Sinnen fassen und begreifen und dadurch ins Herz bringen könne, wie denn das ganze Evangelium eine äußerliche mündliche Predigt ist. Summa, was Gott in uns tuet und wirket, will er durch solche äußerliche Ordnung wirken. Wo er nun redet, ja, wohin oder wodurch er redet, da soll der Glaube hinsehen und sich daran halten.

24. 30 I, 219,5: Dem Sakrament wird nichts abgebrochen, ob jemand mit bösem Vorsatz hinzuginge. 219,27: Darum sind es je vermessene tölpische Geister, die also

Glaube macht nicht das Sakrament, er empfängt es. Es ist ihm vorgegeben als ein Tun Gottes, zu dem der Mensch sich im Glauben zu bekennen hat. Das hat Luther vor allem in seiner Begründung der Kindertaufe gegenüber dem Täufertum ausgeführt.

Die Akzente fallen jetzt anders als gegenüber der römischen Lehre. Aber gewandelt hat sich Luthers Verständnis der Sakramente dabei nicht.

Die Taufe

Das Taufen mit Wasser ist zunächst eine menschliche Handlung. Aber die Menschen taufen nicht in ihrem eigenen, sondern in Gottes Namen. Nicht Menschen haben die Taufe erdacht und erfunden, sondern sie ist von Gott eingesetzt und geboten. Und Gott selbst handelt in ihr: »In Gottes Namen getauft werden ist nicht von Menschen, sondern von Gott selbst getauft werden; darum ob es gleich durch des Menschen Hand geschieht, so ist es doch wahrhaftig Gottes eigen Werk[1].« Durch die Einsetzung ist »das Wasser in Gottes Gebot gefasset und mit Gottes Wort verbunden«. Gottes Wort aber »hat und vermag alles, was Gottes ist[2]«. Dieses Wort Gottes, nämlich die Anordnung der Taufe und die Verheißung für sie (Luther führt Mt 28,19 und Mk 16,16 im Kleinen Katechismus an), gibt der Taufe die Kraft, »ein Bad der Wiedergeburt« nach Titus 3 zu sein[3]. Das bedeutet aber: die Taufe gibt das ganze Heil. Was der Kleine Katechismus hier sagt (»sie wirket Vergebung der Sünden, erlöset vom Tode und Teufel und gibt die ewige Seligkeit allen die es glauben«), das spricht Luther immer wieder ähnlich aus. Durch die Taufe »ist mir zugesagt, ich solle selig sein und das ewige Leben haben, beide an Leib und Seel«. Die Taufe gibt nicht eine spezielle Gnade, nicht nur einen Teil des Heils, sondern schlechtweg die eine Gnade Gottes, »den ganzen Christum und Heiligen Geist mit seinen Gaben[4]«. Diese Gabe der Taufe in ihrer Ganzheit bezieht sich auf das ganze Leben des Christenmenschen und gilt ihm immerdar, bis zu seinem Eingang in die Ewigkeit. Er lebt von keiner anderen Gnade als von der, die ihm durch die Taufe zugesagt und zugebracht ist, und bedarf keiner neuen. Die Buße, wenn wir von der Taufe abgefallen sind in Sünde, ist nicht ein neues Gnadenmittel, sondern nichts anderes als Rückkehr zu der Taufe, zu der in ihr geschehenen Verheißung, zu ihrer Kraft, zum Glauben an sie. »Denn immerdar bleibt

folgern und schließen: wo der Glaube nicht ist, da müsse auch die Taufe nicht recht sein. Gerade als ich wollt schließen: Wenn ich nicht glaube, so ist Christus nichts ... Ist das wohl geschlossen, wo jemand nicht tut, was er tun soll, daß darum das Ding an ihm selbst nichts sein noch gelten soll?

1. 30 I, 212,22; 213,9.12. – Hauptquellen zum Kapitel »Die Taufe«: De captivitate; der Sermon von der Taufe 1519; die Katechismen.

2. 30 I, 214,13.   3. 30 I, 215,18.   4. 30 I, 217,28.18.

bestehen die Wahrheit der einmal geschehenen Verheißung, bereit, uns mit offenen Armen aufzunehmen, wenn wir umkehren[5].« So hat der Christ durch sein ganzes Leben hindurch immer aufs neue das im Glauben zu ergreifen und sich zuzueignen, was die Taufe ihm ein für allemal verheißen hat. Ein für allemal macht sie uns »Gott zu eigen[6]«. So eignet der Taufe Einmaligkeit, aber eben damit zugleich dauernde Gegenwärtigkeit und Aktualität für das Christenleben.

Wiefern die Taufe lebenslang gegenwärtig und aktuell ist, das führt Luther aus im Anschluß an Röm 6. Er knüpft wie Paulus an den äußeren Taufakt an, nämlich das Untertauchen und Wiederheraufziehen des Täuflings – der Sinn ist: Tötung des alten und Auferstehung des neuen Menschen[7]. »Sakramentlich« ist das im Akt der Taufe ein für allemal geschehen, aber in der Wirklichkeit des Lebens muß es im Glauben immer neu und immer mehr vollzogen werden[8]. »Ein christliches Leben ist nichts anderes denn eine tägliche Taufe; einmal angefangen und immer darin gegangen[9].« Die »Bedeutung« des äußeren Taufaktes muß also immer aufs neue und immer mehr erst verwirklicht werden; wie es im Kleinen Katechismus heißt: Das Wassertaufen bedeutet, »daß der alte Adam in uns durch tägliche Reue und Buße soll ersäuft werden und sterben mit allen Sünden und bösen Lüsten, und wiederum täglich herauskommen und auferstehen ein neuer Mensch, der in Gerechtigkeit und Reinigkeit vor Gott ewiglich lebe«. Alle Heiligung des Christen ist also nicht anderes als ein Vollzug der Taufe. »Wir müssen allezeit mehr und mehr getauft werden, bis wir das Zeichen (nämlich das Symbol des Sterbens und Auferstehens in der Taufhandlung) vollkommen erfüllen am Jüngsten Tage.« Oder – was das gleiche ist – mit dem Tode, dem leiblichen Sterben erfüllen wir, was die Taufe in sich schließt. Je früher man stirbt, desto eher ist der Sinn der Taufe verwirklicht. Je härter wir zu leiden haben, desto glücklicher entsprechen wir unserer Taufe. Taufe und Tod, Taufe und Leiden, Taufe und Martyrium gehören zusammen[10].

---

5. 2, 733,27. – 6, 528,13: Dum a peccatis resurgimus sive poenitemus, non facimus aliud quam quod ad baptismi virtutem et fidem, unde cecideramus, revertimur et ad promissionem tunc factam redimus, quam per peccatum desereramus. 535,1. – 30 I, 221,12.19: Darum bleibt die Taufe immerdar stehen, und ob gleich jemand davon fället und sündigt, haben wir doch immer einen Zugang dazu, daß man den alten Menschen wieder unter sich werfe.

6. 30 I, 222,8.

7. 6, 534,3. – 30 I, 220,14. – Kleiner Katechismus, 4. Tauffrage.

8. 2, 728,10; 730,3. – 6,535,10: Semel es baptisatus sacramentaliter, sed semper baptisandus fide, semper moriendum semperque vivendum.

9. 30 I, 220, 22.

10. 6, 535,15: Semper sumus baptizandi magis ac magis, donec signum perfecte impleamus in novissimo die. 17: Quicquid in hac vita gerimus, quod ad mortificationem

Daß es zu dieser Erfüllung der Taufe durch Sterben des alten und Auferstehen des neuen Menschen komme, dazu hilft Gott uns das ganze Leben hindurch. Er macht im Taufakt – so führt Luther es im Taufsermon von 1519 aus – einen Bund mit uns, gibt uns die Zusage, uns die Sünde im ganzen Leben zu vergeben, und zugleich, unsere Sünde in den Tod zu geben. Damit hebt er dann auch an und übt uns lebenslang durch die Aufgaben unseres Standes und Berufes und durch mancherlei Leiden, daß wir von der Sünde frei und im Glauben stark werden[11]. Er übt uns auf den Tod hin, in dem die Sünde endgültig stirbt[12]. Der Mensch aber verpflichtet sich durch den Taufakt, dessen Sinn seinerseits zu vollziehen, sich »in das Sakrament der Taufe zu ergeben«, auf Gottes gnädiges Arbeiten an ihm einzugehen, indem er wider die Sünde streitet und sie tötet bis in den Tod[13]. So wird das ganze Christenleben in Kraft der Taufe und in Pflicht der Taufe gelebt. Luther stellt die Taufe also mitten in das Leben des Christen hinein. Sein Verständnis der Taufe ist der genaue Ausdruck seiner Rechtfertigungslehre: Durch das Sakrament der Taufe sind wir »sakramentlich«, »des Sakraments halben«, nach Gottes gnädigem Urteil ganz rein und unschuldig, »ein Kind der Gnaden und gerechtfertigter Mensch[14]«. Aber was wir so durch Gottes gnädiges Urteil sind, das will Gott an uns, die wir lebenslang noch Sünder bleiben, nun auch verwirklichen. Das gleiche Urteil, durch das wir unschuldig sind, gibt uns, den alten Menschen nunmehr in den Tod, daß wir rein werden[15]. Was in der Taufe mit einem Male und total mit uns geschehen ist und in dieser Totalität von den Getauften in jedem Moment des Lebens im Glauben als Wirklichkeit ergriffen werden kann und soll, die Vergebung der Sünden, die Reinheit durch Gottes Urteil, das begründet nun eine Bewegung des Lebens von Gott her, durch sein Arbeiten am Menschen hin auf die wirkliche Neuheit und Reinheit, ein Werden durch das ganze Leben hin. An der Taufe hat der Mensch ein Zeichen, ein Pfand des Bundes Gottes mit ihm, der ihn durch die Vergebung rein gemacht hat und nun auch wesenhaft rein machen will. Beides gehört, wie in Luthers Verständnis der Rechtfertigung, so auch in seiner Lehre von der Taufe unlöslich zusammen. Die Tauflehre ist selber nichts anderes als seine Rechtfertigungslehre in konkreter Gestalt.

carnis et vivificationem spiritus valet, ad baptismum pertinere, et quo brevius a vita absolvimur, eo citius baptismum nostrum impleamus, et quo atrociora patimur, eo foelicius baptismo respondeamus.

11. 8, 11,16; 12,13.
12. 2, 729,19; 731,3.
13. 2, 730,23; 731,35.   14. 2, 728,7.
15. 2, 732,9; Also verstehst du, wie ein Mensch unschuldig, rein, ohne Sünde wird in der Tauf, und doch bleibet voll viel böser Neigung, daß er nicht anders rein heißt, denn daß er angefangen ist, rein zu werden, und derselben Reinigkeit ein Zeichen und Bund hat und je mehr rein werden soll ... und also mehr durch Gottes gnädiges Rechnen denn seines Wesens halben rein ist. – 8, 93,1.8; 96,6.

Luther bezieht sich in seinem Verständnis der Taufe, wie wir sahen, auch auf Paulus und speziell auf Röm 6. Es ist aber zunächst zu beachten, daß er sowohl im Großen wie im Kleinen Katechismus auf den Sinn der Taufe als Sterben und Auferstehen erst jeweils am Schluß seiner Ausführungen zu sprechen kommt, im Kleinen Katechismus erst bei der vierten Tauffrage. Erst da knüpft er an die äußere Taufhandlung an. Er kann also das Wesen der Taufe darlegen, ohne an Röm 6 anzuknüpfen und von Tod und Auferstehung zu sprechen.

Das führt auf einen sachlichen Unterschied gegenüber der Lehre des Paulus. Für Paulus ist in und mit der Taufe ein Sterben und auch ein Auferstehen (vgl. Kol 2,12 f.) schon geschehen. Der Mensch muß sich freilich zu ihm jeweils neu handelnd bekennen, indem er seinen alten Menschen in den Tod gibt und sucht, was droben ist (Kol 3,5.2); aber diese Imperative ruhen eben doch auf den Indikativen: »ihr seid gestorben«, »ihr seid mit Christus auferstanden« (Kol 3,3.1). Der alte Mensch ist in der Taufe getötet, der neue ist auferstanden. Entsprechende Sätze findet man, soweit ich sehe, bei Luther nicht. Es ist bezeichnend, wie er Röm 6,3 ff. zum Beispiel im Kleinen Katechismus verwendet: Die symbolische Handlung bei der Taufe »bedeutet« nach Luther nicht ein einmal Geschehenes, sondern ein fortdauernd zu Geschehendes: der alte Adam »soll« ersäuft werden und so weiter. Luther wendet also die Aussage des Paulus über den Sinn der Taufe nicht auf das einmalige Taufgeschehen, sondern auf die lebenslängliche Verwirklichung des Sinnes der Taufe an [16]. Man könnte sagen (und die Stellung von Röm 6 im Kleinen Katechismus zeigt das deutlich): Röm 6 mit seiner Todes- und Auferstehungs-Theologie der Taufe gehört für Luther nicht in die Dogmatik der Taufe, sondern in die Ethik. Daher die Stellung am Schluß.

Bei Luther finde ich keine einzige Stelle, an der er, entsprechend Paulus, etwa sagte: du bist in der Taufe den Tod mit Christus gestorben. Er kann wohl sagen: der Mensch, der aus der Taufe kommt, ist rein und unschuldig [17]; aber er sagt nie: er ist tot. Es heißt immer: das Sterben ist in der Taufe von Gott verheißen, es hat begonnen, es muß durch das ganze Leben gehen, es vollendet sich in Tod und Auferstehung. Bei Paulus haben wir es mit einem Praeteritum praesens zu tun (siehe die Aoriste Röm 6 und Kol 3), bei Luther mit einem Praesens perpetuum, das durch die einmal vollzogene Taufe wohl »bedeutet« ist und mit ihr auch beginnt, aber doch als *totum* noch nicht geschehen ist. Luther kann gewiß sagen, daß die Taufe nichts anderes sei als der Tod zum künftigen Leben [18]; aber der Taufakt selbst ist noch nicht der Vollzug des Todes, sondern: »wer getauft wird, wird zum Tode verurteilt«. Die Abweichung von Paulus wird besonders an solchen Stellen deutlich, an denen Luther ausdrücklich den Apostel exegesiert. So sagt er 1539 in der Dritten Disputation gegen die Antinomer gelegentlich: »tot sein und sterben für die Sünd sei eine Paulinische Redeweise für: kämpfen mit der Sünde und sie nicht in uns herrschen lassen [19]«. Man könnte sagen: während bei Paulus Röm 6,12 auf Vers 11

16. 30 I, 220,18, wo Luther in der äußeren Taufhandlung »Kraft und Werk der Taufe« gedeutet findet als »Tötung des alten Adam« und »Auferstehung des neuen Menschen«, sagt er kein Wort von einem Tod und Auferstehen im Taufakt selber, sondern sofort: »welche beide unser Leben lang in uns gehen sollen«.

17. 2, 730,3.

18. Br. 5, 452,20: cum aliud baptismus non sit quam mors ad vitam futuram.

19. 39 I, 551,2.

aufruht, wird von Luther Vers 11 (»daß ihr der Sünde gestorben seid«) mit Vers 12 gleichgesetzt, das Gestorbensein als fortgehendes Kämpfenwollen mit der Sünde interpretiert. In *De captivitate* sagt Luther gewiß mit Paulus: Der Sünder stirbt und aufersteht durch die Taufe mit Christus. Aber gerade auch hier geht er sofort weiter zu dem Gedanken, daß die Taufe Sache des ganzen Lebens ist[20]. Der Akzent liegt ohne Frage anders als bei Paulus.

Der Unterschied zwischen Paulus und Luther an diesem Punkt ist in dem begründet, was beider Theologie im Verständnis des Christenstandes überhaupt voneinander unterscheidet: der Apostel denkt im Blick auf die missionarische Lage, Luther im Blick auf die innerchristliche[21]. Das heißt: Paulus spricht von der Taufe als Bekehrungstaufe – da ist sie der große Einschnitt, der Einst und Jetzt klar scheidet. Luther hat die Kindertaufe im Auge – hier fehlt die große Entscheidung, der Einschnitt im Leben. Statt dessen drängt sich hier die Frage der bleibenden Sünde im Leben der Getauften auf. Daher bei Paulus der Ton auf dem, was in der Taufe geschehen ist, bei Luther darauf, daß die Taufe lebenslang verwirklicht werden soll. Man muß fragen, ob hier nicht auch ein Unterschied in der Sakramentslehre als solcher besteht. Luther sagt einmal: »Wenn wir glauben, fangen wir zugleich an, dieser Welt zu sterben und für Gott zu leben im zukünftigen Leben[22].« Das Sterben mit Christus wird also nicht vom Taufakt als solchem, sondern vom Glauben ausgesagt. Der Glaube verwirklicht das, was die Taufhandlung bedeutet: Sterben und Auferstehen mit Christus.

Bei alledem bleibt freilich die Frage, ob Paulus das Sterben und Auferstehen mit Christus in seinem ganzen theologischen Denken so an die Taufe geknüpft hat wie in Röm 6; Gal 2,19 und 2 Kor 5,14 spricht er vom Gestorbensein mit Christus ohne alle Beziehung auf die Taufe. Aber auch wenn man darauf Gewicht legen will, bleibt das Entscheidende doch, daß für Paulus das Sterben mit Christus schon geschehen ist (unbeschadet dessen, daß es im Leben immer neu zu vollziehen ist), während es bei Luther nur als Sache des ganzen Lebens, als Aufgabe zu stehen kommt.

Die Kindertaufe

Die Begründung ihres Rechtes[23]. Stark in den Vordergrund rückt Luther gegenüber den täuferischen Neuerern das Zeugnis der gemeinchristlichen Tradition; wir könnten im Stile der alten lutherischen Kirche sagen: die »katholische« Wirklichkeit der Kindertaufe. Das ist gewiß nicht sein letztes Wort zur Sache, aber sein erstes.

Die Kindertaufe ist »von Anfang der Christenheit gewesen und gehalten«, sie »kommt von den Aposteln her und hat seit der Apostel Zeiten gewährt«.

20. 6, 534,26.31.

21. Vgl. dazu: Paulus und Luther über den Menschen. 3. Aufl. 1958. S. 80 ff.

22. 6, 534,15: Dum incipimus credere, simul incipimus mori huic mundo et vivere deo in futura vita.

23. Hauptquellen: die Predigt über Mt 8, 1 ff. aus der Fastenpostille 17 II, besonders 78 ff.; von der Wiedertaufe, an zwei Pfarrherren, 1528, 26,144 ff.; Predigten über die Taufe aus dem Jahre 1528, 27,32 ff. 49 ff.; Großer Katechismus, 30 I, 218 ff.

Sie ist also »katholisch«, sowohl auf Zeit wie auf Raum gesehen; sie geht durch alle Jahrhunderte und ist »bei allen Christen in aller Welt angenommen«. Schon durch diese ihre ebenso säkulare wie ökumenische Geltung hat Gott ein Ja zur Kindertaufe gesprochen. Luther macht hier geschichtstheologisch geltend: was nicht recht ist, das läßt Gott nicht so lange währen, vom Anfang an bis heute hin; dem schafft er nicht Geltung bei allen Christen in aller Welt. So hat er alle Ketzereien untergehen lassen, die viel später aufgekommen sind als die Kindertaufe. Aber diese hat er erhalten allezeit und überall – »solch Wunderwerk Gottes zeigt an, daß die Kindertaufe muß recht sein«. Allerdings gilt dieses geschichtstheologische Argument nur bedingt, nämlich nur da, wo die in Frage stehende Institution nicht wider die Schrift ist. Aber wenn das zutrifft, gilt das Argument. Die Erhaltung der Kindertaufe durch alle Jahrhunderte und in allen Teilen der Christenheit ist ein Wunder, Gottes Werk. Wo man aber »Gottes Werk siehet, muß man ebensowohl weichen und glauben, als wo man sein Wort höret, es sei denn, daß öffentliche Schrift solche Werk uns anzeige zu meiden[24]«. Gott hat in der Kirchengeschichte noch ein zweites unverkennbares Ja zur Kindertaufe gesprochen, nämlich dadurch, daß er allezeit vielen, die als Kinder getauft sind, offenkundig seinen Heiligen Geist gegeben und sie geheiligt hat, bis auf den heutigen Tag. Luther scheut nicht, hier auf die klare Erfahrung hinzuweisen. Er ist offenbar der Meinung gewesen, daß die Gegenwart des Heiligen Geistes in einem Menschen sich nicht verkennen lasse. Der Geist ist kenntlich an seinen Gaben in Lehre und Leben. Wo man die Schrift auszulegen, wo man Christum zu erkennen vermag, wo »große Dinge in der Christenheit« durch Menschen geschehen, da ist Gottes Geist am Werk. Luther nennt beispielsweise St. Bernhard, Gerson, Johann Hus; aber er bezieht auch seine Zeit ein: »und heutigs Tages noch viel sind, an denen man spüret, daß sie den Heiligen Geist haben, beide der Lehre und des Lebens halben, als uns von Gottes Gnaden auch gegeben ist, daß wir können die Schrift auslegen und Christum erkennen, welchs ohne den Heiligen Geist nicht geschehen kann[25].« Ferner ist zu sagen: wäre die Kindertaufe falsch, wider Gottes Willen, dann wäre mehr als tausend Jahre keine rechte Taufe und damit auch keine Christenheit gewesen, denn ohne Taufe ist keine Christenheit. Dieser notwendige Schluß steht aber in unversöhnlichem Widerspruch zu dem Artikel des Glaubens »Ich glaube eine Heilige christliche Kirche«, zu der Gewißheit des Glaubens, daß die Kirche nicht untergeht bis ans Ende der Welt. Dauert demnach die Kirche an, so muß auch die Kindertaufe richtig sein. Denn die Kirche hat das wahre Evangelium und die Sakramente. Wäre ihre einhellige ununterbrochene Übung der Kindertaufe falsch, so würde sie entscheidend irren und könnte damit nicht mehr die »heilige« sein – kurz: es gäbe dann in Wahrheit keine Kirche mehr seit über

24. 26, 155,29; 167,19; 168,5. – 27, 52,15.
25. 26, 168,12. – 30 I, 218,6.

einem Jahrtausend – was doch angesichts des Glaubensbekenntnisses unmöglich ist[26].

Indessen, wie schon gesagt, diese Argumentation ist im Sinne Luthers nicht die unbedingte, letztgültige Begründung. Im Blick auf das seit den ersten Tagen der Kirche überkommene ökumenische Erbe gilt: »Man soll nichts umstoßen oder ändern, was man nicht mit heller Schrift kann umstoßen oder ändern. Gott ist wunderlich in seinen Werken. Was er nicht haben will, da zeuget er genugsam von in der Schrift. Was er daselbst nicht zeuget, das laß man gehen als sein Werk: wir sind entschuldigt; er wird uns nicht verführen[27].« So werden wir von dem Zeugnis der einhelligen Tradition weiter gewiesen zu dem Zeugnis der Schrift. An der Schrift fällt die Entscheidung über die Kindertaufe. Welcher Art muß der Schriftbeweis in dieser Sache sein? Darauf antwortet schon Luthers zuletzt angeführtes Wort. Luther ist kein puritanischer Biblizist. Er fordert nicht, daß alles, was in der Kirche als Lehre und Übung gelten soll, schon in der Schrift ausdrücklich gelehrt oder angeordnet sein muß. Der Kirche können in ihrer Geschichte auch Erkenntnisse geschenkt werden, die in der Schrift noch nicht ausgesprochen sind. Nur darauf kommt alles an, daß sie durch die Schrift nicht ausgeschlossen werden, daß sie ihr gemäß sind, zu ihr stimmen. Es steht nun nicht so, daß Luther hier im Falle der Kindertaufe aus der Not eine Theorie machte: weil er keinen Schriftbeweis im strengen Sinne führen konnte, hätte er das Schriftprinzip erweicht zu der bescheideneren Forderung, daß die Kindertaufe nicht gegen die Schrift sein dürfe. Nein, Luther hat diese Fassung der unerläßlichen Schriftgemäßheit alles dessen, was in der Kirche gelehrt und getan wird, ganz allgemein vertreten, nicht nur im Fall der Kindertaufe.

So kann er getrost zugeben: die Kindertaufe ist in der Schrift nicht ausdrücklich angeordnet oder geboten. Es gibt keine »sonderlichen Sprüche« dieses Inhalts[28]. Das direkte Schriftzeugnis ist nicht stark genug, daß man allein darauf die Kindertaufe, wenn sie nicht schon da wäre, anfangen dürfte. Aber das Schriftzeugnis ist andererseits so deutlich und stark, »daß jetzt bei unserer Zeit niemand mit guten Gewissen darf der Kinder Taufe, so lange hergebracht, verwerfen oder fallen lassen«, angesichts dessen, daß Gott sie offenkundig erhalten hat. In diesem Sinne macht Luther für die Kindertaufe im einzelnen geltend: 1. Das Kinderevangelium Mt 19, Mk 10, Lk 18: Christus läßt die Kindlein zu ihm kommen und sagt, daß das Reich Gottes ihrer sei. »Wer kann vor diesem Texte vorüber? Wer will dawider so kühne sein und die Kindlein nicht zur Taufe kommen lassen oder nicht glauben, daß er sie segne, wenn sie dahin kommen[29]?« Neben der Kindersegnung nennt Luther noch den Kinderspruch

26. 26, 168,27. – 27, 52,15. – 30 I, 218,17.
27. 26, 167,11.   28. 26, 167,36; 169,31.
29. 17 II, 83,12.37; 88,1. – 26, 157,7; 169,9.

Mt 18,10[30]. 2. Ferner führt er den Taufbefehl ins Feld. Zwar werden da die Kinder nicht ausdrücklich genannt. Aber auch kein anderes Alter oder das Geschlecht wird da genannt. Das Gebot zu taufen betrifft allgemein »alle Heiden«, »keinen ausgeschlossen«. Da gehören also die Kinder dazu. Demgemäß haben die Apostel, von denen es mehrfach in der Apostelgeschichte und bei Paulus heißt, daß sie ganze »Häuser« getauft haben, offenbar »in den Häusern alles getauft, was drinnen gewesen ist«. »Aber die Kinder sind wahrlich auch der Häuser ein gut Stücke.« Hätten die Apostel, die sonst doch so oft in den Briefen betonen, daß es unter den Christen kein Ansehen noch Unterschied der Personen gibt, einen solchen in Sachen der Taufe überkommen, so würden sie ihn auch ausgesprochen haben[31]. Die unterschiedslose Universalität des Taufbefehls, dem offenbar die apostolische Taufpraxis entsprochen hat, ist nur ein Ausdruck für den Universalismus des Evangeliums. Das ist für Luther der entscheidende Punkt[32]. Aus dem Wesen des Evangeliums begründet Luther zuletzt das Recht, die Notwendigkeit der Kindertaufe. Andere Schriftstellen, die er noch anführt wie 1 Joh 2,12 oder Lk 1,41 (Johannes schon im Mutterleibe gläubig), stehen den genannten gegenüber in zweiter Linie. Im ganzen ist er sich bewußt, daß sein Schriftbeweis den Gegnern der Kindertaufe im einzelnen nicht genugtun wird. Aber darauf kommt es ihm auch gar nicht an. Es genügt, daß die Schrift nichts gegen die Kindertaufe sagt und die Kinder nicht ausdrücklich ausnimmt von der Taufe und nicht die Erwachsenentaufe allein gebietet. Die beigebrachten Schriftzeugnisse erweisen jedenfalls, daß die Kindertaufe »nirgend wider die Schrift, sondern der Schrift gemäß ist«. Das bedeutet, daß die Wiedertäufer mit ihrem Angriff auf die Kindertaufe keinen festen Boden unter den Füßen haben. Sie sind angesichts des biblischen Tatbestandes ohne Frage ungewiß. Das heißt aber schon, daß sie unrecht tun. »Denn in göttlichen Sachen soll man nicht des ungewissen, sondern des gewissen spielen[33].« Die Täufer sind ja Neuerer. Sie, nicht die Anhänger der Kindertaufe, haben die Beweislast. Sie bedürfen eines klaren Schriftgrundes für ihr Nein zur Kindertaufe. Für die, welche an der Kindertaufe festhalten, ist es genug, daß die Schrift nicht gegen die Kindertaufe, sondern diese ihr gemäß ist. Denn sie haben den Consensus der Kirche aller Zeiten für sich. Vielmehr: sie wissen sich durch ihn von Gott her gebunden, solange die Schrift nicht ausdrücklich dagegen spricht.

Blicken wir auf Luthers Begründung der Kindertaufe zurück, so ist festzustellen: der Reformator erweist das Recht der Kindertaufe mit den Grundgedanken seiner Theologie, von seinem Verständnis des Evangeliums, seiner Schätzung der gemeinkirchlichen Tradition aus. Er benutzt hier keinen Gedanken, den er nicht auch sonst, bei anderen Fragen und Entscheidungen vertreten hätte. So hat er zum Beispiel die Verbindlichkeit des gesamtkirchlichen

---

30. 26,157.   31. 26, 158,28.
32. 26, 169,20.31.   33. 26, 159,7; 169,13.

Consensus, sofern er nicht von der Schrift her zu erschüttern ist, auch in Sachen der Abendmahlslehre gegen den Spiritualismus geltend gemacht[34].

Das Problem der Kindertaufe: Taufe und Glaube

Es gehört zu Luthers entscheidenden reformatorischen Sätzen: Die Sakramente nützen nur, wenn sie im Glauben empfangen werden (S. 300). Das gilt natürlich auch von der Taufe. Christus sagt Mk 16: »Wer da glaubet und getauft wird, der wird selig werden[35].« Er setzt den Glauben vor die Taufe; denn wo der Glaube nicht ist, hilft die Taufe nicht; wie er selbst hernach sagt: »Wer nicht glaubt, der wird verloren, ob er schon getauft wird, denn nicht die Taufe, sondern der Glaube zu der Taufe macht selig[36].« Auch im Ringen mit den Spiritualisten und Täufern um die Wertung der von Christus eingesetzten Taufhandlung läßt Luther nichts ab von der Unentbehrlichkeit des Glaubens bei der Taufe[37]. Dadurch wird aber die Kindertaufe zum Problem. Wie steht es mit dem Glauben bei der Taufe der unmündigen Kinder?

Luthers Gedanken hierüber sind nicht allezeit die gleichen geblieben, sondern durchlaufen eine Entwicklung. Zunächst, noch 1521, erklärt er: Die Kinder werden auf den Glauben und das Bekenntnis der Paten hin getauft, die in der Taufliturgie an Stelle des Täuflings gefragt werden, ob er glaube[38]. Aber diesen Gedanken hat Luther bald, schon 1522, aufgegeben zugunsten der Erkenntnis: Niemand wird selig durch anderer Glauben, sondern nur durch seinen eigenen. »Taufe hilft niemand, ist auch niemand zu geben, er glaube denn für sich selbst, und ohne eigenen Glauben niemand zu taufen ist ... Der Glaube muß vor oder je in der Taufe da sein, sonst wird das Kind nicht los von Teufel und Sünden[39].«

---

34. 30 III, 552,8. – Wenn *Karl Barth* (Die kirchliche Lehre von der Taufe, 1947) meint, der eigentliche und durchschlagende Grund für die Kindertaufe sei bei ihren Vertretern, daß man nicht auf die Volkskirche verzichten wolle, so trifft das jedenfalls auf Luther nicht zu. Man müßte sonst doch wohl erwarten, daß er bei seinem bekannten, in der Vorrede zur »Deutschen Messe« von 1526 vorgetragenen Gedanken einer Sammlung derer, »so mit Ernst Christen sein wollen«, unter anderem auch eine Änderung der großkirchlichen Taufpraxis in Aussicht genommen hätte. Aber davon ist keine Rede. Obgleich namentliche Einzeichnung derer, die dieser »Freiwilligkeitskirche« angehören wollen, ernste Kirchenzucht nach Mt 18 und weitgehende Reduktion der kirchlichen Liturgie vorgeschlagen wird, zieht Luther keineswegs die Folgerung, daß nun auch die Taufe von einem vorangehenden bewußten Entschluß und Bekenntnis des Täuflings abhängig sein müsse. Es heißt nur (19,75): »Hie könnte man auch eine kurze feine Weise mit der Taufe und Sakrament halten ...« – Aber die Kindertaufe wird nicht preisgegeben. »Außersachliche« Gründe spielen offenbar keine Rolle. Alles hängt an dem Zeugnis der kirchlichen Überlieferung und der Schrift.

35. 6, 533,36.
37. 26, 154,15. – 30 I, 216,10.19.
36. 7, 321,9.
38. 7, 321,15.

Das ist nichts anderes als die konsequente Anwendung des reformatorischen Grundgedankens über die unlösbare Zusammengehörigkeit von Sakrament und Glaube.

Infolgedessen lehrt Luther von da an den Kinderglauben: Die unmündigen Kinder glauben bei der Taufe. Ehe wir seinen Gedanken darüber im einzelnen nachgehen, ist zu betonen: Niemals hat Luther das Recht der Kindertaufe auf das Vorhandensein des Kinderglaubens gegründet. Vielmehr umgekehrt: er erschließt den Kinderglauben, soweit er ihn vertritt, aus der Einsetzung und damit aus der Gültigkeit der Kindertaufe. Die Kinder sind zu taufen, nicht weil feststeht, daß sie glauben, sondern weil die Kindertaufe schriftgemäß ist, des Herrn Wille. Luther führt daher auch keinen Erfahrungsbeweis für den Glauben der Säuglinge – den Versuch, den Glauben im Menschen festzustellen lehnt er ja gerade bei den Täufern aufs schärfste ab! –; der Kinderglaube ist ihm wegen des Rechtes der Kindertaufe gewiß und durch nichts anderes. So denkt Luther auch nicht daran, seine Wirklichkeit aufzuzeigen, er verteidigt nur gegenüber der Polemik der Täufer seine Möglichkeit.

Wir folgen nunmehr den einzelnen Stadien von Luthers Lehre. Für das Jahr 1525 haben wir als Quelle seine Predigt über Mt 8,1 ff. aus der Fastenpostille[40]. Er lehnt die römische Auskunft, daß die Kinder auf den Glauben der Kirche getauft werden, ab, ebenso aber auch die Meinung der Waldenser, man taufe die Kinder auf ihren zukünftigen Glauben[41]. Die Kinder müssen selber glauben, und zwar bei der Taufe. Daß sie es tun, daran ist nicht zu zweifeln. Denn wenn Christus den Kindern das Himmelreich zuspricht, aber auch sagt, »wer nicht glaubt, ist verdammt«, wer dürfte da sagen, die Kinder, die er aufnimmt in das Reich, seien ohne Glauben[42]? Übt die Kirche die Kindertaufe mit Ernst, als Mittel der Seligkeit, so bekennt sie sich damit notwendig zum Kinderglauben. Denn sonst würde die Taufe in diesem Fall nicht selig machen und wäre »ein Spiel und Spott[43]«. Wie kommt der Glaube in den Kindern zustande? Gott wirkt ihn »durch das Fürbitten und Herzubringen der Paten im Glauben der christlichen Kirche. Und das heißen wir die Kraft des fremden Glaubens. Nicht daß jemand durch denselben möge selig werden, sondern daß er dadurch als durch sein Fürbitt und Hilfe möge von Gott selbst einen eigen Glauben erlangen, dadurch er selig werde[44].« – »Die Kinder werden nicht im Glauben der Paten oder der Kirche getauft, sondern der Paten und der Christenheit Glaube bittet und erwirbt ihnen den eigenen Glauben, in welchem sie getauft werden und für sich selbst glauben[45].« Die Täufer wenden ein: Die un-

---

39. 17 II, 19 ff.; 81,3.17. – So auch schon in der Predigt vom 7. September 1522, 10 III, 306 ff. Über die Kinder bei der Taufe 310,15: Also auch wenn man tauft, so sehen wir das an der Kinder Glauben: die Kindlein stehn da bloß und nackend an Leib und Seel, haben keinen Glauben, kein Werk. Da tritt her die christlich Kirch und bittet, Gott wolle ihnen den Glauben eingießen. Nit daß unser Glaub oder Werk das Kind helfen soll, sondern daß das Kind einen eigenen Glauben gewinne.

40. 17 II, 78 ff.   41. 17 II, 79,23; 81,5.   42. 17 II, 83,22.

43. 17 II, 82,10.   44. 17 II, 82,29.   45. 17 II, 83,9.

mündigen Kinder können nicht glauben, weil sie nicht hören und keine Vernunft haben. Luther anwortet: Im Gegenteil! Die Vernunft ist es immer wieder, die »dem Glauben und Wort Gottes aufs höchste widerstehet«, die uns zu glauben hindert. Eben weil die Kinder ohne Vernunft sind, »sind sie besser zum Glauben geschickt denn die Alten und Vernünftigen, welchen die Vernunft immer im Wege liegt und will ihren großen Kopf nicht durch die enge Tür stoßen[46]«. Hören die kleinen Kinder das Wort nicht? Luther antwortet: »Haben sie das Wort nicht gehöret, dadurch der Glaube kommt, wie es die Alten hören, so hören sie es aber wie die jungen Kindlein: die Alten fassens mit Ohren und Vernunft oft ohne Glauben, sie aber hörens mit Ohren ohne Vernunft und mit Glauben. Und der Glaube ist so viel näher, so viel weniger der Vernunft ist[47].« Die Kinder, die man zur Taufe bringt, hören das Wort, denn die Taufe, die sie erfahren, ist ja selber nichts anderes als das Evangelium. Dieses Evangelium hören sie kräftig, »weil Christus sie aufnimmt, der sie hat heißen bringen[48]«. Wir werden gegen diese Sätze Luthers viel einzuwenden haben. Luther verwendet den Begriff »Vernunft« in einem anderen Sinne, als die Einrede ihn meinte. Sie versteht darunter, daß das Glauben ein personhafter Akt ist. Luther faßt die Vernunft nicht in diesem formellen Sinne, sondern gleich inhaltlich als Inbegriff unserer sündigen, trotzigen, ungläubigen Gedanken. Auf diese Weise treten Glaube und Vernunft bei ihm in einfache Disjunktion. Aber damit ist auf den Einwand nicht geantwortet, daß dem Säugling die »Vernunft« fehle, um glauben zu können, nämlich die Personhaftigkeit des Seins, in der ich mich an Gottes Gnade hingebe – gewiß nicht »aus eigener Vernunft«, aber mit meiner Vernunft. Indessen wir brauchen mit Luther darüber nicht zu rechten. Denn er selber klammert diese seine Gedanken vom Kinderglauben doch wieder ein, indem er erklärt: Bei den Erwachsenen, die zur Taufe kommen, wissen wir auch nicht, wie es inwendig mit ihrem Glauben steht, und dürfen sie doch guten Gewissens taufen darauf hin, daß sie kommen – dürfen und sollen wir nicht ebenso die Kinder taufen, weil Jesus geboten hat, sie zu ihm zu bringen – und ihren Glauben dem befehlen, der sie herzubringen heißt? »Welche aber nicht von ihnen selbst herzukommen, sondern herzugebracht werden, deren Glauben befiehl dem, der sie heißt herzubringen, und taufe sie auf desselben Befehl und sprich: Herr, du bringest sie her und heißest sie taufen, so wirst du wohl für sie antworten (das heißt die Verantwortung übernehmen). Da verlaß ich mich drauf[49].« Luther läßt mit diesen Sätzen seinen Gedanken des Kinderglaubens nicht fahren. Das zeigt der Zusammenhang der zuletzt angeführten Stelle klar. Aber er gibt seinem Wort über die Möglichkeit und das Vorhandensein des Kinderglaubens auch nicht den Ton eines letzten entscheidenden Satzes zur Frage der Kindertaufe. Entscheidend ist, daß der Herr die Kinder aufnimmt und zu sich bringen heißt. Auf diesen seinen Willen und sein Wort taufen wir sie, mag es mit ihrem Glauben stehen wie es will – das befehlen wir ihm. Anders ist es ja auch bei der Taufe des Erwachsenen nicht. Gewiß, dieser kommt von selber zur Taufe. Aber soll das für die Freudigkeit, für das gute Gewissen, zu taufen schwerer wiegen als das andere, daß der Herr die Kinder bringen heißt? Luther blickt, sosehr er auch am Kinderglauben festhält, doch nicht auf diesen, sondern zuletzt allein auf Jesus Christus. Nicht wir haben mit unserer umstrittenen und unsicher bleibenden Gewißheit um den Glauben der Kinder oder der Erwachsenen die Taufe zu verantworten, sondern er verantwortet sie, der die Kinder zu sich bringen heißt.

46. 17 II, 84,33; 85,8.   47. 17 II, 87,3.   48. 17 II, 87,31.   49. 17 II, 85,32; 86,36.

1528 geht Luther in dieser Richtung einen Schritt weiter. Auch jetzt freilich setzt er den Kinderglauben voraus. Die Schrift zeigt, daß Kinder glauben können, zum Beispiel Johannes der Täufer schon im Mutterleibe, »da Christus kam und durch seiner Mutter Mund redet[50]«. Die täuferische Behauptung, daß Kinder nicht glauben können, ist also wider die Schrift[51]. Niemand kann auch beweisen, daß die unmündigen Kinder nicht glauben[52]. Man kann allerdings auch nicht mit Schriftstellen beweisen, daß der Kinderglaube da ist. Aber daß die Kinder glauben können in der Taufe, wird uns dadurch gewiß, daß es kein anderer als Jesus Christus ist, der in der Taufe zu ihnen spricht und mit ihnen handelt. Sie sind ja bei ihm, sein Wort und Werk geht über sie. Das kann doch nicht umsonst sein[53]! Christus selbst wirkt durch sein Reden und Handeln den Glauben in den Kindern. Das Daß des Kinderglaubens steht also fest, jedenfalls als Möglichkeit. Das Wie ist Gott zu befehlen[54] – wir wissen es nicht. Überhaupt aber – das spricht Luther deutlich aus – ist die Kindertaufe nicht auf die Gewißheit um den Glauben der Täuflinge zu gründen, also auch nicht um den Kinderglauben. »Ob ich gleich ungewiß wäre, daß sie glaubten, so müßte ich doch um meines Gewissens halben sie taufen lassen«, weil die Kindertaufe von den Aposteln her kommt. Ich werde, wenn ich das versäume und die Taufe den Kindern vorenthalte, an ihnen schuldig – wir glauben doch, daß die Taufe selig macht[55]! Ja – nun geht Luther noch einen Schritt weiter – die Taufe will gewiß im Glauben empfangen sein; aber sie gilt als Akt Gottes durch sich selbst. Wer nicht glaubt, wer vom Glauben abfällt, mißbraucht die Taufe – aber solcher Mißbrauch macht die Taufe nicht unrecht. Und es ist alles in Ordnung, wenn der Getaufte nur überhaupt einmal zum Glauben kommt oder zurückkehrt, ob früher oder später[56]. »Wenn nun der Glaube über zehn Jahre nach der Taufe käme, warum sollt man doch wiederum taufen (das heißt die Wiedertaufe vornehmen), so nun der Taufe allerdings ist genug geschehen und alles recht worden? Denn er glaubt nun, wie die Taufe fordert[57].« – »Wenn nun der Glaube kommt, so hat die Taufe das Ihre.« Wie es an der Gültigkeit und Macht der Taufe nichts ändert, »ob der Christ tausendmal ein Jahr vom Glauben fiele oder sündigte«, also dann ein Getaufter ohne Glauben wäre, »warum sollt nicht auch die erste Taufe gnug und recht sein, wenn der Christ hernach recht und gläubig wird[58]«. Hier hält Luther also für christlich durchaus möglich, daß die Kindertaufe eine Taufe ohne Glauben ist und erst später im Glauben ergriffen wird.

1529, im Großen Katechismus, klammert er den Kinderglauben noch weiter ein. Auch jetzt hält er daran fest, daß die Kinder glauben[59]. Aber im völligen Gegensatz zu den Sätzen von 1525 heißt es nunmehr: Es ist bei der Taufe nicht entscheidend, ob der Täufling glaubt oder nicht glaubt, denn darum wird die Taufe nicht unrecht, »sondern an Gottes Wort und Gebot liegt alles«. »Wenn das Wort bei dem Wasser ist, so ist die Taufe recht, ob schon der Glaube nicht dazu kommt. Denn mein Glaube macht nicht die Taufe, sondern empfähet die Taufe[60].« Die Taufe will im Glauben ergriffen sein. Wer nicht glaubt, mißbraucht sie. Aber das ändert nichts daran, daß sie selber »allezeit recht und in vollem Wesen bleibt«. Nicht an ihr soll man ändern, sondern an uns: »Hast du nicht geglaubt, so glaube noch.« Die Taufe beruft mich zum Glauben, aber ihre Wirklichkeit und Gültigkeit hängt nicht an meinem Glauben. Das gilt auch von der

50. 26, 159,14. 51. 26, 156,18. 52. 26, 156,3. 53. 26, 156,35; 159,17.
54. 26, 157,5; 169,29. 55. 26, 160,25. 56. 26, 159,23. 57. 26, 160,1.
58. 26, 160,10. 59. 30 I, 219,4.22. 60. 30 I, 218,24; 220,1.

Erwachsenentaufe: die da als Glaubende zur Taufe kommen, können doch nicht darauf bauen, daß sie glauben, »sondern darauf baue ich, daß es dein Wort und Befehl ist«. Ebenso steht es bei der Kindertaufe: »Das Kind tragen wir herzu der Meinung und Hoffnung, daß es glaube, und bitten, daß ihm Gott den Glauben gebe, aber darauf taufen wir es nicht, sondern allein darauf, daß Gott befohlen hat[61].«

Dabei ist Luther geblieben. Er hat bis in seine letzten Äußerungen zur Sache daran festgehalten, daß die kleinen Kinder bei der Taufe den Heiligen Geist bekommen und mit eigenem Glauben glauben[62]. Aber er hat ebenso auch das andere wiederholt, daß das Recht und die Gültigkeit der Kindertaufe nicht an deren Glauben hänge, daß also die Kindertaufe recht sei, auch wenn die Kinder (was doch nicht der Fall sei) nicht glaubten[63].

Luthers Nein zum Täufertum

Luther hat dem Täufertum gegenüber nicht nur das Recht der Kindertaufe begründet und verteidigt, sondern zugleich dessen Taufpraxis angegriffen und als vom Evangelium her unmöglich erwiesen[64]. Sein Nein zum Täufertum ist also nicht nur die selbstverständliche Folge des Ja zur Kindertaufe, sondern von eigenem Gehalt und Gewicht. Daher stützt und verstärkt dieses Nein zur Forderung der Erwachsenentaufe seinerseits das Ja zur Kindertaufe. Die Täufer wollen den Menschen dann taufen, wenn er zum persönlichen Glauben gekommen ist. Luther macht dagegen in der Hauptsache zweierlei geltend.

Zuerst: will man das Taufen von dem Glauben des Täuflings abhängig machen, so bleibt man immer ungewiß über das Recht, jetzt zu taufen. Denn man kann nie bestimmt wissen, ob der Täufling wirklich glaubt. Es gibt kein untrügliches Kennzeichen dafür, auch nicht sein Kommen zur Taufe und sein Bekenntnis. Man baut also auf etwas Ungewisses und handelt damit aufs Ungewisse. Das aber ist schon Sünde[65]. Einige Zitate: »Sind sie nun zu Göttern geworden, daß sie den Leuten ins Herz sehen können, ob sie glauben oder nicht?« »Die Wiedertäufer vermögen nicht gewiß zu sein, daß ihr Wiedertaufen recht sei, weil sie auf den Glauben ihr Wiedertaufen gründen, welchen sie doch nicht wissen können und also des Ungewissen spielen mit ihrem Wiedertaufen. Nun ist es Sünde und Gott versuchen, wer in göttlichen Sachen ungewiß und zweifelhaftig ist.« – »Wer die Taufe will gründen auf den Glauben der Täuflinge, der muß nimmermehr keinen Menschen taufen[66].« – Sowenig wie der Taufende kann der Täufling die Taufe auf seinen Glauben gründen[67]. »Er ist seines Glaubens auch nicht gewiß[68].« Daher ist ihm dann, wenn er die Taufe auf seinen Glauben gründen will, das Recht und die Gültigkeit seiner Taufe immer ungewiß. Der Teufel kann mich jederzeit

61. 30 I, 219,12.14.

62. Vgl. den Nachweis bei *Karl Brinkel*: Die Lehre Luthers von der *fides infantium* bei der Kindertaufe. 1958. S. 60 ff.

63. Vgl. etwa 37, 281,11; 45, 170,21; 46, 152,20.

64. Hauptquellen: Von der Wiedertaufe, an zwei Pfarrherrn, 1528; 26,144 ff. – Predigten über die Taufe aus dem Januar und Februar 1534; 37,258 ff. nach Rörers Nachschrift; 37,627 ff. für den Druck von 1535 bearbeitet.

65. 26, 154.164.171 f. – 17 II, 85,17. – 37, 667.

66. 26, 154,22.   67. 26, 155,7.   68. 26, 154,31.

zweifelhaft machen, ob der Glaube, in dem und auf den ich mich habe taufen lassen, ein rechtes Glauben war. Damit macht er mich über die vollzogene Taufe zweifelhaft. Auf diese Weise bleibe ich stets in der Heils-Ungewißheit.

Zweitens: das Taufen und Sich-taufen-Lassen auf den Glauben hin macht nicht nur ungewiß, sondern ist auch Abgötterei[69]. Der Glaube, auf den ich mich verlasse, wird eben dadurch zu einem »Werke«. Die täuferische Praxis ist also nichts anderes als eine neue Werkerei. Man redet vom Glauben, aber man betont tatsächlich eine menschliche Haltung, ein Werk. »Es ist aber ein Werk-Teufel bei ihnen, der gibt Glauben vor und meinet doch das Werk und führet mit dem Namen und Schein des Glaubens die armen Leute auf das Trauen der Werke[70].« Die Wiedertäufer wollen aus der Taufe und dem Abendmahl, »welche doch Gottes Wort und Gebot sind, eitel eigen Menschenwerk machen«. Sie »wollen nicht durch und von der Taufe fromm werden, sondern durch ihre Frömmigkeit die Taufe heilig und gut machen«. Sie verleugnen den Charakter der Taufe als Mitteilung der Gnade Christi, die allein und heilig macht, und wollen vielmehr vorher »durch sich selbst heilig werden«. Damit entwerten sie die Taufe zu einem bloßen unnötigen Erkenntnis-Zeichen für ihre Frömmigkeit[71].

Luther streitet gegen das Abhängigmachen der Taufe vom Glauben des Täuflings wahrlich nicht, weil ihm in einem sakramentalen Objektivismus an dem Glauben des Täuflings nicht gelegen wäre, sondern gerade, weil er weiß, was Glauben ist. Der Glaube wird verdorben und versehrt durch die Reflexion auf den Glauben. Mit herrlicher Klarheit und Kraft unterscheidet Luther zwischen dem Glauben und der Reflexion auf den Glauben. »Wahr ist's, daß man glauben soll zur Taufe, aber auf den Glauben soll man sich nicht taufen lassen. Es ist gar ein ander Ding, den Glauben haben und sich auf den Glauben verlassen und also sich drauf taufen lassen[72].« Auch der Erwachsene, der als Glaubender zur Taufe kommt, kann sich doch nicht auf seinen Glauben hin, sondern nur auf Gottes Gebot taufen lassen: »Wenn nun gleich ein alter Mensch sollt getauft werden und spräche: Herr, ich will mich taufen lassen, so fragest du: Glaubst du auch? ... so wird er mir nicht so herfahren und sagen: Ich will wohl Berge versetzen durch meinen Glauben!, sondern also: Ja, Herr, ich glaube, aber auf solchen Glauben baue ich nicht; er möchte mir zu schwach oder ungewiß sein. Ich will getauft sein auf Gottes Gebot, der es haben will von mir. Auf solch Gebot wage ichs. Mit der Zeit mag mein Glaube werden, wie er kann. Wenn ich auf sein Gebot getauft bin, so weiß ich, daß ich getauft bin. Wenn ich auf meinen Glauben getauft würde, sollte ich morgen wohl ungetauft funden werden, wenn mir der Glaube entfiele oder ich angefochten würde, als hätte ich gestern nicht recht geglaubt[73].« Muß der Mensch so sprechen, wenn er als Erwachsener getauft wird, so kann er sich auch seiner Kindertaufe, wenn er sie empfangen hat, getrösten: »Ich danke Gott und bin fröhlich, daß ich ein Kind getauft bin. Denn da habe ich getan, was Gott geboten hat. Ich habe nun geglaubt oder nicht, so bin ich dennoch auf Gottes Gebot getauft. Die Taufe ist recht und gewiß – Gott gebe, mein Glaube sei noch heutiges Tages gewiß oder ungewiß. Ich mag denken (das heißt darauf bedacht sein), daß ich noch glaube und gewiß werde. An der Taufe fehlet nichts, am Glauben fehlets immerdar. Denn wir haben an dem Glauben genug zu lernen unser Leben lang. Und er kann fallen, daß man sagt: Siehe, da ist Glaube gewesen und ist nicht mehr da. Aber von der Taufe kann man nicht sagen: Siehe, da ist Taufe ge-

69. 26, 165,2.   70. 26, 161,13.   71. 31 I, 257,9.   72. 26, 164,39.   73. 26, 165,17.

wesen und ist nun nicht mehr Taufe. Nein, sie stehet noch, und was nach seinem Gebot getan ist, stehet auch und wird auch bleiben[74].«

Man versteht: Luther sagt nicht, daß die Taufe eines Erwachsenen, der sich zu ihr entschließt, nicht eine rechte christliche Taufe nach dem Gebot und Willen Jesu sein könne. Er weiß, daß ein solcher Täufling auch die Tauffrage »Glaubst du?« in rechtem Ernst beantworten kann: »Ja, Herr, ich glaube[75]!« Aber schief und verkehrt wird alles, wenn nun an die Stelle jener schlichten Frage die Reflexion darauf tritt, ob der Mensch gläubig genug ist, um getauft werden zu können. Dazu kommt es, wenn man die Kindertaufe preisgibt und die Erwachsenentaufe zum Gesetz macht, unausbleiblich. Denn – Luther spricht es nicht aus, aber es ist die geheime Voraussetzung seiner Entscheidung – die innerkirchliche Lage ist eine andere als die missionarische. Es ist ein anderes, ob ein Mensch, der sich von der Welt, aus dem Heidentum oder Judentum zu Jesus Christus wendet, in dieser Entscheidungslage einfach nach seinem Glauben gefragt wird; ein anderes, wenn man bei einem Menschen, der schon in der christlichen Gemeinde aufgewachsen ist und in einer Geschichte des Glaubens von Kind auf steht, fragt, wann er nun gläubig genug, reif und bewußt genug in seinem Entschluß und Bekenntnis ist, um getauft werden zu können – und wenn man ihm das selber zur Frage macht. Hier wird aus dem schlichten Bekenntnis des Glaubens die Reflexion auf die eigene Gläubigkeit. Das ist aber das gerade Gegenteil des Glaubens. Da schaut, »traut und baut« – sagt Luther – der Mensch »auf das Seine«, »nämlich auf eine Gabe, die ihm Gott gegeben hat, und nicht auf Gottes Wort alleine«; das aber ist »abgöttisch«, Verleugnung des Glaubens[76]. Vollends die Wiedertaufe, die Preisgabe der Kindertaufe und des mit ihr gesetzten Christenstandes, der mit ihr gegebenen Gerechtigkeit als »untüchtig« – sie bedeutet ein Übergehen von der Gerechtigkeit des Glaubens zu der Gerechtigkeit der Werke – das Wiedertaufen kommt als die »bessere Gerechtigkeit« zu stehen. Luther sieht hier den Abfall der Galater von der Gerechtigkeit des Glaubens wiederholt. – »Wir Deutsche sind rechte Galater und bleiben Galater«, und das ist ein Meisterstück des Teufels, der es nicht leiden konnte, daß die Deutschen »durchs Evangelium Christum recht erkannten«, nämlich die Gerechtigkeit des Glaubens – daher schickte er die Wiedertäufer[77].

Es ist also zuletzt die Reinheit des Rechtfertigungsglaubens, um derentwillen Luther sich gegen die Wiedertaufe und damit überhaupt gegen den Ersatz der Kindertaufe durch die allgemein geforderte Erwachsenentaufe wendet. Wie tief er dabei das Wesen des Glaubens verstanden hat, mag zuletzt noch an einer der größten Stellen gezeigt werden. Man darf die Taufe nicht auf den Glauben bauen, denn weder Täufer noch Täufling sind des Glaubens ganz gewiß, sie stehen jedenfalls in der Gefahr und Anfechtung der Ungewißheit. »Denn es kommt, ja es gehet also zu mit dem Glauben, daß oft der, so meinet, er glaube, nichts überall glaube und wiederum, der da meinet, er glaube nichts, sondern verzweifle, am allermeisten glaube.« Es ist zweierlei: tatsächlich glauben und »um seinen Glauben wissen«. Glaube ist nicht Selbstbewußtsein. Jesus sagt: »Wer da glaubet ...«, nicht: »Wer da weiß, daß er glaubt«. »Glauben muß man, aber wir wollen noch könnens nicht gewiß wissen[78].« Luther kannte die Anfechtung, in der ich nicht mehr weiß, ob ich glaube, und doch ebendarin vielleicht gerade recht glaube. Weil es so um den Glauben steht, kann und darf man die Taufe nicht von des Täufers und Täuflings Gewißheit um den Glauben des Täuflings abhängig machen.

74. 26, 165,34.   75. 26, 165,18.   76. 26, 165,3.   77. 26, 162,17.   78. 26, 155,16.21.

Das Abendmahl

Bei Luthers Lehre vom Abendmahl[1] ist es unumgänglich, die verschiedenen Gestalten zu unterscheiden, durch die hindurch sie sich zu ihrer endgültigen entwickelt hat. Im Kampf mit Karlstadt, den Schweizern, Schwenkfeld wurde Luther über das hinaus, was er vorher vom Abendmahl lehrte, weitergeführt. Dabei traten Gedanken der früheren Zeit zurück. Luther gab sie gewiß nicht einfach preis. Aber er wiederholte sie auch nicht mehr, sie verloren den Ton und vielleicht auch den Raum im Ganzen seiner Abendmahlstheologie. Und doch gehören sie zu deren Gesamtbild wesentlich hinzu. Daher können wir sie nicht übergehen, aber auch nicht einfach der Endgestalt seiner Theologie des Abendmahls einordnen, sondern müssen sie besonders darstellen, ehe wir zu der Lehre in den großen Abendmahlsschriften übergehen.

Die Entwicklung bis 1524

Aufs Große gesehen sind in der Entwicklung der Abendmahlslehre Luthers zwei Stadien zu unterscheiden. Den Einschnitt bildet der Beginn des Streites um die Realpräsenz, also etwa das Jahr 1524. In dem ersten Stadium ist Luthers Front gegen Rom gerichtet, im zweiten gegen die Schwärmer und Schweizer. In jenem kämpft Luther um den echten Sinn des Sakraments als Gabe Gottes, wider die Lehre vom Meßopfer; in diesem um die leibliche Gegenwart des Leibes und Blutes Christi im Brot und Wein, wider ihre Preisgabe durch die symbolische Theorie.

Die »Realpräsenz« vertritt Luther auch in dem ersten Stadium schon. Sie gehört für ihn zu dem Erbe der alten Kirche, das er als biblisches Gut selbstverständlich übernahm. Nur setzte er, zuerst in der Schrift von der babylonischen Gefangenschaft der Kirche, an die Stelle der kirchlichen Transsubstantiationslehre den Gedanken der Konsubstantiation, mit dem er Traditionen des Nominalismus folgte: Christi Leib und Blut sind im unverwandelten Brot und Wein da[2]. Aber Luther legte auf diese Abweichung kein sonderlich großes

1. Vgl. zu diesem Kapitel *Hans Graß:* Die Abendmahlslehre bei Luther und Calvin. 2. Aufl. 1954. – *E. Sommerlath:* Der Sinn des Abendmahls nach Luthers Gedanken über das Abendmahl 1527 bis 1529. 1930.

2. Luther lehnte das Dogma der Transsubstantiation ab. Die Kirche habe mit ihm eine metaphysische Schul-Theorie des Wunders der Realpräsenz, und zwar eine solche, die mit der Philosophie des Aristoteles stehe und falle, als Glaubensartikel ausgegeben – darin sieht er eine Gefangennahme des Sakraments (6, 508). Das würde auch von jeder anderen Theorie des Wie der Realpräsenz gelten, sobald man sie dogmatisierte. Inhaltlich entfernt die Lehre sich vom Evangelium, indem sie die Verwandlung der irdischen Substanzen in die himmlischen behauptet (6, 511,13). Man muß die Realpräsenz in genauer Analogie zur Christologie verstehen: die Gottheit wohnt in der vollständigen

Gewicht. 1520 sagte er noch, wer wolle, möge die Transsubstantiationslehre beibehalten. Und auch später lehnte er sie ohne besonderen Ton ab und konnte den Schweizern gegenüber sein Zusammenstehen mit Rom in der Realpräsenz erwähnen, ja ausdrücklich erklären: »Ehe ich mit den Schwärmern wollt eitel Wein haben, so wollt ich eher mit dem Papst eitel Blut haben[3].« Freilich hat Luther nicht ohne innere Kämpfe an der Realpräsenz festgehalten. Wie er in dem Brief an die Straßburger von 1524 bekennt, hat ihm 1519, in der Zeit der entscheidenden Auseinandersetzung mit dem Papsttum, die Versuchung zu schaffen gemacht, die Einsetzungsworte rein symbolisch zu deuten und so durch Preisgabe der Gegenwart von Christi Leib und Blut in den Elementen die schwerste Bresche in den römischen Bau zu legen[4]. Aber gegenüber der damaligen Versuchung und aller auch weiterhin vorhandenen natürlichen Neigung, von diesem schweren Artikel des Glaubens loszukommen (»Ich bin leider allzugeneigt darzu, soviel ich meinen Adam spüre«), hat der klare Wortlaut der Einsetzungsworte ihn gehalten.

Gehört also die Realpräsenz auch in dem ersten Stadium unveräußerlich zu Luthers Abendmahlslehre, so bleibt sie doch – und das eben ist bezeichnend für das erste Stadium – gleichsam unbetont, nicht voll verwertet im Ganzen der Abendmahlsgedanken des Reformators.

Innerhalb des ersten Stadiums sind nun wieder zwei deutlich gegeneinander sich abhebende Phasen zu unterscheiden. Die erste wird vor allem durch den Abendmahlssermon von 1519 bezeichnet, die zweite beginnt mit dem Sermon vom Neuen Testamente 1520[5].

Der Abendmahlssermon von 1519 nimmt in der Geschichte von Luthers Gedanken über das Sakrament einen einzigartigen Platz ein. Luther geht, wie auch bei der Taufe, von dem äußeren Zeichen aus – Brot und Wein sind aus vielen Körnern und Beeren entstanden; indem wir Brot und Wein essen, verwandeln wir sie in uns – und finden in diesem Doppelzeichen die »Gemeinschaft« bedeutet. Im Abendmahl wird dem Christen Christi und aller seiner Heiligen Eintreten für ihn verpfändet und er selber zugleich zu solchem Eintreten für die Sache Christi und der Seinen verpflichtet. Es ist also das »Sakrament der Liebe«, der *communio*, wie bei Augustin und Thomas, und Luther entwickelt an dem Sakrament seine Gedanken von der Kirche als *communio sanctorum*[6]. Aber wel-

---

unverwandelten menschlichen Natur. Sowenig bei der Inkarnation von einer Verwandlung der menschlichen Natur die Rede sein kann, sowenig im Sakrament. Sicut ergo in Christo res se habet, ita et in sacramento. 6, 511,34.

3. 26, 462,1: Wie ich oftmals bekennet habe, soll mirs kein Hader gelten, es bleibe Wein da oder nicht; mir ist genug, daß Christus Blut da sei, es gehe dem Wein, wie Gott will.

4. 15, 394,12.20.

5. Vgl. *R. Seeberg*: Lehrbuch der Dogmengeschichte IV, 1. 1917. S. 323 ff.

6. Vgl. S. 262 ff.

che Bedeutung hat die Gegenwart des Leibes und Blutes Christi dabei? Sie bedeutet erst ein »vollkommenes Zeichen[7]«. Nämlich die Verwandlung von Brot und Wein in Christi Leib und Blut vergewissert, wie schon Brot und Wein und das Genießen derselben, vollends unserer Verwandlung und Einverleibung in den geistlichen Leib Christi, die Gemeinschaft der Liebe. Die Gegenwart des Leibes und Blutes hat also nur symbolische Bedeutung. Es liegt auch nicht daran, daß Leib und Blut genossen werden, sondern nur daran, daß sie da und als solche zu bedenken sind. Nicht das Essen des Leibes, sondern nur das des Brotes wird betont: es vergewissert den Menschen symbolisch der Vereinigung mit Christus und allen Heiligen. Die Realpräsenz hat in diesem Gedankenzusammenhang also keine Stelle, die der Bedeutung des Gedankens entspräche. Die Beziehung auf sie erscheint als sehr nachträglich und keineswegs notwendig. So konnte der Sermon von 1519 nicht die letzte Gestalt von Luthers Abendmahlslehre sein. Die Realpräsenz und die »Bedeutung« oder das »Werk« des Sakraments mußten ein organisches Verhältnis erst finden. Auch insofern mußte Luther über die damalige Form seiner Lehre hinausgeführt werden, als in dem ganzen Sermon die Einsetzungsworte überhaupt keine Bedeutung haben. Trotzdem muß man mit R. Seeberg urteilen, daß »Luther kaum irgendwo dem genuinen Sinn des Abendmahls so nahe gekommen ist wie in dieser Schrift«. Die weitere Entwicklung war nicht nur ein Fortschritt. Insofern in ihr die Gedanken dieses Sermons zurücktraten – sie kommen in den Predigten bis in die Mitte der zwanziger Jahre vor[8] –, bedeutete sie auch eine Verarmung.

Der Fortschritt zur zweiten Phase im ersten, noch nicht durch den Abendmahlsstreit bestimmten Stadium geschah von der Klärung des allgemeinen Sakramentsgedankens aus, die sich für Luther 1519 und 1520 vollzog. Als das Wesentliche, durch das ein Sakrament zustande kommt, betont Luther jetzt die *expressa promissio divina*, und zwar handelt es sich immer um die *promissio* der Sündenvergebung[9]. Dem entspricht es, daß in Luthers Gedanken vom Abendmahl nunmehr die Einsetzungsworte und die in ihnen dargebotene Vergebung der Sünden in den Mittelpunkt treten. Das Abendmahl – so lehrt Luther in dem »Sermon vom Neuen Testamente«[10], dessen Titel schon bezeichnend ist – bietet in den Einsetzungsworten Jesu Testament. »Es liegt alles an den Worten dieses Sakraments, die Christus sagt[11].« Der Inhalt des Testaments ist aber Vergebung der Sünden und ewiges Leben[12]. Von seiten des Menschen liegt dementsprechend alles am Glauben, der die Worte des Testaments ergreift. Zur Versiegelung, »daß solch Gelübde dir unwiderruflich bleibt«, stirbt Jesus dar-

7. 2, 749,7; 751,4.
8. Vgl. die Stellen S. 277.
9. 6, 513,34: Vides ergo, quod Missa quam vocamus sit promissio remissionis peccatorum, a deo nobis facta.
10. 6, 353 ff.   11. 6, 360,29.
12. 6, 358,15; 359,28; 361,25.

auf, gibt seinen Leib und Blut dafür und hinterläßt beides zum Zeichen[13]. Das Zeichen hilft dem Glauben. Die Bedeutung der Realpräsenz des Leibes und Blutes Christi besteht also darin, daß sie als Zeichen die Zusage der Sündenvergebung vergewissert. Daß der Leib gegessen wird, bleibt ohne Ton, ebenso wie in der ersten Phase. Auch hier, so muß man sagen, hat der Gedanke der Realpräsenz noch nicht sein volles Gewicht innerhalb der Abendmahlslehre bekommen. Leib und Blut Christi als Zeichen für die Treue seiner Zusage – das ist offenbar eine künstliche, unzureichende Gedankenverbindung. Eines Zeichens bedarf nach Luthers Aussage der Mensch als Sinnenwesen; daher muß es »äußerlich« sein[14]. Aber sind Christi Leib und Blut ein solches sinnenfälliges Zeichen? Ein solches sind doch nur Brot und Wein! Die Realpräsenz ist selber Gegenstand des Glaubens – wie kann sie da das sinnenfällige Zeichen für die Wahrheit der Zusage sein? Wie wenig die Realpräsenz den Abendmahlsgedanken Luthers organisch und notwendig eingefügt ist, sieht man auch daraus, daß er noch ausdrücklich erklärt: Die Zeichen können fehlen, wenn der Mensch nur die Worte hat. Er kann selig werden ohne Sakrament (also auch ohne die Realpräsenz), aber nicht ohne das Testament. »Es ist Christo mehr am Wort denn an den Zeichen gelegen[15].«

Die Weiterentwicklung wird nunmehr bestimmt dadurch, daß Luther die Realpräsenz gegenüber ihrer Bestreitung verteidigen muß. Damit treten wir in das zweite Stadium ein. Es konnte nicht ausbleiben, daß die Realpräsenz, nachdem sie aus einem selbstverständlichen ein umkämpftes Stück der Abendmahlslehre geworden war, viel stärkeren Ton empfing und im Ganzen der Abendmahlsgedanken viel nachdrücklicher als bisher zur Geltung kam. R. Seeberg hat feinsinnig formuliert: In der ersten von uns behandelten Phase ist das Sehen das charakteristische Moment, in der zweiten das Hören (der Einsetzungsworte). Jetzt aber, durch den Streit um die Realpräsenz, liegt alles am Essen.

Luther ist sich der Verschiebung des Tones in seinem Lehren vom Sakrament, die der Beginn des Streites mit sich brachte, bewußt gewesen. Bisher, so sagt er 1526 einmal, habe er von dem *objectum fidei*, nämlich der sakramentalen Gegenwart Christi in Brot und Wein, nicht viel geredet, sondern allein von dem zweiten, was in jedem Sakrament zu wissen not ist, »welchs auch das Beste ist«: nämlich von dem Subjektiven, dem rechten gläubigen Gebrauch der Sakramente. Jetzt aber muß die Frage nach dem Objektiven behandelt werden, weil die Realpräsenz angefochten ist[16].

So wird von den Einsetzungsworten nun in neuer Weise gehandelt. Sie kommen nicht mehr nur als Träger der *promissio* der Sündenvergebung in Betracht,

13. 6, 358,20; 359 f.; 515,22; 518,10. – Vgl. 10 III, 351,9.
14. 6, 359,6.
15. 6, 363,6; 373,32; 374,31.
16. 19,482 f.

sondern als Zusage der Realpräsenz. Es ist ein neuer Klang hörbar, wenn Luther schon 1523 sagt: Das Wort »bringt mit sich alles, was es deutet, nämlich Christum *mit seinem Fleisch und Blut* und alles was er ist und hat[17]«.

Aber auch jetzt stand Luther noch nicht mit einem Schlage da, wo wir ihn dann 1527 und 1528 stehen sehen. Die besondere Bedeutung der Realpräsenz im Verhältnis zum Wort des Evangeliums ist in den ersten Jahren des Streites noch keineswegs gesichert. Dafür bietet die Schrift »Wider die himmlischen Propheten«, welche die Realpräsenz so stark als den wahren Sinn der Einsetzungsworte gegen Karlstadt behauptet, den Beweis. Da lehrt Luther in wundervollen Ausführungen, wie die Vergebung der Sünden am Kreuz erworben und im Abendmahl »durchs Wort ausgeteilt und gegeben« wird, »wie auch im Evangelio, wo es gepredigt wird«. Das Sakrament ist einfach als »Evangelium« bezeichnet: »da finde ich das Wort, das mir solche erworbene Vergebung am Kreuz austeilet, schenkt, darbeut und gibt«. »Wer ein böses Gewissen hat von Sünden, der soll zum Sakrament gehen und Trost holen, nicht am Brot und Wein, nicht am Leib und Blut Christi, sondern am Wort, das im Sakrament mir den Leib und Blut Christi als für mich gegeben und vergossen darbeut, schenkt und gibt[18].« Die Formel ist überaus interessant. Sie zeigt zunächst, daß auch jetzt für Luther als eigentliche Gabe des Sakraments die Vergebung der Sünden im Mittelpunkt steht. Zweitens: die Realpräsenz ordnet sich diesem Gedanken ein. Es geht nicht um die Gegenwart von Leib und Blut als solche, sondern um die im Wort geschehende Darbietung von Leib und Blut als für mich am Kreuz dahingegeben. Das Kreuz steht also im Mittelpunkt, es liegt an dem für uns in den Tod gegebenen Leib.

Kommt aber alles nur darauf an, daß durch die Einsetzungsworte mit ihrem »für euch« der Schatz, den Christus erworben, uns aufgetan und zu eigen überantwortet wird[19], so ist, zumal wenn man Luthers Gedanken von der Macht des göttlichen Wortes in Rechnung stellt, die Realpräsenz von Leib und Blut, die uns Vergebung der Sünden erworben haben, nicht unbedingt nötig. Luther hat diese Konsequenz auch gezogen: »Denn wo gleich eitel Brot und Wein da wäre, wie sie sagen, so aber doch das Wort da wäre: ›Nehmet hin, das ist mein Leib, für euch gegeben‹ etc., so wäre doch desselben Worts halben im Sakrament Vergebung der Sünden[20].« Und hier weist Luther ausdrücklich auf die Analogie der Taufe hin. Später greift seine Lehre vom Inhalt und der Wirkung des Abendmahls weit über diese Analogie hinaus. Man sieht auch hier, daß die Abendmahlslehre noch nicht fertig ist. Die Realpräsenz fügt sich mit ihrem eigenen Schwergewicht, das im Kampf um sie immer stärker zum Bewußtsein kam, dem an der *promissio* der Sündenvergebung orientierten Sakramentsgedanken nicht wirklich ein. Luther hält an der Realpräsenz fest im Gehorsam gegen die Schrift und nunmehr auch mit bestimmtem, immer bewußter wer-

17. 11, 433,24.   18. 18, 204,27; 205.   19. 18, 203,25.   20. 18, 204,15.

dendem sachlichem Interesse. Aber er wertet die Realpräsenz, bestimmt durch seinen Sakramentsgedanken, auch jetzt noch nicht recht aus. Man kann sagen, daß der allgemeine Sakramentsgedanke und die Realpräsenz im Abendmahl als etwas gleichsam Überschießendes über den allgemeinen Gedanken, miteinander ringen. 1525 ist der Sakramentsgedanke noch der stärkere, wie die vorhin angeführte Stelle zeigt. Aber wie wird die Entwicklung weitergehen? Wenn das ganze Eigengewicht der Realpräsenz zur Geltung kommt, muß sie dann nicht über den um die *promissio* der Vergebung kreisenden Sakramentsgedanken hinausführen und ihn durch einen realistischeren ersetzen oder doch ergänzen? Mit dieser Frage wenden wir uns der im Streit voll herausgebildeten Gestalt der Abendmahlslehre Luthers zu, also vor allem den Schriften von 1527 und 1528 sowie Luthers Äußerungen in Marburg.

Die ausgebildete Gestalt der Lehre

Die Autorität der Einsetzungsworte. Welches waren die entscheidenden Motive, die Luther zu seiner Abendmahlslehre führten und bei ihr unerschütterlich festhielten? Er selber beruft sich am entscheidenden Punkt immer wieder auf die Einsetzungsworte in ihrem klaren Wortlaut. Der Gehorsam gegen die Worte des Herrn zwang ihn zu lehren, was er lehrte. Die christologischen Gedanken, mit denen er in den großen Kampfschriften die Realpräsenz des Leibes Christi verständlich zu machen suchte, hat er erst gegenüber den Einwänden der Gegner herausgestellt. Es ist bezeichnend, daß Luther bei dem Marburger Gespräch, wo die Gegner von ihrer Lokalisierung Christi im Himmel schwiegen[21], seine Lehre von der Rechten Gottes gar nicht entwickelt, sondern immer wieder sich einfach auf den Text beruft. Aber diese Berufung ist doch nicht als biblizistischer Starrsinn zu verstehen. Luther ist nicht durch die Theorie von einer wörtlichen Eingebung der Schrift und nicht durch die Grammatik gebunden. Er hat gelegentlich den grammatischen Bemerkungen Karlstadts entgegnen können: »Es muß alles etwas Höhers sein, denn *regulae grammaticae* sind, was den Glauben soll gründen ... Soll denn mein Glaube auf dem Donat oder Fibel stehen, so steht er wahrlich übel. Wie viel neuer Artikel werden wir müssen setzen, wenn wir die Bibel an allen Orten nach den grammatischen Regeln wollen meistern[22]?« In der Tat, »die Frage muß gestellt werden, warum Luther in dem Punkt der Realpräsenz die Schrift nicht freier gehandhabt hat[23]«. Die Ant-

21. Vgl. Osianders Bericht 30 III, 148,3.

22. 18, 157,23.

23. *E. Sommerlath:* Luthers Lehre von der Realpräsenz im Abendmahl. In: Das Erbe Martin Luthers. 1928. S. 335. – Vgl. auch *K. Barth:* Ansatz und Absicht in Luthers Abendmahlslehre. Zw. d. Zeiten 1923/4. S. 50 f. (= Die Theologie und die Kirche. 1928. S. 26 ff.). Barth sagt mit Recht von Luther einerseits: »Alles, was er sonst für seine These vorgebracht hat ... ist nur Paraphrase des *Hoc est corpus,* mit dem für ihn

wort kann nur lauten, daß die Sache selbst, die er in den Worten der Schrift fand, ihn zwang, daß sein gesamtes Verständnis Christi und des Evangeliums, in dem er der Schrift zu gehorchen gewiß war, für seine Exegese zeugte. Wir werden dem Tatbestand demnach gerecht nur, wenn wir von einer gegenseitigen Bedingtheit zwischen Luthers Exegese und dem mit den Grundzügen seines Verständnisses des Evangeliums zusammenhängenden sachlichen Interesse reden. Nicht der Text allein und nicht die Sache allein hat ihn bestimmt, sondern eins mit dem anderen und in dem anderen. Als er um und mit der Sache innerlich noch rang, da hat ihn der Text fest gemacht – so hat er es in dem Brief an die Christen zu Straßburg vom 15. Dezember 1524 und auch sonst bekannt[24]. Im Streit aber um den Sinn des Textes war es der Sinn für die Sache, der ihn seiner Exegese gewiß machte.

Wir werden daher zuerst über Luthers Exegese reden und dann den sachlichen Gehalt seiner Abendmahlslehre und ihren Zusammenhang mit dem Ganzen seiner Theologie ins Auge fassen.

Was nun zunächst Luthers Exegese der Abendmahlsworte anlangt, so ist festzustellen, daß Luther ihres Sinnes erst von Paulus, also von 1 Kor 10 und 11 her gewiß geworden ist. Die Einsetzungsworte waren allerdings seine Trutzfeste im Kampf. Aber den Schlüssel zu der Feste bot ihm Paulus.

Zweimal, 1525 und 1528, hat Luther den Spruch 1 Kor 10,16 (»Der gesegnete Kelch, welchen wir segnen, ist der nicht die Gemeinschaft des Blutes Christi? Das Brot, das wir brechen, ist das nicht die Gemeinschaft des Leibes Christi?«) aufs höchste gerühmt als seinen eigentlichen Halt. 1525 bezieht er sich dabei ausdrücklich zurück auf seine »Anfechtung«, also auf sein inneres Ringen mit der Frage der Realpräsenz, auf die Versuchung, sie preiszugeben, von der das Schreiben nach Straßburg redet. »Das ist ja, meine ich, ein Spruch, ja ein Donneraxt auf D. Karlstadts Kopf und aller seiner Rotten. Der Spruch ist auch die lebendige Arzenei gewest meines Herzens in meiner Anfechtung über diesem Sakrament. Und wenn wir keine Sprüche mehr hätten denn diesen, könnten wir doch damit alle Gewissen genugsam stärken und alle Widerfechter mächtiglich genugsam schlagen[25].« Und 1528 heißt es: »Diesen Text hab ich gerühmet und rühme noch, als meines Herzens Freud und Krone, denn er nicht allein spricht: das ist Christus

alles erledigt war.« Aber er fährt dann mit gleichem Recht fort: »So stand es geschrieben und – so mußte es geschrieben stehen. Luther würde das ganz andere als Zwingli gesagt haben, auch wenn er das problematische *est* nicht in der Bibel gefunden hätte.«

24. 15, 394,19: Aber ich bin gefangen, kann nicht heraus, der Text ist zu gewaltig da und will sich mit Worten nicht lassen aus dem Sinn reißen. – 18, 166,34 ff. Man kann also nicht sagen wie *K. Barth*, a. a. O.: »Nicht mit der Quelle, sondern mit der nachträglichen Begründung seiner Lehre haben wir es in seiner Exegese der Einsetzungsworte zu tun.« Dabei wird das Verhältnis zwischen Luthers Exegese und seinem Verhältnis zur Sache auf eine einfachere Formel gebracht, als der Brief an die Straßburger erlaubt.

25. 18, 166,29.

Leib, wie im Abendmahl stehet, sondern nennet das Brot, so gebrochen wird, und spricht: Das Brot ist Christus Leib, ja das Brot, das wir brechen, ist nicht allein der Leib Christi, sondern der ausgeteilte Leib Christi. Das ist ein Mal ein Text so helle und klar, als die Schwärmer und alle Welt nicht begehren noch fordern könnten ...26« Deutlicher kann die persönliche und sachliche Wichtigkeit der Paulusstelle für Luther nicht ausgesprochen werden. Er hat freilich im Streit mit den Schweizern und Schwenckfeld auch um diese Stelle kämpfen müssen. Seine eigene Deutung der Stelle lautet: »So spricht nu Paulus: Das Brot, so wir brechen, ist die Gemeinschaft des Leibes Christi, das ist, wer dies ge-brochene Brot geneußt, der geneußt den Leib Christi als eines gemeinen Guts unter viele ausgeteilet, denn das Brot ist solcher gemeiner Leib Christi, spricht Paulus. Das ist helle und dürre gesagt, daß niemand kann anders verstehen, er mache denn die Wort anders27.« Die Gegner wollen die »Gemeinschaft des Leibes«, von der Paulus spricht, als eine »geistliche« verstehen und berufen sich dafür vor allem auf den folgenden Vers 17 (»Denn ein Brot ist es, so sind wir viele ein Leib, dieweil wir alle eines Brotes teilhaftig sind«): da die »Gemeinschaft des Leibes Christi« zugleich die Zugehörigkeit zum geist-lichen Leib Christi, nämlich der Kirche, bedeute, so müsse auch die »Gemeinschaft« selbst als eine geistliche verstanden werden. Paulus denke also auch in Vers 16 nicht an einen leiblichen Genuß des Leibes Christi. Aber Luther hat das nicht gelten lassen. Paulus spricht nach ihm hier von leiblicher Gemeinschaft des Leibes Christi, an der auch Judas und die Unwürdigen teilhaben, weil sie ja auch das Brot brechen28. »Leib« und »Blut« können an dieser Stelle auch nicht tropisch verstanden werden. Gegenüber solchem Aus-legungsversuch weist Luther vor allem auf 1 Kor 11,27 und 29 hin: »schuldig an dem Leibe und Blute des Herrn, damit, daß er nicht unterscheidet den Leib des Herrn29«. In diesen Versen ist die tropische Fassung unmöglich. Nicht vom Zeichen des Leibes, sondern vom Leib selber ist hier die Rede. »Wie kommt die Sünde am Leibe des Herrn zum Essen, so er nicht im Essen oder Brot sein soll30?« Von da aus fällt die Entscheidung auch über 1 Kor 10,16 und von hier aus dann über alle Abendmahlsstellen. »Ist Leib und Blut an diesem Ort ... nicht Tropus, sondern recht Leib und Blut Christi, wie unsere Lehre hält, so kanns an anderen Orten des Abendmahls auch nicht Tropus sein31.«

So erschließt sich der klare Sinn der Einsetzungsworte von den Paulusstellen her. Diese zeigen, daß die Einsetzungsworte verstanden werden müssen ganz

26. 26, 487,9.
27. 26, 490,39. Luthers Auslegung von Vers 17 (er betont, daß Paulus nicht sage: wir sind Christi Leib, sondern einfach: wir sind ein Leib, ein Haufe, eine Gemeinde; 26, 491,34 ff.) ist unhaltbar. Aber die Gegner haben ebensowenig recht. Will Luther Vers 17 von 16 und 18 aus verstehen, so die Gegner umgekehrt 16 und 18 von 17 aus. Indessen die »leibliche« Beziehung zum Leib Christi läßt sich aus 16 und 18 nicht wegdeuten. Das Verhältnis von 17 zu 16 und 18 ist exegetisch schwierig.
28. 18, 172,12: Also stehet nu dieser Spruch Pauli wie ein Fels und erzwingt mit Gewalt, daß alle die, so dies Brot brechen, essen und empfahen, den Leib Christi emp-fahen und desselben teilhaftig werden. Und das kann nicht sein geistlich, wie gesagt ist, so muß es leiblich sein. – 26, 491,4.
29. 26, 481; 486, 498.   30. 18, 173.30.
31. 26, 489,1. Vor allem aber 26, 498,16.

wie sie lauten, ohne jeden Tropus. Dahin führt ohnehin der allgemeine Grundsatz, den Luther mehrfach ausspricht: Jede Schriftstelle ist nach dem einfachen Wortsinn zu verstehen, es sei denn, daß ein anerkannter Glaubensartikel zu einer anderen Deutung zwinge. »Man soll in der Schrift die Wort lassen gelten, was sie lauten, nach ihrer Art, und kein ander Deutung geben, es zwinge denn ein öffentlicher Artikel des Glaubens[32].« Dieser Fall ist aber bei den Einsetzungsworten nicht gegeben. Außerdem: so verschieden die Berichte über die Einsetzung sonst auch sind – Luther geht auf diese Verschiedenheiten sehr ernstlich und im einzelnen ein[33] –, eins ist ihnen allen gemeinsam, nämlich die entscheidenden Worte: Das ist mein Leib[34]. Es sind klare Worte, und es sind Gottes Worte. Dieser Text »Das ist mein Leib« »ist nicht von Menschen, sondern von Gott selbst aus seinem eigen Munde mit solchen Buchstaben und Worten gesprochen und gesetzt[35]«. »Unser Text ist gewiß, daß er soll und muß so stehen, wie die Wort lauten, denn Gott selbst hat ihn also gestellet, und niemand darf einen Buchstaben weder davon noch dazutun[36].« Alle Deutungen aber stammen von Menschen und sind, wie ja schon das Nebeneinander mehrerer Erklärungen bei den Gegnern zeigt, ungewiß[37]. Mag eine exegetische Glosse solcher Art an sich noch so gut sein – was ist damit geholfen, wo es sich um hohe Dinge des Glaubens handelt? »Wo bleibt aber mein Gewissen, das gerne auf gutem Grunde und sicher stehen wollte? Soll es auf dem hungrigen, durstigen und dürftigen Glößlin stehen[38]?« Solche Deutungen sind also sowohl eine Unehrerbietigkeit gegen Gottes klares Wort wie auch eine Unbarmherzigkeit gegen die nach einem festen Glaubensgrund fragenden Gewissen. Gott kommt zu seiner Ehre und das Gewissen zu seinem festen Grund, wenn der Mensch ganz schlicht den Worten Gottes gehorcht, wie sie lauten. Hier greift also in Luthers Abendmahlslehre

32. 26, 403,26; 18, 147,23; 23, 93,25: Wer sich untersteht, die Wort in der Schrift anders zu deuten, denn sie lauten, der ist schuldig, dasselbige aus dem Text desselbigen Orts oder einem Artikel des Glaubens zu beweisen. 30 II, 122,10 (in Marburg): Summa fidei, es gebühret uns unsers lieben Gottes Wort nicht zu glossieren, nisi cogat absurditas contra fidem vel articulos fidei.

33. 26, 454 ff.

34. 26, 459,31.

35. 26, 446,1.

36. 26, 446,9; 448,31. Vgl. ferner 18, 166,8: Ich sehe hie dürre, helle, gewaltige Wort Gottes, die mich zwingen zu bekennen, daß Christus Leib und Blut im Sakrament sei. 23, 83,10; 87,28; 30 III, 116,24, 137,9. (In Marburg): Meine allerliebsten Herren, dieweil der Text meines Herrn Jesu Christi allda stehet: *Hoc est corpus meum*, so kann ich wahrlich nicht vorüber, sondern muß bekennen und gläuben, daß der Leib Christi da sei.

37. 26, 446,3.

38. 26, 483,14; 36, 497,28: Denn sollen wir ja an nackten, bloßen Worten hangen, so wollen wir lieber an nacktem, bloßem Text hangen, welchen Gott selbst gesprochen hat, denn an nackten, bloßen Glossen, die Menschen erdichten.

einer der entscheidenden Züge seiner Frömmigkeit und Theologie ein: der Gehorsam gegen das klare Wort Gottes, wider alle Gedanken der eitlen Vernunft. Die Gegner sind für ihn Rationalisten, die Gottes klares Wort mit ihren Menschengedanken, mit ihren Begriffen von möglich und unmöglich, nütze oder unnütz meistern wollen[39]. Ob Luther hiermit seinen Gegnern im Abendmahlsstreit voll gerecht wurde, ist eine Frage für sich. Es kommt uns jetzt nicht darauf an, die Streitlage zwischen den Gegnern zu beurteilen, sondern Luthers Gedanken zu verstehen.

Der Gehorsam gegen Gottes klares Wort ist unabhängig davon, ob wir verstehen können, wie Christi Leib und Blut im Brot und Wein gegenwärtig sei. Luther hat immer wieder aufs stärkste betont, daß dieses Wie unserer Vernunft verborgen ist und sein soll[40]. Gott ist größer, als was wir verstehen. Was er tut, muß uns unbegreiflich sein[41]. Darin erweist es sich als Gottes Tun[42]. Die christologischen Gedanken, die Luther im Abendmahlsstreit geltend gemacht hat, sollen und können denn auch das Ärgernis für die Vernunft nicht beseitigen und das Wie der Realpräsenz nicht für die Vernunft einleuchtend machen. Sie wollen nur die kleinen, engen Menschengedanken von Gottes Gegenwart hinwegräumen und daran erinnern, daß Gottes Möglichkeiten immerdar unsere Maße sprengen. Nur insofern bringt Luther das Unbegreifliche auch der menschlichen Vernunft näher, als er auf die Wunder und Unbegreiflichkeiten hinweist, von denen wir schon in unserem natürlichen Leben umgeben sind. Wir leben in und von ihnen, ohne doch ihr Wie zu verstehen[43].

Der Gehorsam fragt nicht nach dem Wie, er fragt auch nicht nach dem Wozu. Luther lehnt die dahingehende Frage der Gegner als Anmaßung der menschlichen Vernunft wider Gott ab. Wozu, so fragten die Gegner, soll denn die Gegenwart des Leibes und Blutes Jesu im Abendmahl nütze sein? Gewiß hat Luther darauf, wie wir noch sehen werden, auch eine Antwort gegeben. Aber er gibt sie nicht denen, die erst den Nutzen einsehen wollen, ehe sie Gottes klarem Wort den Glauben schenken, sondern denen, die mit Furcht und Demut den Worten Gottes schlicht glauben[44]. Mit gewaltigem Ernst hat Luther gerade

39. 23, 123,30; 127,5; 161,18 u. a.: Es ist der Groll und Ekel natürlicher Vernunft, der will und mag dieses Artikels nicht, drumb speiet er und kocket also dawider und will darnach sich in die Schrift hüllen, daß man ihn nicht kennen solle.

40. Zum Beispiel 18, 206,20; – 23, 87,28; 145,19; 209,4; 265,23.

41. 26, 318,14: Gottes Wort und Werk gehen nicht nach unserer Augen Gesichte, sondern unbegreiflich aller Vernunft, ja auch den Engeln. – Vgl. 30 III, 119,11.

42. 30 III, 119,14 (Marburger Gespräch): Si vias eius sciremus, non esset incomprehensibilis, qui admirabilis.

43. 23, 266,2: Ich will schweigen, daß sie sollten wissen, wie sie sehen, hören, reden und leiblich leben. Solche Ding alle fühlen wir und sind täglich drinnen und wissen dennoch nicht, wie es zugehet, und wollen wissen, wie Christus im Brote sei.

44. 23, 253,31.

an diesem Punkt das Wesen des Glaubens eingeschärft. Hier steht nicht weniger als alles auf dem Spiel. Glauben heißt, die eigenen Gedanken und Wünsche hinter sich werfen und sich blind an Gottes Wort und Willen hingeben. »Ein fromm gottesfürchtig Herz tut also: Es fragt am ersten, obs Gottes Wort sei. Wenn es das höret, so dämpfet es mit Händen und Füßen diese Frage, wozu es nütz oder not sei. Denn es spricht mit Furcht und Demut also: Mein lieber Gott, ich bin blind, weiß wahrlich nicht, was mir nütz oder not sei, wills auch nicht wissen, sondern gläube und traue Dir, daß du es am allerbesten weißest und meinest nach deiner göttlichen Güte und Weisheit. Ich laß mir genügen und bin dazu froh, daß ich dein bloßes Wort höre und deinen Willen vernehme ... [45]« Es geht Luther hier um nichts Geringeres als um die Souveränität des Wortes und Willens Gottes gegenüber allen menschlichen Ansprüchen auf Einsicht in die religiöse Notwendigkeit und Sinnhaftigkeit göttlichen Tuns. Was Gottes Wort sagt und gibt, ist uns nütze; nicht umgekehrt darf Gottes Wort gemessen und gemeistert werden mit der Frage nach dem Nutzen. Das ist vielmehr die Ursünde der menschlichen Selbstherrlichkeit, die die Ordnung zwischen Gott und Mensch umkehrt. Macht der Mensch seine Unterwerfung unter Gottes Wort abhängig von der Einsicht in den Nutzen dessen, was Gottes Wort bezeugt, dann stellt er sich in Wahrheit über Gott. »Wer da fragt, wozu es not sei, was Gott redet und tut, der will ja über Gott hin klüger und besser denn Gott sein[46].« Solche Hoffart ist für Luther etwas Furchtbares: »Es möcht einem das Herz zerspringen vor solchem frechen Geschwätz des höllischen Teufels und seiner Schwärmerei[47]!« – »Wenn sie aber etwas verständig wären im Glauben und hätten des ein Fünklein jemals gefühlet, so wüßten sie, daß des Glaubens höchste einige Tugend, Art und Ehre ist, daß er nicht wissen will, wozu es nütz oder not sei, was er gläubet. Denn er will Gott nicht umcirkeln oder zur Frage setzen, warum, wozu, aus was Not er solchs heiße oder befehle, sondern gerne unweise sein, Gott die Ehre geben und seinem bloßen Wort glauben[48].« In Marburg gab Luther dem gleichen Gedanken den drastischen Ausdruck: Wenn Gott mich Mist essen hieße, so würde ich es tun, gewiß, daß es mir heilsam wäre[49]. Von blinder Preisgabe an einen Willkürwillen ohne Sinn ist dabei nicht die Rede. Luther hat nicht nur, wie alle angeführten Stellen zeigen, immer daran festgehalten, daß, was Gott tue, wirklich dem Menschen nütze und not sei, sondern er hat auch den Versuch gemacht, den »Nutzen« der Realpräsenz aufzuweisen. Nur um das eine geht es: daß der Mensch nicht seinen Glauben von seiner Erkenntnis des Sinnes abhängig mache, vielmehr umgekehrt nicht anders als im Glauben um Erkenntnis des Sinnes ringe. Denn nicht die Sinnhaftigkeit ist Maßstab für das, was Gottes Wort ist, sondern Gottes Wort Ursprung und

45. 23, 247,32.   46. 23, 265,23.   47. 23, 265,33.   48. 23, 249,22.
49. 30 III, 116,27. Vgl. ebenda Z. 12: Servus non inquirat de voluntate domini. Oportet oculos claudere.

Maßstab für das, was sinnhaft ist. Gott will uns im Heiligen Geist seinen »Sinn« erschließen. Der Geist aber schenkt sich nur dem Gehorsam – und Gehorsam ist nie ohne Heteronomie. Der Weg zur Theonomie der Sinn-Erkenntnis geht durch die Heteronomie blinden Gehorsams.

Fängt der Mensch mit Vernunfteinwänden gegen einen durch Gottes Wort begründeten Glaubensartikel an, so gibt es kein Halten. Dann fallen auch die anderen Artikel des Glaubens. »Wo er schleußt wider diesen, so schleußt er auch wider alle Artikel. Denn Gottes Wort ist immer der Vernunft eine Torheit, 1 Kor 1[50].« Zu glauben ist nicht nur hier, sondern zum Beispiel auch bei dem Artikel der Gottmenschheit »schwer, ja unmöglich ... ausgenommen den Heiligen, welchen ist nicht alleine leicht, sondern auch Lust und Freude, ja Leben und Seligkeit, zu glauben allen Worten und Werken Gottes[51]«.

Luthers leidenschaftliches und unerschütterliches Festhalten an dem Buchstaben der Einsetzungsworte hängt also tief mit seiner Auffassung des Verhältnisses von Gott und Mensch, göttlicher Wahrheit und Vernunft, Wort und Glaube zusammen. Wir vergegenwärtigen uns das noch einmal an einer der schönsten Stellen aus seinem Bekenntnis vom Abendmahl Christi 1528:

»Erstlich, daß man in Gottes Werken und Worten soll Vernunft und alle Klugheit gefangen geben, wie S. Paulus lehrt 2 Kor 10, und sich blenden und leiten, führen, lehren und meistern lassen, auf daß wir nicht Gotts Richter werden in seinen Worten, denn wir verlieren gewißlich mit unserm Richten in seinen Worten, wie Psalm 50 zeuget. Zum andern: wenn wir denn nu uns gefangen geben und bekennen, daß wir sein Wort und Werk nicht begreifen, daß wir uns zufriedenstellen und von seinen Werken reden mit seinen Worten einfältiglich, wie er uns davon zu reden vorgeschrieben hat, und vorsprechen läßt, und nicht mit unsern Worten als anders und besser davon zu reden vornehmen, denn wir werden gewißlich fehlen, wo wir nicht einfältiglich ihm nachsprechen, wie er uns vorspricht, gleich wie ein jung Kind seinem Vater den Glauben oder Vater unser nachspricht. Denn hie gilts im Finstern und blintzling gehen und schlecht am Wort hangen und folgen. Weil denn hie stehen Gottes Wort ›Das ist mein Leib‹ dürre und helle, gemeine, gewisse Wort, die nie kein Tropus gewesen sind weder in der Schrift noch einiger Sprache, muß man dieselbigen mit dem Glauben fassen und die Vernunft so blenden und gefangen geben, und also nicht wie die spitze Sophistria, sondern wie Gott uns vorspricht, nachsprechen und dran halten[52].«

Einen Augenblick schaut Luther sogar der Möglichkeit ins Auge, daß der Wortlaut und das wörtliche Verständnis der Einsetzungsworte unsicher und dunkel wäre – was es doch für ihn nicht ist –, ja daß der Mensch mit dem auf die Einsetzungsworte gegründeten Glauben an die Realpräsenz einer Illusion verfiele, weil die Worte in Wirklichkeit von Gott her etwas anderes bedeuten.

50. 23, 127,15.   51. 23, 161,29.   52. 26, 439,31.

Aber auch angesichts dieser (für ihn unmöglichen) Möglichkeit gilt: lieber dem einfachen Wortsinn als menschlichen Deutungen folgen. Denn der Wortlaut ist auf alle Fälle von Gott so gegeben. Ist er also dunkel, so ist er es nach Christi Willen, und unser Nichtverstehen und Mißverstehen steht, wie das Unverständnis der Jünger bei den Leidensweissagungen des Herrn, unter seinem Verzeihen. »Soll ich denn und muß ungewissen, finstern Text und Verstand haben, so will ich lieber den haben, der aus göttlichem Munde selbst gesprochen ist, denn daß ich den habe, so aus menschlichem Munde gesprochen ist. Und soll ich betrogen sein, so will ich lieber betrogen sein von Gott (so es möglich wäre) denn von Menschen. Denn betreugt mich Gott, so wird ers wohl verantworten und mir Widererstattung tun. Aber Menschen können mir nicht Widererstattung tun, wenn sie mich betrogen haben und in die Hölle geführt[53].«

Auch wer urteilt, daß das exegetische Problem nicht so einfach liegt, wie es bei Luther erscheint[54], ja, daß sein Verständnis der Einsetzungsworte deren biblischen Sinn (»Leib« und »Blut«) nicht trifft, muß zugestehen, daß in Luthers Haltung das Größte, was ihm zu sagen und zu leben geschenkt war, die Vollständigkeit des Gehorsams, das Hangen am Wort Gottes allein unvergleichlich gewaltigen Ausdruck gefunden hat. Die Schriften Luthers aus dem Abendmahlsstreit bleiben schon um deswillen ein besonders kostbares Vermächtnis der Christenheit.

Luthers sachliches Interesse an der Realpräsenz. In Luthers dem klaren Wortlaut gehorsamer Auslegung der Einsetzungsworte setzt sich zugleich sein Verhältnis zur Sache durch. Wir fragen jetzt, was ihn vom Ganzen seiner Theologie aus zu dem Gedanken der Realpräsenz hinführte und an ihn band; wie die Abendmahlslehre mit seinem Gesamtverständnis des Evangeliums zusammenhängt, sich ihm einordnet und innerhalb seiner wiederum ausgestaltend wirkt, zum Beispiel auf die Christologie.

Luthers nächstes sachliches Interesse war das gleiche, das er auch gegen Rom verfocht: daß das Sakrament wirklich als Gabe Gottes verstanden werde, eine Gabe, die wohl für den Glauben, aber auch vor ihm, unabhängig von ihm, ohne alles menschliche Zutun da ist.

Bei den Schwärmern und Schweizern schien ihm zunächst nicht zur Geltung zu kommen, daß das Abendmahl Gabe an den um Glaubensfreudigkeit ringenden Menschen ist. Die Auffassung des Sakraments vorwiegend als Gedächtnismahl war ein Verachten der klaren Worte Christi und eine Unbarmherzigkeit gegen den Menschen in seiner wirklichen Lage. Gewiß war das Halten des Sakraments für Luther auch ein Begehen des Gedächtnisses des Todes Christi – er

53. 26, 446,18.
54. Vgl. meine Kritik an Luthers und der altlutherischen Exegese der Einsetzungsworte: Die Christliche Wahrheit, §§ 57 f.

konnte mit Recht fragen: »wer wüßte wohl mehr davon als wir[55]?« –, aber es war mehr als das. Die Auffassung als Gedächtnismahl bedeutet nichts als Werkerei, die den Menschen aus seiner Not nicht heraus-, sondern erst recht tief hineinführt, weil der Mensch sich in wahrhaftes Gedenken und Liebe von sich aus hineinsteigern muß. »Wenn gleich ihr Erkenntnis und Gedächtnis von Christo eitel Brunst, eitel Herz, eitel Hitze, eitel Feuer wäre ... , was wäre dann geschehen?, was hätte man davon? Nichts denn neue Mönche und Heuchler, die mit großer Andacht und Ernst sich gegen dem Brot und Wein stelleten (wenns wohl geriete), wie bisher die blöden Gewissen sich gegen dem Sakrament gestellet haben ... « – »Wenn ich ... das Gedächtnis und Erkenntnis Christi mit solcher Brunst und Ernst übete, daß ich Blut schwitzte und darüber verbrennete, wäre es alles nichts und ganz verloren; denn da wäre eitel Werk und Gebot, aber kein Geschenke oder Gottes Wort, das mir Christus Leib und Blut darböte und gäbe[56].« Nicht das ist der Sinn der Sakramentsfeier, daß der Mensch im Gedenken sich zu Christus erhebe, sondern daß Christus zu dem Menschen sich erniedrigt. Der »Gottesdienst« wird von Luther begründet nicht auf die Inbrunst unserer Andacht und Versenkung in Christi Leiden – wie wäre da gewisser, freudiger Gottesdienst jemals möglich? –, sondern auf die Gegenwart Christi, der unsere Unandächtigkeit verzeihend trägt.

Mit diesem alles beherrschenden Interesse ergriff Luther nun den ihm von der Tradition dargebotenen, biblisch begründeten Gedanken der Realpräsenz. Die Realpräsenz bedeutet: hier handelt es sich wirklich um eine Gabe, hier ist sie, in ihrer Leiblichkeit, am offenkundigsten unabhängig von aller menschlichen Haltung, vom allem »geistlichen« Vermögen da. Verband sich bei Zwingli der Symbolismus der Sakramentsauffassung mit ausgesprochenem Aktivismus (*eucharistia numquam est panis aut corpus Christi, sed gratiarum actio[57]*), so schien für Luther das Wesentliche aller Begegnung Gottes mit dem Menschen, nämlich die Passivität, das reine Empfangen des Menschen, notwendig mit dem antisymbolistischen Verständnis des Abendmahls als Realpräsenz verknüpft.

Aber noch in anderer Beziehung fand Luther in der Realpräsenz den Grundzug alles Heilshandelns Gottes mit dem Menschen wieder. Realpräsenz heißt Gegenwart der Leiblichkeit Christi. Die persönliche Gegenwart des Herrn wußte Luther auch in der mündlichen Verkündigung des Wortes gegeben. Im Abendmahl aber war Christus, nach seinem Wort, leiblich gegenwärtig. Das bedeutete für Luther nicht ein absonderliches Unikum. Vielmehr: so ging es in Gottes Heilsgeschichte immer und überall zu.

Das Wort ward Fleisch – das heißt für Luther auch: es ward Leib. Diese

55. 19, 503 f., vor allem 504,2. Quis ignorat? quis plus quam nos? (Rörer).
56. 18, 195,23; 203,3.
57. Zwingli, opera ed. Schuler et Schulthess III, 542.

Leiblichkeit ist nichts Gleichgültiges. Sie ist dasselbe wie die echte Geschichtlichkeit. Geschichte vollzieht sich immer im Leibe. Daß Christus im Leibe war, das bedeutet Nähe, Greifbarkeit für die Menschen. Gott handelt mit ihnen in geistleiblicher Ganzheit. Die Menschen der Zeit Jesu durften in geistliche und zugleich leibliche Beziehung zu ihm treten. Maria hat ihn geistlich und leiblich gebären dürfen. Die Hirten und Simeon haben ihn geistlich und leiblich sehen dürfen. Wir sollen geradesoviel haben. Er will »uns ja so nahe sein leiblich als er ihnen gewest ist«, nur eben heute auf andere übernatürliche Weise, auf daß er aller Welt so nahe sein kann – das wäre nicht möglich, wenn er sichtbar erschiene. So ist er wohl leiblich, aber verborgen gegenwärtig[58]. Wir dürfen ihn ganz, nach Seele und Leib, glaubend erfassen. Sollte solche Gegenwart der Leiblichkeit Jesu etwas Geringes sein? War sie während seines Erdenlebens denn ohne Bedeutung für sein Erlöserwirken? »Zwar, da er auf Erden ging, war er so nutze, daß wen er anrühret durch sein Fleisch, dem half er. Er rief durch seinen Leib, mit leiblicher Stimme Lazaro aus dem Grabe. Er rühret den Aussätzigen an und macht ihn rein. Er ging auf dem Meer und reicht dem sinkenden Petrus die Hand und zog im Land umher (Luther nennt lauter leibliche Handlungen) und tat eitel Wunder und Wohltat. Es ist auch seine Art und Natur, daß er wohltu wo er ist – wie käme er nu dazu, daß er im Brot soll unnütze sein, so es doch dasselbige Fleisch, dasselbige Wort und derselbigen Art ist und muß eitel gut und nütz sein[59]?« Ist Christi Fleisch ohne Nutzen, wenn es leiblich gegessen wird, warum dann »nicht auch, wenn es leiblich empfangen wird und geborn, in die Krippe gelegt, in die Arm genommen, im Abendmahl über Tische sitzt, am Kreuze hänget usw.? Sind doch das alles äußerliche Weise und Brauch seines Fleisches so wohl als wenn er leiblich geessen wird. Was ists besser, daß es im Mutterleibe ist denn daß es im Brot und Munde ist? Ists hie kein nütze, so kanns dort auch kein nütze sein; ists dort nütze, so muß hie auch nütze sein; sintemal man allenthalben nicht mehr draus machen kann denn daß es sei leiblich und äußerlich Christus Leib gehandelt, es sei gessen oder empfangen, geborn oder getragen, gesehen oder gehöret. Und ist nirgend das geistlich Essen da, welches da nützet, sondern alleine das leiblich Brauchen oder Handeln[60].« Christi Fleisch ist voll Wort Gottes, weil das Wort Fleisch ward. Es ist etwas ganz anderes als unser Fleisch und Blut. »Es ist Gott in diesem Fleisch, ein Gotts Fleisch, ein Geistfleisch, es ist in Gott und Gott in ihm[61].« An diesem Fleisch hat sich der Tod vergeblich versucht. »Die Speise war dem Tod zu stark und hat den Fresser verzehret und verdauet.«

Hier haben die Schweizer Luther am wenigsten verstanden. Hier ist die ei-

58. 23, 193.173.175.
59. 23, 256,20.
60. 23, 177,26.
61. 23, 243,31. Vgl. 23, 201,15; 253,10; 26, 351,22.

gentliche Tiefe des Gegensatzes. Es geht um das Verständnis der Begriffe Fleisch und Geist bei Luther und den Schweizern[62]. Die Gegner beriefen sich auf das Wort »Das Fleisch ist nichts nütze« (Joh 6,63). Es handelt sich um geistige Dinge. Geist entsteht nur aus Geist. Geist wirkt nur auf Geist. Was soll die Realpräsenz, was das leibliche Essen Christi[63]? Solche Vorstellungen sind der Geistigkeit Gottes und der Gemeinschaft mit ihm unwürdig. Das Sakrament darf also nur als Symbol verstanden werden, das eine geistige Wirklichkeit abbildet, die der Glaube zu erleben vermag, in unserm Fall Christi Opfertod.

Luther hat mit scharfem Blick erkannt, daß hier ein anderer als der biblische Begriff von Fleisch und Geist vorlag. In der Tat, bei Zwingli und den Seinen wirkte in ihrem Symbolismus der Dualismus und Spiritualismus der Spätantike nach. Sie verstehen Geist im Gegensatz zum Fleisch im Sinne der Leiblichkeit. Für Luther dagegen steht der Geist im Gegensatz zum Fleisch im Sinne der Sündlichkeit. So ist es sinnlos, im Namen des Geistes die Leiblichkeit im Sakrament für gering und Gottes unwürdig zu achten. Das leibliche Essen ist selber ein »geistliches« Essen, wenn es im Glauben geschieht. Denn alles, was im Glauben geschieht, ist geistlich. »Alles ist und heißt Geist, geistlich und des Geistes Ding, was aus dem heiligen Geist kommt, es sei wie leiblich, äußerlich, sichtbarlich es immer sein mag. Wiederum Fleisch und fleischlich alles, was ohn Geist aus natürlicher Kraft des Fleisches kommt, es sei wie innerlich und unsichtbar es immer sei[64].« Christi Fleisch ist also »geistlich«, weil es aus dem Geist kommt. Und das leibliche Essen ist geistlich, weil es im Glauben an Gottes Wort geschieht. »Geistlich« essen heißt nicht: etwas nur Geistiges genießen, sondern eine Wirklichkeit genießen, die vom Heiligen Geist kommt und geistlicher Weise, das heißt im Glauben genossen sein will[65].

Luther ist hier seinen Gegnern gewaltig überlegen. Er durchbricht die idealistische Gleichsetzung der Welt des heiligen Geistes mit der Sphäre der Innerlichkeit, in der es nur »Geist« gibt. Er wahrt die Ganzheitsbeziehung des Heiligen Geistes, der Gemeinschaft mit Gott, des Umganges mit Gott, die alle nicht nur geistig, sondern auch leiblich geartet sind. Man höre demgegenüber nur, welche Bibelsprüche die Gegner wider Luther ins Feld führen. Außer dem schon genannten Wort aus Joh 6 sind es vor allem 2 Kor 5,16: »Wir kennen Christum nicht mehr nach dem Fleisch«, und Kol 3: »Suchet was droben ist.

---

62. Vgl. die wichtigen Ausführungen von *E. Seeberg:* Der Gegensatz zwischen Zwingli, Schwenckfeld und Luther. 1929.

63. 23, 173,5; 199,6.

64. 23, 203,3. Vgl. auch Marburg 30 III, 115,29: Ein Strohhalm aufheben ex jussu domini, spirituale est ... Non oportet attendere, quid dicatur, sed quis.

65. 23, 183; 189,8; 191. Vgl. die Berichte über das Marburger Gespräch 30 III, 116,18; 118,35. Holtzapfel, si Deus mihi proponeret, ego spiritualiter manducarem. Nam ubicunque est verbum dei, ibi spiritualis est manducatio. – Über leibliches und geistliches Essen siehe auch Br. 6, 156,14.

Trachtet nach dem, was droben ist, nicht nach dem, das auf Erden ist[66].« Nicht, was auf Erden ist, suchen – das soll wider die Betonung der Realpräsenz angeführt werden? Gewaltig erwidert Luther: »Wenn ich nu spreche: Warum sie denn zur Predigt gehen und das Evangelium suchen? Item, warum sie des Herrn Abendmahl halten?, warum sie den Nächsten lieben und wohltun? Vater, Mutter, Herr, Knecht und unser Nächster sind alle auf Erden. Wohlan, so wollen wir sie nicht suchen, niemand ehren, gehorchen noch dienen noch lieben. Ists nicht fein? Ist doch solchs alles auf Erden. Und S. Paulus sagt, man solle nicht suchen, das auf Erden ist[67].« Scheint das im ersten Augenblick nur eine unbillige Konsequenzmacherei – in Wahrheit bezeichnet diese Antwort in großer Klarheit, was Luther im tiefsten von den Schweizern trennte. Für ihn begegnet Gottes Geist dem Menschen nicht anders als in der ganzen Konkretheit, Äußerlichkeit, Leiblichkeit der Geschichte. Die Leiblichkeit verachten heißt die wahre Geschichtlichkeit der Offenbarung Gottes nicht ernst nehmen. »Gott ... gibt uns kein Wort noch Gebot vor, da er nicht ein leiblich äußerlich Ding einfasse und uns vorhalte.« Das bezeugt die ganze biblische Geschichte[68]. »Der Geist kann bei uns nicht anders sein denn in leiblichen Dingen als im Wort, Wasser und Christus Leib und in seinen Heiligen auf Erden[69].« Geist – das ist nicht eine transzendente Sphäre jenseits der ganz irdischen Geschichte, sondern eben diese Geschichte, in Gottes Wort gefaßt. Es gilt wirklich, in diesem Sinne auf Erden zu bleiben. Gerade wenn man trachtet nach dem, das droben ist, dann bleibt man auf Erden. In den wahrhaft wesentlichen Gedankenzusammenhang dieser Geschichtstheologie gehört für Luther das Interesse an der leiblichen Gegenwart Christi[70]. Es hatte schon Grund, wenn er von den Gegnern sagte: »Sie wollen eitel Geist haben[71]« und sie in dieser Beziehung mit den Schwärmern zusammenstellte. Die Einwände der Gegner kamen aus einer Gesamtauffassung von Geist und Geschichte, die Luther mit Recht als unbiblisch, als »einen anderen Geist als wir« empfand.

Luther konnte den ganzen Gegensatz auch fassen in den verschiedenen Begriff der Ehre Gottes hüben und drüben. Die Gegner fanden die Realpräsenz im Brot und Wein auf dem Altar Gottes unwürdig. »Es schickt sich nicht«, »es

66. 26, 306 ff. Vgl. auch in Marburg 30 III, 132. Fein erläutern hier Melanchthon und Luther das *secundum carnem*. Melanchthon: Id est secundum nostram carnem. Luther: Est vero secundum carnem cognoscere carnaliter, sine spiritu sineque fide cognoscere.

67. 26, 306,19.   68. 23, 261,12.   69. 23, 193,31.

70. 23, 261,13: Abraham gab er (Gott) das Wort, da sein Sohn Isaak eingefasset ward, Saul gab er das Wort, da die Amalekiten zu töten eingefasset waren, Noah gab er das Wort, da der Regenbogen eingefasset war. So fortan findest du kein Wort Gottes in der ganzen Schrift, da nicht ein leiblich äußerlich Ding eingefasset und furgetragen werde ... Also hie auch im Abendmahl wird uns das Wort gegeben, da Christus Leib, für uns gekreuziget, wird eingefasset, daß er da sein soll leiblich zu essen ...

71. 23, 261,25.

reimet sich nicht«, so drückt Luther ihren Gedanken aus[72]. Darin fand er den
»weltlichen, fleischlichen« Begriff der Ehre Gottes, nach dem sie in seiner Trans-
zendenz besteht[73]. In Wahrheit hat Gott seine Ehre in seiner Kondeszendenz,
in seinem Eingehen in die Welt, ihre Not und Schande. »Unsers Gotts Ehre
ist die, so er sich umb unser willen aufs Tiefste erunter gibt, ins Fleisch, ins
Brot, in unsern Mund, Herz und Schoß, und darzu umb unsern willen leidet,
daß er unehrlich gehandelt wird beide auf dem Kreuz und Altar.«

Aber Luther hatte nicht nur mit der Frage zu tun, ob die Realpräsenz nötig,
Gottes würdig und sinnvoll sei, sondern auch mit der anderen, wie sie denn
möglich, ob sie nicht absurd sei. Christi Fleisch und Blut im Brot und Wein
auf dem Altar? Ist Christus nicht gen Himmel gefahren? Dort ist er nach seiner Menschheit bei Gott. Er ist im Himmel und nicht auf dem Altar[74]. Luther
konnte darauf nur so antworten, daß er die Realpräsenz in den großen Zusammenhang der Christologie stellte. Im Kampf um die Realpräsenz empfing seine
Christologie ihre endgültige Gestalt, die dann die lutherische Theologie beherrscht hat[75]. Die Christologie und die Abendmahlslehre haben sich dabei wech-
selseitig bedingt.

Voranstehen muß Luthers christologischer Grundgedanke: »Außer Christo
kein Gott.« Gott ist nur in Christi Menschheit für uns da. »Wo Christus ist,
da ist die Gottheit ganz und gar.« Daher auch umgekehrt[76]. Gott aber ist allgegenwärtig und allwirksam. Wo er ist, ist also auch Christus. Sitzt er zur Rechten Gottes – nun, die Rechte Gottes ist eben seine allem transzendente und immanente Gegenwärtigkeit, nicht ein Ort im Himmel. So muß Christus auch
nach seiner Menschheit allgegenwärtig sein. Aber als solche ist Christi Menschheit auch unbegreiflich, für uns nicht zu fassen[77]. Es ist zweierlei, ob Gott da
ist und ob er mir da ist. Gottes Rechte ist überall, aber so kann ich sie nicht ergreifen, »sie binde sich denn dir zu gut und bescheide dich an einen Ort. Das
tut sie aber, das sie sich in die Menschheit Christi begibt und wohnet. Da findest
du sie gewiß ...« Das gleiche gilt nun auch von der allgegenwärtigen Menschheit Christi. Indem sie »in allen und über allen Dingen ist nach Art göttlicher
rechten Hand«, ist sie uns unfaßlich. Aber Christus bindet sich mit seinem
Wort »Das ist mein Leib« an das Brot und heißt uns, ihn da ergreifen. Wie
der unbegreiflich allgegenwärtige Gott dem Menschen in der Menschheit Jesu

72. 19, 486,1.   73. 23, 155,8; 157,26.   74. 23, 116.119.

75. *P. W. Gennrich:* Die Christologie Luthers im Abendmahlsstreit. 1929. S. 129:
»Die Christologie Luthers ist nicht ein Produkt des Abendmahlsstreites. Vielmehr folgt
Luthers Stellungnahme im Kampf um das Abendmahl notwendig aus seiner christologischen Grundanschauung. Wohl wird Luther durch den Abendmahlsstreit veranlaßt,
manche Punkte in seiner Christologie schärfer hervorzuheben und besonders zu betonen,
aber was er hier entwickelt, ist schon vorher im Zusammenhang seiner ganzen Christus-
auffassung als Grundlage seiner Theologie enthalten.«

76. 23, 131 ff.; 30 III, 132 f.   77. 23, 151.

Christi nahe wird, so wird die unbegreiflich allgegenwärtige Menschheit Christi wiederum nahe und greifbar für den Menschen im Abendmahl. Es ist Gottes Liebe, daß er sich konkret offenbart, und seine Freiheit, dieses Konkretsein zu wählen. Gottes Offenbarung ist in ihrer Konkretheit immer kontingent, unableitbar, in ihrer reinen Gegebenheit nur glaubend hinzunehmen[78].

Die Realpräsenz und die Gabe des Abendmahls. Die Realpräsenz, das heißt die leibliche Gegenwart des wahren Leibes und Blutes Christi im Brot und Wein, geschieht in der Abendmahlsfeier der Gemeinde dadurch, daß der Pfarrer als »unser aller Mund« die Ordnung, die Christus eingesetzt hat, handelnd und sprechend (bzw. singend) vollzieht[79]. Innerhalb dieser »Ordnung Christi« sind das Entscheidende die Worte: Das ist mein Leib, das ist mein Blut. Wie sie damals das wirkten, was sie sagen, so auch jetzt, wenn der Pfarrer sie in der Gemeinde spricht. In Kraft dieser Worte Christi sind sein Leib und Blut gegenwärtig[80].

Was wirkt die im Brot und Wein präsente Leiblichkeit Christi? Alle empfangen sie, nicht nur die Glaubenden[81], und sie wirkt auch bei allen, aber nur für die, welche sie im Glauben an Christi Worte empfangen, zum Heil[82], dagegen für die anderen, die nicht glauben und dadurch unwürdig sind, die nur leiblich, nicht geistlich, das heißt im Glauben genießen, wirkt sie als Gift und Tod, zum Gericht[83]. Luther lehrt also den mündlichen Genuß von Leib und Blut Christi auch durch die Unwürdigen und beruft sich dafür auf Paulus 1 Kor 11. Die Wirklichkeit der Realpräsenz und des Empfangens ist durch Christi Worte gesetzt und daher unabhängig von der inneren Haltung des Empfangenden, seinem Glauben oder Unglauben[84]. Diesen Satz kann man nicht als einen mit Luthers Grundgedanken unverträglichen Rückfall, als Restbestand dinglichen Sakramentalismus' auffassen. Denn Luther sagt die gleiche Doppelwirkung, die er dem Sakrament zuerkennt, mit Paulus auch von dem Wort aus und betont die Entsprechung zwischen Wort und Sakrament an diesem Punkt[85]. Dort wie

78. 23, 267,29.   79. 38, 247,15.27.

80. 6, 512,30: Ad ipsam solam et puram Christi institutionem oculos et animum vertamus nec nobis aliud proponamus quam ipsum verbum Christi, quo instituit et perfecit ac nobis commendavit sacramentum. Nam in eo verbo et prorsus nullo alio sita est vis, natura et tota substantia Missae. – 30 I, 224,27: ... so hast du hier sein Leib und Blut aus Kraft dieser Wort, so zu dem Brot und Wein kommen. – 38, 247,17: in Kraft der Wort Christi: Das ist mein Leib, das ist mein Blut. – Für das Genauere von Luthers Bestimmung der Realpräsenz siehe das Buch von *Hans Graß* (S. 318, Anm. 1).

81. 26, 490 f.   82. 26, 353,27.

83. 23, 179 ff.   84. 30 I, 224,16.27.

85. 30 III, 119,18 (in Marburg): Quando quidem non solum hoc unum sacramentum, sed etiam verbum ac evangelium dei, imo deus ipse mors ac venenum esset, juxta illud: Odor mortis in mortem (2 Kor 2,16). – 40 II, 402,11.33.

hier gilt: die Gegenwart der Gnade stellt in die Entscheidung, zum Leben oder zum Tode.

Welches ist die Heilswirkung der Realpräsenz und wie verhält sie sich zu der wesentlichen Gabe des Evangeliums, der Vergebung der Sünden? Indem wir so fragen, nehmen wir das Problem wieder auf, das wir durch die ersten Phasen von Luthers Abendmahlslehre hindurch verfolgten.

Auch jetzt, bei der stärksten Betonung der Realpräsenz bleibt für Luther die eigentliche Gabe des Sakraments die Vergebung der Sünden. Die Vergebung der Sünden hängt daran, daß im Sakrament das Neue Testament da ist, und dieses wiederum hängt an der Gegenwart des Leibes und Blutes. So sieht Luther den Zusammenhang. »So fassen die Wort erstlich das Brot und den Becher zum Sakrament, Brot und Becher fassen den Leib und Blut Christi, Leib und Blut Christi fassen das Neue Testament, das Neue Testament fasset Vergebung der Sünden, Vergebung der Sünden fasset das ewige Leben und Seligkeit[86].« Leib und Blut sind, kraft des Wortes Christi, der »Schatz, durch und in dem wir Vergebung der Sünden überkommen«. »Denn darum heißet er mich essen und trinken, daß es mein sei und mir nütze, als ein gewiß Pfand und Zeichen, ja eben dasselbige Gut, so für mich gesetzt ist wider meine Sünde, Tod und alle Unglück[87].« Leib und Blut sind also Pfand für die Zueignung der Sündenvergebung, aber ein Pfand, das von vornherein in innerer Beziehung zur Sündenvergebung steht – es handelt sich ja um eben dieselbe menschliche Lebendigkeit Jesu, die er am Kreuz für uns eingesetzt hat. Man sieht: Luther vergißt, wenn er von der verklärten Leiblichkeit des Herrn redet, nie, daß es seine in den Tod gegebene Leiblichkeit ist. Der Erhöhte bleibt der Gekreuzigte.

Die Wirkung des Abendmahls besteht, wie bei den Sakramenten überhaupt, darin, daß der Glaube oder, was dasselbe ist, das neue Leben gestärkt werde und immer mehr zunehme[88]. Er bedarf dieser »Erholung« und »Stärkung«, weil er in diesem Leben von Teufel und Welt ständig angefochten und gefährdet ist. So ist das Abendmahl Hilfe gerade in der Angefochtenheit.

Aber bei dieser Antwort auf die Frage, was die Realpräsenz wirke, konnte es nicht bleiben. Gab nicht das Wort, zum Beispiel in der Beichte, das gleiche? Das Eigengewicht der Realpräsenz des vom Geist erfüllten Leibes Christi war zu groß, als daß es bei dem Gedanken, Leib und Blut seien Pfand und besondere Träger der Vergebung, hätte sein Bewenden haben können. So sucht Lu-

86. 23, 478,31. – 30 III, 133,21 (in Marburg): Christi corpus manducatum utile esse patet, quia promissionem remissionis peccatorum habet annexam.

87. 30 I, 225,1.

88. 20 I, 225,7: Darum heißet es wohl eine Speise der Seele, die den neuen Menschen nähret und stärkt ... Darum ist es gegeben zur täglichen Weise und Fütterung, daß sich der Glaube erhole und stärke, daß er in solchem Kampf nicht zurückfalle, sondern immer je stärker und stärker werde. Denn das neue Leben soll also getan sein, daß es stets zunehme und fortfahre.

ther jetzt eine besondere Heilswirkung des leiblichen Essens der Leiblichkeit Christi aufzuzeigen. »So wir Christus Fleisch essen leiblich und geistlich, ist die Speise so stark, daß sie uns in sich wandelt und aus fleischlichen, sündlichen, sterblichen Menschen geistliche, heilige, lebendige Menschen macht, wie wir denn auch bereit sind, aber doch verborgen im Glauben und Hoffnung, und ist noch nicht offenbar, am jüngsten Tage werden wirs sehen[89].« Aber auch diese Wandlung aus dem Fleisch in den Geist hatte Luther oft schon von dem mündlich verkündigten Wort, das Christus in uns bringt, ausgesagt. So erreicht er eine besondere Heilswirkung des Sakraments erst, indem er auf den Gedanken des Irenäus und anderer griechischer Väter zurückgreift, daß Leib und Blut Christi den Leib zur Unsterblichkeit ernähre[90]. Christus gibt uns seinen eigenen Leib zur Speise, »auf daß er uns mit solchem Pfande versichere und vertröste, daß auch unser Leib solle ewiglich leben, weil er hie auf Erden einer ewigen und lebendigen Speise mit geneußt«. Könnte es nach diesem Wort noch scheinen, als bedeute das leibliche Essen des Leibes Christi ein Pfand für die Seele, daß der Leib erweckt werde, so lassen andere Stellen doch keinen Zweifel, daß Luther an eine leibliche Wirkung zur Auferstehung, nicht nur an eine Vergewisserung gedacht hat. »Die Seele siehet und verstehet wohl, daß der Leib müsse ewiglich leben, weil er eine ewige Speise zu sich nimmt, die ihn nicht lassen wird im Grabe oder Staub verfaulet oder verweset[91].«

Damit hatte die Realpräsenz für ihr besonderes Gewicht ihre besondere Wirkung bekommen. Da sie nur dem Glauben zuteil wird, kann man den Gedanken nicht magisch nennen. Aber er führte über den reformatorischen Grundsatz von dem Verhältnis zwischen Wort und Sakrament deutlich hinaus. Das Sakrament hatte nun zwei Gipfel. Es ist aber bezeichnend, daß Luther den Gedanken von der leiblichen Wirkung des Sakraments außer in den Streitschriften kaum vertreten hat. Vor allem fehlt er in den Katechismen ganz. Im Kleinen Katechismus ist der »Nutzen« des Sakraments in den drei Worten beschlossen: Vergebung der Sünden, Leben und Seligkeit – drei Worte, die im Grund nur eins sind: Vergebung – »denn wo Vergebung der Sünden ist, da ist auch Leben und Seligkeit[92]«. Die Gedanken Luthers von der leiblichen Wirkung des Abendmahls erfüllen allerdings die Anforderung an die Sakramentslehre, daß sie die selbständige Bedeutung des Sakraments neben dem verkündigten Wort zur Geltung zu bringen habe. Aber Luther hat die Besonderheit des Sakraments, wie wir sahen (S. 299), sonst anders bestimmt.

89. 23, 205,20.

90. 23, 155,36; 191,25; 205,14; 255,14; 253. Über Irenaeus vgl. 23, 233. In Marburg 30 III, 126,27.

91. Ebenso bei der Taufe, 30 I, 217,32.

92. 30 I, 391,2: Wer denselbigen Worten glaubt, der hat, was sie sagen und wie sie lauten, nämlich Vergebung der Sünden. – Von etwas anderem ist nicht die Rede.

Die Letzten Dinge

Das Heil ist für den Glauben schon gegenwärtig. Darauf liegt bei Luther starker Ton. »Wo Vergebung der Sünden ist, da ist auch Leben und Seligkeit«, schon jetzt, in der Gegenwart. Das Heil ist nicht mehr nur Zukunft. Aber der Christ hat es doch bisher auch nur im Glauben, noch nicht in der Erfahrung, jedenfalls nicht in voller, ungebrochener, unwidersprechlicher, bleibender. Der Glaube wird durch den Widerspruch der Wirklichkeit ständig angefochten. Das Heil ist gegenwärtig, aber es ist zugleich verborgen. »Nicht daß wir die Vergebung und alle Gnaden sollen allererst in jenem Leben gewarten, sondern daß sie jetzt im Glauben da sind, aber doch verborgen und offenbart werden in jenem Leben[1].« Daher wartet der Christenstand noch auf die endliche Offenbarung. Immer wieder in den behandelten Kapiteln der Theologie Luthers trat die eschatologische Beziehung hervor, etwa in der Lehre vom Werk Christi und von der Gerechtigkeit im Glauben. Der Christenstand ist ein Haben und zugleich Noch-nicht-Haben, ein Sein und zugleich ein Noch-nicht-Sein, erst ein Werden. Daher ist der Glaube eben durch das, was er jetzt schon empfängt, stark gespannt auf die Letzten Dinge. Das gilt nicht nur für das Christenleben des einzelnen, sondern nicht minder für die Lage der Christenheit in der Welt, für die Herrschaft Christi in der Geschichte: sie muß noch den Druck und Widerstand der »Welt« und des Satans bitter erleiden. Die Theologie ist und bleibt *theologia crucis,* und daher wird sie notwendig Eschatologie. Das Sehnen und die Erwartung des Glaubens geht in die Zukunft, auf die Offenbarung der Herrschaft Christi. Luthers Theologie ist durch und durch eschatologisch im strengen Sinne der Enderwartung. Seine Gedanken über die Letzten Dinge sind nicht ein konventioneller Anhang, sondern ein im Ganzen seiner Theologie wesenhaft begründetes, unentbehrliches, ja entscheidendes Stück. Es steht auch nicht so, daß Luther hier in der Hauptsache nichts Neues sagte, sondern nur die Tradition weitergäbe. Er erweist sich vielmehr auch hier als Reformator.

Das Sterben im Lichte von Gesetz und Evangelium

Luther hat seine Theologie des Todes vor allem in der gewaltigen Auslegung des 90. Psalms gegeben[2].

Wie der natürliche Mensch von sich aus das wahre Wesen des Gesetzes Gottes nicht erkennt und mit dem Gesetz fertig zu werden meint, so verkennt er

1. 17 II, 229,28.
2. 40 III, 485 ff. Luther hielt diese Vorlesungen vom Oktober 1534 bis in den Mai 1535, mit langen Unterbrechungen, die zum Teil durch seine Kränklichkeit bedingt waren. Rörer hat sie nachgeschrieben und ausgearbeitet, Veit Dietrich sie herausgegeben. Wir besitzen auch Rörers Nachschrift noch.

auch den Ernst und die Schwere des Todes. Man nimmt ihn naturalistisch als »natürlich«, als Sonderfall der Vergänglichkeit aller Kreatur, und empfiehlt daher – Luther denkt dabei an antike und neuere Schriftsteller – ihn zu verachten[3]. Aber die Heilige Schrift öffnet das Auge für die wahre Wirklichkeit des Sterbens. Das Sterben ist mehr als ein biologisches Phänomen. Es ist eine menschliche Wirklichkeit, und diese unterscheidet es durchaus von dem Enden pflanzlichen und tierischen Lebens. Pflanzen und Tiere enden nicht unter Gottes Zorn, sondern nach »einer natürlichen Ordnung«, die Gott so setzte. »Der Menschen Tod aber ist ein unendlicher und ewiger Jammer und Zorn.« Denn der Mensch ist eine Kreatur, geschaffen zum Bilde Gottes, zum ewigen Leben, zur Unsterblichkeit, zum Leben für Gott, nicht zum Sterben. Der Tod kommt ihm nicht von Natur, schöpfungsmäßig zu. Er ist ihm »durch Gottes Zorn angetan und auferlegt[4]«. Daher das Zurückschaudern des Menschen vor dem Tode, der *terribilis horror mortis,* wie kein anderes Lebewesen ihn so kennt[5]. Man muß das Schicksal des Todes also theologisch verstehen, innerhalb des Verhältnisses zwischen Gott und dem Menschen, denn dieses ist des Menschen entscheidendes, alles durchdringendes Schicksal.

Dabei denkt Luther niemals nur an den leiblichen Tod, das Ableben als solches, sondern er blickt auf seine personale Mitte und Tiefe[6]. Das Sterben ist an sich schon kein Kinderspiel. Denn im Sterben stehen wir am Abgrund, wir müssen »von dem gewissen Ufer dieses Lebens hinüberspringen in den Abgrund«, sehen und fühlen keinen Grund und Boden, auf dem wir Fuß fassen könnten, sondern müssen es allein auf Gott wagen[7]. Daher wird niemand dem Tod ohne Scheu und Zittern entgegengehen, auch wenn er von Gottes Zorn nichts weiß wie die Heiden und die Heiligen[8]. Aber stände es nur so um den Tod, dann wäre er noch zu ertragen[9]. Doch er bedeutet viel mehr: wenn er kommt, so »bringt er auch Sünde und Gesetz mit sich[10]«. Das heißt: wir Sünder erfahren in dem Zerbrechen unseres irdischen Lebens Gottes Nein zu uns, seinen Zorn[11]. Der Zorn Gottes im Tod ist ewiger Tod. Gott straft uns im Tod unserer Schuld wegen. »Aber wo der Tod verschuldet und durch Sünde verdient ist, da gehet der Zorn Gottes mit und macht den Tod unträglich, daß nichts denn Tod da zu finden und zu fühlen ist[12].« – »Mitten in dem Tod anficht / uns der Hölle Rachen[13].« Zu dieser Tiefe des Sterbens sind erst die Christen, die Gottesfürchtigen ganz wach. Luther kann sagen: »Unser Tod ist schrecklicher als alle Tode nicht nur der übrigen Lebewesen, sondern auch die Tode und Nöte der Menschen. Denn was bedeutet es, daß Epikur stirbt, der nicht allein um Gottes Dasein nicht weiß, sondern auch sein Unglück, das er trägt, nicht erkennt? Aber die

3. 40 III, 485,7. 4. 39 II, 366,14; 32; 367,7. – 40 III, 513,8.23.
5. 39 II, 367,20. 6. 40 III, 487,6.18. 7. 19, 217,15.
8. 19, 218,5. 9. 19, 217,28. 10. 31 I, 146,17.
11. 19, 217,26. – 40 III, 487,20. 12. 19, 217,34. 13. 35, 454,10.

Christen und gottesfürchtigen Menschen wissen, daß ihr Tod samt den übrigen Nöten dieses Lebens Gottes Zorn ist. Daher werden sie gezwungen, mit dem zürnenden Gott zusammenzustoßen und zu kämpfen um das Bewahren der Seligkeit[14].« Erst der Christ ist durch Gottes Wort ganz wach gemacht zu seiner Lage vor Gott und damit zur vollen Erfassung seines Menschseins – und daher ist erst er ganz wach zum Todesschicksal wie zu Gottes Gesetz und Zorn überhaupt.

Das alles gilt vom Tod im Licht des Gesetzes. Aber der Christ steht nicht nur unter Gottes Gesetz, sondern er vernimmt zugleich das Evangelium. Das Evangelium bedeutet eine völlige Wandlung wie aller Erfahrung des Zornes Gottes, so auch des Todes. Den selbstherrlichen, wider Gott rebellischen Menschen trifft im Widerfahrnis des Todes Gottes hartes Nein. Aber demütigt er sich darunter und flieht zu der ihm im Evangelium angebotenen Barmherzigkeit Gottes, dann vernimmt er unter dem Nein bei Christus das große Ja Gottes. Dann wandelt sich das richterliche Nein der Verstoßung in das väterliche Nein der gnädigen Heimsuchung Gottes, der mich durch das Sterben in meinem alten sündigen Wesen abbaut und mir das neue schenkt durch Christus. Der Tod wird »des Vaters Rute und Kinds-Strafe[15]«.

Er erfüllt das, was Gott in der Taufe dem Christen verheißen hat, nämlich seine Sünde in den Tod zu geben[16]. Das hebt schon im irdischen Leben an durch die Aufgaben und die Leiden, die Gott dem Menschen auferlegt, aber es vollendet sich erst im leiblichen Tod, »auf einen Augenblick[17]«. So liegt alles daran, daß der Christ sich zu diesem gnädigen Sinn des Sterbens auch bekenne – dadurch, daß er willig stirbt. »Das ist das Beste des Sterbens, daß sich der Wille drein geb[18].« Das bringt der Mensch nicht von sich aus auf. Er vermag es allein in Kraft des reinen gehorsamen Sterbens Christi. Weil Gott den Menschen durch das Sterben von sich selbst, von der Sünde frei macht, wird der Christ den Tod

14. 40 III, 544,6.23.

15. 31 I, 160,24.

16. Vgl. den Sermon von der Taufe, 1519; 2, 727 ff.; siehe das Kapitel über Luthers Verständnis der Taufe, S. 303.

17. 30 I, 190,37: Indes aber, weil die Heiligkeit angefangen ist und täglich zunimmt, warten wir, daß unser Fleisch hingerichtet und mit allem Unflat bescharret werde, aber herrlich hervorkomme und auferstehe zu ganzer und völliger Heiligkeit in einem neuen ewigen Leben ... Siehe, das alles soll des Heiligen Geistes Amt und Werk sein, daß er auf Erden die Heiligkeit anfahe und täglich mehre ... Wenn wir aber verwesen, wird ers ganz auf einen Augenblick vollführen und uns ewig dabei erhalten. – Mit dem »auf einen Augenblick« nimmt Luther auf, was Paulus von der Verwandlung der Christen, die den Tag des Herrn erleben, sagt (1 Kor 15,52). Es ist hier und dort das gleiche. – Zur Bedeutung des leiblichen Todes für das Abtun der Sünde vgl. auch 39 I, 95,16: Cum sumus in pulverem redacti, tum demum et peccata penitus extinguuntur.

18. 10 III, 76,8. Vgl. die ganze tiefe Predigt 75 ff.

begehren. »Hilf uns den Tod nicht fürchten, sondern begehren«, betet Luther[19]. Und er bekennt: »Wir wollten auch gern tot sein und begehren zu sterben[20].« Er versteht die christliche Vollkommenheit geradezu als dieses Verlangen nach dem Tod: die Heiligung im Christenleben führt zuletzt dahin, »daß der Mensch vollkommen wird und das Leben gern in den Tod gibt und mit Paulo begehrt zu verscheiden, daß also alle Sünde aufhöre und Gottes Wille aller Ding aufs vollkommenste genug geschehe an ihm[21]«. So ist für den Christen das Gesetz des Todes zugleich zur Gestalt des Evangeliums geworden: »Also der Tod, der vorhin eine Strafe der Sünde war, ist jetzund eine Arzenei der Sünde. Also ist er hier gebenedeit[22].«

Der Tod, frei vom Zorn Gottes, ist nun wirklich Schlaf: »Der Tod ist mein Schlaf worden«, heißt es in Luthers Simeonslied[23]. Oder, mit dem anderen Bild, das Luther in dem »Sermon von der Bereitung zum Sterben« von 1519 bringt: der Tod ist nur »die enge Pforte, der schmale Steig zum Leben«, entsprechend dem engen Ausgang, durch den das Kind aus dem Mutterleib in diese Welt hineingeboren wird; so ist das Sterben durch Enge und Angst hindurch Geburt in die zukünftige Welt. »Also im Sterben muß man sich auch in die Angst hineinwagen und wissen, daß danach ein großer Raum und Freude sein wird[24].« Das ist das Sterben im Licht des Evangeliums, wie der Glaube es sieht. Des Gesetzes Stimme sagt: *Media vita in morte sumus,* »Mitten wir im Leben sind / Mit dem Tod umfangen«; des Evangeliums Stimme: *Media morte in vita sumus*[25].

Aber der Christ hört die Stimme des Evangeliums immer nur als einer, der als Sünder noch unter dem Gesetz steht und dessen Stimme vernimmt. Gilt das von dem Glauben überhaupt, so auch im Blick auf das Sterben. Das bedeutet: auch hier muß der Glaube immer wieder die Anfechtung durch die Wirklichkeit des Sterbens unter dem Gesetz überwinden[26]. Der Christ hat nicht ein für allemal die Sicht des Todes im Licht des Evangeliums, sondern er kommt als Sünder immer wieder von dem Gesetz Gottes her und daher auch von seiner Sicht des Sterbens und ergreift in der Not dessen immer neu das Evangelium und seine Sinngebung des Sterbens. Der Glaube ist auch hier Bewegung, Fliehen, Kampf, Durchbrechen. Wer diesen Charakter des Glaubens nicht im Auge behält, der muß in Luthers verschiedenen Äußerungen über das Sterben der Christen einen unerträglichen Widerspruch finden. Luther kann, wie wir sahen, erklären: Der Tod der Christen ist schrecklicher als aller anderen Menschen Tod, denn

---

19. 6, 14,14.　　　　20. 12, 410,34. – 39 I, 512,5.　　　　21. 17 II, 13,23.
22. 10 III, 76,1.　　　　23. 35, 439,2.　　　24. 2, 685,22.　　　25. 40 III, 496,4.16.
26. Der Glaube muß auch die Todesfurcht unserer fleischlichen Natur in ihrer Schwachheit überwinden. Wenn wir wirklich glaubten, so würden wir uns nicht mehr fürchten und uns nicht wider den Tod aufbäumen. 39 II, 276,8: Quod vero interdum propter imbecillitatem incidit timor et lucta mortis, fit propterea, quod nondum vere credimus.

sie allein wissen von Gottes Zorn und begegnen ihm im Sterben. Sie sind im Unterschied von den anderen ganz wach vor Gottes Gesetz. Aber an anderer Stelle scheint Luther genau das Gegenteil zu sagen: »Ein Christ schmecket und siehet den Tod nicht, das ist: er fühlet ihn nicht, erschrickt nicht so dafür und gehet sanft und still hinein, als entschliefe er und stürbe doch nicht. Aber ein Gottloser fühlet ihn und entsetzt sich davor ewiglich. Diesen Unterschied macht das Wort Gottes. Ein Christ hats und hält sich daran im Tode[27].« Wenn Luther das eine wie das andere sagt, so heißt das: der Glaube kommt immer wieder von dem ersten her und endet immer wieder bei dem zweiten. Solange der Christ auf Erden ist, kommt er als Sünder immer noch von dem Konflikt mit Gott und darum auch von seinem Gesetz und Zorn her. Er kann und darf darüber nie hinwegspringen, aber er darf und soll sich von dort immer neu wegrufen und hinauftragen lassen durch das Evangelium von Christus, die Zusage der vergebenden und erlösenden Barmherzigkeit Gottes. So steht der Glaube immer im Kampf mit der unmittelbaren Erfahrung des bitteren Todes, mit dem »Fühlen«: der Christ fühlt den Tod, aber er will ihn nicht fühlen. Er erhebt sich über dieses »Fühlen«[28]. Daher bleibt »Mitten wir im Leben sind ...«, die angstvolle Frage und Bitte aus des »bittern Todes Not« immerdar das Lied auch des Christen[29]. Auch mit den düsteren ersten Zeilen jeder Strophe ist es nicht vorchristlich, sondern christlich. Luther hat »Mit Fried und Freud ich fahr dahin« nicht an die Stelle von »Mitten wir im Leben sind ... « setzen wollen, sondern hat beide für den Christen gedichtet und heißt ihn das eine wie das andere singen. »Wo solln wir denn fliehen hin / da wir mögen bleiben? / Zu dir, Herr Christ alleine.« Dahin flieht der Glaube aus der Gottesangst des Sterbens. Diese Bewegung darf dann einmünden in das »Mit Fried und Freud ich fahr dahin, / In Gotts Wille. / Getrost ist mir mein Herz und Sinn, / Sanft und stille. / Wie Gott mir verheißen hat: / Der Tod ist mein Schlaf worden[30].«

Todesschlaf und Auferweckung

Die Zukunft, auf welche die Christenhoffnung geht, ist auch bei Luther zunächst die des einzelnen Menschen im Tode und jenseits des Todes. Die Gewißheit der neuen Lebendigkeit aus dem Tode gründet sich bei ihm auf das Ganze des erlösenden Handelns Gottes in Christus. Daher sind wir ihr auch im Vorigen immer wieder schon begegnet. Die Mitte dabei ist die Auferweckung Jesu Christi, die Überwindung des Todes, die mit ihr geschehen ist. Sie trägt in sich

27. 17 II, 234,36.
28. 31 I, 160,20: Er fühlet den Tod wohl, er will ihn aber nicht fühlen und soll nicht Tod heißen, sondern hält sich an die gnädige rechte Hand Gottes.
29. 35, 453,20.
30. 35, 438.

den einzigen wahren Trost für uns alle, die wir sterben müssen. Das hat Luther aus Paulus 1 Kor 15 in seinen Predigten über dieses Kapitel[31] und auch sonst immer wieder mächtig bezeugt. Christus ist auferstanden als der Erstling. Seine Auferweckung verheißt die leibliche Auferstehung aller, die durch die Taufe und den Glauben sein eigen sind[32]. Ja, mit der Auferstehung Christi, des Hauptes, ist das größte Stück der allgemeinen Auferstehung in Wahrheit schon geschehen[33]. Luther begründet die Erwartung über den Tod hinaus vielfach auch ohne ausdrückliche Beziehung auf die Auferstehung Christi. Er setzt dann ein bei dem Ersten Gebot bzw. dem Vorspruch zu ihm »Ich bin der Herr, dein Gott« oder ähnlichen Anreden Gottes an Menschen[34]. Deren Sinn findet er ausgelegt in Jesu Antwort an die Sadduzäer Mt 22: »Gott ist nicht der Toten, sondern der Lebendigen Gott.« (Nicht als ob Christus für Luther bei dieser Begründung ausschiede. Für ihn ist der Vorspruch des Ersten Gebots und die verwandten Anreden nichts anderes als eine Zusammenfassung des Evangeliums von Jesus Christus: ich bin der Herr, dein Gott – »mein Gott«, der mich selig machen will, ist Gott nur in Christus, so ist Christus für Luther in solchen Gottesworten selbstverständlich da.) Diesem »Syllogismus« folgt Luther, wenn er sagt: Stellt Gott sich vor als eines Menschen Gott, so lebt dieser Mensch für ihn, auch wenn er stirbt[35]. Redet Gott einen Menschen an, so ist damit ein unsterbliches Gegenüber gesetzt. Denn Gott wendet sich mit einer Anrede nur an Lebendige. Das heißt, daß er die Toten auferweckt. Dadurch sind sie »unsterblich«. »Wo also und mit wem Gott redet, es sei im Zorn oder in Gnaden, der ist gewißlich unsterblich. Die Person Gottes, der da redet, und das Wort zeigen an, daß wir solche Kreaturen sind, mit denen Gott bis in Ewigkeit und unsterblicher Weise reden will[36].« So ist mit allen Worten, in denen Gott sich als des Menschen Gott kundgibt, und in allen Anreden an ihn schon Auferstehung der Toten bezeugt[37]. Das gilt nach Luther für jeden Menschen, nämlich auch in dem Fall, daß Gott mit ihm nicht in Gnaden, sondern »im Zorne redet«: auch auf Grund dessen kann er nicht durch den leiblichen Tod aus dem Gegenüber zu Gott herausfallen oder herausfliehen. Die Anrede durch Gott bleibt sein unentrinnbares Schicksal. Für den Glaubenden aber ist Gottes Wort an ihn, das ihn durch den Tod durchhält, kein anderes als das Wort Christi. An dieses hält

31. 36, 478–696.

32. Vgl. etwa 36, 543,1: Si etiam morior, was denn? so sing ich: Christus resurrexit et est primitiae, den hab ich, in eum credo, in eo baptizatus, promisit, quod me velit herfürrücken. – 37, 67 ff. – Vgl. auch in der Erklärung des Zweiten Artikels im Kleinen Katechismus: »Gleichwie er ist auferstanden vom Tode.«

33. 36, 547,9. – 37, 68,21.

34. 43, 479,17; 481,21. – 31 I, 154,33.

35. 31 I, 155,6: Drum müssen sie ewig leben, sonst wäre er nicht ihr Gott.

36. 43, 481,32 (aus dem Lateinischen).

37. 43, 479,14.

der Christ sich im Sterben, an ihm hat er die Gewähr, daß er aus dem Tod erweckt wird.

Alle Gewißheit über den Tod hinaus hängt also an Gottes, an Christi Wort[38]. Daher kann Luther auch auf die Frage, wo wir im Tod bleiben, keine andere Antwort geben als den Hinweis auf Gottes oder Christi Wort. Die Christen ruhen in »Christi Schoß[39]«. Dieser aber ist nichts anderes als Christi Wort, etwa: »Wer an mich glaubt, der wird nimmermehr sterben« oder ähnliche. An sie muß der Mensch sich im Sterben halten, und in ihnen hat er dann seine Bleibe und Ruhe, »in Christi Schoß gefasset und bewahret bis an den Jüngsten Tag[40]«. Dieser tiefe Gedanke zeigt Luthers reformatorische Bedeutung für die Eschatologie. Die Lehrtradition wußte viel zu sagen von den verschiedenen Orten, an denen die Seelen der Toten sich aufhalten. Man hatte eine Topographie des Zwischenzustandes[41]. Luther kritisiert sie scharf und führt von der Topographie zur Theologie, zu der Gewißheit, daß alle, die im Glauben sterben, ihren »Ort« in Gottes Wort und Verheißung in Christus haben[42]. Sie »ruhen«, sie »schlafen« in Christi Schoß. Das ist Luthers entscheidende Aussage über den Zustand der Abgeschiedenen. Um ihre Bedeutung ganz zu verstehen, müssen wir sie auf dem Hintergrund der eschatologischen Entwicklung seit dem Neuen Testament sehen.

Im Mittelpunkt der urchristlichen Hoffnung steht die Auferweckung am Jüngsten Tag. Sie erst ruft die Toten in das Ewige Leben (1 Kor 15; Phil 3,20 f.). Sie betrifft den ganzen Menschen, nicht nur den Leib. Paulus spricht von Auferstehung nicht des Leibes, sondern der Toten. Diese Fassung der Auferstehung schließt ein, daß auch das Sterben als ein den ganzen Menschen betreffendes Geschehen verstanden wird. Aber neben dieser Hoffnung auf die Auferweckung am Jüngsten Tag finden wir bei Paulus noch einen anderen Gedanken: Das

38. 31 I, 456,8: Mein Wort bleibt ewig und du auch im Wort.   39. 43, 361,2.18.

40. 10 III, 191,13.29: Des Menschen Seele oder Geist hat keine Ruhe oder Statt, da er möge bleiben, denn das Wort Gottes, bis daß er am Jüngsten Tage zur hellen Beschauung Gottes komme ... Wenn wir sterben, müssen wir uns erwägen (das heißt: es wagen) und ergeben mit starkem Glauben in das Wort Christi, da er sagt: Wer an mich gläubt, der wird nimmermehr sterben oder desgleichen, und also drauf sterben, entschlafen und in Christus Schoß gefasset und bewahret werden bis an den Jüngsten Tag. – 43, 361,12: Ideo receptacula animarum sunt verbum Dei sive promissiones in quibus obdormimus.

41. 43, 361,24.

42. Die alttestamentlichen Väter ruhen in Abrahams Schoß; das ist das Abraham gegebene Wort der Verheißung; 10 III, 191,24: Also sind alle Väter vor Christus Geburt in den Schoß Abrahams gefahren, das ist, sie sind am Sterben mit festem Glauben an diesen Spruch Gottes (1 Mose 22,18: durch deinen Samen sollen alle Völker gesegnet werden) blieben und in dasselbige Wort entschlafen, gefasset und bewahret als in einem Schoß und schlafen auch noch drinnen bis an den Jüngsten Tag.

Sterben führt unmittelbar in die volle Gemeinschaft mit Christus, in das Leben bei ihm (2 Kor 5,6 ff.; Phil 1,23). Der Apostel hat einen Widerspruch zwischen den beiden Gedanken offenbar nicht empfunden – in dem gleichen Philipperbrief, in dem er für den Fall seines Sterbens die sofortige Vereinigung mit Christus erwartet, heißt es dann später, daß die Christen die neue Leiblichkeit und damit das Leben aus dem Tod von dem wiederkommenden Herrn erwarten. Auch einen Ausgleich der beiden Gedanken finden wir bei Paulus nicht. Entscheidend ist: im Tode und am Ende der Welt wartet unser auf alle Fälle Christus. Dieser Gewißheit gegenüber sind die anderen Fragen belanglos.

Aber die Eschatologie der Kirche hat die beiden Ausblicke der Hoffnung in ein zeitliches Verhältnis zu setzen unternommen[43]. Das geschieht durch den Gedanken eines »Zwischenzustandes« zwischen dem Tode der einzelnen und dem Jüngsten Tage, an dem sie die neue Leiblichkeit bekommen. Dabei muß dualistisch Seele und Leib als getrennt gedacht werden: die Seelen trennen sich im Tode vom Leib und leben leiblos weiter, sei es an vorläufigen Orten der Seligkeit oder Verlorenheit oder eines Mittelzustandes (so lehrt man bis einschließlich Augustin), sei es, soweit sie nicht noch das Fegefeuer durchmachen, sogleich nach dem Tod im Himmel oder in der Hölle: also die Seelen der Frommen sind schon bei Christus, schon selig im Schauen und Genießen Gottes, teilhaftig seines ewigen Lebens. Der Jüngste Tag bringt eine Steigerung nur durch die Auferweckung der Leiber: die Seelen bekommen ihren Leib verklärt zurück, dadurch wird ihre Seligkeit erst vollkommen. Aber das letztere hat keinen Ton, dieser liegt vielmehr auf dem anderen, daß die Seelen schon vor der Auferstehung wahrhaft lebendig und selig sind. Damit ist der hellenistisch-gnostische Dualismus an die Stelle des ursprünglichen biblischen Denkens getreten. Der neutestamentliche Gedanke der Auferstehung, die den ganzen Menschen betrifft, hat dem der Unsterblichkeit der Seelen weichen müssen. Das bedeutet zugleich: der Jüngste Tag verblaßt, denn die Seelen empfangen das Entscheidende schon vorher. Die eschatologische Spannung geht nicht mehr kräftig auf den Tag Jesu. Der Abstand gegenüber der neutestamentlichen Hoffnung ist groß.

Auf diesem Hintergrund können wir Luthers reformatorische Bedeutung in der Eschatologie ermessen. Luther teilt freilich die traditionelle dualistische Definition des Todes als Trennung der Seele vom Leibe und vertritt demgemäß auch die leiblose Existenz der Seelen bis zum Jüngsten Tag[44]. Desto bedeutsamer ist es, wie bei ihm nun doch die entscheidenden neutestamentlichen Gedanken wiederkehren und aufs neue herrschend werden. Luther faßt den Zustand zwi-

43. Vgl. mein Buch: Die letzten Dinge. S. 144 ff.
44. 36, 241,8: Est tantum pars hominis mortua. – 39 II, 354,11; 386,4: Sic anima ex eodem semine est, ex quo corpus, et tamen est separabilis a corpore, sed postea iterum uniuntur. Vgl. hierzu auch meine Schrift: Unsterblichkeit und ewiges Sterben bei Luther. 1930. S. 36 f.

schen dem Tode und der Auferstehung im allgemeinen als tiefen traumlosen Schlaf, ohne Bewußtsein und Empfinden. Wenn die Toten am Jüngsten Tag erweckt werden, dann wissen sie, wie ein Erwachender am Morgen, weder wo sie waren noch wie lange sie geruht haben: »Denn gleichwie der nicht weiß, wie ihm geschieht, wer einschläft und kommt zu Morgen unversehens, wenn er aufwacht, also werden wir plötzlich auferstehen am Jüngsten Tage, da wir nicht wissen, wie wir in den Tod und durch den Tod kommen sind[45].« Keine Rede also davon, daß die Seelen ohne den Leib, vor der Auferstehung wirkliche Lebendigkeit und Seligkeit hätten. Sie schlafen, in der »Ruhe Christi[46]«.

Luther sieht sich freilich genötigt, im Blick auf einige biblische Stellen Ausnahmen zu machen von der Regel, daß die Toten schlafen. Gott kann sie auch zeitweilig wach machen, wie er uns auch auf Erden zwischen Wachen und Schlafen abwechseln läßt; das Schlafen hindert auch nicht, daß die Seelen doch Gesichte erfahren können, die Engel und Gott reden hören[47]. Indessen das alles ändert nichts an dem entscheidenden Zug: der biblische Gedanke der Auferweckung ist mit seinem ganzheitlichen Sinn bei Luther wiedergekommen. Der Jüngste Tag hat auch für den einzelnen wesentliche Bedeutung: da weckt Christus den Menschen, nicht nur den Leib, aus dem Todesschlaf auf und gibt ihm dann erst die Seligkeit. Wohl ist der Christ auch schon im Todesschlaf bei Christus, in seinem Schoß, wo er »süßiglich« schläft. Aber die Seligkeit des Lebens bei Christus ist noch etwas anderes als das süße Schlafen, sie ist an das Wachsein gebunden, das erst die Aufweckung am Jüngsten Tag bringt. »Wir sollen schlafen, bis er kommt und klopft an das Gräblein und spricht: Doktor Martinus, stehe auf! Da werde ich in einem Augenblick auferstehen und werde ewiglich mit ihm fröhlich sein[48].«

Auf der anderen Seite kann Luther auch gleich dem Apostel Paulus aussprechen, daß Christus und das ewige Leben bei ihm unmittelbar jenseits des Todes ist. Von Urbanus Rhegius, dem Reformator des Lüneburger Landes, sagt er: »Wir sollen wissen, daß er selig ist und das ewige Leben und ewige Freude hat in der Gemeinschaft Christi und der himmlischen Kirche, da er jetzt mit eigenen Augen das lernt, sieht und hört, darüber er hier in der Kirche nach Gottes Wort gehandelt hat[49].«

45. 17 II, 235,17.
46. Br. 5, 240,68: ... da muß es doch aufhören und uns zufrieden in der Ruhe Christi schlafen lassen, bis er kommt und wecke uns mit Fröhlichsein wieder auf. – Br. 5, 213,15: ... daß kein Zweifel sein kann, er muß in der ewigen Ruhe Christi sein, süßiglich und sanft schlafen.
47. 43, 360,24; 480 f. – 10 III, 194,12. Vgl. *J. Köstlin:* Luthers Theologie II². S. 568. – Die letzten Dinge S. 146 f.
48. 37, 151,8.
49. 53, 400,17 (lateinisch). – Von einem anderen Verstorbenen: »Gott hat ihn weggenommen und zu unserm Herrn Jesu Christo gebracht in den Himmel.« B. 6, 301,7.

Das Nebeneinander der beiden Ausblicke bedeutet für Luther keine Schwierigkeit. Denn er weiß, daß jenseits des Todes unsere irdischen Zeitbegriffe und -maßstäbe nicht mehr gelten, daher auch die Abstände in der Zeit, wie wir sie erleben, aufgehoben werden. »Hie muß man die Zeit aus dem Sinn tun und wissen, daß in jener Welt nicht Zeit noch Stund sind, sondern alles ein ewiger Augenblick[50].« So rückt der »Zwischenzustand« zusammen in eine kurze Spanne Zeit. Der Jüngste Tag bricht für die Gestorbenen schon bald nach ihrem Tod an, ja schon »alsbald« im Sterben. »Wenn wir gestorben sind, wird ein jeder seinen Jüngsten Tag haben[51].« Das heißt: auch im Sterben erreichen wir das Ende der Welt und den Jüngsten Tag; und doch bricht er für die Verstorbenen nicht früher an als für uns und alle Geschlechter nach uns bis zum zeitlichen Ende der Welt[52]. So liegt der Jüngste Tag, weil vor Gottes Ewigkeit unsere Zeitabstände nicht mehr gelten, gleichsam wie der Ozean rings um die Insel des zeitlichen Lebens herum. Wo immer wir auf die Grenze dieses Lebens stoßen, ob im Sterben gestern oder heute oder einst, ob am Ende der Welt – überall bricht der Jüngste Tag an in der großen Gleichzeitigkeit der Ewigkeit. Dieser Gedanke des überall im Sterben schon nahen, ja gegenwärtigen Jüngsten Tages ist die Einheit, in der die beiden Linien der Erwartung, die wir schon bei Paulus finden, sich nicht ausschließen, sondern zusammenlaufen.

Die spätere Theologie der lutherischen Kirche ist Luther hier nicht gefolgt[53].

50. 10 III, 194,10. – 14, 70,7.22; siehe besonders 26: Weil vor Gottes Angesicht keine Rechnung der Zeit ist, so müssen tausend Jahre vor ihm sein als wäre es ein Tag, darum ist ihm der erste Mensch Adam ebenso nahe als der zum letzten wird geboren werden vorm Jüngsten Tag. Denn Gott siehet nicht die Zeit nach der Länge, sondern nach der Quer.

51. 14, 71,4.21. Quando mortui sumus, quisque suum habebit extremum diem ... Darum sollt ihr gerüstet sein auf den Jüngsten Tag, denn er wird einem jeglichen nach seinem Tod bald genug kommen, daß er sagen wird: Siehe, bin ich doch erst jetzt gestorben.

52. 12, 596,26: In jenem Wesen sind vor Gott tausend Jahr nit ein Tag. Und wenn man auferstehn wird, so wird es Adam und den alten Vätern werden, gleich als wären sie vor einer halben Stunde noch im Leben gewest. Dort ist keine Zeit ... Es ist vor Gott alles auf einmal geschehen. Es ist nicht weder vor noch hinter; jene werden nicht eher kommen an den Jüngsten Tag denn wir. – 36, 349,8: Alsbald die Augen zugehn, wirst du auferweckt werden. Tausend Jahre werden sein, als wenn du eine halbe Stunde geschlafen hättest. Gleichwie wir, wenn wir nachts den Stundenschlag nicht hören, nicht wissen, wie lange Zeit wir geschlafen haben, also noch viel mehr im Tode sind tausend Jahre hinweg. Ehe sich einer umsieht, ist er ein schöner Engel. – 40 III, 525,21: Hoc totum tempus, quod est ab initio conditi hominis, videbitur Adamo resurgenti tanquam somnus unius horae. – Man beachte, daß Luther den Abstand der Zeiten nicht nur subjektiv für die Schlafenden aufgehoben denkt, sondern auch objektiv in Gottes Ewigkeit.

53. Zur Eschatologie der Orthodoxie siehe *H. E. Weber*: Reformation, Orthodoxie und Rationalismus I, 2. 1940. S. 241 ff.

Sie hat vielmehr die mittelalterliche Tradition wiederaufgenommen und fortgesetzt: die Seelen leben schon vor der Auferstehung selig bei Christus, obgleich noch ohne den Leib. Wie können sie da noch wirklich harren auf die Auferstehung, auf den Jüngsten Tag? »Das muß eine närrische Seele sein, wenn die im Himmel wäre, daß sie des Leibes begehren wollte!« sagt Luther einmal[54]. Die Auferstehung hat ihren urchristlichen ganzheitlichen Sinn wieder verloren. Der dualistische Seelenglaube ist aufs neue Sieger geblieben. Die Lutheraner des 17. Jahrhunderts rücken von Luthers Gedanken, daß die Seelen im Tode schlafen, ab. Er ist ihnen unbequem. Sie suchen ihn im Sinne der eigenen Lehre zu entschärfen[55]. Nur der Leib schläft, die Seele ist wach. Für sie gibt es keinen Todeszustand. So wird die Bedeutung des Sterbens einerseits, der Auferweckung andererseits abgeschwächt. Luther erwartet alle Lebendigkeit jenseits des Todes ganz und gar von Gottes Erwecken. Die spätere Frömmigkeit und Theologie ist in dem Hoffen über den Tod hinaus nicht mehr auf Gottes Macht und Willen, uns aus dem Tod zu rufen, allein gestellt; sie verfügt über eine Seelenmetaphysik, für die man auch Bibelstellen anführt. Gottes Auferwecken hat nicht mehr totale, sondern nur noch teilhafte Bedeutung für die Lebendigkeit nach dem Tod[56].

Luther lehrt mit dem Neuen Testament die Auferweckung aller Toten, nicht nur der Gläubigen[57]. Alle kommen ins Gericht. Die Frommen gehen in das ewige Leben mit Christus, die Bösen in den ewigen Tod mit dem Teufel und seinen Engeln. Die Meinung, daß die Teufel zuletzt auch selig werden, lehnt Luther ausdrücklich ab[58].

Das Ziel der Geschichte und Kreatur

Die christliche Erwartung des Letzten geht nicht nur auf die endliche Zukunft der einzelnen, sondern auch auf die der Geschichte, der Welt. So auch bei Luther. Wie er die Christen dem Tode und der Auferstehung entgegengehen weiß und danach verlangen heißt, so richtet er ihren Blick zugleich auf das Ende dieser Weltgestalt und das Kommen des Tages Jesu Christi und lehrt danach verlangen. Das ist dem Neuen Testament gegenüber nichts Neues, wohl aber im Verhältnis zu der eschatologischen Tradition der mittelalterlichen Kirche[59]. Seit

54. Ti 5534.
55. Vgl. das Genauere: Die letzten Dinge, S. 150.
56. Zum lutherischen Kirchenlied des 17. Jahrhunderts vgl. Luther-Jahrbuch 1941, S. 18 ff.
57. Vgl. im Kleinen Katechismus in der Erklärung des 3. Artikels: ... mich und alle Toten auferwecken wird und mir samt allen Gläubigen in Christo ein ewiges Leben geben wird; ferner 26, 509,13.
58. 26, 509,16.
59. Vgl. die ausführlichere Darstellung in: Die letzten Dinge. 5. Aufl. S. 299 ff.

dem Sieg der Kirche im 4. Jahrhundert erschlafft die Spannung auf das Kommen des Reiches Gottes. Seit Ticonius und Augustin versteht man das Tausendjährige Reich von Offb 20 nicht mehr endgeschichtlich, sondern kirchengeschichtlich. Christi Sieg ist erfochten, er übt die Herrschaft, von der die Apokalypse spricht, durch die Kirche aus[60]. Wohl führt man in der Dogmatik die überlieferten Zukunftsbilder fort. Aber sie haben den Ton verloren. Das Geschichtsbewußtsein hat sich gegenüber dem Urchristentum und der vorkonstantinischen Zeit grundlegend gewandelt. Das eschatologische Interesse richtet sich überwiegend auf die Zukunft des einzelnen Menschen. Hier allein bildete sich die theologische Lehre von den Letzten Dingen fort. Dagegen für die Frage nach dem Ende und Ziel der Geschichte blieb sie unfruchtbar.

Die Spannung auf das Kommen des Reiches lebte aber weiter bei den Außenseitern der Großkirche. Seit Joachim von Floris bricht der verdrängte Strom des Chiliasmus wieder hervor, im Zusammenhang mit neuer radikaler Kritik an der weltförmigen Kirche: man kann in ihr nicht mehr die echte Herrschaft Christi erkennen – diese kommt erst in einem neuen Zeitalter. Diese Sicht der Kirchengeschichte wirkt auf alle Kritiker der Kirche und Radikalen des späteren Mittelalters und über sie weiter auf die Hussiten und Wiedertäufer. Die überlieferte Erwartung des Antichrists wird unheimlich aktualisiert: die Hierarchie ist das Antichristentum, die Weltkirche das Babel der Apokalypse.

Luther nun steht zwar mit der Großkirche gegen den Chiliasmus[61]. Auch er deutet Offb 20 nicht endgeschichtlich, sondern kirchengeschichtlich: das Tausendjährige Reich liegt in der Vergangenheit, es endet mit dem Kommen des Türken oder mit dem Werden des Papsttums zum Antichrist[62]. Aber im Unterschied von der offiziellen Kirche wird bei Luther die urchristliche und altkirchliche Spannung auf den Tag Jesu wieder lebendig. Denn wider die römische Kirchenherrlichkeit betont Luther mit größtem Ernst die Verborgenheit der Kirche Gottes, die Knechtsgestalt der Herrschaft Christi, die Macht des Satans auf Erden und vor allem in der Kirche. Daher wartet er sehnlich gespannt auf den Jüngsten Tag, da Christus den Satan erledigen wird. Auch die mittelalterliche Kirche spricht vom Jüngsten Tage. Aber der Ton liegt dabei ganz und gar auf der Bedeutung für den einzelnen als Tag des Gerichtes: *Dies irae, dies illa.* Selbstverständlich lehrt man mit dem Neuen Testament auch, daß Christus bei seiner Wiederkehr den Antichrist abtun wird. Die Gestalt des Antichrists war im Volksbewußtsein des Mittelalters sehr lebendig[63]. Aber er ist für die Kirche des

60. *T. F. Torrance*: Die Eschatologie der Reformation. Ev. Th. 1954/14. S. 335: »Hier ist das Eschaton ... domestiziert und in der Kirche untergebracht worden.«

61. 41, 121,13 (Bearbeitung einer Predigtnachschrift durch Cruciger).

62. DB 7, 409. 469 (die Randglosse zu Offb 20); 53, 152. 154. Vgl. *E. Hirsch*: Hilfsbuch zum Studium der Dogmatik. 1937. S. 264.

63. Vgl. zum Folgenden *Hans Preuß*: Die Vorstellungen vom Antichrist. 1906. – *P. Steigleder*: Das Spiel vom Antichrist. Dissertation Bonn 1938.

Mittelalters, von den radikalen Kritikern abgesehen, eine Einzelperson der Zukunft, die alle in der Geschichte lebendige Christusfeindschaft in sich zusammenfassen und zum höchsten Gipfel bringen wird. Die Phantasie der Legende malt sein Leben und sein Unwesen im einzelnen aus. Man ängstigt sich davor, daß er nahe sein könnte, und sucht sein Kommen zu berechnen. Und doch hat die Gestalt keine Aktualität. Luther aber findet den Antichrist im Papsttum, denn dieses erhebt sich über Gottes Wort und damit über Gott und Christus, indem es den Trost des Evangeliums preisgibt und die Menschensatzung der Verdienstlehre an die Stelle des Evangeliums setzt – nach Daniel 11,36 und der Weissagung des Apostels Paulus 2 Thess 2,4 das entscheidende Kennzeichen des Antichrist[64]. So ist der urchristliche Gedanke aufs neue scharf geladen, die phantastische Legende mit einem Schlage abgetan und durch die bittere Wirklichkeit, die jedermann an der Kurie vor Augen hatte, ersetzt. Zwar teilte Luther die Kennzeichnung des Papsttums als antichristlich mit den Reformern und Revolutionären, vor allem den Böhmen. Und doch ist seine These keineswegs einfach eine Wiederholung der hussitischen. Die Begründung war eine ganz neue. Die Böhmen nannten das Papsttum antichristlich wegen seines unchristlichen Lebens, »Luther aber war es nicht um das Leben, sondern um die Lehre zu tun, nicht um die Werke, sondern um den Glauben, um die Wurzel, aus der Stamm und Früchte erwachsen ... So unterscheidet sich Luthers Antichrist von dem der mittelalterlichen Opponenten genauso wie die reformatorische Theologie von der vorreformatorischen« (Hans Preuß[65]). Die Letzten Dinge sind dem Reformator mitten in die Gegenwart gerückt. Weil der Antichrist schon da ist, erwartet Luther das Ende in Kürze und sehnt es herbei. Das Mittelalter fürchtet die *Dies irae*, Luther wünscht das Kommen Jesu herbei, denn es macht dem Antichrist ein Ende und bringt die Erlösung, den »lieben Jüngsten Tag«[66]. Damit war die urchristliche Haltung gegenüber dem Jüngsten Tage lebendig erneuert.

Luther sieht, obgleich er in dieser Hinsicht zum Teil geschwankt hat, den Antichrist zuletzt doch allein im Papsttum, also in einer Macht innerhalb der Kirche. Nicht auch in dem äußeren Bedränger der Christenheit, zu seiner Zeit dem Türken. So heißt es in den Schmalkaldischen Artikeln: »Daß der Papst der

---

64. 39 II, 381,15. – 51, 509,29. – 7, 741,16; 742. Vgl. *Preuß*, S. 149 ff. 156, 177. Dort weitere Belege.

65. S. 177, 153.

66. 53, 401,35: Ideo oremus Deum, ut quam primum illucescat ille dies Ecclesiae laetissimus. – Br. 2, 567,36 (1522 an Staupitz): ut acceleretur dies ille Christi destructurus Antichristum istum. – Br. 9, 175,17 (1540 an Luthers Frau): Komm lieber Jüngster Tag. Amen. – Weitere Briefstellen, in denen Luther den Wunsch und die Bitte um baldiges Kommen des Jüngsten Tages ausspricht, siehe allein in Br. 10 unter anderem an folgenden Stellen: 275,6; 277,7; 284,22; 287,14; 398,9. Das ist nur eine Stichprobe für die Jahre 1543 und 1544.

rechte Endechrist oder Widerchrist sei, der sich über und wider Christum gesetzt und erhöhet, weil er will die Christen nicht lassen selig sein ohne seine Gewalt, welche doch nichts ist, von Gott nicht geordnet noch geboten. Das heißt eigentlich über Gott und wider Gott sich setzen, wie Sankt Paulus sagt (2 Thess 2,4). Solchs tut dennoch der Türk noch Tatter nicht, wie große Feinde sie der Christen sind ... [67]« An anderer Stelle erklärt Luther: »Ich halte den Mahmet (Muhammed) nicht für den Endechrist, er macht's zu grob und hat einen kenntlichen schwarzen Teufel, der weder Glauben noch Vernunft betrügen kann, und ist wie ein Heide, der von außen die Christenheit verfolget, wie die Römer und andere Heiden getan haben. Aber der Papst bei uns ist der rechte Endechrist, der hat den hohen subtilen, schönen, gleißenden Teufel, der sitzt inwendig in der Christenheit[68].« Die Kirche Christi muß gewiß auch mit dem Gegensatz der politischen Weltmächte gegen die Gemeinde rechnen und sich auf ihn rüsten – Luther hat immer wieder betont, daß die Verfolgung der Kirche durch die Welt in diesem Sinne unausbleiblich, ja der Normalfall sei[69]. Das Neue Testament bezeugt den furchtbaren Kampf der politischen Religion in Gestalt des Kaiserkultes gegen die Christenheit (Offb 13)[70]. Aber die ernsteste Gefahr ist dennoch die innerkirchliche Macht der Verzerrung Christi, die verführende Gewalt der falschen Christusse (Mk 13,6. 21), die Verfälschung des Reiches Christi zu einer Weltmacht, des Evangeliums zu einem Gesetz (der Großinquisitor!), die herrliche Kirche der Theokratie, die das Kreuz vergißt. Das Wort »Antichristentum« hat bei uns heute eine Inflation erfahren, aus der wir es zurückholen müssen. Es darf nicht zum Ausdruck für jede Macht werden, welche die Kirche und das Christentum bekämpft und bedrückt. Es bezeichnet in seinem biblischen Ursinn den Gegensatz zu Christus in der Gestalt der Ähnlichkeit mit ihm, der angemaßten Stellvertretung Christi. Der Antichrist ist eine innerkirchliche Erscheinung und als solche die gefährlichste Gestalt des Satans.

---

67. 50, 217,23.   68. 53, 394,31. – 26, 507,1.   69. 51, 217,10.19.

70. Luther deutet das erste Tier von Offb 13 auf das römische Reich des Cäsaren, das zweite auf das Reich des Papsttums (DB 7, 413 ff. 451 ff.). Aber das erste sieht er nur in der Vergangenheit: »Das Thier ist das Römisch Reich, und thet solchs, da es noch Heidnisch war.« In seiner Gegenwart kennt Luther eine solche politische Weltmacht nicht, von der es gälte: »es tat seinen Mund auf zur Lästerung gegen Gott, zu lästern seinen Namen ... Und ward ihm gegeben zu streiten mit den Heiligen und sie zu überwinden ...« (Offb 13,6 f). Das alte Römische Reich ist gefallen. Aber »der Bapst richtet das Reich wieder auf«. »Der Bapst hat das gefallen Römisch Reich wieder aufgericht und von den Griechen zu den Deutschen bracht, und ist doch mehr ein Bilde vom Römischen Reich, denn des Reichs Körper selbst, wie es gewesen ist.« Es ist das »kaiserlich Bapsttum«, das heißt, das Papsttum ist »nu auch ein weltlich Reich worden«. So kann Luther als den Inhalt von Offb 13 einfach angeben: »der Bepstliche Greuel im weltlichen Wesen«. Nur als Bild des Papsttums hat dieses Kapitel der Weissagung für ihn Aktualität.

Luthers Ausblick auf den Jüngsten Tag und sein Verlangen nach dem Kommen des Reiches bleibt bei seinen Schülern und Freunden erhalten. Man sieht es am Kirchenlied. Erasmus Alber singt: »Dein lieben Kinder warten all, / wann doch einmal die Welt zerfall / und wann des Teufels Reich vergeh / und er in ewigen Schanden steh.« Nicht anders Nikolaus Herman: »Dein Zukunft, Herr, wir warten all, / Horchen auf der Posaunen Schall, / Komm, lieber Herr Christ, machs nicht lang, / Hilf deiner Kirch, denn ihr ist bang.« Die Christenheit der Reformationszeit weiß sich mitten in der Erdgeschichte und harrt voll Verlangen dem Tag Christi entgegen.

Aber im 17. Jahrhundert klingt dieser Ton ab. Die Frömmigkeit wird in hohem Maße privatisiert. Sie bewegt sich um die Frage nach dem persönlichen Heil. Daher wird zunächst – trotz Johann Heermann – das Lied von der Kirche selten, und mit ihm naturgemäß das Lied der Hoffnung auf den Sieg Christi, auf das Kommen des Reiches. Unter den Liedern von den Letzten Dingen herrscht das Sterbelied vor, die Bitte um ein seliges Ende, die Gewißheit des ewigen Lebens bei Christus. Das Verlangen geht auf den Himmel, die himmlische Seligkeit, gewiß inmitten der Gemeinde Jesu – aber nicht auf den Jüngsten Tag und das Kommen Christi. Das kann man auch an Paul Gerhardt sehen, dessen Lied doch sonst die meisten Gehalte des christlichen Glaubens umspannt. Sein Adventslied »Wie soll ich dich empfangen« bietet gewiß die Strophe »Was fragt ihr nach dem Schreien der Feind und ihrer Tück?«, die mindestens auch den Jüngsten Tag meinen kann. Aber der Ton bleibt bei ihm vereinzelt. Sein Lied »Vom Jüngsten Tage«: »Die Zeit ist nunmehr nah, / Herr Jesu, du bist da« handelt ganz und gar nur von der Seligkeit des einzelnen, Jesus zu schauen und die ewige Freude bei ihm zu kosten – kein Wort von Gottes und seiner Gemeinde Kampf und Sieg, nichts von der Spannung auf das Hereinbrechen des Reiches in Herrlichkeit. Erst der Pietismus bringt hier einen Wandel, vor allem der württembergische mit seiner »reichsgeschichtlichen« Theologie. Hier ist vor allem Ph. Fr. Hiller zu nennen, aber auch die beiden Blumhardt sind nicht zu vergessen. Sie stehen hier trotz ihres Chiliasmus Luther näher als das orthodoxe Luthertum des 17. Jahrhunderts. Sie bringen ein unaufgebbares Stück der Hoffnung des Neuen Testaments, das Luther wiedergewonnen hatte, neu zur Geltung.

Wie im Neuen Testament, so geht auch Luthers Erwartung nicht allein auf die Zukunft der einzelnen über den Tod hinaus, auch nicht nur auf das Ende und die Vollendung der Geschichte in dem endlichen Reich Gottes, sondern weiter auf die Zukunft der ganzen Welt, der Kreatur Gottes zur Erneuerung und Vollendung. Christi Auferweckung verbürgt nicht allein unsere, der Christen, leibliche Auferweckung, sondern auch die Erlösung und Vollendung »aller Kreaturen mit uns« nach Röm 8,21[71].

71. 37, 68,37.

Gottes eschatologisches Handeln mit dem Menschen und mit der ganzen Kreatur entsprechen einander eben darin, daß beide, Mensch und alle Kreatur, bestimmt sind, durch Gottes Schöpferakt aus ihrer jetzigen Gestalt in ihre kommende und endgültige gesetzt zu werden. Wie der Mensch dieses irdischen Lebens »reine Materie« für Gott ist, hin auf seine zukünftige Lebensgestalt, ebenso ist auch die ganze Kreatur, jetzt der Eitelkeit unterworfen, Material für Gott zu ihrer kommenden Herrlichkeitsgestalt[72]. Gott gibt also die Kreatur, seine Schöpfung, nicht preis, sondern er verwandelt, erneuert, verherrlicht sie. Sie ist doch seine gute Schöpfung, an der er Freude hat. Gott ist also mit der ganzen Kreatur ebenso wie mit dem Menschen noch unterwegs, hin auf ein ewiges Ziel. Luthers Eschatologie ist nicht weltlos wie später die der Orthodoxie des 17. Jahrhunderts, sondern schließt die ganze Kreatur ein[73].

Die Entsprechung geht noch weiter. Wie die Menschen alle durch das Gericht des Todes, durch die Verwesung ihrer Leiber hindurch müssen und nur auf diese Weise in das ewige Leben der Herrlichkeit kommen, so wird auch diese Weltgestalt durchs Feuer zerstört und dann zur endlichen neuen Welt neugeschaffen[74]. Das alles begründet Luther mit Bibelstellen wie Röm 8,20 ff.; 2 Petr 3,10. 13; Jes 65,17 und anderen. Es ist bekannt, wie gemütvoll-realistisch er die Hoffnung auf die Herrlichkeits-Gestalt der Kreatur im Unterschied von ihrer jetzigen Verfassung aussprechen konnte. Aber jeden Versuch, das ewige Leben und die neue Schöpfung konkret auszumalen, stellt er doch zugleich unter den Vorbehalt: »Als wenig die Kinder wissen im Mutterleib von ihrer Anfahrt, so wenig wissen wir vom ewigen Leben[75].«

72. 39 I, 177,3 (Thesen von 1536): Quare homo hujus vitae est pura materia Dei ad futurae formae suae vitam. Sicut et tota creatura, nunc subjecta vanitati, materia Deo est ad gloriosam futuram suam formam.

73. Vgl. Die letzten Dinge, S. 351 ff.

74. 39 I, 95,18: ... in conflagratione ignis, quo omnino purgantur totus mundus et corpora nostra in novissimo die. Ferner vgl. 10 I, 2, 116 f.; 41, 307 ff.; 45, 229 ff.; 49, 503 ff. Auch 14, 72,1.15.

75. Ti 3339.

Anhang

»... und hätte allen Glauben ...«
1 Kor 13,2 in der Auslegung Luthers

In seinem »Christlichen Ethos«, 1949, beginnt Werner Elert den Paragraphen über »Nächstenliebe, Feindesliebe, Bruderliebe« (S. 352) mit dem Hinweis auf das Problem, das das Paulinische Wort 1 Kor 13,2 für die evangelische Lehre von der Rechtfertigung und Erneuerung *sola fide* zu bedeuten scheint. Damit nimmt er eine Frage auf, die schon Luther immer wieder behandelt hat. Die römisch-katholische Polemik hielt ihm und den Evangelischen überhaupt neben anderen neutestamentlichen Stellen eben diese entgegen, um das *sola fide* als widerbiblisch zu erweisen[1].

Das Paulus-Wort bietet für Luther auf den ersten Blick in mehrfacher Hinsicht Schwierigkeiten. 1. Der Reformator hat immer wieder die geradezu naturhafte Notwendigkeit betont, mit welcher aus dem Glauben die Liebe geboren wird. Glaube und Liebe gehören unscheidbar zusammen. Es gibt keinen rechten Glauben, der nicht sofort »durch die Liebe tätig« würde; es gibt keine wahre Liebe, die nicht ihren Grund im Glauben hätte. Der Glaube macht gerecht und rein. Wie kann er dann ohne Liebe sein? Denn »wo rechter Glaube ist, da ist der Heilige Geist. Wo der Heilige Geist ist, da muß Liebe und alles sein. Wie redet er denn hie, als möge jemand den Glauben haben ohne Liebe[2]?« Das also ist »wunderlich«, daß Paulus hier von einem bergeversetzenden Glauben redet, der ohne Liebe ist. 2. Kann Glaube ohne Liebe sein, und ist der Mensch ohne Liebe nach dem Wort des Apostels »nichts«, so rechtfertigt der Glaube offenbar nicht für sich allein. In diesem Sinne machte die katholische Theologie 1 Kor 13 gegen Luthers Rechtfertigungslehre geltend: *Hinc papa: Non sola fides justificat, sed etiam Charitas.* Von 1 Kor 13 gilt offenbar: *Hoc fortiter contra nos, qui docemus Sola fide justificari*[3].

So war Luther veranlaßt, diese Stelle mehrfach exegetisch zu behandeln, auch abgesehen davon, daß sie zu der Epistel des Sonntags Estomihi gehörte und also immer wieder in der Predigt ausgelegt werden mußte. Dabei leitet ihn der hermeneutische Grundsatz, daß die Stelle im Blick auf das Ganze der Paulinischen Lehre und insbesondere des 1. Korintherbriefes ausgelegt werden muß. »Dieser einige Spruch muß nicht streiten noch alle anderen Sprüche vom Glauben umstoßen, die alleine dem Glauben geben die Rechtfertigung[4].« Aus 1 Kor 13 zu schließen, daß die Liebe rechtfertige – *id esset contra propheticam ejus in aliis locis per totam epistolam mentem et sententiam*[5].

Luther ist sich über die Auslegung der Stelle nicht von Anfang an ganz sicher gewesen und kommt erst in den dreißiger Jahren zu der Deutung, die er dann

---

1. Vgl. auch Calvin, z. d. St. und Inst. III, 2,9; Apol. IV, § 218.
2. 17 II, 164,12.   3. 49, 351,7.
4. 17 II, 164,20.   5. 39 II, 193,21.

bis zu seinen letzten Äußerungen vertritt. Es lohnt sich, der Entwicklung seiner Exegese nachzugehen. Für das Jahrzehnt von 1525 bis 1535 sind die Quelle zwei Predigten und Niederschriften Luthers. Danach setzen dann die Disputationen ein.

In der Predigt der Fastenpostille von 1525 über die Epistel des Sonntags Estomihi[6] erwägt Luther drei mögliche Lösungen des Problems, das der Text aufgibt. 1. Man kann den Vers 2 so verstehen, daß Paulus nicht vom christlichen Glauben rede, der von selbst die Liebe mit sich bringt, sondern »von gemeinen Glauben an Gott und seine Gewalt«. So verstanden ist der Glaube von 1 Kor 13,2 eine Gabe wie die anderen, von denen der Apostel in diesen Kapiteln handelt, also wie das Zungenreden, das Weissagen, die Erkenntnis »und dergleichen«. Dieser Glaube kann Wunder tun, obgleich er nicht der »christliche Glaube« ist – Luther erklärt, daß auch Judas, der Verräter, Wunderzeichen getan habe[7]. Der »christliche Glaube« macht gerecht und rein und bringt daher die Liebe mit sich. Aber der wunderwirkende Glaube von 1 Kor 13,2 ist von ganz anderer Art als jener. Er wandelt das Herz nicht um, er ist eben nur ein »Gabe«, die auf das persönliche Leben ebensowenig Einfluß nimmt wie andere Gaben – Luther nennt Vernunft, Gesundheit, die Gabe zu reden, den Reichtum –, sie alle bleiben außerhalb der Person, lassen sie unberührt und unverwandelt. 2. Man kann die Stelle aber auch so auslegen, daß Paulus nicht einen allgemeinen Glauben an Gott, sondern den rechten christlichen Glauben im Auge hat, also Menschen, die kraft dieses ihres *christlichen* Glaubens Wunder tun. Aber eben diese Wunderkraft des Glaubens macht dann hochmütig, der Mensch erliegt der Anfechtung der Ehrsucht – und fällt damit aus beidem, aus der Liebe und aus dem Glauben. Hier will Luther das Problem also dadurch lösen, daß er den Vers nicht auf einen anderen als den christlichen Glauben bezieht, sondern zwei Stadien dieses Glaubens unterscheidet: zuerst ist er der rechte Glaube, der die Liebe bei sich hat; dann aber verliert er durch Hoffart die Art des rechten Glaubens. 3. Die dritte mögliche Auslegung: um die Unentbehrlichkeit der Liebe so stark wie möglich auszusprechen, setzt Paulus einen Irrealis, »ein unmöglich Exempel«. In Wahrheit ist es nicht möglich, daß der Glaube, der Berge versetzt, ohne Liebe sei. Aber Paulus nimmt diesen unmöglichen Fall an, um einzuprägen: auch ein so herrlicher starker Glaube würde ohne Liebe »nichts« sein. Daß Paulus hier im Irrealis rede, soll – so meint Luther – auch aus der Entsprechung zu Vers 1 hervorgehen (»Wenn ich mit Menschen- und mit Engelzungen redete ... «); auch hier sei von etwas die Rede, das »nicht möglich ist«; es ist für einen Menschen unmöglich, mit Engelzungen zu reden. Vers 2 ist also in Analogie zu Vers 1 zu verstehen. Auch Vers 2a

6. 17 II, 164 f.
7. Ebenso Calvin z. d. St. Als Begründung wird natürlich Mk 6,13 gedient haben.

(»wenn ich alle Geheimnisse wüßte«) setzt einen unmöglichen Fall, denn in Wahrheit ist es niemandem möglich, alle Geheimnisse, nämlich der Heiligen Schrift, zu wissen, »denn es ist ein Abgrund, den niemand ewiglich erreicht«.

Luther hält diese dritte Auslegung für die beste, ohne die beiden ersten ganz ablehnen zu wollen. Johann Gerhard folgt ihm hier[8]. Aber Luther selber ist auf diese 1525 bevorzugte Deutung der Stelle nie mehr zurückgekommen. Er hat wohl empfunden, daß sie dem Paulus-Text nicht gerecht wird. Der Hinweis auf die Analogie der Verse 1 und 2a, wo auch unmögliche Fälle gesetzt sein sollen, zieht nicht. Denn die Analogie könnte nur besagen, daß, wie das Reden mit Engelzungen und das Wissen aller Geheimnisse, so auch ein Glaube, der Berge versetzte, über alle menschlichen Möglichkeiten hinausginge. Luther will aber nicht das, sondern die Unmöglichkeit eines Glaubens, *der ohne Liebe ist,* behaupten. Das »unmöglich Exempel« in Vers 2b soll eben in dem Zusatz, »und hätte der Liebe nicht« liegen, in Vers 1 und 2a aber schon jeweils in dem ersten Teile der Wenn-Sätze. Damit wird die Analogie der Verse 1, 2a und 2b verschoben.

Gewiß redet der Apostel in den ersten Versen von Kap. 13 hyperbolisch. Er setzt höchste, letzte dem Christen gegebene Möglichkeiten – Möglichkeiten, nicht Unmöglichkeiten, denn der bergeversetzende Glaube war für den Apostel, der Jesu Wort Mk 11,23 gekannt haben wird, nichts Unmögliches in der Gemeinde. Vielleicht ist das Reden mit Engelzungen und das Wissen aller Geheimnisse im Sinne des Apostels nur eine eschatologische Möglichkeit[9], aber auch dann doch eine Möglichkeit. Wäre also auch das Reden mit Engelzungen und das Wissen aller Geheimnisse vor dem Hereinbrechen der letzten Dinge im Sinne des Apostels ein Unmögliches, das die Maße des geschichtlichen Menschen, auch des Christen sprengte, so kann das wegen Mk 11,23 von dem bergeversetzenden Glauben nicht gelten. Paulus will hier gewiß in Bildrede, wie Jesus, ein Höchstes an Kraft des Glaubens bezeichnen. Und er setzt nun den Fall, daß ein solcher mächtiger Glaube die Liebe nicht bei sich habe. Damit aber soll auf keinen Fall ein Unmögliches gesetzt werden, wie Luther hier finden möchte. Paulus hatte in Korinth eine Gnosis vor sich, die der Liebe ermangelte. Ganz entsprechend rechnet er auch mit der Möglichkeit eines starken Glaubens, der lieblos ist. Man nimmt der Stelle ihre Tiefe, ihr Erregendes für alle Glaubenden, wenn man das nicht wahrhaben will. Paulus kennt das Miteinander von Glaube und Lieblosigkeit auch sonst. Im Römerbrief Kap. 11,17 ff. hat er es mit einen Heidenchristentum zu tun, das »glaubte«, aber zugleich in der Gefahr liebloser Hybris, der überheblichen Verachtung des ungläubigen Israel stand – und damit in der Gefahr, aus dem Glauben in Sicherheit zu fallen. So erweist sich

8. Loci III, 472 a Preuß.
9. *A. Schlatter*: Paulus, der Bote Jesu. 1934. S. 354: »Er nimmt seine Ideale aus der Eschatologie.«

die dritte von Luther 1525 erwogene und von ihm bevorzugte Möglichkeit der Interpretation von 1 Kor 13,2 als unpaulinisch. Luther hat sie denn auch nicht festgehalten. Fünf Jahre später sehen wir ihn die beiden ersten der 1525 erwogenen Möglichkeiten vertreten.

Den frühesten Beleg dafür finden wir in den Randbemerkungen, die Luther 1530 in sein Neues Testament eintrug[10]. Luther erklärt hier zunächst zu 1 Kor 12,9 (»einem andern der Glaube in demselben Geist«): der Apostel spreche da nicht von dem rechtfertigenden Glauben, sondern – wie in dem ganzen Zusammenhange von den Gaben des Heiligen Geistes die Rede sei, die in der Gemeinde offenkundig werden – von dem Glauben, der sich nach außen kundtut als Bekenntnis *(foris manifesta in confessione)*, dem Glauben, wie auch Bileam und die Ketzer und Gottlosen ihn haben, letzteres nach dem Zeugnis von Mt 7,22. Alle in 1 Kor 12 erwähnten Geistesgaben haben auch die Gottlosen, also auch den wunderwirkenden, »bergeversetzenden« Glauben von 1 Kor 13,2 (Luther versteht also den »Glauben« in 1 Kor 12,9 und 1 Kor 13,2 im gleichen Sinne). Ohne Frage hat Bileam mit seinem Prophezeien und Segnen Wunder getan, desgleichen Saul. *Haec miracula sunt communia piis et impiis.* Daher verliert für Luther jetzt die ihn 1525 bewegende Frage, ob Paulus 1 Kor 13 Anfang die Konditionalsätze im Sinne eines Irrealis oder eines Potentialis verstehe, ihre Bedeutung *(an Paulus condicionalem ponat impossibilem vel possibilem)*; sie ist ohnehin nicht sicher zu entscheiden. Alles in allem: die Stelle 1 Kor 13,2 hat es mit einem Wunderwirken zu tun, wie es nicht nur den Christen, sondern auch außerhalb der Christenheit verliehen wird.

Aber Luther hat es bei dieser Auslegung nicht bewenden lassen. Das zeigt eine Niederschrift aus dem gleichen Jahre 1530, die wohl mit vielen anderen zusammen eine Vorarbeit zu der von ihm geplanten, aber nicht zustande gekommenen Schrift *de justificatione* darstellte; Veit Dietrich hat sie überliefert[11]. Bei der in den Randbemerkungen angedeuteten Lösung blieb eine Schwierigkeit: Kann der wunderwirkende Glaube, von dem der Herr so hoch gedacht hat, einfach mit den unleugbaren Wundertaten »Gottloser« zusammengestellt werden? Er ist nach 1 Kor 12,9 eine Gabe des Heiligen Geistes, er ist offenbar rechter Glaube. Ferner: wie kann von einem Menschen solchen Glaubens, der sich durch seine Großtaten und Wunder als der rechte ausweist, dennoch gelten: er ist »nichts«, wie Paulus sagt? Er ist doch nicht ohne jene »Frucht«, an welcher der wahre Glaube erkannt wird. Der Herr hat selber laut Mk 9,39 gesagt: »Es ist niemand, der eine Tat tue in meinem Namen, und möge übel von mir reden.« Man sieht auch hier, wie Luther sich theologisch immer durch die Schrift ge-

10. Deutsche Bibel 4, 479 f.; zur Überlieferung und Echtheit siehe ebd. S. 439 ff.

11. 30 II, 674; vgl. DB 4, 480, Anm. 1 und Tischreden I, Nr. 1063; zur Überlieferung siehe 30 II, 652 ff.

bunden weiß. In der Schrift steht aber nicht nur Mt 7,22, sondern eben auch Mk 9,39. Das Nebeneinander der beiden Stellen bedeutet eine große Spannung, ja scheinbar einen Widerspruch: im einen Falle bekunden Wundertaten, im Namen des Herrn getan, daß man in Lebensbeziehung zu ihm steht, also zu ihm gehört; im anderen Falle hindern eben solche Taten, auch in seinem Namen getan, nicht, daß Jesus die Täter verwirft: »Ich habe euch noch nie erkannt ... « Wie löst sich die Spannung, der Widerspruch? Luther hilft sich so, daß er die für ihn theologisch unerträgliche Gleichzeitigkeit von wunderwirkendem Glauben und Lieblosigkeit des Menschen in ein Nacheinander umsetzt, wie in der zweiten 1525 erwogenen Lösung. Er erklärt: Der Glaube, der Wunder tut, ist an sich der rechte, aber wenn du in diesem Glauben nicht Liebe aufbringst, dann fällst du auch vom Glauben ab, und der Glaube wird dann in der Tat »nichts«[12]. Der Glaube, der es nicht zur Liebe bringt, ist dann nämlich nicht mehr er selbst, sondern er ist Verwegenheit und Vermessenheit geworden *(versa in temeritatem et praesumptionem)*, die das Wort und die Brüder verachtet. So sieht der Reformator es auch in seiner Zeit immer wieder vor Augen: erst begeistertes *(ferventer)* Annehmen des Evangeliums, aber dann kein Beharren im Glauben; an die Stelle des Hangens am Worte tritt die Perversion des Glaubens, die religiöse Eigenmächtigkeit *(praesumptio fidei)*, die natürlich nicht zur Liebe führt, sich aber selber als Glauben ausgibt. In dieser Verfassung – so erklärt Luther – sieht Paulus die Gemeinde in Korinth: er wendet sich gegen die Scheingläubigen *(Pseudofideles)*, die einen guten Anfang gemacht haben und jetzt mit ihrem Glauben großtun, wo er doch gar keiner mehr ist. Also nicht der echte Glaube ist ohne Liebe, aber der zur Eigenmächtigkeit und Vermessenheit entartete. Beispiele für diesen Glaubensverfall, die Perversion echten Glaubens in Eigenmächtigkeit sind für Luther Bileam, Saul, Ananias und Saphira, Müntzer. Sie alle kommen aus einem Stadium rechten Glaubens, und was sie in solchem Glauben taten, war gut – das gilt auch von den Leuten, die der Herr Mt 7,22 meint. Aber sie sind andere geworden.

Diese Gedanken kehren in der Hauptsache wieder in der Predigt, die Luther 1531 am Sonntag Estomihi, 19. Februar, über 1 Kor 13 hielt[13]. Auch hier wird zunächst festgestellt, daß der Mensch nicht gleichzeitig den bergeversetzenden Glauben haben und doch ohne Liebe, also böse sein kann: »Unser Herrgott braucht nicht Buben zu solchem Wunderwerk[14].« Die Gleichzeitigkeit ist unmög-

---

12. Man sieht hier: die wesenhafte Notwendigkeit, mit der für Luther der rechte Glaube zur Liebe führt, ist trotz der Naturbilder dafür nicht als psychischer Automatismus gemeint. Der Glaubende muß und kann zur Liebe als zu dem Wesensvollzug des Glaubens doch gerufen werden, weil es möglich ist, daß er im Glauben steht und wider dessen Wesensgesetz die Liebe doch ausbleibt. Vgl. auch meine Schrift: Gebot und Gesetz. 1952. S. 32 ff.

13. 34 I, 162 ff.

14. 167,25.

lich, es handelt sich hier um ein Nacheinander: erst hat man den Glauben gehabt, hat ihn dann aber verloren; man rühmt sich seiner noch und hat ihn doch nicht mehr. Aber nun bringt die Predigt von 1531 einen neuen Gedanken, der über Luthers bisherige Auslegung hinausführt; jedenfalls hat Luther ihn 1525 bei der zweiten möglichen Auslegung und 1530 nicht ausgesprochen, wenn auch wohl schon mitgedacht. Nämlich: auch wenn der Glaube verlorengeht, bleibt doch die ihm verliehene Wundergabe erhalten. Die *fides* und das *donum fidei* werden unterschieden. Wieder wird Bileam als Beispiel herangezogen, aber jetzt heißt es: er war ein Prophet, er hatte den Glauben, aber er fiel ab vom Glauben – und doch blieb ihm die Gabe der Prophetie. So ist es auch im Leben des getauften Christen, der hernach vom Glauben abfällt: trotzdem behält er die Gabe der Taufe, die Vergebung der Sünden[15]. Demgemäß gilt von dem wundertätigen Glauben, der doch ohne Liebe ist: »Wer den Glauben gehabt hat – wenn er keine Liebe hat, hat er dann den Glauben nicht mehr, sondern hat ihn verloren, wenn er auch Wundertaten durch den Glauben vollbracht hat. Der Glaube ist dann entweder nicht rechtschaffen oder er ist je nimmer da[16].« Es ist nur noch ein »Schein« oder »Schall«, die Einbildung *(opinio)* des Glaubens da[17].

Bei dieser Lösung des Problems bleibt Luther auch in seiner Estomihi-Predigt von 1540, 8. Februar[18]. »Woran mangelts? An der Lieb. *Ubi illa desit, impossibile, quod fides vera adsit, si etiam prius affuerit. Potest fieri, quod prius vere affuerit, sed postea per superbiam desinat.*« Also auch hier der Gedanke: Die 1 Kor 13,2 von Paulus gemeinten Leute haben den wahren Glauben wohl gehabt, ihn inzwischen aber verloren, ohne damit die Kraft zu Wundertaten eingebüßt zu haben.

Luther ist nicht nur in den Predigten auf die Paulus-Stelle eingegangen. Sie hat ihn naturgemäß auch immer wieder theologisch beschäftigt, in der Auseinandersetzung mit der römischen Theologie über die Rechtfertigung *sola fide*. Davon zeugt schon die von uns besprochene Niederschrift für die geplante Abhandlung *de justificatione*. Das zeigen auch die von Luther geleiteten Disputationen. Und hier hat das Nachdenken über 1 Kor 13,2 ihn theologische Erkenntnisse finden und aussprechen lassen, die wir, wie sich versteht, in den Predigten vor der Gemeinde so nicht finden.

Das Paulus-Wort kehrt in den Disputationen von 1535 bis 1544 oft wieder[19],

15. 167,15.28.   16. 168,13.28.

17. 168. – Der Text bietet eine Schwierigkeit dadurch, daß einerseits die auch nach dem Verlust des Glaubens bleibende Wundergabe offenbar Gottes Gabe ist; andererseits soll Luther aber laut Rörers Nachschrift gesagt haben: Si falsa fides et facit miracula, facit instinctu diaboli vel permissu dei. Unterscheidet Luther den Besitz der Wundergabe, den Gott verliehen hat, und ihre Anwendung, zu der der Teufel antreibt?

18. 49,27.   19. 39 I, 74; 77; 114, 279; 39 II, 190; 193; 198; 235 f.; 241 f.; 247 f.; 310.

362

meist so, daß Teilnehmer an der Disputation die Stelle gegen das *sola fide* vorbringen und daß Luther darauf antwortet; aber einige Male kommt Luther auch von sich aus in den von ihm verfaßten Thesen auf sie zu sprechen und führt seine Gedanken dann in der Disputation aus. Wie sehr die Stelle Luther um der Reinheit der Rechtfertigungslehre willen beschäftigte, sieht man daraus, daß er 1535 eine eigene Disputation über sie plante und einen kurzen Thesen-Entwurf dazu schrieb[20]. Am bedeutsamsten von allen seinen Äußerungen zur Sache sind die letzten Thesen für die Disputation vom 7. Juli 1542[21] samt den Ausführungen in der Disputation, vor allem aber die Thesen für die Disputation vom 24. April 1543[22] und einige Ausführungen an diesem Tage. Diese letzteren Thesen gelten ganz dem Problem, das 1 Kor 13,2 ihm stellte. Sie sind sein letztes ausführliches Wort zur Sache – nur in der Disputation vom 12. Dezember 1544[23] finden wir noch ein kurzes Votum –, zugleich das bestimmteste, prägnanteste, theologisch gewichtigste. Hier werden die Gedanken, die Luther schon in den dreißiger Jahren ausspricht, zusammengefaßt und die Linien nach allen Seiten hin ausgezogen. Wir stellen die in den Disputationen vertretenen Gedanken nach ihrem Hauptinhalt zusammen.

1. Wie schon früher, zum Beispiel in den Randbemerkungen seines Neuen Testaments (siehe S. 360), betont Luther auch jetzt: 1 Kor 13,2 läßt sich keinesfalls wider das *sola fide* geltend machen; denn Paulus hat hier gar nicht den rechtfertigenden, den wahren Glauben an Christus im Auge, sondern den »Glauben der gottlosen Menschen, die doch gute Werke tun[24]«. Der wahre Glaube kann unmöglich gemeint sein, denn er führt zur Liebe. Die Leute aber, die Paulus hier zurechtweisen will, sind dadurch gekennzeichnet, daß sie wider die Liebe sündigen[25]. Luther versteht also die Verse 1 Kor 13,4–6, die Schilderung des Wesens der Liebe, so, daß Paulus hier das Gegenbild dessen zeichnet, was er innerhalb der korinthischen Gemeinde vor Augen hat. Dafür beruft er sich auf den ganzen Brief und denkt wohl auch an die großenteils negative Formulierung der Verse: von den 15 kurzen Sätzen, mit denen der Apostel die Liebe beschreibt, haben nicht weniger als 8 die Gestalt der Negation. So ist der Satz 1 Kor 13,2 zu verstehen als an die Adresse von Namenschristen gerichtet, die großtaten mit ihrem Glauben, aber keine Liebe hatten, wodurch sich ihr Glaube als falsch und eitel erwies[26]. Alle entsprechenden Stellen bei Paulus, Jacobus und Johannes, die von einem bloßen Glauben zur Liebe rufen, wollen verstanden sein – so erklärt Luther grundsätzlich[27] – als Leuten gesagt, die sich ihres Glaubens und ihrer Geistesgaben rühmten, dabei aber selbstsüchtige, lieblose Menschen waren, hochfahrend und brutal gleich wilden Tieren[28].

2. Auch sie haben, wie 1 Kor 13,2 zeigt, einen »Glauben«, und mit ihm kön-

20. 39 I, 76 f. 21. 39 II, 190. 22. 39 II, 235 f.
23. 39 II, 310. 24. 39 I, 74,2.7. 25. 39 II, 235,5.
26. 39 I, 279 f. 27. 39 I, 279,32. 28. 39 I, 280,1.

nen sie Wunder tun. Luther nennt diesen Glauben meist einen falschen, leeren, eingebildeten, geheuchelten, toten – »tot«, weil er nicht an Christus hängt und nicht in der Liebe tätig ist. Es ist der Glaube der Gottlosen *(impii)*. Zugleich aber faßt er ihn doch wegen des Zusammenhanges von 1 Kor 13,2 als eine Gabe des Heiligen Geistes auf[29]. Und in der Disputation vom 16. Oktober 1535 hält er neben der Beziehung von 1 Kor 13,2 auf den Glauben der *impii,* der also nichts mit Christus zu tun hat, die andere Auslegung für möglich, daß Paulus hier von denen spreche, die zwar im rechten Glauben angefangen, aber nicht in ihm beharrt haben[30]. Damit greift er also auf die zweite Möglichkeit, die er 1525 erwog, sowie auf die Niederschrift von 1530 und die Predigt von 1531 zurück. Man sieht, er ist auch damals, 1535, noch nicht ganz sicher, welchen Glauben Paulus gemeint hat. Aber in den späteren Äußerungen ist von dieser zweiten Möglichkeit nicht mehr die Rede. Immerhin mußte Luther die Erinnerung an das Wort des Herrn Mt 7,22 (»haben wir nicht in deinem Namen Wunder getan?«) doch immer wieder die Möglichkeit nahelegen, daß es sich auch 1 Kor 13 um den Glaubensverfall bei solchen, die vom rechten Glauben herkamen, handeln könnte. Aber wie dem auch sei: Luther stellt gemäß seiner Grundauffassung von 1 Kor 13,2 fest: auch der entartete oder falsche oder eingebildete oder tote Glaube tut große Werke und Wundertaten, er »versetzt Berge«. Aber wie kann toter Glaube höchst lebendige Werke tun, wie Berge versetzen, Kranke heilen? Ein solcher Glaube ist nicht tot, sondern überaus tätig; die Ursache muß der Wirkung entsprechen, also wie diese lebendig sein – das hält in der Disputation vom 7. Juli 1542 Bugenhagen Luther entgegen[31]. Luther erwidert mit einem Gedanken, den er schon 1535 in der Disputation vom 16. Oktober ausgesprochen[32], und in den Thesen zum 7. Juli 1542 sowie in dieser Disputation selbst, schon vor dem Einwurf Bugenhagens, wiederholt hat[33]: »Daß aber toter Glaube lebendige Werke wirkt, geschieht wegen der öffentlichen Wirksamkeit des Amtes« *(propter functionem publicam ministerii[34]).* Und zwar handelt es sich dabei sowohl um das politische wie um das kirchliche Amt. Gottlose Obrigkeiten tun gute Werke und Wunder *propter publicum officium, in quo sunt[35].* »Man kann nicht leugnen, daß Wunder geschehen können durch Gottlose in totem Glauben, zumal wenn sie im Amte oder der kirchlichen Gemeinde sind[36]«. »Der tote Glaube ist wirksam wegen und kraft der Gemeinde *(societas)* und des *ministerium verbi divini[37].«* Gott hat »durch Bileam und gottlose Propheten und Tyrannen oft viel Gutes getan und

---

29. 39 I, 77,3; II, 236,8.
30. 39 I, 74,11.   31. 39 II, 198.
32. 39 I, 74,8.   33. 39 II, 190,1; 193,16.
34. 39 II, 198,20.   35. 39 I, 74,8.
36. 39 II, 190,1: praesertim si sunt in officio vel coetu ecclesiastico.
37. 193,16.

tut es noch, weil das Amt, das sie haben, nicht ihrer, sondern Gottes ist. Daher ist es wirksam, obgleich in gottlosen Personen, durch die Kraft des Heiligen Geistes[38]«. Andere Beispiele, die Luther an den genannten Stellen anführt, sind Kaiphas, Alexander der Große, Judas, der Papst – und natürlich die falschgläubigen Lehrer in Korinth, gegen die Paulus sich wendet.

Das alles heißt: Gott verleiht denen, die er mit einem öffentlichen Amte, als Obrigkeit oder in der Kirche betraut hat, mit dem sie anderen dienen sollen, die Vollmacht zu großen Werken und Wundern (und dem gemäß auch den dazu nötigen »Wunderglauben«[39]) wegen und zugunsten ihres Amtes. Die kirchlichen Amtsträger tun Wunder und größere Taten als der »private Gläubige«, solange sie im Amte oder der kirchlichen Gemeinde sind[40]. Die Vollmacht zu den Taten wird ihnen nicht als Personen, sondern als Amtsträgern gegeben, wegen des Amtes, das nicht zu ihrer Verfügung, sondern ein Werkzeug göttlichen Waltens ist, wie auch sie selber als Amtsträger. Gott wirkt durch sie. Aber diese Wirkung geht an ihnen als Person ganz vorbei. Amt und Person sind streng zu scheiden. Die Person kann gottlos sein, dennoch wirkt Gott um des Amtes willen durch sie. Was für eine unerhörte Spannung: die Lehrer in Korinth waren »Teufelsknechte« (Luther wird an 2 Kor 11,15 denken) und verrichteten mit ihrem falschen Glauben doch Glaubenswunder! Der römische Papst ist ein Werkzeug des Teufels – und doch muß man zugestehen, daß er Wunder tun kann in Kraft seines Amtes[41]. Was die gottlosen Amtsträger kraft ihres Amtes an Wundern wirken, kann von großer geschichtlicher Bedeutung sein. Und doch ist der Glaube, in dem sie solche Großtaten tun, tot, und demgemäß sind auch die Werke, obgleich rein menschlich angesehen, »von höchster Lebendigkeit«, wie Bugenhagen sagte[42], doch im theologischen Sinne »tot«[43]. Die Person ist eben nicht im rechten Glauben zur Liebe lebendig geworden. Gotteswunder – durch Gottlose: Luther weist darauf hin, daß Gott es auch in der Kirche so macht: mehr als alle Wunder sind Sakrament und Wort, verleihen sie doch das Ewige Leben, und eben sie werden auch durch Judas gegeben[44]! Gottlose können gesunde Lehre lehren, die Sakramente verwalten, die Heilige Kirche regieren[45]. Es ist die antidonatistische Lehre Augustins, die Luther hier auch für das reformatorische Verständnis der Gnadenmittel aufnimmt.

---

38. 198,20.

39. Luther gebraucht von den korinthischen Lehrern die Wendung *credebant magna miracula*, 39 II, 193,16.26; entsprechend vom Papst 193,18: concedimus pontificem Romanum ... omnino miracula credere posse in virtute ministerii; *miracula credere* bezeichnet sowohl das Zutrauen dazu, Wunder tun zu können, wie auch die aus diesem Zutrauen fließende Wunderkraft.

40. 39 II, 236,14.

41. in virtute ministerii, 193,15.

42. 198,15. 43. 39 I, 74,10.

44. 39 II, 190,3. 45. 236,12 f.

Die Unterscheidung von Person und Amt hat Luther besonders nachdrücklich in den Predigten über die Bergpredigt 1532 vorgetragen[46]. »Demnach richte von allen, so ein Amt haben in der Christenheit. Denn sie sind nicht alle Christen noch fromme Leut, die im Amt sind und predigen. Da fragt auch Gott nicht nach, sondern die Person sei wie sie wolle, so ist doch das Amt recht und gut und nicht des Menschen sondern Gottes selbst[47].« Das wird im Folgenden auch für die weltlichen Amtspersonen erklärt. Es entspricht ganz dem in den Disputationen Gesagten, wenn es auch hier[48] mit Bezug auf die Wundertaten heißt: »Das ist wahr, wie ich gesagt habe, daß Gott kein Zeichen von bösen Menschen geschehen läßt, sie seien denn im öffentlichen Amt, weil Gott nicht Zeichen gibt ihrer Person, sondern des Amts halben ...«

3. Luther unterscheidet den Heilsglauben an Christus und den Wunder wirkenden Glauben. Wer diesen letzteren hat, also große Wunder wagt und tut (*credere magna miracula*), kann doch nach dem Maßstab des Glaubens an Christus ungläubig sein und trotz aller seiner großen Taten verlorengehen – Luther führt Judas als Beispiel an[49]. Gläubigkeit im einen Sinne kann Unglaube im anderen sein, geradeso wie »lebendige« Werke im Sinne menschlicher Dynamik und geschichtlicher Wirkung zugleich, theologisch gesehen, »tote« Werke sein können (s. 2).

4. Luther erklärt, daß die großen Taten auch der Ungläubigen *per virtutem Spiritus sancti* geschehen[50]. Sein Begriff des »Heiligen Geistes« und seiner Wirkungen ist also sehr weit[51], ähnlich dem Alten Testament: das Geisteswirken wird nicht eingeschränkt auf die Verleihung des Glaubens an Jesus Christus, sondern umgreift auch die von ihm unabhängige Vollmacht zu den großen geschichtlichen Werken. Der Geist wirkt nicht nur in der Heilsgeschichte, sondern auch in der politischen Weltgeschichte; nicht nur im Raume der Kirche, sondern auch in der profanen, gottlosen Welt. »Der Heilige Geist oder seine Gaben – so heißt es im Blicke auf 1 Kor 12 ff. – können verliehen werden und dasein auch ohne den Glauben an Christus und die Liebe[52]«, also auch bei Namen-Christen und Gottlosen. Sie sind nicht beschränkt auf die glaubende Gemeinde.

5. Der Glaube an Christus und die Gabe des Wunder wirkenden Glaubens haben eine je ganz verschiedene Bedeutung in der Kirche und Welt. Die Werke des »bergeversetzenden« Glaubens sind gültig bei Gott und Menschen (*ratum est, quod faciunt, apud Deum et homines[53]*). Sie sind, wie Paulus 1 Kor 12,7 sagt, zum »gemeinen Nutzen« (so Luthers Übersetzung), *ad utilitatem ecclesiae* gegeben und bestimmt[54]. Das gilt von allen den 1 Kor 12,4 ff. genannten Zutei-

46. 32, 528. 47. 529,16. 48. 531,4.
49. 39 II, 193,26: credebant magna miracula. Interim tamen manebant increduli ...
50. 39 II, 198,24.
51. Siehe auch 39 II, 239,29.
52. 39 II, 236,8.
53. 39 II, 190,5. – 39 II, 190,6 ist, wie ich glaube, hinter *quod faciunt* ein Komma zu setzen, das *ratum* also mit *apud Deum et homines* zu verbinden.
54. 39 II, 236,30.

lungen der Gaben, Ämter, Wirkungen[55]. Gott braucht sie zum Besten der Kirche und der Völker. Aber wie jemand das Amt innehaben kann, ohne daß er im persönlichen Glauben steht, und wie der um des Amtes willen verliehene wunderwirkende Glaube gleich den anderen in 1 Kor 12 genannten Geistesgaben verliehen werden kann ohne den Glauben an Christus und ohne die Liebe[56], so hat der Träger des Amtes und der in ihm verliehenen Geistesgaben und Taten von alledem für sich persönlich keinen Nutzen[57], sondern im Gegenteil Schaden. Das heißt: die so Begabten haben von ihrem Amt und bergeversetzenden Glauben und ihren Großtaten nichts für ihr persönliches Heil, im Gegenteil, sie nehmen dadurch Schaden an ihrer Seele und gehen verloren, weil sie durch ihre großen Gaben und Werke hochmütig werden.

Ganz anders der Glaube an Christus. Im Unterschied von dem um des Amtes willen verliehenen wunderwirkenden Glauben hat der Christusglaube zunächst gar keine öffentliche Wirkung und Bedeutung. Er ist zuerst sozusagen Privatsache zwischen Gott und dem Glaubenden. Er hat nur Heilsbedeutung für den glaubenden Menschen selbst, nämlich zu seiner Rechtfertigung – während das Amt in der Kirche für die anderen zum Heile bestimmt ist, wobei der Amtsträger selber verlorengehen kann[58]. Und dann erst, nachdem der Mensch in diesem Glauben gerechtfertigt ist, wird der Glaube aktiv. Der Glaube im Sinne jener an das Amt verliehenen Geistesgabe ist also primär aktiv, der Heilsglaube an Christus erst sekundär[59]. Was dieser Glaube, der durch die Liebe tätig wird, dann aber ausrichtet an Wundern, das steht hinter dem »Bergeversetzen« und ähnlichen Taten nicht zurück. Im Gegenteil: der Glaube an Jesus Christus, der durch die Liebe tätig wird, vermag Dinge, zu denen der Glaube von 1 Kor 13,2 gar nicht imstande ist. Der Glaube an Christus überwindet jene 1 Kor 13,4 ff. von Paulus aufgezählten Sünden der Lieblosigkeit und »triumphiert über sie im Gehorsam gegen die Gerechtigkeit«. Er besiegt also Sünde, Welt und Teufel – das ist aber bei weitem Größeres als Berge versetzen. Gott und den Nächsten freiwillig, ohne Lohn (gratuito) und stetig lieben, das heißt durchaus Tote erwecken[60]. Luther spricht damit, ganz im Sinne des Apostels, aus, daß die außerordentlichen Geistesgaben an Wert und Wirkung weit zurückstehen gegen das, was der Glaube tut, der in der Liebe tätig ist. (Paulus sagt: gegen das, was die Liebe tut; Luther vergleicht die beiden Arten von Glauben; aber der Sache nach meinen sie das gleiche.) Ganz wie Paulus leitet Luther die Christenheit an, die Gaben nach Art von 1 Kor 12, obgleich der Geist sie gibt, nicht zu überschätzen.

55. 237,17.   56. 236,8.

57. tales sibi privatim istis operibus nihil prosint 190,5; ministerium non prodest suo possessori, 236,18; Luther nimmt hier das paulinische *nihil mihi prodest,* 1 Kor 13,3 Vulgata, auf.

58. 236,16: Fides Christi primum tantum suo possessori prodest ad justificationem sui solius.

59. 236,20.   60. 236,22–29.

Sie bedeuten weniger als die großen Wunder, die der schlichte und gar nicht außerordentliche Glaube an Christus in der Liebe tut.

6. Wie weit Luther den wunderkräftigen Glauben von dem Heilsglauben an Christus abrückt, zeigt sich daran, daß er ihn in den Thesen für den 24. April 1543 der inneren Dynamik der *heroici homines,* der *großen Männer der Weltgeschichte* vergleicht: er möchte ihn dieser »ähnlich« nennen[61]. Die »heroischen Männer« müssen von einem außerordentlichen Vertrauen *(fiducia quadam singulari)* bewegt werden, wenn sie etwas Großes, Denkwürdiges tun sollen. Die Kräfte und die Weisheit allein tun es noch nicht. Vielen fehlt es an beidem nicht, wohl aber an jenem inneren Antrieb, jener Zuversicht *(afflatu illo seu fiducia animi),* und daher kommen sie nicht zur Tat[62]. Der Antrieb kommt von Gott: er hat nach Jer 51,11 den Geist des Königs von Medien gegen Babylon erregt; er hat den Syrer Naemann, der noch Götzendiener war, zum Heile für Syrien erweckt und begnadet. Man sieht: auch unter den undankbaren Heidenvölkern hat Gott immer herrliche, wundergleiche Gaben ausgeteilt – wieviel mehr kann er seinem Volke sowohl durch Fromme wie durch Gottlose Großes tun und schenken[63]!

Luther nimmt hier in der Knappheit von Disputationsthesen die geschichtstheologischen Gedanken über die »Wundermänner« oder »gesunden Helden« wieder auf, die er in der Auslegung des 101. Psalms 1534/35 ausführlich dargelegt hat[64]. Er unterscheidet gewiß die Weltgeschichte und Gottes Handeln mit seinem Volk, seiner Kirche. Aber sein Gott waltet auch die Geschichte der Völker, wie schon die alttestamentlichen Propheten es ansahen und verkündigten. Gott »erweckt« die Helden, die großen Fürsten und Staatsmänner, er »lehrt« sie, »gibts ihnen ins Herz«, »treibt ihren Sinn und Mut«, er »gibts ihnen auch in die Hände[65]«. Die Heiden, »habens in der Erfahrung, daß nie kein großtätiger oder Wundermann gewest sei *sine afflatu,* das ist: ohn ein sonderlich Eingeben von Gott[66]«. Luther zitiert hier eine Wendung aus *Cicero.* In den von uns behandelten Thesen von 1543 haben wir den gleichen Ausdruck *afflatus,* der zweifellos auch hier im Sinne der Inspiration durch Gott zu verstehen ist. Luther scheut, wie schon im Vorigen erwähnt, auch nicht den Ausdruck, daß Gottes Heiliger Geist in der Weltgeschichte, in den Wundermännern wirke. Gewiß, es ist ein andres Wirken als die Bewegung des Herzens zum Glauben an Jesus Christus. Aber der Geist gibt eben sehr verschiedene Gaben, nicht nur laut 1 Kor 12 in der Kirche, sondern auch in der Welt. Führt Luther die *Taten* jener Wundermänner auf Gottes Wirken zurück[67], so ohne Frage auch jene

---

61. similem esse dicerem motibus illus, quibus heroici homines excitantur, 39 II, 237,1.
62. 237,3.   63. 237,9.   64. 51, 207.
65. 51, 207.   66. 51, 222.
67. Vgl. 39 II, 198,23; 40 III, 209,5: Si princeps bene gubernat, non ei angeboren nec ex libris tantum discit, sed discit inspirante Spiritu Sancto.

fiducia singularis, den »*Glauben*« der Helden, so wenig er auch mit dem Glauben an Christus zu tun hat[68].

Am Abschluß der Darstellung mag noch gefragt werden: Entspricht Luthers zuletzt vertretene Auslegung von 1 Kor 13,2 ganz dem, was der Apostel meinte?

Ohne Frage ist es im Sinne des Paulus, wenn Luther unter dem »Glauben« an unserer Stelle nicht einfach den allen Christen gemeinsamen versteht, durch den der Mensch gerechtfertigt ist, sondern eine besondere, nicht allen Christen verliehene Gnadengabe wie 1 Kor 12,9[69]. (Man könnte auch an ein besonders hohes Maß von Glauben denken; Paulus unterscheidet offenbar auch sonst Stufen des Glaubens, Röm 12,6[70].)

Zu fragen ist aber, ob Luther den Apostel auch damit richtig auslegt, daß er den bergeversetzenden Glauben, weil er ohne Liebe ist, ohne weiteres als falschen, als Scheinglauben, eigenmächtigen, »heroischen«, vom Menschen selbst aufgebrachten, eingebildeten Glauben auffaßt, der da spricht: »Ich will glauben, ists recht, so sei es recht ...[71]«, der den Menschen nur dem Namen nach, aber nicht in Wirklichkeit zum Christen mache, sondern *impius* bleiben lasse. Hat Paulus von dem Glauben, der Wunder tut, so gedacht? Der Apostel weiß freilich, daß auch »der Mensch der Sünde«, der »Frevler« bei seiner Parusie Machttaten, Zeichen, Wunder tun wird (2 Thess 2,9). Es gibt also eine dämonische und

---

68. Ich kann also nicht aufrechterhalten, was ich in meiner Schrift: Luther und die politische Welt (Schriftenreihe der Luther-Gesellschaft 9/1937. S. 11) ausgeführt habe: Luther spreche, wo er von den »Wundermännern« rede, niemals vom Heiligen Geist. Ich suchte damals die Begriffe »Inspiration« und »Begabung mit dem Heiligen Geist« zu unterscheiden: »Inspiration der politischen Führer, Heiliger Geist nur in Gottes Volk« (S. 4). Aber für Luther trifft die Unterscheidung nicht zu. Damit ist auch das, was ich in der Schrift »Politisches Christentum« (Theol. militans, 5) 1935, S. 11 gegen Siegfried Leffler im gleichen Sinne geltend machte, zurechtzustellen. Luther spricht vom Wirken des Geistes Gottes in weiterem Sinne als die heutige Theologie, offenbar durch das Alte Testament geleitet.

69. Vgl. *H. Lietzmann* im Exkurs zu Röm 4,25. Handbuch z. NT. Bd. 8. S. 57. – So auch Calvin z. d. St. und Inst. III, 2,9; op. sel. IV, 18 f. – C. weist darauf hin, daß die Vokabel »Glaube« vieldeutig sei. Man muß jeweils nach der besonderen Bedeutung fragen. Das versäumen die römischen Theologen und machen die Stelle daher fälschlich gegen die Heilsbedeutung des Glaubens geltend. Der Glaube ist an dieser Paulus-Stelle eines der besonderen Charismen von 1 Kor 12, nämlich die *fides particularis,* »Teilglaube«. Calvin nennt ihn so, »weil er nicht den ganzen Christus ergreift, sondern nur die Wundermacht«. Deswegen kann er bisweilen einem Menschen eigen sein ohne den Geist der Heiligung, also auch einem *impius,* und von ihm mißbraucht werden. »Kein Wunder, wenn er von der Liebe getrennt wird.«

70. Vgl. *H. D. Wendland* zu 1 Kor 12,9 im NT Deutsch. Bd. 7. 6. Aufl. 1954. S. 94.
71. 39 II, 247,26.

diabolische Analogie zu den Wundern Christi, der Apostel, der Christen. Diese sind in ihrer Wunderhaftigkeit als solcher nichts spezifisch Messianisches, Apostolisches, Christliches. Das ändert aber nichts daran, daß Paulus die von den Aposteln und den anderen Pneumatikern in der Gemeinde vollbrachten Wunder als durch die *Kraft Christi* gewirkt versteht (Röm 15,18), also auch den Glauben, in dem sie getan werden. Paulus zählt ihn zu den Erweisungen des Heiligen Geistes. Der Geist aber ist für Paulus nie ein anderer als der Geist Christi. Das zeigt im Zusammenhang von 1 Kor 12–14 schon die Entsprechung der drei Sätze 1 Kor 12,4–6: die Charismen, also auch das Charisma des wunderwirkenden Glaubens, werden von dem einen Geist, dem einen Herrn, dem einen Gott verliehen. Die Entsprechung, vielmehr: die Einheit des Herrn und des Geistes schließen es aus, daß Paulus wie Luther sagen könnte, daß »der Geist oder seine Gaben geschenkt und gegenwärtig sein können auch ohne den Glauben an Christus ... [72]« Luther muß so urteilen, weil es seinem Verständnis des Glaubens widerspricht, einen Glauben an Christus anzunehmen, der ohne Liebe ist. Ein solcher Glaube kann zwar von Gott gewirkt, aber er kann unmöglich identisch sein mit dem Heilsglauben an Christus. Luther muß daher den Glauben von 1 Kor 13,2 weit abrücken von dem Heilsglauben an Christus. Er kann nicht anders denn ihn abwerten als *hypocritica, acquisita, falsa*[73]. Für Luther sind die Menschen jenes Wunder wirkenden Glaubens, gemessen am Christus-Glauben, ungläubig[74]. Ob Paulus auch so geurteilt hat? Ob die Alternative Luthers von *fides vera*, die durch die Liebe tätig ist, und *fides falsa* oder *hypocritica* oder *acquisita* im Blick auf den von Paulus 1 Kor 13,2 gemeinten Glauben ausreicht? Paulus entwertet jenen Glauben relativ, nämlich im Verhältnis zur Liebe (1 Kor 13,13), aber nicht an sich, nicht absolut. Luther erklärt: Der *Glaube* ohne nachfolgende Liebe ist gar keiner[75]. Paulus erklärt: Der *Mensch*, der nur diesen Glauben hat, ohne Liebe, ist nichts. Er sagt nicht: solcher Glaube ist gar keiner. Darin freilich besteht zwischen Paulus und Luther keine Differenz, daß der wahre Glaube mit Wesensnotwendigkeit zur Liebe wird: die Liebe gehört für Paulus – um mit Albert Schweitzer zu reden[76] – »zum Wesen des Glaubens«. Aber was wesentlich zusammengehört, kann psychisch-empirisch sich doch voneinander lösen. Wir wiesen schon darauf hin, daß Paulus auch Röm 11,17 ff. einen Heilsglauben vor sich sieht, mit dem der Mensch nur für sich selbst, aber nicht für die anderen glaubt und darum auch in seiner Haltung zu ihnen die Liebe verletzt und sich über sie, eben als zum Glauben Begnadeter, erhebt. Dann ist freilich, wie Paulus dort mit schwerem

72. 39 II, 236,8.
73. Dabei ist es schwierig, daß Luther diesen Glauben zugleich doch als vom Geist gewirkt versteht, 39 II, 236,8.
74. 39 II, 193,26.
75. prorsus nulla erit, 39 II, 236,7.
76. Die Mystik des Apostels Paulus. 1930. S. 298.

Ernst einschärft, auch der Glaube in tödlicher Gefahr, nämlich aus Glauben in Hoffart verkehrt zu werden (Röm 11,20). So sieht auch Luther es an: Fällt der Mensch aus der Liebe, dann unentrinnbar auch aus dem Glauben[77]. Bei der zweiten der 1525 erwogenen Auslegungen, die er 1530/31 aufnimmt, ist Luther am nächsten bei Paulus. In eben dieser kritischen Lage aber, wo der Glaube, der rechter, von Christus gewirkter Glaube ist, aber der Liebe ermangelt, redet Paulus die Gemeinde von Korinth an. Er hat einen Glauben vor sich, der wirklich sein Vertrauen auf Christi Macht setzt und in diesem Vertrauen Wunder zu tun, »Berge zu versetzen« vermag. »Aber die Möglichkeit besteht, daß der Mensch auch vor Gott, auch in seinem Predigen, Wissen, Glauben und Opfern sich selbst die erste Stelle vorbehalten und eigensüchtig bleiben kann[78].« Und doch lebt der Glaube seinem Wesen nach von der allumfassenden Liebe Christi und ist auf sie gerichtet. Verengt er sich, hemmt der Mensch kraft der in jedem immer noch lebendigen Eigensucht die Bewegung der Liebe, die von Christus ausgeht, so verleugnet der Glaube seinen Grund und verliert damit sein Wesen. Er ist Glaube, sogar starker Glaube, Heilsgewißheit, Kraft zum Wagen der großen Tat, zum Wunder – aber selbstsüchtig-verengter Glaube und damit auf dem Wege zur Hoffart, also zur trügerischen Heilsgewißheit, zum Verlust des Heils. Diesem tödlichen Gefälle wirft sich der Apostel 1 Kor 13 entgegen.

77. 17 II, 165,5; 34 I, 168,13.
78. *A. Schlatter*: Paulus, der Bote Jesu. 1934. S. 358.

Liebe und Heilsgewißheit
1 Joh 4,17 a in der Auslegung Luthers

Im Zentrum der Theologie Luthers steht der Satz, daß der Mensch die Rechtfertigung und damit das Heil *sola fide* empfängt. Die Verheißung Gottes gilt dem Menschen ohne jede Bedingung von seiner Seite; er hat sich ihr nur anzuvertrauen – eben das ist der Glaube im Sinne Luthers. Und zwar gilt das nicht nur für den Anfang des Christenlebens, sondern auch weiterhin, bis zum letzten Tage, also auch für das Endgericht. Nun läßt sich aber nicht leugnen, daß im Neuen Testament die Heilsgewißheit mehrfach nicht einfach an den Glauben als reines Empfangen geknüpft wird, sondern auch an die Liebe. Die Apostel wissen von einem Glauben, der den Menschen nicht aus der Heillosigkeit rettet, weil ihm die Liebe fehlt (1 Kor 13,2; Jak 2). Solche Sätze des Neuen Testaments bedeuten für die Theologie Luthers um ihres Zentralsatzes willen ein Problem. Er hat um ihre rechte Deutung, um den Einklang mit seiner Grunderkenntnis in immer neuem Ansetzen gerungen. Es ist bezeichnend, daß seine Auslegung dieser Stellen sich im Laufe seines Lebens gewandelt hat – ein Zeichen dafür, daß er hier Schwierigkeiten hatte. Das gilt zum Beispiel von 1 Kor 13,2 (»und hätte allen Glauben ... und hätte der Liebe nicht, so wäre ich nichts«)[1]. Ebenso auch von 1 Joh 4,17a. Es lohnt sich, Luthers Auslegung dieser johanneischen Stelle genauer nachzugehen.

Die Stelle lautet: *'Εν τούτῳ τετελείωται ἡ ἀγάπη μεθ' ἡμῶν, ἵνα παρρησίαν ἔχωμεν ἐν τῇ ἡμέρᾳ τῆς κρίσεως'*. Vulgata: *in hoc perfecta est charitas Dei nobiscum* (seit der Revision von 1529: *in nobis*), *ut fiduciam habeamus in die judicii*. »Darin ist die Liebe bei uns zur Vollendung gekommen, daß wir Zuversicht haben am Tage des Gerichts.« Für die Auslegung ist der Kontext, vor allem V. 16 und V 18 beizuziehen. Als Sinn ergibt sich: Die volle Wirklichkeit der Liebe erweist sich darin, daß sie dem Christen die Freudigkeit für den Tag des Gerichtes gibt. Die Exegese hat immer wieder gefragt, ob hier von der Liebe Gottes zu den Menschen, wie die Christen sie erfahren, die Rede sei, oder mindestens *auch* von dem Lieben der Christen.

Von der uns zugewandten Liebe Gottes in erster Linie hat Luther die Stelle in seinen Vorlesungen über den 1. Johannesbrief 1527 verstanden[2]. Die Ge-

---

1. Vgl. das Kapitel »... und hätte allen Glauben ...«
2. 20, 757: Illa enim charitas Dei tanta est, ut possimus habere fiduciam in die judicii, in quo tremet totus mundus ... Ergo habemus per hujus charitatis cognitionem et fidem, ut possimus stare in judicio. So nach Jakob Propst. In der Nachschrift Rörers heißt es: ... quando cognovimus deum charitatem *et eum diligimus,* quod etiam possimus habere fiduciam in ipsum in die judicii ... Laut Rörer hat Luther (siehe die von mir hervorgehobenen Worte) mit der Gewißheit um Gottes Liebe unsere Gegenliebe zusammengenommen.

wißheit der Liebe Gottes gibt uns die Zuversicht am Tage des Gerichts. Ebenso faßt Calvin die Stelle auf: *Ergo hic caritas Dei erga nos intelligenda est.* In dem Satz »daß wir Zuversicht haben ... « wird »die Frucht der göttlichen Liebe gegen uns« bezeichnet. »Die Liebe ist völlig *(perfecta est)* bei uns« bedeutet: die Liebe Gottes zu uns ist in vollem Maße ausgegossen *(plena copia effusa est).* Die Glaubenden erschrecken nicht, wenn man ihnen vom Jüngsten Gericht spricht; sie kommen vielmehr sicher und frohen Mutes *(alacres)* vor Gottes Richterstuhl, weil sie von seiner väterlichen Liebe fest überzeugt sind. So ist der Fortschritt des Christen im Glauben danach zu bemessen, in welchem Maße er guten Mutes den Tag des Gerichtes erwartet.

Diese Auslegung fügt sich der Theologie der Reformatoren ohne Schwierigkeiten ein. Aber sie läßt sich nicht halten. Man darf bei der Auslegung von 1 Joh 4,17 die Liebe Gottes und die von ihr entzündete menschliche Liebe nicht trennen, sowenig wie in V. 16 (»wer in der Liebe bleibt«). »V. 18 zeigt unleugbar, daß die Liebe der Menschen gemeint ist. – Zur Zuversicht gegenüber der göttlichen Liebe sind wir nur berechtigt, sofern und weil wir lieben[3].«

Luther hat denn auch später jene Deutung der »völligen Liebe« von V. 17 allein auf die Liebe Gottes zu uns nicht mehr vertreten, sondern V. 17 von der Liebe der Christen verstanden, die sich in guten Werken, in der Erfüllung der Zehn Gebote erweist. Dann ergibt sich aber das Problem: Wie wird Luthers Theologie des *sola fide* fertig mit einem Text, der offenkundig die Heilsgewißheit, die Zuversicht im Blick auf das Jüngste Gericht an das Vollmaß der Liebe knüpft? Hier steht offenbar die reformatorische Rechtfertigungslehre in Frage. Hat die Liebe der Christen irgendwelche Bedeutung für die Heilsgewißheit, dann scheint der Christ bei der Frage, wie er vor Gott bestehen kann, auf eine Beschaffenheit oder Leistung seiner selbst reflektieren zu müssen. An diesem Punkt wußte Luther sich aber im scharfen Gegensatz gegen die scholastische Theologie, gegen ihren Begriff der *fides caritate formata*[4]. Er fand darin die These, daß der Glaube wegen der ihn »formenden« Liebe rechtfertige. Aber das war wider Paulus und das Evangelium. Der Glaube wird nicht erst durch die Liebe Gerechtigkeit; »der Glaube heißt an sich selbst vollkommene Gerechtigkeit, die Liebe dagegen ist unvollkommen. Wir müssen aber eine vollkommene Gerechtigkeit haben. Woher also haben wir sie, wenn doch die Liebe unvollkommen ist? Antwort: durch Christus, der eine schlechterdings vollkommene Gerechtigkeit hat, und wir eignen sie uns durch den Glauben an[5].« Der Glaube aber ist nichts anderes als die Haltung reinen Ergreifens und Empfangens, *fides apprehensiva*[6], die sich Christi Gerechtigkeit zueignet. Eben als solcher wirkt

---

3. *F. Büchsel* z. d. St. im Theol. Handkommentar zum NT, XVII. 1933. S. 37 f.
4. Vgl. z. B. 39 I, 318; 39 II, 207,38; 213,34; 214.
5. 39 II, 214,1 (übersetzt).   6. 39 I, 45,21.

er unsere Gerechtigkeit, nämlich die uns zugeeignete Gerechtigkeit Christi. Der Glaube macht gerecht nicht durch sich selbst, als Qualität des Menschen, sondern lediglich als die einzig mögliche Haltung, mit der die »fremde« Gerechtigkeit Jesu Christi empfangen werden kann. Daher kann von einer *fides caritate formata* bei der Rechtfertigung nicht die Rede sein. Die Liebe *folgt* aus dem Glauben, ist seine Frucht. Aber sie gibt dem Glauben nicht eine Qualität vor Gott; der Glaube kommt überhaupt nicht als menschliche Qualität in Betracht, sondern allein als Haltung reinen Empfangens.

Und doch gewinnt auch für Luther die Liebe eine Bedeutung im Zusammenhang der Rechtfertigungslehre. Gewiß, alles liegt am Glauben, und am Glauben allein. Aber ist alles, was sich als Glauben ausgibt und Glaube zu sein scheint, auch wirklich Glaube? Es gibt auch den Schein des Glaubens, unechten, leeren, toten Glauben. Luther sieht es vor seinen Augen. So muß er notwendig die Frage nach den *Kennzeichen des echten Glaubens* stellen. Und hier wird der Zusammenhang zwischen Glaube und Liebe bedeutsam, zwischen dem Glauben und dem Ethos als der Frucht des Glaubens. Der Glaube – so hören wir in Luthers Vorrede zum Römerbrief[7] – »ist ein göttlich Werk in uns, das uns wandelt und neugebiert aus Gott, Joh. 1, und tötet den alten Adam, machet uns ganz andere Menschen von Herzen, Mut und Sinn und allen Kräften und bringet den heiligen Geist mit sich. O, es ist ein lebendig, schäftig, tätig, mächtig Ding um den Glauben, daß unmöglich ist, daß er nicht ohn Unterlaß sollte Gutes wirken ... Wer aber nicht solche Werk tut, der ist ein glaubloser Mensch ... « Luther läßt sich hier durch das Paulus-Wort von dem »Glauben, der durch die Liebe tätig ist« (Gal 5,6) und durch die »katholischen« Briefe, in erster Linie den 1. Johannesbrief leiten. In einer Predigt aus dem Jahre 1545 über 1. Joh 4,16 ff.[8] fragt der Prediger den Hörer: »Wo ist die Frucht, daß du recht gläubest[9]?« Das heißt doch: an der Frucht im Leben wird erkannt, ob der Glaube recht ist. Daher mahnt der Prediger die Gemeinde: »Christus ist nicht dazu gestorben, daß du ein solcher Sünder bleibest, sondern die Sünde getötet und zerstört werde, daß du forthin Gott und deinen Nächsten liebst. Der Glaube nimmt die Sünden fort und tötet sie, daß du nicht in ihnen lebst, sondern in der Gerechtigkeit. Also zeige durch Werke, Früchte, daß der Glaube in dir sei. Bist du ein Wucherer, ungehorsam, in deinem Stande nachlässig, dann siehe zu, ob du glaubst. Denn der Glaube ist Sieger, Triumphator und überwindet die Welt.« Wer glaubt, »wirds mit der Tat sagen – oder laß den Ruhm anstehen, daß du gläubig seiest«. »Die Liebe folgt dem wahren Glauben.« »Alles Gute soll man tun, daß der Glaube nicht eine Hülse sei, daß er rechtschaffen sei und wahrhaftig[10].« Die Liebe mit ihren Erweisungen ist also das Kriterium für den rechten Glauben.

---

7. WA Deutsche Bibel 7, 11,6. 8. 49, 780 ff. 9. 49, 783,24.
10. 49, 783,3–23 (z. T. übersetzt). Ich gebe die Stellen nur deutsch wieder, weil sie

Auf diesen notwendigen Zusammenhang von Glaube und Ethos, auf die Bedeutung des Werkes für die Gewißheit des Heiles war Luther immer wieder durch die Stelle 2 Petr 1,10 hingewiesen: »Liebe Brüder, tut desto mehr Fleiß, eure Berufung und Erwählung festzumachen« (» ... *ut per bona opera certam vestram vocationem et electionem faciatis«*). Ebenso durch den Zusatz zur fünften Bitte des Vaterunsers Mt 6,14 f.[11]. Da wird die Gewißheit um Gottes Vergeben an mein eigenes Vergeben dem Nächsten gegenüber geknüpft. Auf die Stelle 2 Petr 1,10 zusammen mit 1 Joh 4,17 bezieht Luther sich auch in einer Disputation aus dem Jahre 1543: *Charitas est testimonium fidei et facit, nos fiduciam habere et certe statuere de misericordia Dei, et nos jubemur, nostram vocationem firmam facere bonis operibus. Et hunc apparet, nos habere fidem, cum opera sequuntur,* wenn keine Werk da sein, so ist *fides* gar verloren, *sicut et fructus sunt testimonia arboris*[12].

In diesem Sinne legt Luther in den Vorlesungen über den 1. Johannesbrief auch 1 Joh 3,18 f. aus (»Kinder, laßt uns nicht lieben mit Worten noch mit der Zunge, sondern in Tat und Wahrheit. Daran werden wir erkennen, daß wir aus der Wahrheit sind und werden vor ihm unser Herz beruhigen ... [13]«). Auch hier erscheint die Bruderliebe als *testimonium externum de vocatione nostra ut Petrus* (2 Petr 1,10), *i. e. stabilimur, quod sumus in veritate, quia ex synceritate et veritate diligimus fratrem utcunque infirmum ... Et per illam certificationem possumus suadere corda nostra illam fidem nobisipsis. Magna consolatio.*

Neben diesem Gedanken, daß der Glaube an der Liebe seiner Echtheit und Wahrheit gewiß werde, steht bei Luther der andere: Der Glaube bedarf der *Übung,* um stark zu werden, und er übt sich in seinen Früchten, den Werken. Der Glaube, immer im Kampf mit dem bösen Gewissen, dem Schuldbewußtsein vor Gott, überwindet dieses leichter, wenn er dem Bruder in der Liebe dient[14]. So wird – nach 1 Joh 3,19 – das Herz getröstet und aufgerichtet vor

aus einer Predigt stammen, die Luther natürlich deutsch gehalten hat. So ist die Rückübersetzung aus der Nachschrift Rörers, soweit sie Luthers Worte lateinisch wiedergibt, berechtigt und sachgemäß.

11. Vgl. die in meiner »Christl. Wahrheit« II, 459 (3. Aufl., 644 f.) angeführten Stellen aus Luther, vor allem auch 32, 423. Sind die Predigten über Mt 5–7 auch von anderer Hand bearbeitet (32, LXXVI), so wird ihre inhaltliche Echtheit doch durch andere unfraglich authentische Lutherstellen bestätigt.

12. 39 II, 248,11.

13. 20, 715 ff. In der Vulgata, die Luther zugrunde legt, lautet die Stelle: In hoc cognoscimus quoniam ex veritate sumus, et in conspectu ejus suadebimus corda nostra.

14. 20, 716,3: Stabilitur fides ipsa fructu, usu, exercitio, alioqui fides est seer schwach. Exercenda fides, ut liberetur a mala conscientia, ut serviat fratri, tum volare in misericordiam dei, i. e. possumus consolari et erigere corda nostra coram eo, ut fiduciam habeamus ... Vgl. 36, 467,7 f.: sed exerce, ut fides fortis fiat, ut possit vincere wellen.

Gott und gewinnt Zuversicht. Der reformatorische Vorbehalt bleibt ganz klar: Die Werke gelten nicht zur Gerechtigkeit! Aber sie bedeuten auch kein Hemmnis für den Glauben; im Gegenteil: sie fördern ihn[15]. Wir beachten: für die *Rechtfertigung* vor Gott kommen die Werke, also auch die Liebe, nicht in Betracht, wohl aber für den *Glauben* an die Rechtfertigung, nämlich für seine Gewißheit, rechter Glaube zu sein, und für seine Kraft. Vor Gott kann unsere Liebe nach Luther schon deshalb nicht gebracht werden, weil sie unvollkommen bleibt, der Mensch aber einer völligen Gerechtigkeit vor Gott bedarf. Der Mensch kann und soll überhaupt nichts als Leistung oder Qualität vor Gott bringen. Er ist Gott recht allein in der Haltung reinen Empfangens. Die Zuordnung der Liebe zum Glauben hat also nicht den Sinn, dem Glauben über das bloße Empfangen hinaus doch noch eine ethische Qualität einzugießen. Er ist und bleibt nichts als Empfangen, Bereitschaft für Gottes Verheißung und Tat. Aber das ist die Frage, ob er wirklich, wie er meint, empfängt oder nicht und es sich nur einbildet, sich selbst und andere täuscht. Das Empfangen der Liebe Gottes zeigt sich notwendig darin, daß der Mensch nun in der Liebe *lebt*, daß er – wie Luther sich ausdrückt – »mit der Tat sagt«, daß er glaubt und das Heil empfangen hat. So stehen Glaube und Liebe bei Luther in Disjunktion, wenn es um die Frage geht, wodurch der Mensch vor Gott gerecht werde; aber in Konjunktion, wenn gefragt wird, ob der Glaube, mit dem der Mensch die Rechtfertigung empfangen soll, konkret bei ihm rechter Glaube sei, nämlich wirkliches Empfangen der Liebe Gottes.

Fünf Jahre später, 1532, hat Luther die Stelle 1 Joh 4,17 in seinen Reihenpredigten über 1 Joh 4,16 ff. aufs neue ausgelegt[16], und zwar ganz anders als 1527, anders auch als die entsprechende Stelle 1 Joh 3,19 f. Er hat jetzt erkannt, daß unter der Liebe, die zu ihrer Vollendung kommt, die Liebe der *Christen* zu verstehen ist. Damit bleibt er also in der Linie seiner Exegese von 3,19 f. in den Vorlesungen. Aber die Zuversicht oder Freudigkeit, welche die Liebe verleiht, wird nicht mehr auf das Verhältnis zu Gott bezogen. Luther unterscheidet vielmehr eine *doppelte Freudigkeit* (oder »Trotz« oder »Ruhm«)[17] und dementsprechend eine doppelte Furcht[18], welche durch die Freudigkeit und

15. 20, 716,6: opera non valent ad justiciam, sed fidem tamen non impediunt sed promovent.

16. 36, 416 ff.

17. 36, 454,8: quod nos Christiani habemus duplicem fiduciam vel rhum, den hochsten an unserm herrn Christo und Heiland, das unser fiduciam da hinsetzen endlich, quando omnia feylen an operibus et verdienst, qui portavit peccata nostra in corpore. Das ist der heubt rhum und der hochste trotzte, drauff wir baptizati et in quo mori ... 2. Etiam fur Gott, non gegen Gott, sollen auch trotzen und ein hochmut und stoltz haben gegen die schendlich welt.

18. 464,16: Ibi discerne furcht und furcht.

zu ihr überwunden wird. Am Tage des Gerichts steht der Christ einerseits Gott dem Herrn als seinem Richter gegenüber und muß den Zorn fürchten – die »Furcht, die von oben herabfället[19]«. Denn vor Gott, angesichts des Tiefganges seiner Gebote, ist jeder Mensch verloren, weil schuldig. *Coram te sum peccator*[20]. Aber andererseits treten, wenn der Tod kommt und am Tage des Gerichts, ja schon vorher im Leben der Satan, der Tod, die Welt, mein Nächster, an dem ich schuldig geworden, dem ich viel schuldig geblieben bin, gegen mich auf[21]. Sie verklagen mich wegen des Mangels an guten Werken, wegen meiner Übertretungen der Gebote Gottes. Auch das muß ich fürchten – es ist die Furcht von unten, von der Welt her[22].

Jene Furcht, die »Hauptfurcht gegen Gott[23]«, kann nicht anders überwunden, die Freudigkeit, das Rühmen gegenüber Gott nicht anders begründet werden als mit Christus, mit Gottes Heilstat in ihm, also im Glauben an Christus. Die Furcht vor Gott um unserer Sünde willen »wird allein durch den Glauben besiegt«. Der Glaube wirkt die »Hauptfreudigkeit[24]«, den »Hauptruhm[25]«. Die Furcht, »die von oben herabfällt«, zu überwinden, »da gehört zu die Tauf, Evangelium. Das ist ein hoher Trotz, der steht nicht in uns, sondern in Christo[26]«.

Aber die Furcht angesichts der Anklagen seitens des Satans, des Todes, der Welt, meines Nächsten muß auf andere Weise überwunden, die Freudigkeit demgegenüber anders begründet werden, nämlich durch gute Werke, durch die Liebe. Vor Gott ist unser Gewissen immer böse. Aber gegenüber den Mächten und Menschen gilt es, wie Paulus (1 Kor 4,4; 2 Kor 1,12; 2 Tim 4,7), ein gutes Gewissen zu haben[27] eben durch die Erweisung der Liebe, mit der wir Gottes Zehn Gebote in unserem Amt, am Nächsten erfüllt haben[28]. Diese Liebe ist zwar vor Gott nicht vollkommen[29]. Das meint der Apostel Johannes auch nicht mit dem Satz »darin ist die Liebe völlig bei uns« – »völlig« bedeutet, daß die Liebe »voll« ist, nicht eine »ledige Hülse«, nicht »falsch«, »nichtig«, nicht eine Liebe, die »nur im Munde schwebet«, aber es »ist nichts dahinter[30]«. Luther erklärt im Blick auf Aussagen des Paulus, daß es dem Christen möglich ist, in diesem Sinne völlige Liebe zu haben, also alles getan zu haben, was er dem Nächsten schuldig ist. Auf diese Weise, »durch rechtschaffene *opera*, die man greift«, bringt die Liebe die verklagenden Stimmen der anderen zum Schweigen und muß sich nicht fürchten[31]. Ich kann mein Amt, das ja in jedem Falle ein Dienst der Liebe ist, ordentlich und treu und völlig versehen haben –

19. 472,2.   20. 462,4.   21. 445,5; 466,11; 474,11.
22. 472,1.   23. 463,12.   24. 448,2.
25. 455,2.   26. 472,2.   27. 455,16; 449,1.
28. 444,10: Ideo non habere charitatem eam, quae tantum in ore schwebt, quae est ein nichtige lieb, sed plenam, sol mir ein freydig hertz machen, quando mors herghet et judicium, ut dicere possim: Ich hab dennoch meinem nechsten dis und das gethan.
29. 445,9.   30. 444,10; 445,6.   31. 455,6; 466,3.

Luther rühmt sich dessen persönlich im Blick auf sein Predigtamt[32]. Hier hat das Rühmen und Trotzen eines guten Gewissens seinen Platz[33].

Unter keinen Umständen aber reicht das Gott gegenüber aus. Der Christ kann sich seiner Berufserfüllung in der Liebe wohl den Mächten und Menschen gegenüber *coram Deo*, im Angesichte Gottes rühmen, aber niemals *erga Deum*, Gott gegenüber, in seinem Verhältnis zu Gott[34]. Denn vor den Geboten, wie Gott selbst sie auslegt, besteht kein Mensch[35]. Luther unterscheidet also scharf ein zwiefaches Soll in Gottes Geboten, nämlich das, was *Gott* von uns erwartet, und das, was mein *Nächster* und die *Welt* von mir erwarten kann – Gott der Herr hat mehr zu fordern als mein Nächster und die Welt. Es macht einen himmelweiten Unterschied, ob ich es mit Gott zu tun habe oder mit meinem Nächsten, mit den Menschen und Mächten, die mich verklagen. »Mit Gott will ich nicht anders rechnen als durch Christum[36].« – »Mit Gott muß ich anders reden«, nämlich als mit den Menschen und Mächten[37]. Mit Gott kann ich nur so reden, daß ich auf Christum weise und mich an ihn halte[38].

So kann ich auf mein Liebeshandeln nur den Menschen und Mächten gegenüber pochen, nicht Gott gegenüber. Ich kann und darf also nicht meinen, hiermit selig zu werden, mein Heil zu schaffen. Das schärft Luther unermüdlich ein. Es handelt sich hier um zwei ganz verschiedene Dimensionen. Die Gegner – so sagt Luther – bringen beide ständig durcheinander[39]. Die Furcht, aus der

32. 470,5; 474,3.24 (Crucigers Bearbeitung).

33. 451,7: Gott wird mich wol verklagen etc. Sed ich wil mit freuden her tretten coram hominibus ...

34. 455,3: Etiam fur Gott, non gegen Gott ...; – 446,9: Mein vicinus vel amicus kan mich nicht einer Sünde zeyhen, ut quisque kunne ein fiduciam, rhum bei sich finden. – 455,6: ut in die extremo habeamus et dicere possimus: hoc et hoc feci, passus, non me ultus, malum pro malo, sed non solum amicum dilexi, sed etiam inimicum, optimum feci. Den trotz wollen wir bringen fur das jungst gericht contra mundum. – 463,16: das quisque quisque Christianus sic vivat, ut cor ejus fiduciam habeat und sich rhumen kunne contra mundum totum et diabolum, als qui vixerit unstrefflich, das ihn die gantz welt nicht kan taddeln.

35. 451,4: Sed quando tu vis glosirn praecepta, nolo gloriari, sed oppono Jhesum Christum.

36. 453,5.   37. 470,3.

38. 448,4: Ibi nheme ich den man Christus Jesus und setz in zwisschen mir und deum. Das ist die allergroste fiducia, dies allein tut, quia nihil habeo darauff ich trotz quam Christum ... – 450,4: Coram deo nihil mea gloriatio nisi Christus ... – 455,15: Sed das (der Trotz gegen Welt und Satan) ist nicht der höchste Trotz, sed da sol mir der Herr Christus sthen. – 463,12 von dem Ruhm und Trotz auf Grund der Liebe: Econtra machts einen Mut, nicht depellit die heubtfurcht gegen Gott, da gehort der ander trotz und rhum her.

39. 466,10: Hanc fiduciam (auf Grund der Werke) habere debet, non ut drauff boche und trotz, quod per eam salvari velit ...

Psalm 6 kommt (»Straf mich nicht in deinem Zorn und züchtige mich nicht in deinem Grimm«), wird nicht von der Liebe hinausgeworfen, sondern nur von Christus, im Glauben an ihn[40].

Auf der anderen Seite aber ist das Wandeln und Wirken in der Liebe und die Freudigkeit, die es für den Gerichtstag gibt, nämlich den Anklägern gegenüber, doch von großer Bedeutung für den Christen, wenn es auch das Heil nicht zu schaffen vermag. Ohne die Werke der Liebe an jenem Tage erscheinen müssen – das bedeutet Furcht, und die Furcht hat nach 1 Joh 4,18 »Pein«. Denn die Anklagen der Menschen und Mächte treffen ja ins Gewissen. »Wer erschreckt wird, der muß Marter haben, denn das Gewissen ist das große Kreuz auf Erden[41].« Fehlen die Werke, dann wird das Herz unter der Anklage Satans und der Menschen »blöde und zappelt«. »Es martert einen, daß er sagen muß: Ich habe dennoch nicht recht getan, die Obrigkeit verachtet, meinen Lehrer, meinen Mann nicht geehrt[42].« Das »tut weh« – so gibt Luther das johanneische »die Furcht hat Pein« wieder[43]. Das kommt zu der Furcht vor Gottes Zorn, die jeder Mensch haben muß, noch hinzu. Wie soll der Mensch mit dieser Doppellast fertig werden? »Sollst du das Stechlein überwinden, den Mund des Nächsten, des Teufels *und* Gottes Zorn, so hast du doppelte Mühe. Ja, Lieber, es mocht dir zu schwer[44].« Luther kann sagen: »Jenen Ruhm (auf Grund der Liebeswerke) muß ich auch bringen, oder Gott wird mir nicht freundlich zusprechen[45].« Mit anderer Wendung: es »schadet« dem Glauben, kein Werk zu haben. Er muß »geübt«, in Bewegung gesetzt werden[46]. Es ist schwer, im letzten Stündlein zu glauben, wenn der Christ keine Erfahrung und Zeichen des Glaubens aufzuweisen hat. »Es ist schwer, daß sich einer soll schwingen auf die bloße Gnade Gottes[47].« So weit geht Luther mit dem Drängen auf Übung des Glaubens in der Liebe und ihren Werken! Es ist Not für den Glauben, wenn er der Bewährung im Leben, der »Zeichen«, die sie ihm bedeutet, entbehrt.

Umgekehrt, positiv: mit den Liebeswerken ins Gericht kommen, das bringt zwar nicht die Seligkeit ein – diese hängt ganz und gar an Gottes vergebender Gnade –, wohl aber die »Krone«, von der der Apostel Paulus 2 Tim 4,8

40. 477,3: Sed in ps. 6 est alius timor, quem non charitas eiicit, sed Christus.

41. 477,4.

42. 471,3. Vgl. 466,11: Sonst, wo das nicht ist cum mors venit, incipit cor und schmeltzt im leib weg ut sal in aqua.

43. 475,7; 477,6.

44. 471,6.   45. 446,5.

46. 467,1: Dennoch tut das opus et peccatum ein grossen Schaden fidei, quia non exercitata, solicitata.

47. 446,12. Cruciger im Druck: »da gehöret Kunst zu, daß er Christum ergreife in dem letzten Stündlein, da er keine Erfahrung noch Zeichen des Glaubens aufbringen kann« – nämlich »wenn alle Welt über ihn klaget und sein eigen Gewissen wider ihn zeuget« (446,35).

spricht: »Hinfort ist mir beigelegt die Krone der Gerechtigkeit, welche mir der Herr an jenem Tage, der gerechte Richter, geben wird ... « Obgleich der Christ vor Gott ein Sünder ist und bleibt, wird Gott ihm, weil er der Welt trotz ihrer Undankbarkeit unermüdet weiter gedient hat, die Krone geben[48]. Luther unterscheidet also zwischen der Seligkeit, dem Heil einerseits, der Krone oder dem Ruhm, der Ehre, der Herrlichkeit andererseits.

Verglichen mit dem Rühmen des Glaubens um Christi willen ist der Ruhm im Blick auf die Liebeswerke freilich »der gering Ruhm«, Zuversicht niederen Grades – und doch müssen wir sie haben, damit die Welt uns nicht vor Gott verklage[49].

Auf der anderen Seite ist das doch nicht das letzte Wort. Luthers seelsorgerliche Theologie muß auch zu denen noch ein Wort sagen, welche wegen ihres Mangels an Werken unter den Anklagen der Menschen und Mächte sich so fürchten, daß sie ganz verzagen und verzweifeln. Das will Gott nicht. Zwar schafft die Furcht, die aus dem Mangel an gelebter Liebe entspringt, »Pein«. Aber – so schärft Luther mehrmals ein – der Christ soll doch nicht verzagen und verzweifeln. Denn Gott hat uns geboten zu glauben und Freudigkeit zu haben. »Die Furcht soll nicht die Überhand haben, sondern der Glaube«, der freilich, wie wir schon hörten, durch den Mangel an Bewährung in der Liebe, durch die Sünden gegen die Gebote »geschwächt« wird. Aber der Hinweis hierauf hat nicht den Sinn, daß der Mensch darum verdammt werde[50]. Wer die Werke nicht

48. 462,4: Coram te sum peccator, sed quia ingrato mundo servivi, propter hoc dabit mihi coronam, quanquam per hoc non salvatur, aber der rhum, die Chron, herlichkeit und ehr wird da sein ... Vgl. die Wiedergabe durch Cruciger im Druck 462,15. – Zwischen der Seligkeit, die für alle gleich ist, und der Ehre oder Herrlichkeit, die je nach dem Maß des Leidens um Christi willen abgestuft sein wird, unterscheidet Luther auch sonst; z. B. 32, 543. Wenn die Bearbeitung dieser Predigt für den Druck recht hat, dann hat Luther hier geradezu von »Verdienst und Lohn« der Christen bei Gott sprechen können. »Auf diese Weise lassen wir nun zu, daß die Christen Verdienst und Lohn bei Gott haben, nicht dazu, daß sie Gottes Kinder und Erben des ewigen Lebens werden, sondern den Gläubigen, die bereits solches haben, zu Trost, daß sie wissen, daß er nicht wolle unvergolten lassen, was sie hier um Christi willen leiden. Sondern wenn sie viel leiden und arbeiten, so wolle er sie am jüngsten Tag sonderlich schmücken, mehr und herrlicher denn andere als sondergroße Sterne vor anderen. Also wird S. Paulus vor andern helle und klar daher leuchten aufs allerschönste. Das heißet nicht Vergebung der Sünde noch den Himmel verdient, sondern Vergeltung des Leidens mit desto größerer Herrlichkeit.« Vgl. weiter 36, 635,8.

49. 456 ff. Vgl. die breitere Ausführung im Druck 457,23. – Ferner 477,6: Des sollen wir uns überheben, das wir doch in inferiori gradu fiduciam haben ...

50. 470,9; 471,3. Sie vero viverem und hätte die Ehe gebrochen, Jungfrauen geschwächt, wär cor erschrocken, wiewohl timor nicht die Überhand soll haben, sed fides, tamen schwächt sie ... cor wird blöde und zappelt. Sed non ideo dicendum, quod damnetur. Et tamen habet Pein.

hat, soll doch nicht verzweifeln; auch er kann im Glauben an Gottes Gnade selig werden. Das hatte Luther auch 1527 in der Vorlesung über den 1. Johannesbrief zu 3,19 f. schon gesagt: Wir sollen gewiß darauf sehen, durch Handeln
aus der Liebe ein gutes Gewissen zu haben; aber auch in dem Falle, daß die
Werke fehlen oder Werke gegen die Liebe uns verklagen, wenn wir also das,
was V. 19 von dem Wandel in der Liebe sagt, gerade nicht können, nämlich
»unser Herz vor Gott stillen« – auch dann werden wir nicht ohne Trost gelassen; dann sollen wir uns vielmehr erinnern, daß uns nicht etwa nur geraten,
sondern vielmehr *geboten* ist, auf den Herrn zu hoffen – daher dürfen wir
trotz allem nicht verzweifeln. Es ist das schlechthin höchste Gebot, die Summe
des Evangeliums, daß wir die angebotene Gnade im Glauben ergreifen – dadurch werden wir würdig vor Gott[51].

So wird der Dialektik des Verhältnisses von Glaube und Liebe nach allen
Seiten ihr Recht. Der Glaube an die im Evangelium angebotene Gnade macht
selig, er allein. Aber der rechte Glaube erweist sich in der Liebe. Fehlt es daran,
so wird es dem Glauben schwer, Glaube zu sein, die Anklage des bösen Gewissens zur freudigen Heilsgewißheit zu überwinden. Und doch kann man
dann den Menschen zu nichts anderem rufen als eben zum Glauben. *Si deficiunt
tibi opera, non tamen deficiat fides.* Fehlt es dir an Werken, so soll es doch am
Glauben nicht fehlen[52].

Ist diese Auslegung Luthers textgemäß? Entspricht sie der Theologie des 1. Johannesbriefes?

Luther weist darauf hin, daß der 1 Joh das Heil einmal an den Glauben
an Jesus Christus, das andere Mal an die Liebe bindet. 1 Joh 4,15 heißt es:
»Wer nun bekennt, daß Jesus Gottes Sohn ist, in dem bleibet Gott und er bleibt
in Gott.« V. 16 dagegen lautet: » ... wer in der Liebe bleibt, der bleibt in Gott
und Gott in ihm.« Luther sagt: »Es ist beides wahr.« – »Es steht beides da[53].«
Aber man muß beides so unterscheiden: der Glaube hilft zu der »Hauptfreudigkeit« gegen Gott, die Liebe zu der Freudigkeit gegenüber der Gemeinde und

---

51. 20, 716,10: Et non sinit sine consolatione, qui sic non possunt suadere corda sua.
Esto, quod lapsi simus in peccatum aliquod, tamen non diffidendum. Si vero, ita quod
non possumus suadere corda nostra propter malam conscientiam, desunt tibi opera,
adest ignavia vitae et peccata tua, si deest suadela, »reprehendit« (V. 20), si vexaverit te
ignavia vitae vel opus contra charitatem, non desperabis (bei Rörer steht: *sperabis*;
aber das ist ein Versehen; die Jacob Propst zugeschriebene Aufzeichnung hat richtig verstanden *desperabis*; 20, 716,21), quia praeceptum est (non consilium), ut speres in dominum. Est simpliciter summum praeceptum, ut recipiamus, et per hoc efficimur digni.
Vgl. dazu die Wiedergabe nach Propst, 716,24.

52. 20, 716,29.

53. 36, 447,7.

Welt. »Durch den Glauben rühme ich mich, daß ich Gottes bin, durch die Werke und die Liebe rühme ich, daß niemand etwas gegen mich hat[54].« Indessen diese Unterscheidung ist schwerlich im Sinne des Briefes. Johannes meint ohne Frage in V. 17 mit der »Zuversicht« oder »Freudigkeit am Tage des Gerichts« die Zuversicht *Gott* gegenüber, nicht nur den Menschen und anderen Anklägern gegenüber. Im Sinne des Briefes ist das Heil, das »Bleiben in Gott« in gleicher Weise an das Glauben und an das Lieben gebunden, ohne Unterscheidung des Forums, vor dem das eine und das andere wirksam ist. Der Brief nimmt Glaube und Liebe eben als eine unzerreißbare Einheit. Daher kann er das Heil sowohl an das eine wie an das andere binden. Die Differenzierung, die Luther hier vornimmt, ist dem Text fremd. Es handelt sich beide Male um das Gericht *Gottes*, um *sein* Urteil. Von den Menschen und Mächten, die wider uns sind und uns verklagen, ist nicht die Rede[55]. In dieser Hinsicht war Luther 1527, in der Vorlesung, bei seiner Auslegung von 3,19 Johannes näher als hier; denn dort hat er richtig erkannt, daß Johannes die Gewißheit um unser Heil bei Gott an die Liebe bindet. In anderer Hinsicht freilich weicht Luther auch dort von Johannes ab. Denn bei Johannes ist es der Wandel in der Liebe, der das anklagende Herz zum Frieden bringt, und der weitere Hinweis darauf, daß »Gott größer ist als unser Herz« und »alles erkennt«, führt darüber nicht hinaus und davon nicht fort, denn eben diese Gewißheit ist daran gebunden, daß der Christ in der Liebe wandelt[56]. Bei Luther dagegen ist nicht nur mit dem Text davon die Rede, daß wir unser Herz als die in der Liebe Wandelnden stillen können, sondern wird weiter der Fall behandelt, daß es an dieser Liebe, die das Herz beschwichtigen kann, fehlt und für diesen Fall auf Gottes Gebot, nicht zu verzweifeln, sondern zu glauben verwiesen und V. 20, daß Gott größer ist als unser Herz, offenbar in diesem Sinne verstanden: »Das Gewissen ist ein einziges Tröpflein, Gott, mit uns versöhnt, ist ein Meer des Trostes[57].« Nach Luther ist also V. 20 auf den Fall bezogen, daß uns die Liebe *fehlt*. Der Text läßt von diesem Wechsel der Beziehung nichts erkennen; gegen das Verklagen des Herzens kommt vielmehr gerade die Gewißheit auf, daß Gott, der uns ganz durchschaut, die Liebe in uns sieht, die trotz allem, was uns sonst verklagen muß, als sein Geschenk da ist[58]. Daß Gott »alles kennt« (V. 20), besagt bei Johannes doch wohl, daß er, besser als wir, die Tiefe unseres Herzens, das von seiner Liebe bewegt ist, kennt. Bei Luther dagegen heißt es: in der Verwirrung und Beschämung meines Herzens, das mich verurteilt, »weiß ich nicht, wie ich mir

54. 454,1.
55. Vgl. *W. v. Loewenich*: Luther und das johanneische Christentum. 1935. S. 28 f.
56. Vgl. *F. Büchsel* zu 3,19 f.
57. 20, 716,35: Conscientia est una guttula, Deus placatus est mare solatii.
58. So *Büchsel*, S. 58: »... daß Gott über unserer Sünde unsere doch auch noch vorhandene Liebe nicht vergißt ...«

raten soll«, Gott aber weiß, »wo ich hinaus soll«; »wenn ich nicht weiß, wie es hinausgehe, er selber weiß es«, nämlich daß meine Sünde in der Vergebung von mir genommen ist[59]. Bei Johannes ist an der ganzen Stelle, in V. 20 so gut wie in V. 19, die *Liebe* das Entscheidende, das, was die Zuversicht gibt und den Glauben von V. 20 trägt und möglich macht (»um wirklich an Liebe glauben zu können, muß man wirklich Liebe üben«, *Büchsel*). Luther dagegen sieht in V. 20 den Rückgang von der Liebe zum *Glauben*[60].

Luthers Unterscheidung einer doppelten Furcht, einer doppelten Freudigkeit, eines guten Gewissens den Menschen und Mächten, eines bösen Gott gegenüber ist also in dem Johannes-Text nicht begründet. Aber Luther kann sich dafür doch auf Paulus berufen, den er denn auch in der Auslegung von 1 Joh 4,17 immer wieder anführt[61]. Er kann sich darauf stützen, daß Paulus, der Zeuge der Gnade, die den Gottlosen gerecht spricht, zugleich »Ruhm« begehrt, den niemand ihm nehmen soll, und ein gutes Gewissen gegenüber den Menschen, der Gemeinde, der Welt erstrebt und bekundet[62]. Der Menschen und Gottes Urteil über ihn, das ist zweierlei. Der Kritik und Anklage der Menschen, auch der Christen, der Gemeinde gegenüber bekennt er sein gutes Gewissen (1 Kor 4,4; 2 Kor 1,12). Er weist ihre Kritik zurück. Aber mit Gottes Urteil ist es eine andere Sache: auch mit seinem guten Gewissen vor den Menschen ist er vor Gott nicht gerechtfertigt (1 Kor 4,4b). Vor dem eschatologischen Zorn Gottes wird ihn wie alle Christen nicht sein gutes Gewissen vor den Menschen, sondern allein der gekreuzigte Christus retten (Röm 5,9). Hier ist die doppelte Dimension, in der Luther denkt, vorgebildet. Auch Paulus kennt das doppelte Forum. Man wird weiter an 1 Kor 3,12 ff. erinnern können: Paulus setzt den Fall, daß die Werke eines Christen – zunächst ist an die Boten des Evangeliums gedacht – sich im Feuer des Gerichts als nichtig erweisen und verbrennen; damit leidet er »Schaden« – man darf das aus den anderen Aussagen des Apostels dahin interpretieren: er hat keinen Ruhm wie ein Diener Christi, der recht gearbeitet hat – aber er wird trotzdem durch die Gnade selig werden, »doch so, wie durch Feuer hindurch«. Hier ist beides ausgesagt: die Not, die es bedeutet, im Gerichte ohne feuerbeständiges Lebenswerk zu erscheinen, und zugleich die Gnade, die dennoch rettet. Hier ist der Schriftgrund für Luthers Unterscheidung zwischen dem Ruhm, den die Liebeswerke geben, und dem Ruhm im Glauben an den Versöhner Christus. Der Apostel Paulus unterscheidet die Seligkeit, die

59. 717,8.20; 718,18. – Luther empfindet aber die Schwierigkeit der Stelle und wohl auch seiner Deutung, 717,4; 716,38. Er fragt: warum sagt Johannes nicht statt »weiß alles« vielmehr »kann alles«?

60. 717,15: De charitate itaque regreditur ad fidem.

61. 36, 449,1.8; 450,1 f.; 455,16; 465,11; 471,10 f. weist Luther auf 1 Kor 4,4 bzw. 2 Kor 1,12 hin.

62. 36, 453,6: Istam gloriationem ubique in Paulo (folgt 2 Tim 4,7).

allen zuteil wird, die an Christus glauben, und den Ruhm, den das Lebenswerk verleiht – freilich: der Ruhm ist offenbar nicht nur ein solcher gegenüber den Menschen und Mächten, sondern auch vor Gott, denn der Arbeiter im Dienst Christi wird Lohn empfangen, ein jeglicher nach seiner Arbeit (1 Kor 3,8). Den Lohn gibt Gott, aber er ist etwas anderes als die Rettung, das Heil. Luthers Unterscheidung zwischen der Seligkeit, die für alle die eine und selbe ist, und der Ehre oder Herrlichkeit, die abgestuft ist, kennt schon der Apostel. Luther hat im Sinne dieser Unterscheidung auch, wie wir sahen, 2 Tim 4,7 f. verstanden. Hier rühmt sich nicht der Glaube vor Gott des Herrn Christus, sondern die Liebe dessen, was sie gewirkt hat[63]. Die Krone der Gerechtigkeit, die der Apostel erwartet, ist nach Luther nicht von der Seligkeit zu verstehen, sondern von der Herrlichkeit und Ehre, die dem treuen Arbeiter und Kämpfer nach dem Maße seiner Treue und seiner Mühsal im Wirken und Leiden verliehen wird[64]. Luther deutet die Stelle nach der Analogie des Ganzen der paulinischen Theologie. Aber der deuteropaulinische Mann, der 2 Tim 4 redet, hat es wohl anders verstanden: der Kranz ist die Seligkeit.

Luthers Auslegung von 1 Joh 4,17 ist, wie wir sahen, sich nicht immer gleich geblieben, sondern hat sich gewandelt. Wie hat er die Stelle gegen Ende seines Lebens verstanden? Wenn ich recht sehe, hat er jene Unterscheidung einer doppelten Zuversicht, wie er sie in den Predigten von 1532 machte, später nicht wiederholt. Er hat immer wieder betont, daß die Liebe ein Kennzeichen des rechten Glaubens sei, nicht nur für die anderen Leute, sondern auch für den Glaubenden selbst. Das bedeutet nichts anderes, als daß die Gewißheit, der eigene Glaube sei recht, nicht ohne die Liebe erreichbar ist – damit aber die Heilsgewißheit selbst, nämlich die Gewißheit um Gottes Barmherzigkeit. Die Zuversicht, welche die Liebe gibt, gilt dann nicht nur gegenüber den Verklägern, sondern sie bezieht sich auf Gott selbst, sie ist Gewißheit um seine Barmherzigkeit, weil Gewißheit der Echtheit des eigenen Glaubens an das Evangelium. So sind die letzten Äußerungen Luthers, in denen 1 Joh 4,17 vorkommt, zu verstehen. Vor allem jene Stelle aus der Disputation von 1543, auf die wir schon S. 375 hinwiesen: »Die Liebe ist das Zeugnis des Glaubens und macht, daß wir Zuversicht haben und der Barmherzigkeit Gottes gewiß sind[65]«. Hier gibt Luther 1 Joh 4,17 wieder, und zwar in anderer Auslegung als 1532. Nicht anders wird man Luthers letzte Predigt über unseren Text, vom 7. Juni 1545, zu verstehen haben, aus der wir auch schon S. 374 einiges anführten. Da heißt es, nachdem der Prediger kräftig zum Beweisen des Glaubens im Leben gerufen und seine eigene Zuversicht in dieser Hinsicht ausgesprochen hat: »Wenn ich

63. 36, 453,6.
64. 462,3.
65. 39 II, 248,11.

nicht diese Zuversicht gegen Gott im Jüngsten Gericht und gegen dich ... « (da setzt die Nachschrift Rörers aus und es heißt nach der Auslassung dann weiter: »ich weiß dann, daß mein Glaube nicht eitel ist[66]«). Der Sinn ist klar: Wenn ich nicht durch den Beweis meines Glaubens mit der Tat Gewißheit um seine Echtheit und damit Zuversicht im Blick auf Gott und auf dich, meinen Nächsten hätte, so wäre ich verloren. Auch hier stehen, wie 1532, Gott und der Nächste nebeneinander, aber nicht so, daß die aus dem Liebesbeweis des Glaubens fließende Zuversicht nur dem *Nächsten* gegenüber von Gewicht wäre; nein, auch die Zuversicht *Gott* gegenüber hängt an der Liebe. Die Unterscheidung von 1532 ist nicht wiedergekehrt. Luther legt den Text jetzt in seinem echten Sinne aus.

66. 49, 784,18: Si non hanc fiduciam erga Deum in juditio extremo et te etc. scio quod non vana fides.

Register

Das Register bietet außer den wichtigsten Begriffen auch die Namen der biblischen Autoren, auf die Luther sich bezieht, sowie der alten und neuen Theologen, die im Texte vorkommen, dagegen nicht die Namen der Verfasser von Werken zu Luthers Theologie, die in den Anmerkungen genannt werden.

392